L'ESSENTIEL
EN SOINS INFIRMIERS
GÉRONTOLOGIQUES

CAROL A. MILLER

ADAPTATION DE IVAN L. SIMONEAU

AVEC LA COLLABORATION DE NATHALIE RAYMOND

Beauchemin

CHENELIÈRE ÉDUCATION

L'essentiel en soins infirmiers gérontologiques

Traduction de : *Nursing for Wellness in Older Adults* de
Carol A. Miller © 2004 Lippincott (ISBN 0-7817-3808-3)

© 2007 Groupe Beauchemin, Éditeur Ltée

Édition : Brigitte Gendron
Coordination : Josée Desjardins, Martine Brunet
et Michèle Vanasse
Traduction : Johanne Roy
Révision linguistique : Nathalie Mailhot et Anne-Marie Trudel
Correction d'épreuves : Renée Bédard et Odile Dallaserra
Conception graphique : Pénéga Communication inc.
et Infoscan Collette
Infographie : Infoscan Collette
Conception de la couverture : Pénéga Communication inc.

**Catalogage avant publication
de Bibliothèque et Archives nationales du Québec
et Bibliothèque et Archives Canada**

Miller, Carol A.

L'essentiel en soins infirmiers gérontologiques

Traduction de : Nursing for Wellness in Older Adults.

Comprend des réf. bibliogr. et un index.
Pour les étudiants du collégial.

ISBN 978-2-7616-3179-2

1. Soins infirmiers en gériatrie. 2. Personnes âgées – Soins.
I. Simoneau, Ivan L., 1958-   . II. Raymond, Nathalie. III. Titre.

RC954.M5414 2007   618.97'0231   C2007-940534-7

Beauchemin

CHENELIÈRE ÉDUCATION

7001, boul. Saint-Laurent
Montréal (Québec)
Canada H2S 3E3
Téléphone : 514 273-1066
Télécopieur : 514 276-0324
info@cheneliere.ca

ISBN 978-2-7616-3179-2

Dépôt légal : 2e trimestre 2007
Bibliothèque et Archives nationales du Québec
Bibliothèque et Archives Canada

Imprimé au Canada

1 2 3 4 5 ITG 11 10 09 08 07

Nous reconnaissons l'aide financière du gouvernement du Canada
par l'entremise du Programme d'aide au développement de l'industrie
de l'édition (PADIÉ) pour nos activités d'édition.

Gouvernement du Québec – Programme de crédit d'impôt pour
l'édition de livres – Gestion SODEC.

La pharmacologie est un domaine en constante
évolution. Les mesures de sécurité normalement
admises doivent être suivies, mais il est parfois
nécessaire ou indispensable de modifier les
traitements ou les pharmacothérapies à mesure
que les nouveaux résultats de recherche et l'expérience clinique viennent enrichir nos connaissances. Nous conseillons au lecteur ou à la lectrice
de lire les derniers renseignements fournis par
le fabricant de chaque médicament à administrer afin de vérifier la dose recommandée, la
méthode et la durée d'administration, ainsi que
les contre-indications. Il incombe au médecin
traitant de déterminer la posologie et le traitement qui conviennent à chacun de ses clients
sur la base de l'expérience et des renseignements
que ceux-ci lui auront fournis. Ni l'éditeur ni les
auteurs ou adaptateurs ne peuvent être tenus
responsables des dommages ou des préjudices
corporels ou matériels qui pourraient découler
de cette publication.

Dans cet ouvrage, le féminin est utilisé comme
représentant des deux sexes, sans discrimination à l'égard des hommes et des femmes, et
dans le seul but d'alléger le texte.

DANGER

LE
PHOTOCOPILLAGE
TUE LE LIVRE

Préface

Contrairement à ce que plusieurs pensent du travail en gérontologie, celui-ci n'est pas que routine et absence de défis, ni une certaine forme d'abandon thérapeutique à l'égard de ces personnes dont les maladies n'en finissent pas de guérir et chez qui les pertes s'additionnent. Certes, l'infirmière en soins aigus trouvera que la réadaptation est longue, qu'elle se fait à pas de tortue, mais c'est justement là tout le défi.

Pour avoir œuvré dans tous les domaines cliniques, des soins intensifs au bloc opératoire, de la médecine et de la chirurgie aux services de première ligne en CLSC, en passant par les programmes pour les personnes en perte d'autonomie et le maintien à domicile, je peux maintenant affirmer que je vois la gérontologie comme la somme de toutes les sciences. Je pense que mon expérience m'a bien préparé à différencier les pertes liées au vieillissement normal de celles qui résultent des affections aiguës et chroniques. Voilà tout un défi pour l'intervenant en gérontologie ; il s'agit même d'un art, celui d'investir et de persister dans la quête de l'autonomie pour ces personnes nobles, nos parents, nos grands-parents, qui ont toute une vie à nous faire partager.

L'infirmière trouve vraiment toute l'autonomie de sa profession dans le soin aux aînés. Cela demande beaucoup de créativité et de patience, mais, si minimes soient-ils, les résultats nous rendent fiers de notre profession. La plupart du temps, en gérontologie, nous ne parlons pas de maladies, mais plutôt de leurs effets sur la capacité d'autonomie fonctionnelle des personnes placées sous nos soins.

Au-delà des maladies et des pertes, nous devons avoir confiance dans un vieillissement en santé et dans la conservation de l'autonomie malgré l'avancement en âge. Aujourd'hui, la vieillesse est associée à l'âge de 85 ans ; pourtant, une multitude d'aînés autonomes peuplent nos villes et nos villages, nous faisant bénéficier de leur sagesse et de leur exemple dans cette volonté de demeurer autonome et de se soutenir mutuellement.

La gérontologie n'est pas une science terne, sans but et décevante. Elle est pleine de réussites que l'on peut apprécier, différemment et sur une ligne temporelle allongée, les jours de récupération devenant des semaines ou des mois. Quoi qu'il en soit, si l'on accorde du temps à la vie, tout finit par arriver. N'est-ce pas là un exemple de la sagesse qu'ont voulu nous inculquer nos parents et nos grands-parents ?

Cet ouvrage, soutien indispensable à tout intervenant en soins gérontologiques, est particulièrement bien adapté à la formation initiale de l'infirmière. Si la lecture de ce propos initial a réussi à modifier un tant soit peu votre vision quant à cette belle science qu'est la gérontologie, alors je pourrai déclarer : « Mission accomplie ! » Je vous souhaite donc de fructueux apprentissages.

Camille Dolbec, inf., B. Sc.
Chef de service, Unités prothétiques
Centre de santé et de services sociaux –
Institut universitaire de gériatrie de Sherbrooke
École des sciences infirmières de l'Université de Sherbrooke

Remerciements

La maison d'édition Chenelière Éducation tient à remercier toutes les personnes qui ont contribué à la réalisation de cet ouvrage pédagogique original et pratique.

Merci à Ivan L. Simoneau, inf., Ph. D., pour votre détermination, vos convictions et votre ouverture.

Merci à Nathalie Raymond, inf., B. Sc., pour votre apport exclusif et inédit, et pour votre rigueur.

Merci aux éminents collaborateurs du Centre de santé et de services sociaux – Institut universitaire de gériatrie de Sherbrooke (CSSS – IUGS) pour votre confiance et votre précieuse contribution :

- Jacques Allard, M.D.
  Directeur général du Centre d'expertise en santé de Sherbrooke, CSSS – IUGS

- Marcel Arcand, M.D., M. Sc.
  Chef du département de médecine générale, CSSS – IUGS
  Professeur titulaire, Département de médecine de famille de la
  Faculté de médecine et des sciences de la santé de l'Université de Sherbrooke

- Chantal Caron, inf., Ph. D.
  Professeure adjointe, École des sciences infirmières de l'Université de Sherbrooke
  Chercheure au Centre de recherche sur le vieillissement, CSSS – IUGS

- Camille Dolbec, inf., B. Sc.
  Chef de service, Unités prothétiques, CSSS – IUGS
  Adjoint à l'enseignement à l'École des sciences infirmières
  de l'Université de Sherbrooke

- Claire Ducharme, B. Pharm., M. Sc., M.A. (gérontologie)
  Pharmacienne, CSSS – IUGS

Merci à Bruno Pilote, inf., M. Sc., Cégep de Sainte-Foy, pour la révision scientifique du chapitre 5.

Merci aux infirmières et aux enseignants et enseignantes consultés pour votre évaluation, vos commentaires et vos recommandations :

- Marlène Boivin, Cégep de Chicoutimi
- Rachel Larocque, retraitée du Cégep François-Xavier-Garneau
- Lise L'Espérance, Centre de formation professionnelle L'Oasis, Chicoutimi
- Jean J. Lussier, Collège Montmorency
- Renée Parent, Collège Edouard-Montpetit
- Monique Roberge, retraitée du Cégep François-Xavier-Garneau
- Sylvie Rochon, Cégep de Trois-Rivières
- Michaela Sofian-Lamsanu, Collège Montmorency

Enfin, merci à l'équipe d'édition et de production pour votre implication et votre souci de la qualité et du détail.

Avant-propos

Les personnes âgées constituent le segment de population qui croît le plus au Canada. Les soins prodigués aux aînés se différencient sous plusieurs aspects de ceux qui sont donnés à l'ensemble de la population. Ces différences complexifient la tâche des infirmières ; ces dernières doivent être en mesure de cerner les interactions existantes entre le vieillissement et la maladie, la particularité des symptômes de divers états pathologiques et leurs conséquences sur l'autonomie fonctionnelle de la personne. Comme le rappelle monsieur Camille Dolbec dans la préface de cet ouvrage, les soins infirmiers gérontologiques constituent la somme de toutes les sciences de la santé.

L'essentiel en soins infirmiers gérontologiques répond aux besoins de formation dans le cadre du programme des soins infirmiers au collégial. Les auteurs et l'équipe de rédaction de l'ouvrage ont effectué une consultation auprès d'enseignantes et d'enseignants de cégeps en régions, en milieux urbains et métropolitains pour préciser les connaissances nécessaires afin d'intervenir auprès de la personne âgée ou en perte d'autonomie. Chaque aspect traité dans cet ouvrage prend notamment en compte les éléments relatifs à la compétence « Intervenir auprès d'adultes et de personnes âgées en perte d'autonomie requérant des soins infirmiers en établissement ».

L'essentiel en soins infirmiers gérontologiques présente les connaissances essentielles en lien avec les changements physiologiques et cognitifs liés à l'âge, les facteurs de risque qui touchent les personnes âgées et les conséquences fonctionnelles négatives qui en résultent. De plus, cet ouvrage propose des pistes précises pour élaborer des interventions en éducation pour la santé qui portent sur les problématiques de santé spécifiques aux personnes âgées ou en perte d'autonomie. De façon particulière, il examine les changements physiologiques et cognitifs liés au vieillissement au moyen d'un modèle explicatif, le modèle des conséquences fonctionnelles. Il jette un regard sur les problématiques du délirium et de la démence. Il traite des soins de confort en fin de vie chez les personnes atteintes de maladies neurodégénératives. Pour terminer, une partie traite de la gestion médicamenteuse en soins gérontologiques et, enfin, une dernière portion est destinée à la présentation et à la description d'outils d'évaluation nécessaires dans le cadre des soins auprès des personnes âgées et en perte d'autonomie.

En complément, un *guide de stage* accompagne l'ouvrage ; il offre notamment un rappel des pistes d'évaluation et d'intervention en fonction des différents changements physiologiques et cognitifs liés à l'âge.

Nous espérons que vous aurez autant de plaisir à vous référer à ce véritable outil d'initiation aux soins infirmiers gérontologiques que nous en avons eu à l'adapter et à le développer.

Ivan L. Simoneau, inf., Ph. D
Cégep de Sherbrooke
CSSS – Institut universitaire de gériatrie de Sherbrooke

Nathalie Raymond, inf., B. Sc.
Cégep de Sainte-Foy
CSSS – Vieille capitale

Les caractéristiques du manuel

L'ouverture des parties
La page d'ouverture de chacune des cinq parties présente une table des matières des chapitres contenus dans la section.

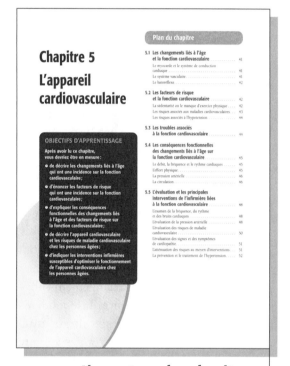

Chapitre 5

L'appareil cardiovasculaire

OBJECTIFS D'APPRENTISSAGE

Après avoir lu ce chapitre,
vous devriez être en mesure :

- de décrire les changements liés à l'âge qui ont une incidence sur la fonction cardiovasculaire ;
- d'énoncer les facteurs de risque qui ont une incidence sur la fonction cardiovasculaire ;
- d'expliquer les conséquences fonctionnelles des changements liés à l'âge et des facteurs de risque sur la fonction cardiovasculaire ;
- de décrire l'appareil cardiovasculaire et les risques de maladie cardiovasculaire chez les personnes âgées ;
- d'indiquer les interventions infirmières susceptibles d'optimiser le fonctionnement de l'appareil cardiovasculaire chez les personnes âgées.

L'ouverture des chapitres
La page d'ouverture de chacun des chapitres présente la liste des notions à maîtriser à la fin du chapitre ainsi qu'un plan de celui-ci.

Les renvois
Dans le texte principal, les renvois aux tableaux, aux figures et aux encadrés sont surlignés en jaune afin de faciliter leur repère visuel.

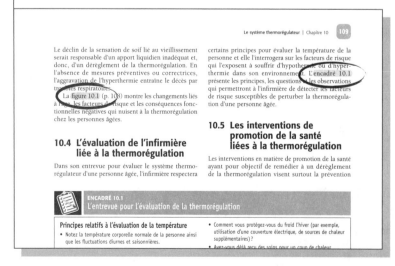

Le déclin de la sensation de soif lié au vieillissement serait responsable d'un apport liquidien inadéquat et, donc, d'un dérèglement de la thermorégulation. En l'absence de mesures préventives ou correctrices, l'aggravation de l'hyperthermie entraîne le décès par troubles respiratoires.

La figure 10.1 (p. 108) montre les changements liés à l'âge, les facteurs de risque et les conséquences fonctionnelles négatives qui nuisent à la thermorégulation chez les personnes âgées.

10.4 L'évaluation de l'infirmière liée à la thermorégulation

Dans son entrevue pour évaluer le système thermorégulateur d'une personne âgée, l'infirmière respectera certains principes pour évaluer la température de la personne et elle l'interrogera sur les facteurs de risque qui l'exposent à souffrir d'hypothermie ou d'hyperthermie dans son environnement. L'encadré 10.1 présente les principes, les questions et les observations qui permettront à l'infirmière de détecter les facteurs de risque susceptibles de perturber la thermorégulation d'une personne âgée.

10.5 Les interventions de promotion de la santé liées à la thermorégulation

Les interventions en matière de promotion de la santé ayant pour objectif de remédier à un dérèglement de la thermorégulation visent surtout la prévention

ENCADRÉ 10.1
L'entrevue pour l'évaluation de la thermorégulation

Principes relatifs à l'évaluation de la température
- Notez la température corporelle normale de la personne ainsi que les fluctuations diurnes et saisonnières.

- Comment vous protégez-vous du froid l'hiver (par exemple, utilisation d'une couverture électrique, de sources de chaleur supplémentaires) ?
- Avez-vous déjà reçu des soins pour un coup de chaleur

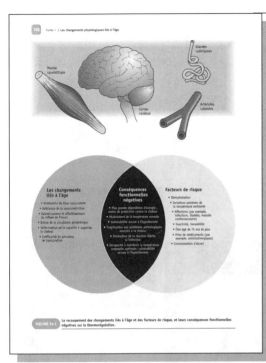

FIGURE 10.1 Le recoupement des changements liés à l'âge et des facteurs de risque, et leurs conséquences fonctionnelles négatives sur la thermorégulation.

Les figures

Les figures ont une double fonction : elles illustrent notamment l'organisation des différents systèmes de l'organisme; elles permettent aussi de visualiser l'association des changements liés à l'âge et des facteurs de risque rendant la personne plus vulnérable à des conséquences fonctionnelles et dont les répercussions entraînent une détérioration fonctionnelle ou une altération de sa qualité de vie.

ENCADRÉ 10.2
Les mesures de promotion de la santé liées à l'hypothermie et aux états pathologiques associés à la chaleur

Prévention de l'hypothermie

- Conserver, si possible, la température ambiante à environ 23,0 °C; elle ne doit pas être inférieure à 21,1 °C.
- Se servir d'un thermomètre gradué dont l'indication des degrés est précise et clairement lisible pour mesurer la température ambiante de la pièce.
- Porter des sous-vêtements non ajustés et suffisamment épais pour empêcher une déperdition thermique; se vêtir de plusieurs couches de vêtements.
- Porter un chapeau et des gants à l'extérieur et des chaussettes pour dormir.
- Porter des vêtements supplémentaires le matin alors que le métabolisme du corps est à son plus bas.
- Opter pour des draps ou des couvertures de flanelle.

Prévention des états pathologiques associés à la chaleur

- Maintenir une température ambiante inférieure à 29,4 °C.
- Si le domicile n'est pas climatisé, se servir de ventilateurs pour faire circuler l'air et le rafraîchir.
- Par temps chaud, se rendre dans les endroits publics climatisés comme les bibliothèques ou les centres commerciaux.
- Consommer une plus grande quantité de boissons, sans caféine ni alcool, même sans avoir soif.
- Porter des vêtements de coton amples et légers de couleur claire.
- Porter un chapeau ou utiliser une ombrelle pour se protéger du soleil et de la chaleur à l'extérieur.
- Éviter les activités pratiquées à l'extérieur pendant la partie la plus chaude de la journée (soit entre 10 h et 14 h); choisir de les accomplir tôt le matin ou le soir.
- Déposer un sac de glace ou des serviettes froides et humides sur le corps, particulièrement sur la tête, sur l'aine et sous

les aisselles. Prendre des douches ou des bains à l'eau tiède (23,9 °C), sans se savonner, plusieurs fois par jour pendant les périodes de canicule.

Maintien d'une température corporelle optimale

- Boire chaque jour de 8 à 10 verres de boissons ne contenant ni caféine ni alcool pour maintenir un bon apport liquidien.
- Ne pas compter sur la sensation de soif pour signaler le besoin de boire.
- Prendre de petits repas à intervalles fréquents plutôt que de gros repas.
- Éviter de boire de l'alcool.
- Par temps froid, effectuer des exercices physiques modérés et des activités à l'intérieur pour augmenter la circulation sanguine et la production thermique.

Nutrition

- Favoriser une bonne nutrition et des apports en zinc, en sélénium et en vitamines A, C et E.

Mesures préventives

- Connaître la température normale de son corps le matin au lever et au milieu de la soirée.
- Connaître la différence entre sa température corporelle l'hiver et l'été.
- Se faire vacciner contre la pneumonie et la grippe.
- Savoir que la mélatonine et d'autres substances ayant un impact sur certains neurotransmetteurs du cerveau (Tableau 10.1, p. 107) peuvent modifier la régulation de la température corporelle; ne les utiliser que sur le conseil d'un professionnel de la santé.
- Faire de l'exercice, de l'imagerie mentale, se faire masser, méditer.

Les encadrés « Évaluation »

Les encadrés « Évaluation » suggèrent des questions d'entrevue que peut mener l'infirmière sur un sujet particulier abordé dans le chapitre. Ces questions ont pour but de mesurer la condition des différentes fonctions de la personne âgée. Les encadrés suggèrent aussi des pistes d'évaluation des risques associés à certaines maladies.

ENCADRÉ 10.1
L'entrevue pour l'évaluation de la thermorégulation

Principes relatifs à l'évaluation de la température

- Notez la température corporelle normale de la personne ainsi que les fluctuations diurnes et saisonnières.
- Présumez que même une légère élévation de la température normale indique une affection.
- Prenez note de la température actuelle et des écarts de la température corporelle normale plutôt que d'utiliser des termes comme *afébrile*.
- Respectez les consignes pour une prise de température corporelle exacte. Utilisez un thermomètre indiquant des températures inférieures à 35 °C.
- Pour la lecture des résultats, tenez compte des effets des médicaments qui modifient la température corporelle (par exemple, les médicaments qui masquent la fièvre).
- Ne croyez pas qu'une infection est toujours signalée par une élévation de température.
- N'oubliez pas qu'en cas d'infection, une détérioration de l'état fonctionnel ou de l'état mental est un signe avant-coureur plus sûr qu'un changement de la température corporelle.
- Ne supposez pas qu'une personne âgée prendra des mesures préventives pour se protéger de la chaleur ou du froid ou qu'elle se plaindra de la température ambiante.

Questions relatives aux facteurs de risque d'hypothermie et d'hyperthermie

- Avez-vous des problèmes de santé particuliers lorsque la température ambiante est chaude ou froide?
- Pouvez-vous maintenir une température ambiante agréable dans votre maison et dans votre chambre l'été et l'hiver?
- Que faites-vous pour supporter les chaudes températures de l'été?
- Pouvez-vous payer vos factures d'électricité?

- Comment vous protégez-vous du froid l'hiver (par exemple, utilisation d'une couverture électrique, de sources de chaleur supplémentaires)?
- Avez-vous déjà reçu des soins pour un coup de chaleur ou de froid?
- Avez-vous déjà fait une chute et n'avez pas été en mesure de vous relever ou de demander de l'aide?

Observations relatives à l'évaluation des facteurs de risque d'hypothermie et d'hyperthermie

- La personne âgée vit-elle dans une maison où la température est inférieure à 21,1 °C l'hiver?
- Consomme-t-elle de l'alcool ou prend-elle des médicaments qui influent sur sa température corporelle (Tableau 10.1, p. 107)?
- Vit-elle seule? Dans l'affirmative, à quelle fréquence voit-elle d'autres personnes?
- Est-elle atteinte d'une affection qui la prédispose à l'hypothermie (par exemple, des troubles endocriniens, neurologiques ou cardiaques)?
- Son apport liquidien et nutritionnel est-il suffisant?
- Fait-elle de l'hypotension orthostatique?
- Est-elle immobile ou sédentaire?
- Est-elle atteinte de démence, de dépression ou de troubles psychosociaux qui altèrent sa lucidité?
- Vit-elle dans un endroit mal aéré, sans climatisation?
- Les conditions atmosphériques sont-elles très chaudes ou humides? Le taux de pollution est-il élevé?
- La personne fait-elle de l'exercice par temps chaud?
- Est-elle atteinte de maladies chroniques comme le diabète ou des troubles cardiovasculaires qui la prédisposent à l'hypothermie?
- Ses médicaments ou ses maladies chroniques pourraient-ils entraîner une hyponatrémie ou une hypokaliémie?

Les encadrés « Intervention »

Les encadrés « Intervention » présentent des actions préventives et de promotion de la santé que peut suggérer l'infirmière, en lien avec le sujet traité dans le chapitre. Ils proposent aussi des conseils d'éducation à la santé dont peut s'inspirer l'infirmière dans ses interventions auprès des personnes âgées, entre autres pour la détection et la réduction des risques associés au vieillissement.

Facteurs de risque	Hypothermie	Hyperthermie
TABLEAU 10.1 Les facteurs de risque de dérèglement de la thermorégulation		
Être âgé de 75 ans et plus	X	X
Température ambiante déviant légèrement de la zone de confort	X	X
Déshydratation	X	X
Déséquilibres électrolytiques	X	X
Infections	X	X
Maladies cardiovasculaires et vasculaires cérébrales	X	X
Maladie vasculaire périphérique		X
Hypotension orthostatique	X	
Diabète	X	X
Hypoglycémie	X	
Hypothyroïdie	X	
Hyperthyroïdie		X
Maladie de Parkinson	X	
Inactivité et immobilité	X	
Hypertension		X
Obésité		X
Consommation d'alcool	X	X
Phénothiazines	X	X
Anticholinergiques		X
Barbituriques	X	X
Diurétiques	X	X
Antidépresseurs	X	
Benzodiazépines	X	
Réserpine	X	
Médicaments associés aux maladies cardiovasculaires (par exemple, sympatholytiques, bêtabloquants, inhibiteurs des canaux calciques lents)		X

Les tableaux

Des tableaux complètent l'information déjà présentée dans le chapitre ou résument les notions qui ont été expliquées en les regroupant dans un élément visuel qui facilite la compréhension.

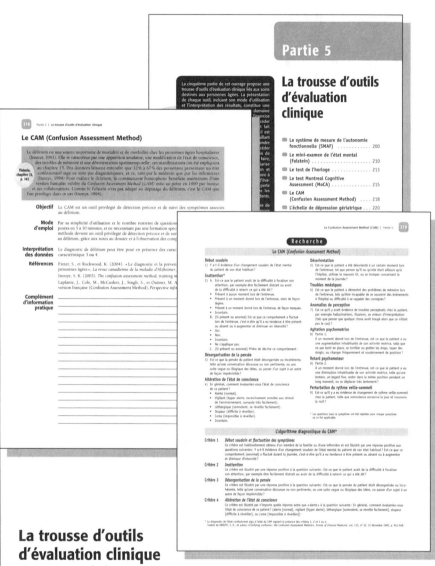

La trousse d'outils d'évaluation clinique

Cette partie de l'ouvrage procure un apport unique et original à la pratique infirmière auprès des aînés. Elle permet d'approfondir la notion d'évaluation de la personne âgée afin de mieux la diriger dans le système de santé.

Chaque outil de la trousse fait l'objet d'une présentation ou d'une mise en contexte de son utilisation, en précisant son objectif particulier. Le mode d'emploi de l'instrument est ensuite expliqué, enrichi de la reproduction des formulaires d'évaluation dont se sert l'infirmière. La façon d'interpréter les données est aussi précisée afin de guider l'infirmière dans ses choix d'intervention. Enfin, des références scientifiques complètent la présentation de chaque outil.

Annexe – Références et centres d'aide

Une liste imposante de références et de centres d'aide utiles aux personnes âgées et aux infirmières apporte des éléments d'information complémentaire. Ces ressources privées ou publiques concernent la santé physique et mentale, la recherche, les loisirs, la famille, bref, tous les domaines qui touchent les aînés et les intervenants en gérontologie et gériatrie.

Sample page – Annexe: Références et centres d'aide

Agence de santé publique du Canada
www.phac-aspc.gc.ca/sh-sa_f.html
Mission : donner de l'information sur la santé des aînés, incluant la promotion et la prévention.

Association canadienne de gérontologie
www.cagacg.ca/
Mission : améliorer les conditions de vie des personnes âgées au Canada par la création et la diffusion de connaissances sur les politiques, les pratiques, la recherche et l'éducation en matière de gérontologie.

Association des établissements privés conventionnés
www.aepc.qc.ca
Mission :
• promouvoir l'amélioration continue de la qualité des soins et des services aux usagers au sein des établissements privés conventionnés membres ;
• protéger et promouvoir l'entreprise privée conventionnée dans le domaine de la santé et des services sociaux québécois.
204, rue Notre-Dame Ouest, bureau 200
Montréal (QC) H2Y 1T3
514 499-3630
514 873-7063

Association des grands-parents du Québec
www.grands-parents.qc.ca
Mission :
• promouvoir le droit des petits-enfants à maintenir des liens significatifs avec leurs grands-parents ;
• défendre les droits des grands-parents.
2900, boul. du Loiret, bureau 101
Québec (QC) G1C 3X3
dans la région de Montréal : 514 745-6110
dans la région de Québec : 418 529-2355
sans frais ailleurs au Québec : 1 888 624-7227

Association québécoise de la dégénérescence maculaire
www.degenerescencemaculaire.ca/vx/indexx.htm
Mission :
• encourager l'autonomie et faciliter l'entraide des personnes atteintes de dégénérescence maculaire ;
• diriger les personnes atteintes vers les ressources médicales, technologiques et socioculturelles existantes ;
• informer les personnes atteintes de la prévention possible, des traitements et des recherches menées dans le monde et sensibiliser les professionnels de la santé ainsi que le grand public à cette maladie.
1111, rue Saint-Charles Ouest
Tour Ouest, 2ᵉ étage
Longueuil (QC) J4K 5G4
450 651-5747

Centre d'expertise en santé de Sherbrooke
www.expertise-sante.com
Mission :
• soutenir le développement du savoir en santé ;
• optimiser la capacité d'exporter ce savoir ;
• proposer des stratégies d'amélioration au réseau de la santé et des services sociaux par la mise en application concrète des connaissances en santé ;
• contribuer au partage du savoir en gériatrie et au rayonnement de l'Institut universitaire de gériatrie de Sherbrooke (IUGS).
375, rue Argyll
Sherbrooke (QC) J1J 3H5
819 821-5122
819 821-5202

Centre québécois de consultation sur l'abus envers les aînés
Mission :
• regrouper une gamme de services pour une approche stratégique contre la violence ;
• offrir une ligne téléphonique de consultation professionnelle, une équipe de consultation et la ligne Info-Abus pour le grand public.
CLSC René-Cassin et Institut de gérontologie sociale du Québec
514 488-9163
Ligne Info-Abus
514 489-2287
1 888 489-2287 (sans frais)

Index

L'index, proposé à la fin, dresse une liste alphabétique de termes tirés du manuel et assortis d'une référence permettant leur repérage à l'intérieur de l'ouvrage.

Sample page – Index

A
Abandon, 194
Accident vasculaire cérébral (AVC)
Causes de l', 149
Démence par, Voir Démence vasculaire
ACG, Voir Association canadienne de gérontologie (ACG)
Acide acétylsalicylique, 51
Acouphène, 19
Activité physique
Adaptation à l', 41, 45, 59
Manque d', 42-43, Voir aussi Sédentarité
Acuité auditive, 16-24, Voir aussi Appareil auditif (physiologie)
Changements liés à l'âge et, 16-17, 20, 21
Conséquences fonctionnelles et, 19-21
Évaluation de l', 19, 22-23, 230
Facteurs de risque et, 17-19, 21
Interventions liées à l', 20-21
Mécanisme de l', 16-17
Médicaments et, 18
Perte de l', Voir Surdité
Promotion de la santé et, 23
Acuité visuelle, 26-30, 36-39, Voir aussi Vision
Changements liés à l'âge et, 26-27, 30, 35
Conséquences fonctionnelles et, 28-30, 34-36
Évaluations liées à l', 22-23, 36-37, 59
Facteurs de risque et, 28, 35
Interventions liées à l', 32, 33, 36-39
Médicaments et, 28
Perte d', Voir Cécité, Voir Presbytie, Voir Troubles liés à l'acuité visuelle
Promotion de la santé liée à l', 32, 37-38
Qualité de vie et, 34-36
Affections, Voir Maladies, Voir Troubles
Âge
Effets de l'âge, Voir Changements liés à l'âge
Interactions des médicaments avec l', 173
Agitation, 154, 193
Aidants naturels, 155, Voir aussi Soignants
Décision des, 163-164, 193-195, 198
Problèmes des, 155
Aide visuelle, 38-39
Albumine, 169, 170
Alcool, 70, 129, 134
Interaction des médicaments avec l', 177, 178

Alimentation, 80, 192
en fin de vie, 196-197
Interventions liées à l', 192-193
par gastrostomie, 192-193, 197
Altération(s)
de la peau (et des téguments), 114, 115, 116, 119
des fonctions cognitives, 137-164
Alzheimer, Voir Maladie d'Alzheimer
Aménagement du milieu de vie, 159-160
American Geriatrics Society, 2
American Nurses Association (ANA), 4
Amyloïde, 145-146
ANA, Voir American Nurses Association (ANA)
Angine, 51
Anesognosie, 152-153
Antibiotiques, 193, 195
Anticholinergiques, 181-182, 195
Anxiété, 158, 196
Apathie, 154
Apnée du sommeil, 128
Appareil
auditif (physiologie), 15-24, Voir aussi Acuité auditive
auditif (prothèse), 23-24
cardiovasculaire, 40-53
digestif, 63-73
locomoteur et sécurité, 86-103
respiratoire, 54-62
urinaire, 74-85
visuel, 25-39
Apport
énergétique des aliments, 66-67
liquidien, 67, 78, 81, Voir aussi Seif
nutritionnel en protéines, 66, 122
Approche
de soins en fin de vie, 189-198
prothétique, 157-159, 161-162
AQG, Voir Association québécoise de gérontologie (AQG)
Arc sénile, 26
Artères, Voir Vaisseaux sanguins
Arthrose, 93
Articulation(s), 87-88
Détérioration des, 88, 93
Tissu conjonctif et, 87-88
Arythmie, 48
Aspirine, 51
Association canadienne de gérontologie (ACG), 2-3
Association québécoise de gérontologie (AQG), 3-4
Atherogénése, 45
Athérosclérose, 44-45
Audition, Voir Acuité auditive
Autonomie fonctionnelle
Évaluation de l', 200-209
Autopsie, 197
AVC, Voir Accident vasculaire cérébral (AVC)

B
Baroréflexe, 42
Benzodiazépines, 134, 173
Besoins énergétiques, Voir Apport énergétique des aliments
Blépharochalasis, 26
Bouche, 64, 196, Voir Apport buccale
Braden
Échelle de, 120, 226-227
Bronchopneumopathie chronique obstructive (BPCO), 58
Bruits cardiaques, 48

C
Caféine, 128
Interaction des médicaments avec la, 177, 178
Calcitonine, 101
Calcium, 100-101
Calorie, 66
Calvitie, 113
CAM, Voir Confusion Assessment Method (CAM)
Capacité de prendre des médicaments, 170-171, 184, 185
Cardiopathie, Voir Maladies cardiovasculaires, Voir Troubles cardiovasculaires
Cataracte, 28, 31-32
Cavité buccale, 64, 196, Voir aussi Hygiène buccale
Cécité, 28, 33, Voir aussi Troubles liés à l'acuité visuelle
Cérumen, 16, 18-19
Champ visuel, 29
Changements liés à l'âge
Acuité auditive et, 16-17, 20, 21
Acuité visuelle et, 26-27, 30, 35
Chutes et, 91-92
Conséquences fonctionnelles
Digestion et, 64-66, 71
Élimination urinaire et, 75-77, 82
Facteurs de risque et, 11
Fonction cardiovasculaire et, 41-42, 45-47
Fonction locomotrice et, 87-88, 96
Médicaments et, 168-171, 183
Nutrition et, 66-67, 71
Peau (et téguments) et, 112-113, 117, 118
Respiration et, 55-56, 59, 60
Sommeil (et repos) et, 124-126, 129-130, 131
Thermorégulation et, 105, 108
Cheveux, 113, Voir aussi Peau (et téguments)
Cholécystokinine, 65-66
Cholestérol, 43, 50
Chute(s), 90-93, 94-95, 97-100, 102-103

Guide de stage

Complémentaire et exclusif à l'ouvrage de base *L'essentiel en soins infirmiers gérontologiques*, le guide de stage est un outil pratique qui offre un rappel des pistes d'évaluation et d'intervention suggérées auprès des personnes âgées et en perte d'autonomie.

Table des matières

PARTIE 2
L'ALTÉRATION DES FONCTIONS COGNITIVES

Chapitre 13
Les déficits cognitifs : le délirium, la démence et la dépression

PARTIE 3
LA GESTION MÉDICAMENTEUSE

Chapitre 14
Les médicaments et la personne âgée

Chapitre 1
Le vieillissement, une étape normale de la vie

OBJECTIFS D'APPRENTISSAGE

**Après avoir lu ce chapitre,
vous devriez être en mesure :**

- de définir la gérontologie et la gériatrie ;

- de cerner les attitudes, les mythes et les facteurs socioculturels qui faussent l'image du vieillissement et de la personne âgée ;

- d'expliquer la spécialité des soins infirmiers gérontologiques ;

- de connaître l'ampleur du phénomène de vieillissement de la population au Canada ;

- de décrire certaines caractéristiques particulières des soins infirmiers dispensés aux personnes âgées ;

- de reconnaître l'importance d'investir dans des activités de promotion de la santé chez les personnes âgées.

Cet ouvrage est un essentiel de base entièrement consacré aux soins infirmiers dispensés aux personnes âgées. Ainsi, d'entrée de jeu, la question à se poser est la suivante : « Qui sont les personnes âgées ? » Les gérontologues, les sociologues et les professionnels de la santé se penchent sur cette question depuis des dizaines d'années. S'il existe de multiples réponses, deux certitudes se dégagent de la définition que l'on donne de la personne âgée. La première est que le vieillissement s'intègre progressivement au cours normal de la vie et qu'il est difficile de préciser à quel moment il débute. La deuxième est que les personnes dites âgées sont toutes différentes les unes des autres. L'établissement de caractéristiques communes à ce groupe de personnes est donc pour le moins risqué. En fait, la meilleure réponse consiste à reconnaître leur diversité. Aucune frontière ne marque l'amorce du vieillissement ; il s'agit plutôt d'une accumulation d'indices qui, au fil des ans, permet à l'adulte de constater qu'il est entré dans cette phase de sa vie.

1.1 La science qui traite du vieillissement

La gérontologie est la discipline scientifique qui traite du vieillissement et des personnes âgées. Elle acquiert ce statut vers le milieu des années 1940 lors de la fondation du premier institut de gérontologie, le Gerontological Society of America, et de la publication du premier numéro de la revue scientifique *Journals of Gerontology*. À ses débuts, la gérontologie s'occupe de résoudre des problèmes qui dépassent les connaissances acquises et les méthodes utilisées par les autres disciplines ou professions (Frank, 1946). Elle reste d'abord interdisciplinaire, une spécialité où convergent les sciences infirmières, la psychologie, le travail social et les professions de la santé connexes comme la médecine, l'ergothérapie, la physiothérapie et la diététique. Par définition, la gérontologie vise essentiellement l'étude des phénomènes liés au vieillissement, mais, généralement, on l'associe surtout aux problèmes inhérents au vieillissement et à la population âgée. Depuis les dernières années, les gérontologues se préoccupent moins des problèmes du vieillissement pour se concentrer plutôt sur le bien-être global de la personne, son degré d'autonomie fonctionnelle et son évolution harmonieuse dans le temps.

À l'instar des gérontologues, sensibilisés à la diversité des aspects des personnes âgées, les professionnels

La gérontologie vise l'étude des phénomènes liés au vieillissement, le bien-être global de la personne, son degré d'autonomie fonctionnelle et son évolution harmonieuse dans le temps.

de la santé saisissent peu à peu la complexité des soins à leur accorder. D'où la naissance de la gériatrie et de la spécialité des soins infirmiers gérontologiques. La gériatrie concerne spécifiquement les maladies et les invalidités des personnes âgées. Il s'agit d'une branche de la médecine interne ou de la médecine de famille qui s'intéresse aux problèmes médicaux des aînés. En 1942, naît l'American Geriatrics Society, un institut de gériatrie ; l'éditorial du premier numéro de sa publication, *Geriatrics*, demande aux médecins d'intervenir eu égard aux problèmes prioritaires de santé et aux restrictions inévitablement liées au vieillissement (Touhy, 1946). En 1953, l'institut rebaptise sa revue *Journal of the American Geriatrics Society*. C'est l'amorce d'une réorientation vers les soins préventifs plutôt que curatifs, comme l'atteste l'expression « médecine de la longévité ».

Malgré les progrès de la science, certaines notions associées à la vieillesse et au vieillissement peuvent alimenter des mythes ou des malentendus. Le tableau 1.1 (p. 3) présente certains de ces mythes qui passent pour des vérités, accompagnés d'une vision plus juste de la réalité.

1.2 L'expertise canadienne en gérontologie et en gériatrie

Le Canada et le Québec possèdent une expertise reconnue sur le plan international dans les domaines de la gérontologie et de la gériatrie. Au Canada, dès les années 1950, les gouvernements provinciaux et les organismes fédéraux ont mis en place diverses forces sociales et économiques, de même que des politiques, afin de déterminer les besoins des personnes âgées et la réponse à leur apporter. Ainsi, voilà plus de 35 ans, plus précisément en 1970, les gérontologistes canadiens ont estimé que le moment était venu de créer une association qui se consacrerait principalement à la recherche en gérontologie. Par conséquent, le 15 octobre 1971 se tenait, à l'hôpital Douglas de Montréal, une réunion qui a donné naissance à l'Association canadienne de gérontologie (ACG). De nombreuses personnes qui travaillaient alors en gérontologie ou qui s'y intéressaient ont vu dans l'ACG un véhicule pour améliorer les conditions de vie de la population âgée du Canada ; l'Association soutiendrait les études en gérontologie, diffuserait de l'information sur le sujet et favoriserait les communications et la collaboration entre les diverses professions et disciplines

TABLEAU 1.1 Les mythes et les réalités liés au vieillissement

Mythes	Réalités
• Les gens se jugent vieux à 65 ans.	• La plupart des gens se sentent vieux en raison de leur état de santé et de leur capacité fonctionnelle, et non de leur âge.
• Les gérontologues ont découvert qu'à partir de 75 ans les personnes âgées forment un groupe homogène.	• À mesure que les gérontologues approfondissent leurs connaissances sur le vieillissement, ils comprennent que chaque personne âgée est unique et qu'elle ressemble de moins en moins aux membres de sa tranche d'âge en vieillissant.
• Les gérontologues ont récemment formulé une théorie qui explique le vieillissement biologique.	• Les théories sur le vieillissement biologique continuent d'évoluer, et aucune ne fait l'unanimité.
• De nos jours, les familles ne s'occupent plus des personnes âgées.	• Au Canada, la famille assure près de 90 % de l'aide et des soins aux personnes âgées vulnérables qui vivent à domicile et qui présentent des problèmes de santé chronique (Keating et autres, 1999).
• Le développement psychologique d'une personne se termine à 70 ans.	• Le développement psychologique ne s'arrête pas avec l'avancée en âge.
• L'invalidité progressive des personnes âgées découle uniquement des changements physiologiques liés à l'âge.	• Les changements liés à l'âge peuvent fragiliser la condition physique d'une personne, mais les invalidités découlent de facteurs de risque comme la maladie ou des réactions indésirables aux médicaments.
• Le veuvage et d'autres situations particulières produisent un effet négatif chez les personnes âgées.	• Aucun événement précis ne produit un effet négatif sur toutes les personnes âgées. C'est plutôt sa signification pour la personne qui est importante.
• La vieillesse entraîne toujours une diminution de la capacité intellectuelle.	• Certaines habiletés associées à la cognition faiblissent chez les personnes âgées, alors que d'autres s'améliorent.
• Les personnes âgées ne peuvent pas acquérir de nouvelles compétences complexes.	• La capacité d'apprentissage des personnes âgées ne diminue pas, mais la vitesse d'assimilation de l'information ralentit avec l'âge.
• La constipation survient surtout en raison de changements liés à l'âge.	• Ce sont surtout des facteurs de risque tels une baisse de l'activité physique et un régime alimentaire déficient qui entraînent la constipation.
• Pour régler le problème de l'incontinence urinaire, il suffit d'insérer une sonde à demeure ou d'utiliser des produits spécialisés.	• Dans la plupart des cas, on peut soulager l'incontinence urinaire en s'attaquant à sa cause.
• On peut éviter l'apparition des rides au moyen d'huiles et de lotions.	• La meilleure façon de prévenir l'apparition des rides est de ne pas s'exposer aux rayons ultraviolets du soleil.
• Les personnes âgées diminuent leurs activités sexuelles parce qu'il leur est plus difficile d'accomplir l'acte sexuel.	• Des raisons d'ordre social (par exemple, la perte du ou de la partenaire) ou des facteurs de risque (par exemple, des maladies ou des réactions indésirables aux médicaments) entraînent une baisse des activités sexuelles chez les personnes âgées.
• Les personnes âgées ont les mêmes réactions indésirables aux médicaments que les jeunes adultes.	• Parmi les réactions indésirables aux médicaments, l'altération des facultés mentales est plus susceptible de toucher les personnes âgées.
• Une certaine sénilité est normale chez les très vieilles personnes.	• La sénilité désigne incorrectement la problématique de la démence qui, elle, résulte de changements pathologiques.
• La plupart des personnes âgées sont dépressives.	• Environ un tiers des personnes âgées présentent des symptômes de dépression ; toutefois, la dépression peut se traiter à tout âge.

touchant les aînés. La *Revue canadienne du vieillissement*, une revue scientifique trimestrielle dotée d'un comité de lecture, est l'organe de diffusion de l'Association canadienne de gérontologie.

Dans la foulée de l'ACG naît, en 1978, l'Association québécoise de gérontologie (AQG). Il s'agit d'un organisme à but non lucratif qui s'intéresse aux différents aspects du vieillissement. L'AQG regroupe des intervenants professionnels et des bénévoles, engagés dans la formation ou la recherche en gérontologie, ainsi que des organismes œuvrant dans le domaine des services aux personnes âgées. Les principaux objectifs de l'AQG sont de promouvoir la qualité des services offerts aux personnes âgées ; d'encourager la formation du personnel travaillant dans le domaine de la gérontologie et de faire reconnaître cette formation par les gouvernements et employeurs ; de favoriser la recherche et de proposer des voies d'études dans le domaine de la gérontologie. *Le Gérontophile* est le véhicule de diffusion scientifique de l'Association.

1.3 Les soins infirmiers en gérontologie

Le contexte historique

Au début du XXe siècle, les infirmières constatent la nécessité de se consacrer plus spécifiquement aux besoins des personnes âgées. Toutefois, ce n'est pas avant les années 1960 que les soins infirmiers en gérontologie deviennent une branche des soins infirmiers. Au milieu des années 1970, l'association des infirmières américaines, l'American Nurses Association (ANA), recommande l'adoption de l'expression « soins infirmiers gérontologiques » pour remplacer celle de « soins infirmiers gériatriques ». Les soins gériatriques se concentraient alors principalement sur les états pathologiques, qui s'apparentent à ceux qui affligent la population en général. Puisque les infirmières s'occupent davantage des problèmes de santé, actuels ou éventuels, et de l'optimisation de l'autonomie fonctionnelle, dans le contexte nord-américain, l'expression « soins infirmiers gérontologiques » décrit mieux la portée des soins qu'elles dispensent.

L'exercice infirmier en soins de longue durée

Au Québec, l'Ordre des infirmières et infirmiers du Québec (OIIQ, 2000) a publié un guide intitulé *L'exercice infirmier en soins de longue durée* à l'intention des infirmières et infirmiers qui pratiquent dans des contextes de soins de longue durée. Dans ce document, l'OIIQ signale que le vieillissement de la population devient un phénomène incontournable, de plus en plus marqué, et que l'exercice en soins de longue durée est une priorité à l'ordre du jour de la profession infirmière.

Pour faire face à cette problématique sociale, l'OIIQ invite ses membres à actualiser leurs connaissances quant à l'exercice des soins de longue durée. L'Ordre rappelle que cette expertise s'appuie notamment sur une vaste expérience clinique, sur l'autonomie professionnelle et sur des connaissances en gérontologie et en gériatrie.

Dans les contextes de soins de longue durée, l'expertise infirmière se caractérise par une capacité à proposer à la personne, aux proches et aux membres de l'équipe de soins des approches novatrices afin de faire face à de nouvelles réalités qui demeurent peu documentées. À titre de membre d'une équipe interdisciplinaire, l'infirmière en soins de longue durée voit à la coordination des activités de soins et s'assure que les objectifs des membres de l'équipe traitante sont complémentaires et visent les meilleurs intérêts de la personne et de ses proches. De plus, l'OIIQ stipule que la spécialisation infirmière et la pratique avancée dans les milieux de soins de longue durée sont essentielles, puisque les conditions d'exercice et les rôles sont diversifiés et peu encadrés.

Il est à noter que l'esprit du cadre conceptuel de l'exercice infirmier en soins de longue durée, proposé dans le document de l'OIIQ, s'intègre aux concepts inhérents au modèle des conséquences fonctionnelles décrit dans le chapitre 2 du présent ouvrage.

> *L'infirmière en soins de longue durée voit à la coordination des activités de soins et s'assure que les objectifs des membres de l'équipe traitante sont complémentaires et visent les meilleurs intérêts de la personne et de ses proches.*

Le vieillissement de la population au Canada

De façon générale, les personnes âgées d'aujourd'hui vivent plus longtemps, en meilleure santé et dans des conditions économiques plus favorables que les aînés des générations précédentes. Dans un rapport préparé par Santé Canada et publié en 2002, des données signalent que les personnes âgées constituent le segment de population qui croît le plus au Canada. La proportion des aînés dans la population totale est passée de 1 sur 20 en 1921 à 1 sur 8 en 2001. Par conséquent, le Canada connaît actuellement des changements démographiques importants.

En effet, les démographes prévoient que la population des aînés (âgés de 65 ans et plus) passera de 3,6 millions de personnes en 1998 à plus de 5 millions en 2011, soit dans quelques années.

Avec le vieillissement des baby-boomers, c'est-à-dire les personnes nées entre 1946 et 1965, on estime que la population âgée du Canada atteindra le chiffre de 6,7 millions en 2021 et de 9,2 millions en 2041. À ce moment, plus d'une personne sur quatre (25 %) sera une personne âgée. La figure 1.1 (p. 5) illustre les proportions, par rapport à la population générale du Canada, que représentent les groupes des 65-74 ans,

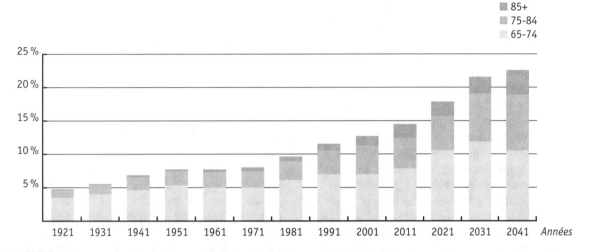

■ 85+
■ 75-84
■ 65-74

FIGURE 1.1   **La part croissante des personnes âgées dans la population canadienne.**
Source: Adapté de Agence de santé publique du Canada, Vieillissement et aînés, Vieillir au Canada, *Qui sont les aînés du Canada?*,
[En ligne]. [www.phac-aspc.gc.ca/seniors-aines/pubs/fed_paper/fedreport1_01_f.htm] (Consulté le 6 décembre 2006).

des 75-84 ans et des 85 ans et plus. Il est à noter que la proportion des Canadiens âgés de 85 ans et plus pourrait atteindre 1,6 million en 2041, ce qui représente 4% de la population générale.

Selon Santé Canada (2002), la première raison du vieillissement de la population canadienne découle du changement du taux de natalité depuis 1945. Alors qu'il était de trois enfants ou plus par femme entre le milieu des années 1940 et le milieu des années 1960, le taux de natalité actuel a chuté à 1,5 enfant par femme. Ce taux est inférieur à celui qui assure le remplacement naturel de la population. La deuxième raison du vieillissement de la population résulte de l'augmentation de l'espérance de vie. À la fin des années 1990, l'espérance de vie des Canadiens s'élevait à 75,8 ans pour les hommes et à 81,4 ans pour les femmes. Grâce aux connaissances liées au mode de vie et aux progrès des sciences médicales, tout donne à penser que l'espérance de vie continuera à augmenter et pourrait atteindre, en 2041, 81 ans pour les hommes et 86 ans pour les femmes.

Les répercussions du déséquilibre démographique sur les soins de santé gérontologiques

Les personnes âgées sont plus susceptibles de souffrir d'affections chroniques et de problèmes de santé qui altéreront leur autonomie au quotidien. Plusieurs raisons justifient l'intérêt que portent les infirmières aux caractéristiques de la santé des personnes âgées. Cette couche de la population est celle qui obtient la part la plus élevée de services de soins de santé dispensés au Canada et au Québec. En effet, les infirmières prodiguent la majeure partie de leurs soins à des aînés. Toutefois, le système de santé vise à maîtriser la hausse des dépenses en santé par des compressions de coûts qui ciblent les services aux personnes âgées, particulièrement les coûts élevés associés aux soins dont bénéficient les personnes atteintes d'affections chroniques et celles en perte d'autonomie. Par ricochet, ces mesures encouragent les soins préventifs. Les infirmières ont dorénavant la possibilité de participer à la planification et à la mise en vigueur de programmes de promotion de la santé pour les personnes âgées. Une telle démarche exige une connaissance approfondie de l'état de santé de cette population. L'objectif des soins en gérontologie étant d'optimiser l'autonomie fonctionnelle, il importe de bien cerner les causes de la perte de celle-ci chez les personnes âgées afin de mieux prévenir les problèmes pouvant affecter l'autonomie.

Les défis à relever

Les soins prodigués à la population âgée se différencient sous plusieurs aspects de ceux donnés à l'ensemble de la population. Ces différences complexifient la tâche des infirmières; l'interaction entre le vieillissement et la maladie, la particularité des symptômes de divers états pathologiques et leurs conséquences fonctionnelles en sont des exemples.

Les spécialistes en gériatrie et en gérontologie savent depuis longtemps que les symptômes des maladies se manifestent plus subtilement chez la personne âgée, que les causes en sont plus nombreuses et les conséquences, plus importantes. Les nombreux facteurs de risque de complications mettent en péril la santé des personnes âgées. En outre, l'aîné engagé dans le système de santé cumule des affections chroniques, qui expliquent la majorité des besoins en soins. Celles-ci doivent alors faire l'objet de soins de longue durée, et elles s'accompagnent parfois de problèmes de santé aigus nécessitant des soins actifs immédiats. Même lorsque les soins sont consacrés aux problèmes aigus, il est difficile de faire abstraction des interactions entre les affections chroniques, les états chroniques et la perte de l'autonomie fonctionnelle.

Les symptômes d'une maladie, même aiguë, sont parfois subtils et imprévisibles dans leur évolution. Par exemple, une personne âgée présentant une infection manifestera habituellement des signes de troubles cognitifs plutôt que de la fièvre. De plus, des problèmes physiologiques ou une réaction indésirable à un médicament peuvent influer sur son autonomie fonctionnelle. Cette multiplicité d'indices et de symptômes concourt à complexifier la tâche de l'infirmière. L'encadré 1.1 présente quelques exemples de causes de la détérioration fonctionnelle des personnes âgées.

Par ailleurs, il est parfois difficile d'évaluer le problème physiologique d'une personne âgée souffrant de troubles dépressifs ou cognitifs, ou de difficultés psychosociales. Des troubles cognitifs peuvent l'empêcher de décrire correctement ses symptômes, et des troubles dépressifs peuvent l'amener à les ignorer ou à les exagérer.

Les conséquences de la maladie sont souvent plus importantes lorsqu'elles se conjuguent à d'autres facteurs. Elles dégradent la capacité d'autonomie de la personne et, par conséquent, sa qualité de vie. Par exemple, une personne âgée qui subit une fracture de la hanche est exposée à un plus grand risque d'invalidité permanente et de décès. Si elle vivait seule et se débrouillait tant bien que mal avant sa fracture, une telle condition pourrait l'obliger à quitter sa demeure et à envisager une autre option de logement.

Aux effets de la maladie, il faut ajouter de graves répercussions sur le plan psychosocial. Une personne âgée qui a déjà fait une chute peut craindre d'en faire d'autres. Par précaution, elle décidera alors de réduire ses déplacements, diminuant ainsi sa mobilité. De façon générale, les personnes âgées appréhendent d'être « placées » en centre d'hébergement, même si cette peur est parfois injustifiée. Elles choisiront de minimiser et de cacher des problèmes de santé de crainte de perdre leur indépendance et de quitter leur milieu de vie.

Pour toutes ces raisons, l'infirmière doit faire preuve de vigilance lors de l'évaluation des symptômes et dépasser le cadre des interventions conduisant seulement au diagnostic médical. Dans un système de santé privilégiant la rapidité, tant dans l'établissement du diagnostic médical que dans les solutions apportées, cette exigence aboutit à une réduction du temps consacré à l'évaluation, et ce, au détriment du patient. En outre, le système de santé actuel ne récompense pas cette démarche d'évaluation des causes du problème, et les besoins en soins de santé de la personne âgée sont écartés. Il revient donc à l'infirmière de procéder à une évaluation rigoureuse de la situation du patient.

1.4 La promotion de la santé et le vieillissement

L'expression « promotion de la santé » englobe une panoplie d'activités visant à prévenir la maladie et l'invalidité et à en diminuer les répercussions. L'amélioration de la qualité de vie et la suppression des inégalités en santé constituent les deux principaux objectifs poursuivis. De façon plus précise, le premier tend à vouloir prévenir la maladie chronique et à éviter l'aggravation d'affections existantes. Le deuxième vise à éduquer les personnes âgées en ce qui a trait à leur santé afin de maintenir ou d'améliorer leur autonomie fonctionnelle et leur qualité de vie globale.

Les activités associées à la promotion de la santé chez les personnes âgées

Les objectifs des activités de promotion de la santé chez les personnes âgées varient en fonction des tranches d'âge des aînés auxquels elles s'adressent. Pour la population âgée, il importe d'abord de prévenir ou de repousser la maladie et les invalidités, puis de détecter rapidement les états pathologiques pour assurer un traitement rapide. Pour ce faire, il faut rehausser la qualité de vie, prolonger la vie active et maintenir l'autonomie aussi longtemps que possible (Bloom, 2001).

Les modifications apportées aux habitudes de vie deviennent primordiales, puisque ces dernières peuvent ajouter ou soustraire jusqu'à 10 ans à l'espérance de vie. Elles influent sur la santé, l'autonomie fonctionnelle, la qualité de vie et le déclenchement d'invalidités (Fraser et Shavlik, 2001 ; Mehr et Tatum, 2002 ; Hubert et autres, 2002).

ENCADRÉ 1.1
Des exemples de causes de la détérioration fonctionnelle des personnes âgées

- Une maladie aiguë.
- Des facteurs psychosociaux.
- Les conditions du milieu de vie.
- Des changements liés à l'âge.
- Une nouvelle affection chronique.
- Une maladie chronique existante.
- Une réaction indésirable à des médicaments ou à des traitements.

Voici quelques conceptions erronées qui ont entravé l'élaboration de programmes de promotion de la santé destinés aux personnes âgées :

- Le processus de vieillissement normal ne permet pas aux aînés de tirer vraiment avantage de ces programmes.

- La prévention est inefficace si ces personnes sont atteintes d'une maladie chronique.

- Les personnes âgées s'intéressent moins aux activités d'information et de promotion en matière de santé.

Les chercheurs Bhalotra et Mutschler (2001) ont infirmé toutes ces fausses conceptions en encourageant fortement les interventions éducatives dans le cadre de programmes de promotion de la santé.

L'encadré 1.2 résume les mesures universellement acceptées dans le milieu, mesures que les infirmières peuvent mettre en pratique dans leurs activités de promotion de la santé chez les personnes âgées.

Pour conclure ce chapitre, rappelons que les soins à la population âgée présentent un défi de taille pour les infirmières, qui se trouvent confrontées à une constante interaction entre le vieillissement et les

ENCADRÉ 1.2

Les mesures de prévention de la maladie et de promotion de la santé auprès des personnes âgées

IMMUNISATION

Ensemble des personnes âgées

- Tétanos-diphtérie : rappel tous les 10 ans.
- Grippe : tous les ans au début de la saison de la grippe.
- Pneumocoque : une fois après l'âge de 65 ans ; rappel après 5 ans si la première vaccination a eu lieu avant l'âge de 65 ans ou s'il existe d'autres facteurs de risque.

DÉPISTAGE

Ensemble des personnes âgées

- Pression artérielle : vérification annuelle, plus souvent si la pression systolique se situe entre 130 mm Hg et 139 mm Hg, ou si la pression diastolique se situe entre 85 mm Hg et 90 mm Hg, ou s'il existe d'autres facteurs de risque, par exemple le diabète ou le tabagisme.
- Cholestérol sérique : tous les 5 ans ; plus souvent chez les personnes dont les antécédents personnels ou familiaux font état de maladies cardiovasculaires.
- Présence de sang dans les matières fécales et examen rectal : annuel.
- Sigmoïdoscopie : tous les 3 à 5 ans après l'âge de 50 ans.
- Examen de la vue et dépistage du glaucome : annuel.
- Examen auditif sommaire ou plus poussé au besoin.

Femmes

- Test de Papanicolaou et examen pelvien : tous les ans jusqu'à l'obtention de 3 résultats négatifs ; ensuite, tous les 2 ou 3 ans ; arrêt après l'âge de 65 ans suivant l'obtention de 3 résultats négatifs.
- Examen des seins : autoexamen mensuel ; tous les ans par un professionnel de la santé.
- Mammographie : tous les ans ou tous les deux ans entre l'âge de 50 et 69 ans ; tous les ans ou tous les trois ans entre l'âge de 70 et 85 ans.

Hommes

- Examen rectal et prostatique : annuel.

Personnes âgées à risque

- Glycémie.
- Test de la fonction thyroïdienne.
- Dépistage de l'anémie ferriprive.
- Électrocardiogramme.
- Densité osseuse.
- Évaluation des facultés cognitives, dépistage de la démence, des troubles dépressifs, de la toxicomanie.
- Évaluation de l'incontinence urinaire.
- Évaluation de la capacité fonctionnelle.
- Dépistage de réactions indésirables aux médicaments et d'interactions médicamenteuses.
- Évaluation des risques de cancer de la peau.
- Évaluation des risques de chute.
- Évaluation des plaies de pression.
- Dépistage de la violence et de la négligence.

Hommes

- Test sanguin de dosage de l'antigène prostatique spécifique (PSA).

ENSEIGNEMENTS

Ensemble des personnes âgées (sauf contre-indication)

- Exercice : au moins 30 minutes d'exercice modéré par jour.
- Nutrition : apport suffisant de vitamines et de minéraux, surtout de calcium et d'antioxydants.
- Soins dentaires et prophylaxie : tous les 6 mois.
- Mesures de protection : lunettes de soleil, détecteur de fumée, mesures de prévention des chutes.

maladies. Elles doivent pouvoir déceler les symptômes et contrer les effets de la maladie. La promotion de la santé est une facette des soins de santé qui prend de l'ampleur ; les infirmières et les autres membres de l'équipe interdisciplinaire sont convaincus de la nécessité d'offrir aux personnes âgées des activités visant à promouvoir la santé, car elles leur permettent de la maintenir et de l'améliorer, tout en conservant leur autonomie fonctionnelle. Les interventions suggérées comprennent des programmes de dépistage, des plans de réduction des risques, des modifications au milieu de vie, des activités d'éducation sanitaire pour la promotion de bonnes habitudes de santé et, enfin, des interventions ayant trait aux soins en fin de vie.

Chapitre 2
Comprendre les phénomènes du vieillissement

OBJECTIFS D'APPRENTISSAGE

Après avoir lu ce chapitre,
vous devriez être en mesure :

- de décrire et de comprendre le modèle des conséquences fonctionnelles dans le cadre des soins infirmiers en gérontologie ;

- d'appliquer les concepts du modèle des conséquences fonctionnelles à l'analyse et à l'interprétation de problèmes liés aux soins infirmiers en gérontologie.

C'est à partir des connaissances accumulées dans la sphère des soins infirmiers et des diverses théories élaborées sur le vieillissement que les infirmières construisent leurs propres théories ou modèles, qui permettent de décrire les soins gérontologiques et de les expliquer, de les planifier ou de les prescrire au besoin (Meleis, 1997). Si les théories sur le vieillissement en exposent les diverses facettes, seul un modèle spécifique de soins gérontologiques peut répondre à la question suivante : « Pourquoi doit-on prodiguer des soins infirmiers différents aux personnes âgées ? » (Wells, 1987) Parce qu'un modèle spécifique de soins infirmiers gérontologiques peut conduire à l'élaboration de plans de traitement qui correspondent exactement aux besoins particuliers des personnes âgées.

2.1 Le modèle des conséquences fonctionnelles dans l'exercice des soins infirmiers en gérontologie

L'élaboration de modèles portant sur les soins infirmiers s'appuie sur l'examen de données concrètes et de tendances vérifiables. C'est dans le cadre d'une telle démarche que le modèle des conséquences fonctionnelles a été conceptualisé et élaboré. Ce modèle explicatif est celui qui a été retenu dans cet ouvrage pour examiner plus spécifiquement les changements biologiques et psychologiques, ainsi que les enjeux sociaux liés au vieillissement. Ainsi, nous étudierons et expliquerons les répercussions des problèmes de santé sur l'autonomie fonctionnelle de la personne âgée. Mais avant d'entreprendre une étude approfondie des changements associés au vieillissement des divers systèmes et appareils du corps humain, il est important d'examiner les concepts propres à ce modèle.

Le modèle des conséquences fonctionnelles pose deux principes : les personnes âgées perdent de l'autonomie en raison de changements liés à l'âge ; et ces changements sont combinés avec la présence de facteurs de risque additionnels.

Le modèle des conséquences fonctionnelles pose deux principes : les personnes âgées perdent de l'autonomie en raison de changements liés à l'âge ; et ces changements sont combinés avec la présence de facteurs de risque additionnels. Sans interventions appropriées, il en résulterait des conséquences fonctionnelles négatives. L'infirmière doit donc déceler les facteurs responsables de ces conséquences et intervenir pour corriger la situation. L'objectif des soins est d'optimiser l'autonomie fonctionnelle des aînés malgré la présence de ces changements et de ces facteurs de risque.

La figure 2.1 (p. 11) présente un exemple de ce modèle. Ainsi, une altération de la vue liée à l'âge a comme conséquence fonctionnelle négative une plus grande sensibilité à l'éblouissement. C'est pourquoi les personnes âgées voient moins bien lorsqu'elles sont éblouies par une lumière intense ou par le reflet de cette lumière sur des surfaces luisantes. La conduite automobile se révèle ainsi plus périlleuse face au soleil, et la lecture d'une carte sous vitre dans un centre commercial, plus difficile. Ce changement physiologique peut se conjuguer à une affection pathologique et entraîner des conséquences fonctionnelles négatives semblables. Par exemple, la présence de cataractes brouille la vision et amplifie la sensibilité de la personne à l'éblouissement. Le milieu de vie comporte également des facteurs de risque, notamment la peinture blanche sur les murs, les lumières de type halogène et des planchers bien cirés aux reflets éblouissants. La combinaison de changements liés à l'âge avec des facteurs de risque peut affecter l'autonomie fonctionnelle de la personne. Une personne âgée peut alors décider d'abandonner certaines activités ou, si elle les poursuit, elle le fait dans un contexte où les risques sont augmentés.

La personne âgée doit prendre des mesures pour contrer ces problèmes, et l'infirmière est la personne indiquée pour lui en suggérer ; sinon, elle pourra la diriger vers un professionnel qualifié. Le port de lunettes de soleil et l'utilisation d'autres dispositifs contre l'éblouissement sont des exemples de moyens qui peuvent atténuer les effets négatifs des changements liés à l'âge. Les interventions qui freinent l'impact des facteurs de risque comprennent la chirurgie de la cataracte et des modifications au milieu de vie telle l'installation de vitres antireflet. Les conséquences fonctionnelles positives qui en découlent améliorent simultanément l'autonomie fonctionnelle et, par conséquent, la qualité de vie et la sécurité de la personne âgée.

2.2 Les concepts propres au modèle des conséquences fonctionnelles

Le modèle des conséquences fonctionnelles s'inspire de nombreuses théories portant sur les soins infirmiers

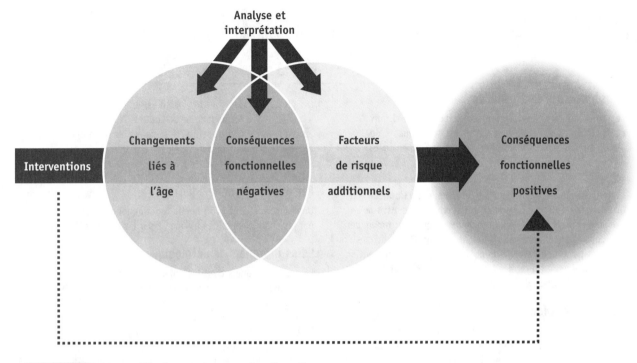

FIGURE 2.1

Le modèle des conséquences fonctionnelles.

L'association de changements liés à l'âge et de facteurs de risque entraîne des conséquences fonctionnelles négatives. Chacun de ces éléments pris individuellement exerce une influence sur l'autonomie fonctionnelle de la personne âgée. Leur conjugaison en accroît toutefois les effets. Les infirmières évaluent ces changements et la présence de facteurs de risque dans la planification d'interventions qui neutraliseront ou minimiseront les conséquences négatives. Le résultat obtenu à la suite de ces interventions se traduira par ce que l'on considère comme des conséquences fonctionnelles positives.

et d'autres, tirées de disciplines complémentaires des sciences infirmières. Ce modèle précise les caractéristiques particulières du vieillissement et des soins à la personne âgée, et il réunit les concepts de personne, de milieu de vie, de santé et de soins infirmiers. Avant de les examiner plus spécifiquement, il faut se pencher sur les conséquences fonctionnelles, les changements liés à l'âge et les facteurs de risque. L'encadré 2.1 (p. 12) décrit les principaux concepts propres au modèle des conséquences fonctionnelles dans les soins infirmiers gérontologiques.

Les conséquences fonctionnelles, qu'elles soient positives ou négatives, représentent les effets concrets des changements liés à l'âge, des facteurs de risque et des interventions qui influent sur la qualité de vie ou sur les activités quotidiennes des personnes âgées. Les stratégies d'interventions sont amorcées par la personne âgée, les infirmières ou le personnel de l'équipe traitante. Les facteurs de risque, quant à eux, émanent du milieu de vie (environnement) ou de changements d'ordre psychosocial. Les conséquences fonctionnelles sont positives si elles optimisent l'autonomie fonctionnelle et, par conséquent, diminuent la dépendance au système de soins. À l'inverse, elles sont négatives si elles gênent l'état fonctionnel, altèrent la qualité de vie ou diminuent l'autonomie.

Les changements liés à l'âge et les facteurs de risque

Les changements liés à l'âge et les facteurs de risque sont les fondements du modèle des conséquences fonctionnelles. Ils expliquent la différence entre les soins prodigués aux personnes âgées et ceux qui sont dispensés au reste de la population. La distinction entre les changements liés à l'âge et les facteurs de risque est importante, puisque les interventions ne sont pas toujours orientées de la même façon qu'en milieu de soins de courte durée. Notons que les changements liés à l'âge sont irréversibles et permanents, mais que des interventions ciblées peuvent en réduire les répercussions et créer des conséquences fonctionnelles positives. Quant aux facteurs de risque, comme ils sont issus de l'environnement, il est possible de les modifier, de les atténuer ou même de les éliminer. Des interventions appropriées peuvent en neutraliser ou en inverser les effets. Par ailleurs, dans l'esprit du modèle des conséquences fonctionnelles, les changements liés à l'âge ne sont pas simplement une source de conséquences fonctionnelles négatives. Il s'agit plutôt d'un ensemble de conditions qui contribuent à la fragilisation des personnes devant les répercussions négatives des facteurs de risque.

ENCADRÉ 2.1
Les concepts propres au modèle des conséquences fonctionnelles dans les soins gérontologiques

Conséquences fonctionnelles

Les effets concrets d'interventions, de facteurs de risque et de changements liés à l'âge qui jouent sur la qualité de vie ou sur les activités quotidiennes des personnes âgées.

Conséquences fonctionnelles négatives

Les conséquences qui nuisent à l'autonomie fonctionnelle ainsi qu'à la qualité de vie. La prise d'antidépresseurs constitue un exemple d'intervention de nature médicale qui peut provoquer une conséquence fonctionnelle négative, soit des problèmes de constipation ou de prise de poids. Ainsi, cette intervention, qui vise d'abord à traiter des troubles dépressifs, peut également présenter un facteur de risque.

Conséquences fonctionnelles positives

Les conséquences qui optimisent l'autonomie fonctionnelle et qui minimisent la dépendance. Par exemple, une personne âgée qui choisit un meilleur éclairage pour lire ou qui se procure des lunettes de soleil, et ce, sans se rendre compte que ce geste est une mesure compensatrice, jouit de conséquences fonctionnelles positives.

Changements liés à l'âge

Les changements incontournables, progressifs et irréversibles qui s'enclenchent avec le vieillissement, indépendamment d'états pathologiques ou d'autres circonstances.

Facteurs de risque

Les conditions qui fragilisent une personne âgée et la rendent plus vulnérable à des conséquences fonctionnelles négatives.

Les plus répandues sont les maladies, le milieu de vie, le mode de vie, le manque de structures d'entraide, les mauvaises conditions psychosociales, les réactions indésirables aux médicaments et les attitudes fondées sur le manque de connaissances.

Personne (personne âgée)

Une personne dont l'autonomie fonctionnelle est affectée par les changements liés à l'âge et par les facteurs de risque.

Soins infirmiers gérontologiques

Les soins infirmiers dont les objectifs consistent, d'une part, à diminuer les répercussions négatives des changements liés à l'âge et aux facteurs de risque et, d'autre part, à favoriser les conséquences fonctionnelles positives. Pour ce faire, il faut prodiguer des soins qui facilitent la participation des personnes âgées et des membres de l'équipe traitante afin de supprimer les facteurs de risque ou d'en atténuer les répercussions.

Santé

La capacité fonctionnelle optimale des personnes âgées malgré les changements liés à l'âge et les facteurs de risque. Cette condition englobe la qualité de vie et les capacités psychosociales et physiologiques.

Milieu de vie

Les conditions externes, y compris la présence des membres de l'équipe traitante, qui influent sur la capacité fonctionnelle des personnes âgées.

Un outil pour comprendre et expliquer les phénomènes du vieillissement

Selon le modèle des conséquences fonctionnelles, la personne devient âgée au moment où elle présente plusieurs conséquences fonctionnelles résultant de changements liés à l'avancée en âge, que ces changements soient couplés ou non à des facteurs de risque. La préservation de l'autonomie fonctionnelle et la qualité de vie restent au cœur des soins offerts à la personne âgée. Que ce soit à la maison ou dans un établissement de soins de longue durée, le but des interventions éducatives portant sur la santé ou de celles ayant trait aux soins physiques consiste à atténuer les changements liés à l'âge et aux facteurs de risque. L'objectif est toujours de préserver l'autonomie fonctionnelle, ou d'en ralentir la détérioration, et d'améliorer la qualité de vie globale de la personne âgée.

Partie 1

Les changements physiologiques liés à l'âge

Chapitre 3
L'appareil auditif

OBJECTIFS D'APPRENTISSAGE

Après avoir lu ce chapitre,
vous devriez être en mesure :

- de décrire les changements liés à l'âge qui ont une incidence sur la capacité auditive ;

- d'énoncer les facteurs de risque qui ont une incidence sur la capacité auditive ;

- d'expliquer les conséquences fonctionnelles des changements liés à l'âge et des facteurs de risque sur la capacité auditive ;

- d'indiquer certaines interventions infirmières visant à améliorer l'audition et à corriger les facteurs de risque qui lui nuisent.

L'appareil auditif capte les sons qui lui sont transmis et convertit les ondes sonores en influx nerveux. La capacité d'évoluer dans notre milieu de vie en toute sécurité repose entre autres sur la perception la plus exacte possible des sons. Notre qualité de vie s'enrichit grâce à notre faculté d'entendre les sons, dont les voix, la musique et les bruits de la nature.

3.1 Les changements liés à l'âge et l'acuité auditive

Le mécanisme de l'audition se situe dans les trois parties de l'oreille et dans le cortex cérébral. Les sons perçus sont codifiés en fonction de leur intensité et de leur fréquence. L'intensité, ou amplitude, indique si un son est fort ou faible et se mesure en décibels (dB). Quant à la fréquence, elle se calcule en cycles par seconde (cps) ou en hertz (Hz) et se caractérise par la hauteur, grave ou aiguë, d'un son. Avec l'âge, la perception fidèle de la hauteur tonale d'un son par le système nerveux auditif se trouve modifiée. Par contre, la perception de l'intensité demeure relativement intacte. De plus, on sait que des facteurs de risque peuvent aussi altérer l'ouïe et l'audition. C'est pourquoi les troubles auditifs sont aussi fréquents chez la personne âgée.

> *Avec l'âge, la perception fidèle de la hauteur tonale d'un son par le système nerveux auditif se trouve modifiée. Par contre, la perception de l'intensité demeure relativement intacte.*

L'oreille externe

Les ondes sonores pénètrent dans l'oreille externe par le pavillon et le conduit auditif externe. Ces structures cartilagineuses maîtrisent la résonance et permettent la localisation des sons, surtout les sons plus aigus. La localisation des sons permet d'en trouver la source. Avec le vieillissement, la taille, la forme et la flexibilité du pavillon se modifient, et des poils apparaissent. Ces changements ne semblent pas se répercuter sur la capacité auditive de la personne âgée en bonne santé. Le canal auditif externe est recouvert de peau et garni de poils ainsi que de glandes sébacées qui sécrètent du cérumen. Le cérumen est une matière protectrice sèche (grise, floconneuse) ou onctueuse (brun foncé, humide) qui est expulsée naturellement. Cependant, avec l'âge, une hausse de la concentration de kératine, la croissance de poils plus longs et plus épais (particulièrement chez l'homme), l'amincissement et l'assèchement de la peau du canal auditif externe favorisent une accumulation de cérumen. Il en est de même avec le déclin des glandes sébacées, qui produisent alors du cérumen de consistance plus sèche et difficile

à enlever. Enfin, le prolapsus (ou effondrement) du canal auditif chez la personne âgée peut atténuer sa capacité à localiser et à percevoir des sons, notamment les sons très aigus.

L'oreille moyenne

L'oreille moyenne est constituée du tympan et des différents osselets. Le tympan, une membrane fibreuse de couleur gris perle et de forme légèrement conique, sépare l'oreille externe de l'oreille moyenne. Il transmet les ondes sonores et protège l'oreille moyenne et interne. Avec l'âge, le collagène du tissu conjonctif se substitue à l'élastine, ce qui affaiblit la membrane du tympan et la rend moins résistante. Les vibrations sonores traversent le tympan jusqu'à la chaîne des trois osselets, soit le marteau, l'enclume et l'étrier. Leur articulation autonome fait office d'amplificateur du son. Grâce à eux, les vibrations sonores se propagent à travers l'oreille moyenne remplie d'air, en passant par la fenêtre ovale, et sont transmises jusqu'à l'oreille interne, remplie de liquide. La transmission des ondes sonores dépend de la fréquence de chaque son. Au cours du vieillissement, les osselets se calcifient et durcissent (otosclérose). Ce processus peut alors perturber la transmission des vibrations sonores du tympan à la fenêtre ovale et, par le fait même, altérer la capacité auditive.

Les sons forts provoquent la contraction des muscles et des ligaments de l'oreille moyenne. Il y a alors stimulation du réflexe stapédien, qui protège l'oreille interne et filtre le son de la voix et le bruit des mouvements du corps de la personne. Le vieillissement entraîne l'affaiblissement et le raidissement de ces muscles et ligaments, ce qui cause une dégradation du réflexe stapédien. Ces changements dégénératifs minent également la résistance du tympan.

L'oreille interne

Dans l'oreille interne, les ondes sonores sont transmises jusqu'à la cochlée, qui les transforme en influx nerveux. Les ondes sont ensuite codifiées selon leur intensité et leur fréquence, puis transportées par les fibres nerveuses du 8e nerf crânien jusqu'au cortex cérébral. Ce cheminement s'effectue surtout par les terminaisons du nerf auditif (cellules ciliées) situé dans la cochlée.

Les changements liés à l'âge entraînent une perte progressive du nombre de terminaisons nerveuses, une diminution du débit sanguin et de la production de l'endolymphe, une réduction de la souplesse de la membrane basilaire, la dégénérescence des cellules du ganglion de Corti et la disparition de neurones dans le noyau cochléaire. Ces changements physiologiques créent un trouble progressif de l'audition appelé presbyacousie, trouble qui peut découler de différentes causes :

- **Presbyacousie de type sensoriel** : détérioration progressive des terminaisons du nerf auditif dans la cochlée caractérisée par un déficit marqué de l'audition des sons aigus sans répercussion sur la compréhension verbale.

- **Presbyacousie de type neuronal** : dégénérescence généralisée des fibres nerveuses de la cochlée et du ganglion de Corti caractérisée par un déficit de la discrimination du message vocal.

- **Presbyacousie de type métabolique** : détérioration progressive de la strie vasculaire et arrêt ultérieur de l'approvisionnement en nutriments essentiels ; baisse de l'audition des sons, des graves aux aigus ; perturbation de la discrimination du message vocal.

- **Presbyacousie de type mécanique** : modifications des structures de l'oreille interne caractérisées par une surdité portant sur les sons graves, puis progressivement sur les sons aigus. La détérioration de l'audition des sons aigus empêche la discrimination du message vocal.

Bien qu'il s'applique à l'analyse des causes physiologiques, ce classement a une portée restreinte, car il existe plus d'un changement lié au vieillissement qui affecte l'ouïe et l'audition.

Le système nerveux auditif

Les fibres nerveuses partent de l'oreille interne, traversent le conduit auditif et se rendent jusqu'au cerveau. Le rôle de cette voie nerveuse consiste à localiser les sons, à affiner les stimuli sonores et à transmettre l'information du cortex cérébral au centre auditif du cerveau.

Il est connu que la voie nerveuse auditive s'atrophie avec le vieillissement. Cette atrophie s'accompagne d'une dégénérescence des structures auditives connexes menant à des troubles de l'audition. L'atrophie des terminaisons du nerf auditif, le rétrécissement du conduit auditif par apposition osseuse et la détérioration des vaisseaux sanguins qui irriguent le nerf auditif ont une incidence sur le système nerveux auditif. Les changements qui touchent le système nerveux central, notamment ceux liés aux fonctions cognitives propres à la parole, nuisent aussi à la reconnaissance des sons. Selon certains chercheurs, le déclin des fonctions cognitives explique la difficulté croissante d'une personne âgée à comprendre une conversation dans un milieu bruyant. Au contraire, Schneider et ses collègues (2000) ont affirmé pour leur part qu'un problème de compréhension verbale découle plutôt d'une perte auditive que d'une détérioration des fonctions cognitives.

3.2 Les facteurs de risque et l'acuité auditive

Aux changements liés au vieillissement qui peuvent altérer l'ouïe et l'audition s'ajoutent des facteurs de risque comme le mode de vie, l'hérédité, le milieu de vie, la présence de bouchons de cérumen et la maladie. La recherche se penche en priorité sur les facteurs de risque qui sont modifiables. Elle explore également les interactions entre certains facteurs de risque, comme celles du bruit ou de l'hérédité avec les médicaments ototoxiques, qui affectent l'ouïe et l'audition. Elle pourrait bientôt confirmer que la surdité ne provient pas de changements liés à l'âge, mais de la consommation prolongée de médicaments ototoxiques ou de l'exposition constante à un environnement bruyant. Cette découverte encouragerait l'élaboration de mesures préventives et d'une campagne d'information sur la prévention de la surdité. Il est bien sûr préférable de modifier ces facteurs de risque dès l'enfance, mais il faut aussi renseigner la population, incluant les personnes âgées, sur les troubles de l'audition (Encadré 3.1).

Le mode de vie et le milieu

Le facteur de risque le plus connu est sans contredit le bruit, qui fait partie de notre mode de vie et qui envahit notre milieu de vie. Une exposition prolongée au bruit,

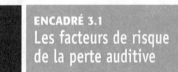

ENCADRÉ 3.1
Les facteurs de risque de la perte auditive

- Prédisposition génétique
- Vieillissement
- Exposition au bruit au travail ou dans les activités récréatives
- Médicaments ototoxiques
  - Acide acétylsalicylique (aspirine) et autres salicylés
  - Aminosides
  - Cisplatine (chimiothérapie)
  - Diurétiques de l'anse (furosémide)
  - Érythromicine
  - Ibuprofène
  - Imipramine
  - Indométhacine
  - Quinidine
  - Quinine
- Produits chimiques ototoxiques dans l'environnement
  - Étain
  - Mercure
  - Monoxyde de carbone
  - Plomb
  - Toluène

au travail ou ailleurs, endommage l'appareil auditif de façon permanente et entraîne une perte auditive. Pendant de nombreuses années, les chercheurs ont surtout concentré leurs efforts sur les répercussions d'une constante exposition au bruit.

De façon plus précise, les personnes menacées d'une perte de l'audition causée par le bruit au travail sont, entre autres, les mineurs, les agriculteurs, les plombiers, les musiciens, les menuisiers, les pompiers et les membres des forces armées. Des recherches ont confirmé que la surdité chez les agriculteurs résulte d'une longue exposition au bruit produit par la machinerie agricole (Beckett et autres, 2000 ; Hwang et autres, 2002).

Ces répercussions et les changements liés à l'âge s'additionnent au fil des ans, et la perte auditive reste longtemps imperceptible. Lorsqu'elle se manifeste, les personnes touchées l'attribuent alors souvent, à tort, aux changements liés au vieillissement.

Le contact avec des produits chimiques au travail ou dans le milieu de vie constitue un autre facteur de risque qui a fait l'objet de nombreuses études depuis les années 1990. On scrute en particulier les pesticides et les solvants organiques, deux catégories de produits chimiques à potentiel ototoxique. Ainsi, Morata et ses collègues (2002) ont découvert que l'âge, l'exposition au bruit et la présence de styrène, un solvant organique, participent tous à la détérioration de l'ouïe, mais que le styrène présente un risque plus grave que les deux premiers facteurs.

Des recherches sur le mode de vie et le milieu de vie examinent actuellement la possibilité que le tabagisme et le fait de vivre avec une personne qui fume puissent conduire à une perte auditive. Nakanishi et ses collègues (2000) ont révélé une augmentation, tous les cinq ans, du risque de surdité portant sur les sons aigus proportionnelle au nombre de cigarettes fumées quotidiennement et annuellement.

> *Des recherches sur le mode de vie et le milieu de vie examinent actuellement la possibilité que le tabagisme et le fait de vivre avec une personne qui fume puissent conduire à une perte auditive.*

L'effet des médicaments

Les médicaments sont parfois la cause principale ou secondaire de troubles auditifs, car ils endommagent les structures de l'oreille, surtout la cochlée et l'appareil vestibulaire. On connaît l'ototoxicité de la quinine et des salicylés depuis plus d'un siècle, mais les effets indésirables des médicaments n'ont pas vraiment fait l'objet d'études cliniques. Le risque d'ototoxicité n'augmente pas avec l'âge, mais on sait que les personnes âgées consomment en plus grand nombre des médicaments ototoxiques tels l'aspirine et le furosémide. D'autres facteurs de risque plus fréquents dans cette population aggravent le risque d'ototoxicité, par exemple la déficience de la fonction rénale, l'utilisation prolongée de médicaments ototoxiques et la potentialisation par addition de deux médicaments ototoxiques comme le furosémide et les aminosides, qui endommagent le 8e nerf crânien. L'encadré 3.1 (p. 17) présente des médicaments ototoxiques. La posologie est souvent responsable de l'ototoxicité. Toutefois, la surdité peut n'être que temporaire, si l'on supprime le médicament ou si l'on réduit sa dose. Même s'il est possible de freiner l'ototoxicité, les professionnels de la santé et la population en général attribuent la surdité à des changements irréversibles et inexorables liés au vieillissement.

La maladie

L'otosclérose est une maladie héréditaire des osselets qui entraîne une ankylose stapédovestibulaire. Elle débute à l'adolescence ou au début de l'âge adulte, mais ses symptômes ne sont détectés que beaucoup plus tard, lorsque des changements dans l'oreille moyenne causés par le vieillissement se conjuguent aux effets de la maladie. Elle occasionne une surdité de conduction. Les premiers symptômes sont une difficulté à entendre les sons faibles et graves. La surdité continue de progresser et peut s'accompagner d'étourdissements, d'acouphènes et de pertes d'équilibre.

L'athérosclérose, l'hypertension et l'hyperlipidémie sont des maladies cardiovasculaires associées à un risque de surdité. Tomei et ses collègues (2000) ont observé une relation étroite entre le bruit et la maladie cardiovasculaire. Ils ont constaté que le bruit représente un facteur sous-jacent susceptible d'augmenter l'hypertension et la surdité. Ils signalent qu'une exposition continuelle au bruit peut abîmer simultanément les appareils cardiovasculaire et auditif.

La maladie de Ménière et les neurinomes acoustiques sont des exemples d'affections qui détériorent le système auditif et provoquent une perte auditive. La syphilis, le myxœdème, le diabète, l'hypothyroïdie et la maladie de Paget sont des maladies polysystémiques qui produisent une conséquence similaire, tout comme la méningite, les traumatismes crâniens, de fortes fièvres et les infections virales (par exemple, la rougeole, les oreillons).

Les bouchons de cérumen

Les bouchons de cérumen, fréquents chez les personnes âgées, sont la cause principale de la surdité de conduction. Les changements liés à l'âge occasionnent parfois une accumulation de cérumen et produisent une occlusion du conduit auditif externe. L'utilisation d'appareils auditifs favorise également la formation de bouchons de cérumen. Environ un tiers de la population âgée vivant dans la collectivité ou en milieu hospitalier, et jusqu'à 42 % des personnes qui vivent dans un centre hospitalier de soins de longue durée (CHSLD), sont affligées d'une surdité importante ou complète en raison de bouchons de cérumen (Mahoney, 1996). Pourtant, il est facile de les éliminer et, ainsi, de prévenir la perte auditive.

L'acouphène

L'acouphène se caractérise par une sensation auditive persistante de bourdonnements, de tintements et d'autres bruits qui n'est pas provoquée par un son extérieur. Il s'agit d'un problème courant chez la personne âgée. Il se combine souvent avec une surdité neurosensorielle ou une surdité de conduction. Il peut provenir de la prise de médicaments ototoxiques (acide acétylsalicylique), d'une maladie génétique (maladie de Ménière) ou de bouchons de cérumen, surtout ceux qui sont collés au tympan. La caféine, l'alcool ou la nicotine peuvent l'aggraver. L'examen d'une personne signalant un problème d'acouphène doit inclure le dépistage de la cause pathologique ou d'un facteur de risque corrigeable comme l'alcool, les médicaments, un bouchon de cérumen ou le tabagisme.

L'association de facteurs de risque

L'association de facteurs de risque comporte de nombreux dangers. Ainsi, la prise de médicaments ototoxiques ou l'exposition à des produits chimiques ototoxiques fragilisent une personne quant aux effets nocifs du bruit. De même, une prédisposition héréditaire à la surdité pourrait favoriser une perte auditive causée par le bruit ou des médicaments ototoxiques. Casano et ses collègues (1999) ont révélé que certaines personnes pourraient avoir une prédisposition génétique à la surdité résultant de la consommation d'agents anti-infectieux de la classe des aminosides. Puisque les changements liés à l'âge augmentent le risque de surdité, le dépistage des facteurs de risque devient primordial, surtout s'il est possible d'y apporter des correctifs par des activités de promotion de la santé. L'encadré 3.1 (p. 17) présente une liste de facteurs de risque qui, seuls ou en association, affectent l'ouïe et l'audition.

3.3 Les conséquences fonctionnelles des changements liés à l'âge sur l'acuité auditive

La surdité ne touche pas seulement la population âgée. Cependant, 43 % des personnes atteintes d'une déficience auditive ont au moins 65 ans (NAAS, 1999). Environ le tiers des personnes âgées de 65 à 75 ans et environ la moitié de celles qui ont plus de 75 ans vivent avec la surdité. Ce sont principalement les hommes, les personnes en situation économique précaire et celles qui se trouvent exposées à des bruits assourdissants au travail ou dans les activités récréatives qui sont concernés. La surdité peut aussi découler d'une mauvaise santé. Parmi les gens atteints, seulement 39 % déclarent être en très bonne ou en excellente santé comparativement aux personnes sans problème auditif, qui s'avouent en excellente santé dans une proportion de 68 % (NAAS, 1999). La probabilité d'une perte auditive grimpe s'il existe des antécédents familiaux d'otosclérose. Cette maladie se manifeste en majorité chez les femmes blanches d'âge moyen.

On catégorise la surdité selon la localisation du problème. La surdité de conduction est associée aux anomalies de l'oreille externe et moyenne qui altèrent les structures de transmission du son. La surdité neurosensorielle est liée aux anomalies de l'oreille interne qui nuisent aux structures sensorielles et neurales. Les causes de cette surdité sont le bruit ou le vieillissement. Enfin, la surdité mixte chevauche les deux catégories précédentes.

L'altération de l'ouïe et la compréhension verbale

Aux nombreux changements liés à l'âge qui affectent la personne âgée, on doit ajouter d'autres facteurs qui influent sur sa capacité auditive. Une bonne compréhension verbale repose sur l'élocution, la fréquence des sons, les bruits ambiants et l'état fonctionnel de l'appareil auditif. Des changements dans les structures de l'oreille et du système nerveux entravent la perception de certaines fréquences. Les sons aigus sont les premiers à s'estomper. Le déclin de l'acuité auditive s'amorce au début de l'âge adulte. L'audition globale des sons diminue vers l'âge de 50 ans chez la femme, mais dès 30 ans chez l'homme; la capacité d'audition de celui-ci se détériore deux fois plus vite que chez la femme. L'homme en remarque les effets cumulatifs dans la cinquantaine, et la femme, dans la soixantaine (Fozard et Gordon-Salant, 2001). Ainsi, la personne âgée codifie moins précisément les sons. Si elle est aussi atteinte d'une déficience cognitive, elle discrimine plus difficilement le message vocal.

Les phonèmes, les plus petites unités de langage, jouent un rôle important dans la compréhension verbale. Chaque phonème possède une fréquence différente : les voyelles sont plus graves, et les consonnes, plus aiguës.

La presbyacousie, déjà mentionnée, est une surdité neurosensorielle provenant d'une détérioration progressive des structures auditives. Elle touche les deux oreilles à des degrés divers. Elle entraîne comme première conséquence fonctionnelle la perte de l'audition des sons aigus et des consonnes sifflantes. Les mots semblent déformés, et les phrases deviennent incompréhensibles. Ce problème s'accentue avec la présence de bruits ambiants, une piètre acoustique ou la réverbération. La personne âgée vivant en milieu hospitalier ou dans un CHSLD sera donc plus sensible au bruit ambiant que le personnel de ces établissements.

Une surdité de conduction se reconnaît à l'incapacité d'entendre les voyelles et les sons graves. Au seuil auditif, la perception de la fréquence des sons reste intacte même s'il y a baisse de l'intensité. Dans la surdité de conduction, à la différence de la presbyacousie, le bruit ambiant ne gêne pas la compréhension verbale. Les antécédents médicaux indiquent souvent une otosclérose, la perforation du tympan ou une infection de l'oreille. Les bouchons de cérumen représentent un autre facteur à ne pas négliger. La surdité de conduction touche une seule oreille ou les deux, selon le facteur causal.

Le tableau 3.1 décrit les changements liés à l'âge qui modifient l'audition, ainsi que leurs conséquences fonctionnelles.

La capacité d'entendre un message vocal dépend également des circonstances (par exemple, la présence de bruits discordants) et de l'élocution. Un milieu peu propice peut s'ajouter à la problématique des changements liés au vieillissement. Les personnes âgées ont parfois beaucoup plus de difficulté à suivre une conversation que les jeunes gens dans certaines situations où domine le bruit (Fozard et Gordon-Salant, 2001). Les bruits ambiants et une élocution rapide sont des facteurs qui empirent le problème. En conséquence, de meilleures conditions d'écoute ou une présentation mieux adaptée peuvent améliorer la capacité d'audition.

Les répercussions sur la qualité de vie, la sécurité et la capacité fonctionnelle

Le sens de l'ouïe est capital pour communiquer dans notre société. Il nous donne accès à l'information, à l'humour, à la musique, en plus de faciliter nos rapports avec les autres. La surdité peut empêcher une personne de participer pleinement à une foule d'activités. Les problèmes de communication causés par la surdité minent la confiance en soi. Les gens qui entendent mal craignent de répondre aux questions et préfèrent se taire plutôt que de mal paraître. Cette crainte peut influencer de façon négative l'évaluation de leur état mental, si elle s'associe également à une baisse des stimuli sensoriels. En effet, des tests d'évaluation de la capacité cognitive pourraient indiquer par erreur un diagnostic de démence, alors que la personne est simplement atteinte de surdité.

La surdité entraîne l'ennui, l'apathie, la dépression, l'isolement et un manque de confiance en soi (Kramer et autres, 2002). Les conséquences psychosociales diffèrent selon le mode de vie. Par exemple, la surdité entrave considérablement les activités d'une personne dont l'ouïe fine est indispensable dans le cadre de son travail ou dans ses activités récréatives. Ce n'est pas le cas des personnes qui entretiennent peu de rapports sociaux et dont la capacité auditive est moins sollicitée dans ces situations. Les résidents des centres d'hébergement qui sont atteints de surdité entretiennent peu de rapports sociaux et participent à peine aux activités (Resnick et autres, 1997). La surdité peut déformer leur perception de la réalité et créer de la méfiance, de la paranoïa et un détachement de la réalité. Si une personne n'entend que des bribes de conversations, elle croira qu'on parle d'elle et développera un sentiment de persécution. Notons que les femmes âgées

TABLEAU 3.1	Les changements liés à l'âge et l'acuité auditive	
Structures de l'oreille	Changements	Conséquences
Oreille externe	• Présence de poils plus longs et plus épais • Amincissement et assèchement de la peau • Hausse de la concentration de kératine	• Possibilité de bouchons de cérumen avec surdité de conduction
Oreille moyenne	• Diminution de la résistance du tympan • Calcification et sclérose des osselets • Affaiblissement et sclérose des muscles et des ligaments	• Surdité de conduction
Oreille interne et système nerveux	• Réduction du nombre de neurones et de terminaisons nerveuses; diminution de l'endolymphe et du débit sanguin • Dégénérescence du ganglion de Corti et des vaisseaux sanguins • Diminution de la souplesse de la membrane basilaire • Détérioration des systèmes de traitement centraux	• Presbyacousie: baisse de l'audition des sons aigus, surtout en présence de bruits ambiants

sont plus enclines à exprimer leurs sentiments de colère, d'anxiété, de mécontentement et d'exaspération à l'égard de leur surdité (Garstecki et Erler, 1999).

En plus de détériorer la qualité de vie et la capacité fonctionnelle, la surdité peut représenter une source de danger. En effet, une personne peut ne pas entendre l'alerte provenant d'un détecteur de fumée ainsi que d'autres signaux d'alarme. À ces risques d'accident se greffent l'inquiétude et la crainte en matière de sécurité. Par conséquent, la perte auditive peut entraîner une altération de la capacité fonctionnelle. Une étude d'une durée d'un an menée auprès de 2 400 personnes âgées de 50 à 102 ans révèle que même une surdité peu importante est liée à une baisse de la capacité physique et à une réduction des activités quotidiennes nécessaires (Wallhagan et autres, 2001).

L'attitude négative de la société envers le vieillissement et la surdité afflige doublement la personne âgée qui en est atteinte. Celle-ci peut hésiter à admettre une déficience auditive pour éviter la stigmatisation et choisir plutôt de limiter ses échanges verbaux. Ces comportements amènent d'autres conséquences psychosociales comme la solitude et l'isolement.

La figure 3.1 résume les changements liés à l'âge, les facteurs de risque et les conséquences fonctionnelles négatives relatifs à la surdité.

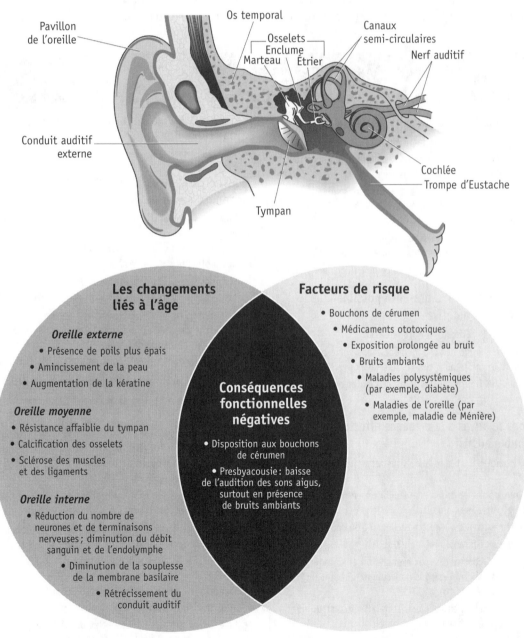

FIGURE 3.1 **Le recoupement des changements liés à l'âge et des facteurs de risque, et leurs conséquences négatives sur l'appareil auditif.**

3.4 L'évaluation et les principales interventions de l'infirmière liées à l'acuité auditive

L'observation du comportement pour dépister la surdité

L'observation du comportement donne de précieux indices sur une possible perte auditive, ses répercussions psychosociales et l'attitude de la personne sur le port d'appareils auditifs. Si elle nie le problème rapporté par son entourage, son comportement peut fournir des renseignements cruciaux. Elle ne se rend peut-être pas compte de son problème d'audition parce qu'il s'est manifesté de manière progressive.

Elle peut aussi souffrir d'isolement en raison d'une vie sociale limitée. Son rejet peut également provenir d'un sentiment de gêne ou de l'idée erronée que la surdité accompagne inévitablement le vieillissement et qu'il n'y a rien à faire pour y remédier.

Dans la partie 5, nous vous présentons un test de dépistage d'un problème auditif chez la personne âgée permettant à l'infirmière de procéder à une évaluation simple et ainsi de la diriger au besoin vers un spécialiste qui lui fera subir d'autres tests d'audiologie.

Voir évaluation, p. 231

L'encadré 3.2, quant à lui, propose des questions pour évaluer la présence de troubles auditifs, les facteurs de risque et la possibilité d'interventions.

ENCADRÉ 3.2
Des pistes pour l'évaluation de l'audition

Questions relatives aux facteurs de risque

- Avez-vous des antécédents familiaux en matière de surdité?
- Avez-vous été exposé à des bruits assourdissants à votre travail ou dans vos activités récréatives?
- Avez-vous des antécédents liés aux affections suivantes: le diabète, l'hypothyroïdie, la maladie de Paget, la maladie de Ménière?
- Quels médicaments prenez-vous? (Encadré 3.1, p. 17, pour connaître les médicaments ototoxiques potentiels.)
- Avez-vous déjà eu des bouchons de cérumen dans les oreilles?

Questions relatives à la présence possible d'une déficience auditive

- Avez-vous de la difficulté à entendre?
- Avez-vous remarqué des changements dans votre capacité à entendre les mots ou à comprendre les conversations?
- Avez-vous des bourdonnements ou des tintements dans les oreilles?

Questions relatives à la présence effective d'un trouble auditif

- Depuis combien de temps avez-vous remarqué un problème auditif?
- Avez-vous noté une différence d'audition entre votre oreille gauche et votre oreille droite?
- Ce problème est-il survenu graduellement ou soudainement?
- Pouvez-vous décrire ce problème?
- Y a-t-il des circonstances, par exemple un environnement bruyant, des voix ou des sons particuliers, qui nuisent à votre capacité auditive?
- Votre problème auditif vous empêche-t-il de communiquer avec les autres, individuellement ou en groupe?
- Y a-t-il des activités que vous aimeriez faire mais que vous croyez ne pas pouvoir effectuer en raison de ce problème?

- Avez-vous déjà été évalué pour le port d'un appareil auditif? Y avez-vous déjà songé?
- Avez-vous déjà essayé un appareil auditif?

Questions relatives à des activités de prévention de la maladie et de promotion de la santé

- Pratiquez-vous des activités qui vous exposent à un milieu bruyant comme le travail du bois ou la tonte du gazon? Si c'est le cas: Comprenez-vous l'importance de porter des protecteurs d'oreilles?
- Si vous avez déjà été traité pour des bouchons de cérumen, avez-vous recours depuis à des mesures préventives?
- Fumez-vous ou vivez-vous avec une personne qui fume? Si c'est le cas: Savez-vous que le tabagisme représente un facteur de risque de surdité?
- Quelle attitude avez-vous adoptée à l'égard de votre problème?
- Croyez-vous que c'est un problème normal ou intraitable?
- Voyez-vous le port d'un appareil auditif comme une situation négative?
- Seriez-vous disposé à subir un examen audiométrique? Sinon, pour quelles raisons? (Par exemple, votre situation financière, des moyens de transport limités peuvent-ils vous empêcher d'obtenir un appareil auditif?)
- Votre problème auditif entraîne-t-il l'isolement, la dépression, la paranoïa ou un manque de confiance en vos capacités?
- Quels sont vos moyens de communication habituels et en quoi votre problème les modifient-ils? (Par exemple, avez-vous besoin de pouvoir utiliser le téléphone dans votre milieu de vie?)
- Vivez-vous dans un milieu de vie bruyant? Si c'est le cas, votre problème auditif vous soulage-t-il de ce bruit?
- Vivez-vous dans un milieu où les activités de groupe sont très importantes? Voulez-vous y participer?

Des pistes pour l'évaluation des aspects comportementaux liés à l'audition sont proposées à l'encadré 3.3. Enfin, l'encadré 3.4 présente certaines pistes pour orienter les mesures de promotion de la santé liées à l'ouïe et à l'audition.

L'utilisation d'appareils auditifs

Un appareil auditif est un dispositif composé d'un amplificateur, d'un microphone et d'un récepteur, le tout activé par une pile. Il en existe plusieurs modèles classés en fonction de la taille, de l'endroit où on le place et de la technologie utilisée. Les plus gros ont la dimension d'un jeu de cartes et se portent sur le corps ; les plus petits et les plus récents se glissent dans le conduit auditif. On ne peut les détecter que lors d'un examen attentif de l'oreille. La ficelle de nylon qui y est rattachée permet de les insérer et de les retirer. Un appareil auditif s'installe principalement dans l'oreille, dans le conduit auditif externe ou à l'intérieur complètement du conduit interne. Les appareils auditifs placés sur le corps et derrière l'oreille sont devenus moins populaires depuis quelques années avec la mise au point d'appareils plus petits et beaucoup plus puissants grâce aux progrès technologiques.

Jusqu'à tout récemment, la puissance d'amplification des appareils était proportionnelle à leur taille, puisque leur fonctionnement reposait sur la même technologie. La personne atteinte d'une surdité profonde nécessitait donc un appareil plus volumineux. Les progrès technologiques ont permis la création d'une gamme d'appareils programmables et réglables selon les besoins individuels. L'efficacité d'un appareil auditif dépend maintenant de la technologie utilisée et non de sa taille. Les appareils se répartissent en deux catégories, analogues et numériques, et sont classés en fonction des possibilités de réglage et de programmation personnalisés.

> *L'efficacité d'un appareil auditif dépend maintenant de la technologie utilisée et non de sa taille.*

ENCADRÉ 3.3
Des pistes pour l'évaluation des aspects comportementaux liés à l'audition

Comportements relatifs à un trouble auditif

- Réponses inadéquates ou absence de réponses aux questions, surtout quand il y a impossibilité de lire sur les lèvres
- Incapacité à suivre des consignes sans indices
- Concentration réduite ; manque d'attention
- Demandes fréquentes pour répéter ou éclaircir le propos
- Observation attentive de l'interlocuteur
- Répétition silencieuse des mots de l'interlocuteur
- Orientation d'une oreille vers l'interlocuteur
- Proximité inhabituelle avec l'interlocuteur
- Absence de réactions à des bruits ambiants très forts
- Voix trop forte ou difficulté à s'exprimer
- Caractéristiques vocales singulières, par exemple une voix monocorde
- Impression que les autres parlent de soi

Comportements relatifs aux répercussions psychosociales

- Efforts pour éviter les situations de groupe
- Manque d'intérêt dans la participation à des activités sociales, surtout celles que la personne aimait autrefois ou qui exigent des échanges verbaux (par exemple, le bingo ou les parties de cartes)

Comportements relatifs au port d'un appareil auditif

- Refus de porter l'appareil auditif acheté
- Défaut d'acheter les piles requises pour le fonctionnement de l'appareil
- Manifestation de gêne à l'idée de porter un appareil auditif

ENCADRÉ 3.4
Les mesures de promotion de la santé liées à l'ouïe et à l'audition

Prévention et dépistage précoce des signes précurseurs de la surdité

- Utilisation de protecteurs d'oreilles au cours d'activités produisant des sons très forts
- Dépistage au moyen d'un questionnaire ou d'un examen audiométrique en présence de tout changement notable de l'ouïe
- Examen des oreilles pour évaluer la formation de bouchons de cérumen ; emploi de préparations céruminolytiques au besoin

Intervention visant à compenser la surdité

- Examen audiométrique dans une clinique de dépistage pour l'obtention d'un appareil auditif ou de services de réadaptation

Apport nutritionnel

- Absorption suffisante de zinc, de magnésium et de vitamines A, D et E

Les appareils auditifs numériques exploitent les derniers progrès technologiques. Ils correspondent plus efficacement aux besoins personnels. À l'aide d'un ordinateur, un audiologiste programme l'appareil en fonction du degré de surdité en amplifiant les fréquences correspondant aux déficiences. L'appareil numérique reçoit et dissèque les sons et en adapte l'amplitude sans parasites ni distorsion. Certains de ces appareils sont également équipés de microphones bidirectionnels réglables. Ils peuvent aussi être programmés au moyen d'une télécommande pour une meilleure adaptation au milieu. En fait, leur prix très élevé constitue leur seul désavantage. Ils peuvent coûter plusieurs milliers de dollars.

L'infirmière peut promouvoir le port d'appareils auditifs. Dans les centres d'hébergement et les autres types d'établissements, elle peut en expliquer les modes de fonctionnement selon les circonstances. Par exemple, l'infirmière pourrait encourager la personne âgée à utiliser un appareil auditif dans sa chambre avec un interlocuteur unique, mais lui conseiller de le retirer pour les repas pris dans la salle à manger pour éviter les bruits ambiants. Elle doit aussi l'informer des limites de ces appareils. La personne âgée croit souvent à tort que son appareil compensera totalement sa surdité, alors qu'il ne lui redonne que 50 % de sa capacité auditive. L'objectif du port de ces appareils n'est pas d'entendre parfaitement, mais d'améliorer la communication et la qualité de vie (Karev et Bartz, 2001).

> *L'objectif du port de ces appareils n'est pas d'entendre parfaitement, mais d'améliorer la communication et la qualité de vie (Karev et Bartz, 2001).*

L'infirmière doit suffisamment bien connaître le fonctionnement des appareils auditifs pour aider la personne âgée à porter le sien correctement et les soignants à l'entretenir convenablement. En milieu familial, l'infirmière en montre la manipulation au soignant s'il est nouveau ou si la personne âgée a maintenant besoin de soutien en raison d'une incapacité fonctionnelle plus prononcée.

La communication avec une personne âgée atteinte de surdité

Il est vital d'adopter des mesures visant à permettre à la personne âgée de compenser sa surdité. La presbyacousie a comme principale conséquence fonctionnelle une baisse de l'audition des sons aigus. Une élocution rapide et la présence de bruits ambiants intensifient le problème. Il s'agit donc de parler plus clairement et moins vite et d'éliminer les bruits ambiants et les distractions. Il faut y ajouter la communication écrite, les gestes et une attention soutenue au langage corporel. L'encadré 3.5 résume les mesures à prendre pour améliorer la communication avec la personne âgée atteinte de surdité. L'infirmière doit les appliquer et les enseigner aux soignants et aux membres de la famille.

ENCADRÉ 3.5
Les mesures pour améliorer la communication avec la personne âgée atteinte de surdité

- Se tenir ou s'asseoir directement devant la personne.
- Parler en direction de l'oreille non déficiente, mais s'assurer que la personne voie bien les lèvres.
- Vérifier si la personne est attentive et nous regarde.
- Prononcer son nom, attendre un instant, puis commencer à lui parler.
- Lui parler clairement, lentement et directement.
- Ne pas exagérer le mouvement des lèvres pour ne pas empêcher la personne de lire sur celles-ci.
- Éviter de mâcher de la gomme, de couvrir sa bouche ou de détourner la tête.
- Répéter en choisissant d'autres mots si la personne ne comprend pas.
- Éviter ou éliminer les bruits ambiants.
- Ne pas hausser le ton de la voix ; essayer plutôt de baisser le ton en parlant d'une voix relativement forte.
- Simplifier les consignes et demander à la personne de les répéter pour vérifier ce qu'elle a entendu.
- Éviter les questions qui nécessitent de répondre par oui ou par non.
- Opter pour des phrases courtes.
- Faire correspondre le langage corporel au message.
- Montrer ce qui est dit.
- Se servir de textes écrits en gros caractères et d'images pour compléter la communication verbale.
- S'assurer qu'une seule personne parle à la fois ; privilégier les conversations avec un interlocuteur unique, si possible.
- Vérifier la propreté des lunettes, si la personne en porte.
- Préparer un éclairage adéquat pour permettre à la personne de lire sur les lèvres ; éviter les reflets aveuglants derrière soi ou autour de soi.

Chapitre 4
L'appareil visuel

OBJECTIFS D'APPRENTISSAGE

**Après avoir lu ce chapitre,
vous devriez être en mesure :**

- de décrire les changements liés à l'âge qui ont une incidence sur l'acuité visuelle ;

- d'énoncer les facteurs de risque qui ont une incidence sur l'acuité visuelle ;

- d'expliquer les conséquences fonctionnelles des changements liés à l'âge et des facteurs de risque sur l'acuité visuelle ;

- d'indiquer les questions d'entrevue, les comportements et certains examens associés à l'acuité visuelle ;

- de suggérer certains correctifs visant à optimiser et à maintenir l'acuité visuelle.

Plan du chapitre

La vue est un sens important qui permet de vaquer aux diverses activités de la vie quotidienne. Elle facilite la communication et les déplacements dans notre milieu de vie, en plus de nous offrir le simple plaisir de voir. La baisse de l'acuité visuelle se répercute donc sur la sécurité, sur les activités quotidiennes et, par conséquent, sur la qualité de vie. Le vieillissement modifie les structures de l'œil et, qu'il soit couplé ou non à une affection oculaire ou à des facteurs de risque, il altère la vue. Les soins infirmiers gérontologiques doivent inclure un volet d'éducation pour la santé favorisant les interventions susceptibles de maintenir le maximum d'acuité visuelle et de contrebalancer les effets négatifs d'une baisse de la vue. Ce chapitre traite des changements et des troubles oculaires et visuels liés au vieillissement que l'on observe fréquemment chez les personnes âgées. On y aborde également certaines interventions de l'infirmière dans le maintien de l'acuité visuelle de ses clients et la façon dont ces derniers compensent une déficience visuelle.

4.1 Les changements liés à l'âge et l'acuité visuelle

Le mécanisme de la vision s'amorce avec la perception visuelle d'un stimulus externe et se termine par la transmission d'influx nerveux au cortex cérébral. Le vieillissement perturbe toutes les structures de l'œil et modifie la perception visuelle. Ces changements s'intègrent presque imperceptiblement dans la vie quotidienne s'ils ne se conjuguent pas à des troubles oculaires. Par contre, sans interventions ciblées, la qualité de vie de la personne âgée risque d'en souffrir. Celle-ci tend alors à limiter sa participation aux activités qui lui conféraient son autonomie.

Les changements dans l'apparence de l'œil

Les changements dans l'apparence de l'œil qui se produisent avec l'âge n'altèrent pas l'acuité visuelle. Cependant, ces changements sèment parfois l'inquiétude ou se révèlent désagréables. Fournir une information à ce sujet apaisera les craintes des personnes âgées. Les changements se manifestent dans l'œil lui-même et certaines de ses parties, notamment les paupières et les conduits lacrymaux. Des interventions appropriées soulageront les symptômes désagréables et dérangeants. Cette section explique brièvement les modifications à l'apparence de l'œil et à la sécrétion lacrymale.

Des dépôts de lipoïdes (une substance apparentée aux lipides) peuvent se former à la périphérie de la cornée, et un anneau blanchâtre ou jaunâtre peut apparaître entre l'iris et la sclérotique : il s'agit de l'arc sénile. Il est visible dans les yeux de la plupart des nonagénaires. Il se produit également une opacification de la cornée et un jaunissement de la sclérotique. Le pigment de l'iris pâlit.

Si l'apparence des paupières et de la peau qui entoure ces dépôts de substances lipidiques est touchée, l'acuité visuelle demeure généralement intacte. L'énophtalmie, l'enfoncement du globe oculaire dans son orbite qui donne l'apparence d'un œil creux, résulte d'une diminution de la graisse orbitaire, du relâchement des muscles des paupières, de l'apparition de rides et de l'accumulation du pigment foncé au pourtour de l'œil. Par ailleurs, la diminution de la graisse orbitaire et le relâchement des muscles des paupières peuvent aussi entraîner la formation d'un large repli qui s'étend jusqu'au rebord ciliaire. Ce problème est appelé blépharochalasis. Il

> *Une baisse de la sécrétion de larmes avec l'âge crée le syndrome des yeux secs.*

peut gêner la vision, mais se corrige par une intervention chirurgicale. Le relâchement complet des muscles de la paupière inférieure peut causer l'ectropion ou l'entropion. L'ectropion est une éversion de la paupière qui expose la conjonctive avec blocage du point lacrymal inférieur, ce qui empêche la lubrification de la conjonctive. L'entropion est la rétroversion de la paupière vers l'intérieur. Il occasionne un frottement des cils sur la cornée qui peut l'irriter et, à la longue, générer une infection.

Une baisse de la sécrétion de larmes avec l'âge crée le syndrome des yeux secs. La personne âgée signale une sécheresse des yeux, une sensation de brûlure ou une photosensibilité. L'irritation la pousse à se frotter les yeux et rend la cornée sujette aux infections. Étonnamment, le problème des yeux secs stimule l'appareil lacrymal, car la suppression du film lacrymal qui assure la lubrification normale active la sécrétion lacrymale réflexe (larmes).

La cornée et la sclérotique

La cornée est une membrane transparente responsable de la réfraction des rayons lumineux : elle en focalise entre 65 % et 75 %. Avec le vieillissement, la cornée s'opacifie et jaunit. Les rayons lumineux, surtout les rayons ultraviolets, se propagent plus difficilement jusqu'à la rétine. De plus, l'accumulation de dépôts de lipoïdes augmente la diffusion des rayons lumineux et brouille la vision. Chez les jeunes adultes, la courbure de la cornée est plus prononcée. La réfraction au plan horizontal est donc supérieure à celle qui s'effectue au plan vertical. Cette courbure se modifie avec l'âge, et le processus de réfraction s'inverse.

Le cristallin

Le cristallin est formé de couches concentriques de protéines cristalliniennes. Comme il est non vascularisé, il est nourri par l'humeur aqueuse, qui lui permet de remplir ses fonctions métaboliques et son rôle. Les fibres cristalliniennes transparentes génèrent continuellement de nouvelles couches en périphérie, qui repoussent et compriment les anciennes couches vers le centre. Celles-ci sont ensuite graduellement absorbées dans le noyau. Ce processus augmente peu à peu le diamètre et la masse du cristallin, qui est trois fois plus gros chez les septuagénaires. Progressivement, il s'opacifie, s'épaissit et se rigidifie.

Le vieillissement naturel de l'œil pousse le cristallin vers l'avant. Il obéit moins au muscle ciliaire. La transmission des rayons lumineux s'altère, et ces derniers sont disséminés lorsqu'ils traversent le cristallin. La quantité de lumière qui atteint la rétine est plus faible, particulièrement les ondes lumineuses plus courtes comme le bleu et le violet.

L'iris et la pupille

L'iris est un muscle circulaire, coloré par pigmentation, dont la dilatation et la contraction règlent le diamètre pupillaire et, par conséquent, la quantité de lumière qui pénètre dans l'œil jusqu'à la rétine. L'iris se sclérose et se rigidifie avec le vieillissement. Le diamètre de la pupille diminue. Sa réaction à la lumière ralentit. Cette diminution pupillaire s'enclenche dans la trentaine et se termine vers l'âge de 70 ans. Ce problème, le myosis sénile, réduit considérablement la quantité de lumière transmise à la rétine.

Le corps ciliaire

Le corps ciliaire se compose de muscles, de tissu conjonctif et de vaisseaux sanguins qui enveloppent le cristallin. Il régule la transmission des rayons lumineux à travers ce dernier en modifiant sa courbure. De lui dépend le pouvoir d'accommodation, qui permet de mieux voir les objets de près. Il produit aussi l'humeur aqueuse. L'atrophie du corps ciliaire s'amorce à partir de 40 ans. Du tissu conjonctif se substitue alors aux cellules musculaires. Dès la soixantaine, il devient rigide et plus petit, et ses fonctions se détériorent. Une baisse de la sécrétion d'humeur aqueuse causée par le vieillissement entrave le nettoyage de la cornée et du cristallin et les empêche de recevoir les nutriments dont ils ont besoin.

Le corps vitré

Le corps vitré ou humeur vitrée est une masse gélatineuse et transparente qui s'insère entre le cristallin et la rétine et qui maintient la forme sphérique de l'œil. La dégénérescence du corps vitré commence vers la cinquantaine. Il se contracte, et la quantité de fluide augmente. Il y a décollement du corps vitré, qui n'est plus en contact avec la rétine. Il en résulte des symptômes gênants comme des scotomes (altération ou perte de la vision dans une zone du champ visuel), une vision floue, une distorsion des images ou des éblouissements sans stimuli extérieurs. Parfois, ces symptômes s'accompagnent aussi d'une baisse de la lumière propagée vers la rétine en raison d'une dissémination des rayons lumineux dans le corps vitré.

La rétine

Les bâtonnets et les cônes de la rétine sont des cellules photoréceptrices qui transforment les stimuli visuels en influx nerveux. Les cônes sont responsables de l'acuité visuelle et de la vision des couleurs. Cette fonction exige une grande intensité lumineuse. Les bâtonnets sont responsables de la vision dans des conditions de faible éclairage et ne font pas la différence entre les couleurs. Les premiers se concentrent en majorité dans la partie centrale et très sensible de la macula, la fovéa. Quant à eux, les bâtonnets sont répartis en périphérie de la rétine.

Dès l'âge de 20 ans, le nombre de cônes commence à diminuer. La fovéa ne subit qu'une réduction minimale du nombre de cônes. La diminution la plus importante se situe en périphérie de la rétine. Cette réduction du nombre de cônes provoque une augmentation du diamètre des autres cônes pour continuer à capter la lumière.

Avec l'âge, l'épithélium pigmentaire rétinien et les vaisseaux sanguins se sclérosent et s'amincissent. La quantité de lipofuscine (un pigment cellulaire composé de débris de molécules) s'accroît dans l'épithélium pigmentaire rétinien, dans lequel fait maintenant saillie la choroïde, une membrane vascularisée de l'œil. Ces changements ont fait l'objet de très peu de recherches. On croit toutefois qu'ils ont des répercussions sur l'acuité visuelle.

Les voies optiques

Les cellules photoréceptrices convergent vers les cellules ganglionnaires qui forment le nerf optique. L'information neurosensorielle est alors transmise du nerf optique au cortex cérébral par l'entremise du thalamus. Le vieillissement entraîne une réduction du nombre et de la qualité des neurones du cortex. Il altère aussi les voies optiques et, donc, la vitesse d'analyse de l'information visuelle, particulièrement dans des conditions de faible éclairage. De plus, une déficience cognitive découlant de changements du système nerveux central associés au vieillissement peut également détériorer l'acuité visuelle.

4.2 Les facteurs de risque et l'acuité visuelle

Des facteurs de risque peuvent accélérer le vieillissement du cristallin et de la rétine. Par exemple, une exposition prolongée aux rayons ultraviolets (la lumière du soleil) peut entraîner l'apparition de cataractes et provoquer la disparition de photorécepteurs, surtout les cônes. En raison de sa vulnérabilité aux rayons ultraviolets, la personne âgée est plus susceptible d'endommager ses yeux. D'ailleurs, la presbytie (un trouble de la vision rapprochée) est diagnostiquée plus tôt dans les climats chauds. Les conditions du milieu de vie, notamment le vent, la lumière du soleil, un faible taux d'humidité et la fumée de cigarette, peuvent occasionner le syndrome des yeux secs.

Les conséquences de certaines maladies se répercutent sur l'acuité visuelle. Dès les premiers stades de la maladie d'Alzheimer, divers troubles visuels se manifestent, dont une diminution de la vision des reliefs. Les personnes diabétiques sont plus vulnérables aux cataractes, au glaucome et à la rétinopathie diabétique. Celles qui souffrent d'hypertension ou d'hypercholestérolémie peuvent présenter une dégénérescence maculaire liée à l'âge (DMLA). La malnutrition peut favoriser l'apparition de cataractes, et une déficience en vitamine A réduit la sécrétion lacrymale, causant ainsi le syndrome des yeux secs.

Le tabagisme représente un facteur de risque lié aux cataractes et à la DMLA. Des études longitudinales ont découvert qu'une personne qui cesse de fumer multiplie ses chances d'éviter le développement de cataractes en limitant les dommages au cristallin, très sensible au nombre de cigarettes fumées.

Les médicaments produisant des effets indésirables sur l'acuité visuelle sont l'acide acétylsalicylique (aspirine), l'halopéridol, les anti-inflammatoires non stéroïdiens, les antidépresseurs tricycliques, la digitaline, les anticholinergiques, les phénothiazines, l'isoniazide, le tamoxifène, l'amiodarone, le sildénafil et les corticostéroïdes administrés par voie orale ou par inhalation. Les cataractes sont répandues chez les personnes atteintes de glaucome qui prennent des anticholinestérasiques. L'œstrogène, les diurétiques, les antihistaminiques, les anticholinergiques, les phénothiazines, les bêtabloquants et les médicaments antiparkinsoniens sont une cause primaire ou secondaire du syndrome des yeux secs. Les anticoagulants à action générale peuvent provoquer une hémorragie intraoculaire en présence d'une DMLA. Au cours des dernières années, les statines (des médicaments hypocholestérolémiants) ont soulevé bien des questions sur leur potentialité au développement des cataractes, surtout avec la consommation d'autres médicaments qui en amplifient la biodisponibilité (Schlienger et autres, 2001).

4.3 Les conséquences fonctionnelles des changements liés à l'âge sur l'acuité visuelle

Peu importe la race, le sexe, l'origine ethnique ou la situation socioéconomique, tous les adultes dans la cinquantaine remarquent des changements dans leur acuité visuelle. Le port de lunettes ou de lentilles cornéennes est universel à 80 ans. Malgré ces changements, la plupart des personnes âgées parviennent à accomplir leurs activités habituelles au moyen d'aides visuelles et d'un réaménagement de leur milieu de vie. La déficience visuelle est une perte de la vue que des lunettes ou des lentilles cornéennes ne peuvent pas corriger. Elle englobe aussi bien un trouble visuel bénin que la cécité la plus complète. Le vieillissement est synonyme de troubles visuels légers que des facteurs comme l'éblouissement ou un éclairage insuffisant aggravent. De simples solutions compensatoires parviennent à y remédier. Ainsi, le port de lunettes pour la lecture et le recours à un éclairage antireflet donnent de bons résultats. Les prochaines sections explorent les conséquences de déficits visuels sans gravité. Les répercussions plus importantes sont exposées à la section 4.5.

La diminution du pouvoir d'accommodation

Le pouvoir d'accommodation est la faculté d'adapter sa vision de façon nette et rapide sur des objets rapprochés et à des distances différentes. La perte de netteté de la vision constitue le premier signe d'un changement. C'est dans la quarantaine que se fait sentir la diminution du pouvoir d'accommodation et qu'apparaît la presbytie. Ce problème visuel découle d'une perte de souplesse du cristallin, la structure oculaire responsable de la mise au point de la vision à diverses distances. Parfois, la dégénérescence du corps ciliaire joue un petit rôle. Ce trouble de la vision rapprochée entraîne une augmentation progressive de la distance à laquelle un objet apparaît d'une façon nette et distincte. Cette diminution de l'accommodation fait en sorte qu'une personne atteinte de presbytie doit éloigner l'objet pour mieux le voir.

La baisse de l'acuité visuelle

L'acuité visuelle est la capacité de discriminer les détails et les objets. On la mesure à l'échelle de Snellen, et la vision normale est 20/20. L'acuité visuelle est optimale à 30 ans. Elle faiblit ensuite avec les années. Une réduction du diamètre pupillaire, la diffusion de la lumière dans la cornée et le cristallin, l'opacification du cristallin et du corps vitré, ainsi que la diminution du nombre de photorécepteurs entraînent toutes une baisse de l'acuité visuelle. D'autres facteurs, comme la taille et le mouvement d'un objet ainsi que la quantité de lumière qu'il réfléchit, nuisent à l'acuité visuelle. Un éclairage insuffisant ou déficient augmente les problèmes causés par le vieillissement, plus particulièrement ceux qui sont liés à l'acuité visuelle. Ainsi, les objets en mouvement occasionnent plus de troubles d'acuité visuelle que les objets immobiles. Plus l'objet se déplace rapidement, plus le problème s'accentue. L'ajout de ces facteurs au processus de vieillissement empêche la personne âgée de distinguer des objets en mouvement ou d'accomplir ses tâches dans des conditions de faible éclairage. C'est pourquoi elle a besoin d'un meilleur éclairage et peut connaître des difficultés à conduire le soir.

Le déclin de l'adaptation visuelle

Le degré de vision et le temps nécessaire avant l'atteinte d'une acuité visuelle maximale permettent d'évaluer l'adaptation visuelle à un faible éclairage. Cette faculté d'adaptation amorce son déclin vers l'âge de 20 ans et fléchit considérablement après 60 ans. Les causes en sont une baisse de l'éclairement rétinien, un ralentissement du métabolisme rétinien et une altération des voies optiques, tous associés au vieillissement. La personne âgée s'adapte plus lentement aux différents types d'éclairage. Par exemple, si elle entre dans une salle de cinéma plongée dans l'obscurité, elle doit attendre un peu plus longtemps avant de marcher vers son siège.

Le processus de vieillissement, qui modifie le cristallin et les pupilles, influe aussi sur l'adaptation visuelle à un fort éclairage. Il réduit en effet la quantité de rayons lumineux pénétrant jusqu'à la rétine. Concrètement, la vision d'une personne s'adapte plus difficilement à une lumière aveuglante comme celle des phares d'une voiture qui approche en sens inverse. Elle récupère donc plus lentement lorsqu'elle est frappée par une lumière vive ou un éblouissement.

La sensibilité marquée à l'éblouissement

Il y a éblouissement lorsque les rayons lumineux sont disséminés dans le cristallin et que la clarté des images visuelles s'en trouve réduite. Les reflets d'une surface luisante, une lumière vive, un éclairage mal orienté ou une multiplicité de sources lumineuses produisent des éblouissements. Il en existe trois catégories : l'éblouissement disséminé, l'éblouissement aveuglant et l'éblouissement avec scotomes. Le premier vient de la dispersion des rayons lumineux sur la surface rétinienne. Le relief d'un objet s'estompe. C'est ce qui se produit, par exemple, lorsqu'un éclairage au néon se reflète sur l'emballage en plastique transparent d'une pièce de viande dans un contenant blanc. Le deuxième survient lorsque la lumière ne permet pas de distinguer certains détails. C'est le cas notamment des répertoires sous vitre des centres commerciaux, dont le vif éclairage nuit à la lecture des renseignements, surtout si la présentation de l'affiche manque de contrastes. Enfin, le troisième provient d'une baisse de la sensibilité rétinienne et de l'hyperstimulation des pigments après une exposition à une lumière aveuglante. Elle se manifeste par temps ensoleillé, pluvieux ou neigeux si une personne conduit face au soleil.

Au début de la cinquantaine, la sensibilité à l'éblouissement et le temps de récupération après l'éblouissement s'amplifient, surtout en raison de l'opacification du cristallin, mais aussi de la dégénérescence de la pupille et du corps vitré. Ces problèmes retentissent sur la conduite automobile le soir, la lecture de la signalisation, et la capacité de voir les objets et de se déplacer en toute sécurité dans des milieux à éclairage brillant. Tout concourt à éblouir dans les nombreux édifices et centres commerciaux modernes dotés de grandes fenêtres et d'un éclairage très vif qui se reflète sur des planchers luisants. Les éblouissements sont une cause fréquente d'accidents et de difficultés de perception visuelle.

> *Au début de la cinquantaine, la sensibilité à l'éblouissement et le temps de récupération après l'éblouissement s'amplifient, surtout en raison de l'opacification du cristallin, mais aussi de la dégénérescence de la pupille et du corps vitré.*

L'amputation du champ visuel

Le champ visuel est l'espace ovale qu'embrasse l'œil quand on fixe un point devant soi. Le champ visuel évolue peu entre l'âge de 40 et 50 ans, mais s'altère de façon continue par la suite. Il facilite la réalisation d'activités qui nécessitent une vision maximale du milieu environnant et des objets en mouvement. Les déplacements dans une foule et la conduite automobile représentent des exemples d'activités tributaires du champ visuel.

La diminution de la vision des reliefs

La vision des reliefs permet de localiser les objets dans un espace tridimensionnel et d'en évaluer les reliefs et la position dans l'espace. Son efficacité repose aussi sur l'interaction entre divers facteurs oculaires et extraoculaires. La vision stéréoscopique, ou la différence des images projetées sur la rétine par la séparation des yeux, est la principale caractéristique de la vision des reliefs. D'autres sont la perception antérieure de la personne, les mouvements de sa tête ou de son corps et les caractéristiques de l'objet, c'est-à-dire sa taille, sa hauteur, sa distance, sa texture, sa luminosité et son ombre.

On en connaît peu sur les problèmes associés à la vision des reliefs en raison de la complexité des facteurs internes de l'œil et externes à l'œil. En outre, les recherches sur la vision stéréoscopique sont très limitées. Tous les chercheurs s'entendent sur une baisse de la vision des reliefs chez la personne âgée, mais sans très bien en saisir la cause. Elle facilite pourtant la manipulation des objets et les déplacements. Lorsque cette vision faiblit, la personne est plus sujette aux chutes découlant d'une mauvaise évaluation de la distance entre les objets et de la hauteur de ceux-ci.

L'altération de la vision des couleurs

Les pigments contenus dans trois types de cônes absorbent les rayons lumineux rouges, bleus ou verts du spectre. La vision des couleurs dépend de la catégorie et de la quantité d'ondes lumineuses qui pénètrent jusqu'à la rétine. Par conséquent, les troubles visuels découlant d'une baisse de l'éclairement rétinien, par exemple l'opacification du cristallin et le myosis pupillaire, nuisent à une bonne vision des couleurs. Lorsque le cristallin s'opacifie ou jaunit, les ondes lumineuses courtes se dégradent. La personne distingue alors mal la palette des bleus, des verts et des violets. Les altérations de la rétine ou des voies optiques modifient également la vision des couleurs,

tout comme les facteurs extraoculaires tels qu'un faible éclairage. L'altération de la vision des couleurs donne un ton plus foncé aux objets bleus et une nuance jaunâtre aux objets blancs.

La distorsion des pulsations lumineuses

La fréquence critique de fusion permet à l'œil de percevoir la pulsation lumineuse comme un faisceau continu. Cette fonction revient aux photorécepteurs de la rétine et dépend d'autres facteurs comme la taille, la couleur et la luminosité de l'objet. Avec le vieillissement, les altérations de la rétine, des voies optiques et de l'éclairement rétinien, que renforce un éclairage inadéquat, influent sur la fréquence critique de fusion. La distorsion des pulsations lumineuses amène la personne à percevoir une lumière clignotante comme un faisceau lumineux continu. En conséquence, elle perçoit différemment les feux clignotants des chantiers de construction routière et les gyrophares des véhicules d'urgence, surtout la nuit.

Le ralentissement de l'analyse de l'information visuelle

C'est dans les voies optiques que s'accomplit l'analyse fidèle de l'information visuelle. La personne âgée met nécessairement plus de temps à l'analyser et à la chercher dans sa mémoire visuelle pour mener à bien ses tâches quotidiennes. Toutefois, ce délai est minimal ou négligeable dans le cas de tâches routinières ou régulières.

Le tableau 4.1 décrit les troubles visuels associés au vieillissement et leurs conséquences.

TABLEAU 4.1 Les conséquences des changements liés à l'âge sur l'acuité visuelle		
Aspects touchés	**Changements**	**Conséquences**
Apparence et bien-être	• Perte de souplesse des muscles des paupières • Énophtalmie • Réduction de la sécrétion lacrymale	• Potentialité d'entropion, d'ectropion, de blépharochalasis • Potentialité du syndrome des yeux secs
Structures	• Jaunissement et opacification de la cornée • Modification de la courbure de la cornée • Augmentation du diamètre et de la masse du cristallin • Sclérose et rigidité de l'iris • Réduction du diamètre de la pupille • Atrophie du muscle ciliaire • Diminution de la substance gélatineuse du corps vitré • Atrophie des photorécepteurs • Amincissement et sclérose des vaisseaux sanguins de la rétine • Dégénérescence des neurones du cortex cérébral	• Presbytie • Diminution du pouvoir d'accommodation • Baisse de l'acuité visuelle • Déclin de l'adaptation visuelle • Sensibilité marquée à l'éblouissement • Amputation du champ visuel • Diminution de la vision des reliefs • Altération de la vision des couleurs • Distorsion des pulsations lumineuses • Ralentissement de l'analyse de l'information visuelle

4.4 Les troubles oculaires

Les troubles oculaires sont très fréquents chez la personne âgée. Les conséquences fonctionnelles des trois troubles les plus courants sont décrites dans les prochaines sections. L'infirmière occupe une place prépondérante dans leur détection et leur traitement. Elle peut repérer les symptômes en évaluant attentivement les changements que subit l'œil, comme nous le verrons plus loin. Cette démarche est très importante dans le cas du glaucome, une affection souvent non détectée et pourtant facilement traitable. Les trois troubles oculaires les plus répandus sont les cataractes, la dégénérescence maculaire liée à l'âge et le glaucome (Figure 4.1 et Tableau 4.2, p. 32).

Les cataractes

Les cataractes sont la principale cause de troubles visuels chez la personne âgée. C'est aussi la plus simple à traiter. Environ un quart des personnes de 70 ans et plus vivant à la maison ont déclaré avoir des cataractes; parmi elles, on observe un nombre plus élevé de femmes que d'hommes (Desai et autres, 2001). La formation de cataractes représente le résultat extrême d'un changement du cristallin qui s'amorce entre l'âge de 30 et 40 ans et peut se poursuivre jusqu'à l'opacification totale. La cataracte empêche la transmission des rayons lumineux jusqu'à la rétine, d'où un déficit visuel. Chez certaines personnes, cette opacification progresse peu et n'entraîne pas d'altération visuelle. Pour un bon nombre, toutefois, la vision est gravement atteinte. Les maladies polysystémiques, les médicaments et divers facteurs de risque favorisent aussi l'apparition de cataractes. Le tableau 4.2 (p. 32) résume ces facteurs de risque. Le développement de cataractes peut également survenir à la suite d'une chirurgie oculaire, par exemple pour traiter le glaucome.

Les cataractes touchent les deux yeux, mais elles n'évoluent pas toutes de façon identique. Il existe trois différents types de cataractes selon leur emplacement: les cataractes corticales, qui touchent le cortex, les cataractes nucléaires, qui se produisent dans le noyau, et les cataractes sous-capsulaires, qui se forment sur la membrane postérieure entourant le cristallin. L'emplacement de la cataracte détermine la gravité du trouble visuel, les cataractes nucléaires étant celles dont les répercussions gênent le plus la vision.

Au début, les cataractes ne modifient pas l'acuité visuelle, mais à mesure que l'affection progresse, la personne signale une sensibilité accrue à l'éblouissement, une vision floue ou affaiblie, une baisse de la vision nocturne et de la vision des reliefs, la nécessité

a. Vision normale

b. Cataractes

c. Dégénérescence maculaire

d. Glaucome

FIGURE 4.1   **Des exemples des effets de différents types de troubles oculaires.**
Source: Reproduit avec la permission du *National Eye Institute*, National Institutes of Health.

TABLEAU 4.2	Les troubles oculaires		
Troubles	**Facteurs de risque**	**Symptômes**	**Traitement**
Cataractes	• Âge avancé, exposition à la lumière du soleil, tabagisme, diabète, malnutrition, traumatisme oculaire ou crânien, irradiation de l'œil ou de la tête, médicaments (corticostéroïdes, phénothiazines, amiodarone, benzodiazépines, anticholinestérasiques)	• Sensibilité marquée à l'éblouissement, diminution de la vision des reliefs, vision floue, altération de la vision des couleurs, changements fréquents de puissance des verres correcteurs ou des lentilles cornéennes	• Chirurgie pour enlever le cristallin et implanter un cristallin artificiel
Dégénérescence maculaire liée à l'âge (DMLA)	• Âge avancé, type caucasien, antécédents familiaux de DMLA, tabagisme, hypertension, hyperlipidémie, médicaments (tamoxifène, phénothiazines, chloroquine)	• Perte progressive de la vision centrale (fovéale), distorsion des lignes droites, vision floue	• Participation à un programme de rééducation visuelle, thérapie au laser argon pour la forme humide, traitements expérimentaux à l'étude pour les deux formes de la maladie
Glaucome	• Âge avancé, race noire, antécédents familiaux de glaucome, diabète, médicaments (anticholinergiques, corticostéroïdes)	• Chronique: progression lente, baisse de l'acuité visuelle dans des conditions de faible éclairage, sensibilité marquée à l'éblouissement, diminution de la vision des reliefs, affaiblissement de la vision périphérique • Aigu: apparition soudaine, douleur vive, vision floue, halos lumineux, nausée et vomissements	• Chronique: traitements médicaux par agonistes adrénergiques, inhibiteurs de l'anhydrase carbonique, bêtabloquants et prostaglandines (administrés sous la forme de gouttes ophtalmiques) • Aigu: traitement immédiat avec médicaments pour abaisser la pression, suivi d'une chirurgie au laser

d'un éclairage substantiellement plus fort pour lire, la présence de halos lumineux, une distorsion des images ou une vision double (diplopie), la nécessité de fréquents changements dans la puissance des verres correcteurs, la présence d'une pellicule sur le champ visuel et une altération de la vision des couleurs (par exemple, la couleur bleue semble terne, les couleurs rouge, jaune et orange semblent plus vives) (Figure 4.1, p. 31). Les cataractes nuisent souvent à certaines activités telles que la lecture et la conduite automobile (surtout le soir).

Il n'existe pas de traitement médical de la cataracte, mais il est possible, au début de la maladie, d'en compenser les effets par le port de lunettes ou de lentilles cornéennes appropriées. Si l'acuité visuelle se situe à 20/50 et que l'affection perturbe la réalisation des activités essentielles, l'intervention chirurgicale est généralement recommandée. Celle-ci n'est pratiquée que sur un œil à la fois; après la guérison du premier, on opère le deuxième. Ce sont les conséquences sur la sécurité et la qualité de vie

de la personne âgée qui décident de la nécessité de l'opération. Au cours des 10 dernières années, ce type de chirurgie a connu d'énormes progrès. Il est dorénavant plus simple et présente moins de danger. L'opération, effectuée sous anesthésie locale, prend moins d'une heure et comporte peu de complications.

Le rôle de l'infirmière consiste à chasser les mythes qu'entretiennent les personnes âgées et qui les empêchent de se faire opérer. Nombreuses sont celles qui croient que cette intervention chirurgicale est plus complexe ou plus dangereuse qu'elle ne l'est en réalité. Elles ont encore en mémoire l'expérience vécue par de vieux amis ou des membres de la famille. Sans devoir les connaître à fond, l'infirmière doit insister sur l'efficacité des techniques chirurgicales, qui se sont simplifiées depuis 10 ans, et ne pas manquer de souligner le taux élevé de réussite. Elle encourage les personnes atteintes à s'informer auprès des professionnels des soins de la vue et à procéder à une évaluation régulière des cataractes plutôt que d'accepter une baisse de leur acuité visuelle.

La dégénérescence maculaire liée à l'âge

La DMLA est la principale cause de cécité dans les pays industrialisés. De fait, 18 % de la population âgée de 70 à 74 ans et 47 % des personnes de 85 ans et plus en sont atteintes à divers stades. La prévalence de la maladie se répartit assez également selon le sexe ou la race, mais chez les personnes âgées de 70 ans et plus, elle touche un nombre supérieur de femmes. Elle est liée aux facteurs de risque déjà mentionnés et que résume le tableau 4.2 (p. 32).

La macula est située au centre de la rétine, où l'acuité visuelle est maximale. Au début de la maladie, des dépôts jaunâtres d'épithélium pigmentaire, appelés corps colloïdes, s'y accumulent. Un examen du fond de l'œil permet de les discerner. À mesure que la maladie progresse, elle adopte l'une ou l'autre forme, soit la forme sèche (atrophique), qui représente 80 % à 90 % des cas, ou la forme humide (exsudative). Dans la forme sèche, les dommages proviennent de la mort des cellules photoréceptrices qui, à l'examen du fond de l'œil, ressemblent à de minuscules zones atrophiées de l'épithélium pigmentaire. Dans la forme humide, on assiste à une néovascularisation choroïdienne, soit la formation de nouveaux vaisseaux sanguins dans la choroïde, suivie d'une hémorragie sous-rétinienne. La forme sèche de la DMLA évolue lentement et n'entraîne pas de cécité totale, contrairement à la forme humide, qui agit rapidement et provoque la cécité complète.

Les premiers symptômes sont une vision floue et une difficulté plus grande à lire dans des conditions de faible éclairage. À l'instar des autres troubles oculaires, la DMLA s'attaque aux deux yeux, mais ne peut toucher qu'un œil au début. La progression diffère dans chaque œil. Au cours de son évolution, elle détruit la vision centrale (fovéale) et empêche de lire, de conduire, de regarder la télévision, d'identifier les gens et d'accomplir un grand nombre d'activités de la vie quotidienne (Figure 4.1, p. 31). Le traitement par photocoagulation et le traitement photodynamique éliminent efficacement la néovascularisation choroïdienne qui sévit dans la forme humide. Par contre, la personne atteinte de cette forme peut ne pas satisfaire aux critères médicaux associés à ces deux traitements. Peu importe la forme de DMLA, l'objectif principal d'un traitement est de freiner la progression de la cécité et non de la corriger.

> *L'infirmière doit soutenir la personne âgée et l'inciter à suivre des programmes de rééducation visuelle pour apprendre à compenser la perte graduelle de son acuité visuelle.*

L'infirmière doit soutenir la personne âgée et l'inciter à suivre des programmes de rééducation visuelle pour apprendre à compenser la perte graduelle de son acuité visuelle. La DMLA ne se guérit pas, mais la recherche actuelle porte sur la mise au point de nouveaux traitements. Il s'agit d'encourager les personnes âgées à s'informer des derniers progrès auprès des organismes appropriés. Des renseignements au sujet de ces divers organismes peuvent être obtenus dans les cliniques d'ophtalmologistes et d'optométristes. On enseigne généralement aux personnes atteintes de DMLA d'effectuer un test à l'aide de la grille d'Amsler tous les jours pour vérifier s'il n'y a pas d'évolution soudaine de la maladie. L'infirmière doit aussi inviter les personnes atteintes à consulter des professionnels des soins de la vue pour détecter les effets traitables de cette maladie.

Voir évaluation, p. 232

Le glaucome

Le glaucome regroupe diverses affections oculaires causées par une accumulation d'humeur aqueuse dans l'œil. Cette anomalie endommage les cellules ganglionnaires du nerf optique. L'humeur aqueuse est un liquide transparent sécrété par le corps ciliaire qui passe dans la chambre antérieure de l'œil. Elle contribue à réguler la pression intraoculaire entre 10 mm Hg et 20 mm Hg. Si ce liquide ne peut être évacué de la chambre antérieure par l'angle formé par l'iris et la cornée (angle iridocornéen), il s'accumule et donne à la cornée une forme concave. Il en résulte une perte de la vision périphérique. Sans traitement, les dommages infligés peuvent entraîner la cécité.

Le glaucome chronique ou simple (ou glaucome à angle ouvert) englobe 90 % des cas en Amérique du Nord. Il découle d'une occlusion des canaux de drainage de l'humeur aqueuse. Il ne se manifeste pas avant d'avoir endommagé le nerf optique. Les premiers symptômes sont une élévation de la pression intraoculaire, une altération visuelle dans des conditions de faible éclairage et une sensibilité croissante à l'éblouissement. S'il y a évolution de la maladie, elle s'accompagne de céphalées, de fatigue oculaire et d'une perte de la vision périphérique, de fixité et de dilatation pupillaires, de halos lumineux et de changements constants de la puissance des verres correcteurs. Dans sa phase initiale, ce type de glaucome ne se déclenche parfois que dans un seul œil, et sa progression peut différer d'un œil à l'autre.

Sa lente évolution sans symptômes apparents nécessite une évaluation annuelle de la pression oculaire pour découvrir sa présence avant l'apparition d'une atteinte visuelle. Le traitement au moyen de médicaments est le plus répandu. S'il se révèle insuffisant, la chirurgie au laser argon et d'autres interventions chirurgicales sont aussi possibles. Le traitement médicamenteux, par instillation de gouttes à raison de une à quatre fois par jour, comprend des collyres myotiques, des prostaglandines, des bêtabloquants, des agonistes adrénergiques et des inhibiteurs de l'anhydrase carbonique.

Le glaucome sans hypertension oculaire (ou pseudo-glaucome) est une autre forme de glaucome. Dans ce cas, il n'y a pas d'élévation de la pression intraoculaire, mais le nerf optique est endommagé. Il y a aussi amputation du champ visuel (Figure 4.1, p. 31). Il n'existe pas de traitement spécifique pour cette affection, mais les médicaments et les interventions chirurgicales sont les mêmes que pour le glaucome chronique.

La cause du glaucome aigu (glaucome à angle étroit ou à angle ouvert) est une occlusion soudaine et complète de la circulation de l'humeur aqueuse. Cette affection, qui se déclare brusquement dans un œil ou les deux, nécessite une intervention d'urgence. Ses manifestations sont une élévation de la pression intraoculaire, des douleurs oculaires aiguës, une baisse de l'acuité visuelle, la dilatation de la pupille et des nausées et vomissements. Le glaucome aigu peut se déclencher à la suite d'une dilatation pupillaire causée par la prise de médicaments tels que des anticholinergiques. Un traitement médicamenteux rapide peut se révéler efficace en cas de crises aiguës, mais l'intervention chirurgicale reste souvent inévitable.

Les interventions en éducation pour la santé doivent mettre en valeur l'importance de la fidélité au traitement médicamenteux indiqué par le professionnel des soins de la vue.

4.5 Les conséquences fonctionnelles de la déficience visuelle

Si l'acuité visuelle corrigée d'une personne âgée se situe à 20/50 ou est inférieure, on dit que cette personne présente une déficience oculaire fonctionnelle (Carter, 2001). Les déficiences les plus graves résultent habituellement d'affections oculaires telles que les cataractes, le glaucome ou la DMLA, qui se manifestent en général avec le vieillissement. Les personnes âgées de 65 ans et plus représentent environ 30 % des personnes atteintes de troubles oculaires et 37 % des consultations auprès des médecins pour l'obtention de soins oculaires. Les troubles de la vue persistant même avec des verres correcteurs

touchent 14 % de la population âgée de 70 à 74 ans, et 32 % des personnes de 85 ans et plus (Desai et autres, 2001). Les sections suivantes abordent les conséquences fonctionnelles rattachées aux divers troubles oculaires les plus courants chez les aînés.

Les répercussions sur la sécurité

La déficience visuelle nuit à l'équilibre et à la démarche ; elle s'accompagne donc d'un risque plus prononcé de chutes et de fractures. Au cours d'une étude d'une durée d'un an menée auprès de 156 personnes autonomes âgées de 63 à 90 ans, les chercheurs Lord et Dayhew (2001) ont indiqué que la déficience visuelle constitue un facteur de risque très important dans les chutes. Ils ont remarqué que la vision des reliefs et celle des distances sont deux facteurs cruciaux dans l'équilibre et la détection d'obstacles physiques. La baisse de l'acuité visuelle, l'amputation du champ visuel, la diminution de la vision des reliefs et une sensibilité plus marquée à l'éblouissement sont associées aux chutes. D'autres chercheurs, soit West et ses collègues (2002), ont établi un lien étroit entre une mobilité restreinte et l'altération de l'acuité visuelle et de la vision des reliefs. Une analyse plus lente de l'information visuelle peut aussi retarder la réaction susceptible d'empêcher une chute. Enfin, il ne faut pas oublier les conséquences des cataractes et de la DMLA. Les troubles oculaires entravent donc la détection d'obstacles et accroissent les possibilités de chutes et de blessures connexes.

Les répercussions sur la qualité de vie

Les altérations visuelles liées à l'âge s'installent graduellement et subrepticement pendant des années. Lorsque les premiers symptômes gênent les activités de la vie quotidienne, la personne âgée peut choisir de s'isoler plutôt que d'admettre le problème ou de modifier son mode de vie. Deux recherches révèlent que la déficience visuelle des personnes âgées vivant en CHSLD occasionne des problèmes de comportement, un isolement prononcé et une participation à peu près inexistante aux activités (Horowitz, 1997 ; Resnick et autres, 1997). Sur ce sujet, Rovner et Casten (2002) ont signalé, chez les personnes atteintes de DMLA, une augmentation des troubles dépressifs proportionnelle à la baisse de participation à des activités individuelles et communautaires. En outre, la recherche de Rovner et Casten révélait que la dépression amplifiait l'invalidité, car elle renforçait les conséquences de la déficience visuelle au-delà de la gravité même du trouble oculaire.

Évidemment, le mode de vie d'une personne influe sur la gravité des répercussions psychosociales associées à un trouble visuel. Dans le cas de passe-temps exigeant une bonne vision comme la lecture, la couture ou les travaux d'aiguille, la personne âgée atteinte de déficience visuelle ne tarde pas à s'ennuyer ou à déprimer. Si elle accorde la priorité aux activités artistiques ou aux activités de divertissement, sa qualité de vie se dégrade. Par contre, si elle privilégie la musique ou d'autres activités reposant moins sur l'acuité visuelle, les conséquences sur sa qualité de vie peuvent alors être moins importantes.

Le milieu de vie et le réseau de soutien constituent aussi des facteurs déterminants. L'acuité visuelle est primordiale pour la personne âgée vivant seule ou qui s'occupe d'autres personnes. Elle l'est moins pour celle qui partage sa vie et ses activités avec d'autres personnes dotées d'une bonne vue. Si elle accepte de réaménager son milieu de vie pour contrebalancer sa déficience oculaire, elle en réduit d'autant les conséquences psychosociales. Naturellement, pour les personnes âgées vivant en centre d'hébergement, les conséquences négatives sont plus importantes, puisqu'elles ne peuvent pas réaménager leur milieu de vie.

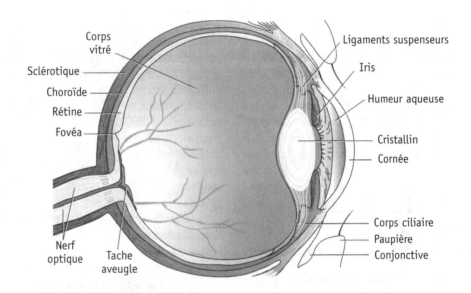

Les changements liés à l'âge

Apparence et bien-être
- Perte de souplesse des muscles des paupières
- Énophtalmie

Structures
- Jaunissement et opacification de la cornée
- Modification de la courbure de la cornée
- Augmentation du diamètre et de la masse du cristallin
- Sclérose et rigidité de l'iris
- Diminution du diamètre pupillaire
- Atrophie du muscle ciliaire
- Réduction de la substance gélatineuse du corps vitré
- Réduction du nombre de cellules photoréceptrices
- Baisse du débit sanguin dans la rétine
- Diminution du nombre de neurones dans le cortex occipital

Conséquences fonctionnelles négatives
- Ectropion, entropion, blépharochalasis, syndrome des yeux secs
- Altération de la vision des couleurs
- Sensibilité plus marquée à l'éblouissement
- Nécessité d'un meilleur éclairage
- Baisse de l'acuité visuelle et diminution du pouvoir d'accommodation
- Déclin de l'adaptation visuelle
- Amputation du champ visuel
- Ralentissement de l'analyse de l'information visuelle
- Problème de conduite automobile le soir
- Presbytie

Facteurs de risque
- Milieu de vie : éblouissement, éclairage faible
- Mode de vie : tabagisme, exposition aux rayons ultraviolets
- Maladie polysystémique : diabète, hypertension
- Effets indésirables des médicaments
- Carence nutritionnelle

FIGURE 4.2 Le recoupement des changements liés à l'âge et des facteurs de risque, et leurs conséquences négatives sur l'acuité visuelle.

Une personne âgée qui constate une baisse de son acuité visuelle craint une détérioration de sa qualité de vie. Par exemple, de nombreuses personnes croient à tort devenir aveugles parce qu'elles sont convaincues de souffrir d'une maladie dégénérative. La peur de la cécité se nourrit de mythes, d'un manque d'information ou de l'expérience malheureuse d'amis atteints de troubles oculaires graves. Une attitude négative ou le désespoir les empêchent de reconnaître le problème et de demander de l'aide. Les chutes représentent aussi une source d'inquiétude. Les personnes âgées atteintes de déficience visuelle butent plus souvent contre des obstacles parce que la vision des reliefs est défaillante. Elles ne se sentent plus en sécurité même dans un lieu qu'elles connaissent bien. Si une personne âgée a déjà fait une chute ou si elle connaît quelqu'un qui est tombé et s'est blessé, ses craintes s'amplifient, et cela affecte sa qualité de vie.

La figure 4.2 (p. 35) présente des changements liés à l'âge, des facteurs de risque et leurs conséquences fonctionnelles négatives sur l'acuité visuelle.

4.6 L'évaluation et les principales interventions de l'infirmière liées à l'acuité visuelle

L'entrevue sur l'altération visuelle

Au moment d'une entrevue avec une personne âgée, l'infirmière peut obtenir les renseignements suivants: les facteurs de risque antérieurs et actuels, la reconnaissance d'un trouble visuel, les répercussions de cet état sur les activités quotidiennes et la qualité de vie de la personne et, enfin, son attitude à l'égard de certaines interventions (Encadré 4.1). Les premières questions de l'entrevue visent à déterminer si la personne âgée se rend compte qu'elle est atteinte d'une déficience visuelle. Si c'est le cas, d'autres questions portent sur l'apparition du changement, son évolution et ses effets désagréables, ainsi que sur de possibles symptômes signalant un trouble oculaire.

L'infirmière cherche également à savoir si l'altération visuelle a une incidence sur la réalisation des tâches quotidiennes. Si la personne âgée admet un problème, l'infirmière pose des questions précises à ce sujet. Si la personne nie tout problème, l'infirmière s'informe de l'exécution de tâches plus complexes comme la conduite automobile, les emplettes et la préparation des repas. Elle se renseigne aussi sur les loisirs de la personne pour noter les conséquences psychosociales d'un déficit visuel. La personne âgée ne fait pas toujours le lien entre un changement dans son mode de vie et la présence d'un trouble visuel. Cependant, les questions sur les passe-temps et les

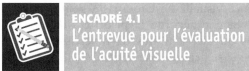

ENCADRÉ 4.1
L'entrevue pour l'évaluation de l'acuité visuelle

Questions relatives à la présence possible d'un trouble visuel

- Avez-vous remarqué des changements dans votre vision au cours des dernières années?
- Souffrez-vous de symptômes irritants comme avoir les yeux secs?
- Avez-vous de la difficulté à accomplir certaines de vos activités habituelles parce que vous ne voyez pas bien? (Se renseigner sur les activités suivantes: coudre, lire, conduire, faire sa toilette, s'adonner à des passe-temps, préparer les repas, regarder la télévision, gérer son argent, écrire des lettres, téléphoner, se servir des cadrans des appareils électriques, faire son épicerie et circuler dans les escaliers.)
- Êtes-vous déjà tombé parce que vous voyez mal?
- Avez-vous arrêté certaines activités parce que vous ne voyez pas bien? Par exemple, avez-vous cessé de conduire le soir?
- Y a-t-il des activités que vous feriez si vous pouviez mieux voir?

Questions relatives à la présence effective d'un trouble visuel

- À quel moment avez-vous remarqué une baisse de l'acuité visuelle ou un changement dans votre vision?
- Ce changement a-t-il été graduel ou s'est-il produit soudainement?
- Comment le décririez-vous?
- Ressentez-vous de la douleur, des brûlures, des démangeaisons aux yeux? Voyez-vous des halos lumineux ou des clignotements lumineux, une différence entre la vision diurne et la vision nocturne? Tolérez-vous la lumière vive?
- Avez-vous passé un examen médical et reçu des soins pour ce problème?

Questions relatives à des activités de prévention de la maladie et de promotion de la santé

- Quand avez-vous passé votre dernier examen de la vue?
- Où allez-vous pour obtenir des soins de la vue?
- Avez-vous déjà passé un examen de dépistage des cataractes, du glaucome et d'autres troubles oculaires?
- Que pensez-vous de la suggestion de passer régulièrement un examen de la vue pour détecter le glaucome et d'autres troubles oculaires?

Questions relatives aux facteurs de risque

- Lorsque vous êtes à l'extérieur, portez-vous des lunettes de soleil ou un chapeau pour protéger vos yeux de la lumière?
- Fumez-vous?
- Souffrez-vous de diabète ou d'hypertension?
- Quels médicaments prenez-vous? (Voir le tableau 4.2 [p. 32] pour les médicaments susceptibles d'occasionner une altération visuelle.)

activités récréatives dévoileront, s'il y a lieu, le besoin de mesures pour améliorer l'acuité visuelle.

L'infirmière observera aussi le comportement et l'environnement de la personne âgée. L'encadré 4.2 présente des pistes pour l'observation des aspects comportementaux et environnementaux liés à la vision.

La prévention des maladies de la vue et la promotion de la santé

La prévention des maladies de la vue comprend des conseils visant à atténuer ou à éliminer les facteurs de risque susceptibles d'entraîner des troubles visuels. L'encadré 4.3 présente les renseignements que l'infirmière peut fournir à ce sujet. Elle doit aussi enseigner les dangers d'une exposition aux rayons ultraviolets (surtout les UVB) et leur lien avec l'apparition de troubles oculaires. Elle doit conseiller le port de lunettes de soleil bien ajustées, munies de verres filtrant les rayons UVB, qui offrent l'avantage de protéger les yeux des rayons du soleil et des reflets solaires dommageables pour la vue. Pour la même raison, elle recommande le port d'un chapeau à large

ENCADRÉ 4.3
Les renseignements sur les mesures de promotion de la santé visuelle

Prévention et dépistage précoce de la maladie

- Effets indésirables des rayons ultraviolets et protection (chapeau à large bord, lunettes de soleil bien ajustées et munies de verres filtrant les rayons UV)
- Examen annuel de la vue recommandé avec dépistage du glaucome, des cataractes et des affections rétiniennes
- Fonctions des professionnels des soins de la vue
- Importance d'un traitement contre le diabète et l'hypertension
- Arrêt du tabagisme
- Évaluation rapide de toute altération de l'acuité visuelle

Apport nutritionnel

- Ajout d'aliments riches en éléments antioxydants (fruits et légumes) et absorption quotidienne de vitamines du groupe B
- Apport en vitamines A, C et E pour tenter de freiner la formation de cataractes
- Prise quotidienne d'un supplément renfermant des antioxydants et des minéraux bénéfiques aux personnes atteintes de DMLA : 500 mg de vitamine C, 400 UI de vitamine E, 15 mg de bêtacarotène, 80 mg d'oxyde de zinc et 2 mg d'oxyde cuivrique (cuivre)
- Suppression du café, de l'alcool, des édulcorants synthétiques et des doses excessives de riboflavines (c'est-à-dire plus de 10 mg par jour)

Mesures compensatoires

- Renvois à des programmes de rééducation visuelle, au besoin
- Bon éclairage sans éblouissement et réaménagement du milieu de vie (Encadré 4.4, p. 38)
- Aides visuelles (Encadré 4.5, p. 38)
- Médecine parallèle
- Plantes pour la prévention des cataractes : cataire, gingembre, véronique voyageuse, myrtille, romarin, curcuma
- Remèdes homéopathiques pour la prévention des cataractes : silice, calcium, phosphore

ENCADRÉ 4.2
Des pistes pour l'évaluation des aspects comportementaux et environnementaux liés à la vision

Aspects comportementaux

- La personne porte-t-elle des vêtements tachés, sales ou dépareillés contrairement à son habitude ?
- La personne porte-t-elle un maquillage plus lourd que d'habitude ?
- La personne recourt-elle à des moyens non visuels pour accomplir ses tâches, plus particulièrement pour se déplacer (par exemple, utilise-t-elle ses mains pour repérer des objets ou des obstacles ?) ?

Aspects environnementaux

- Quel éclairage la personne utilise-t-elle pour exécuter certaines tâches ? S'il est insuffisant, est-ce possible d'y apporter des correctifs pour améliorer l'acuité visuelle ?
- La personne tente-t-elle d'économiser en optant pour un éclairage faible ou en éteignant les lumières ? Si c'est le cas, cette situation nuit-elle à son acuité visuelle ou à sa capacité fonctionnelle ?
- À quel endroit la personne s'assoit-elle par rapport à la source d'éclairage ? L'éblouissement provenant d'une fenêtre toute proche lui nuit-il ? L'ombre créée par les lampes la gêne-t-elle ? L'éclairage au plafond crée-t-il un éblouissement ? Les ampoules sont-elles suffisamment puissantes ?
- Quelles sont les sources lumineuses dans les escaliers et les corridors ?
- Le contraste des couleurs est-il adéquat : escaliers et paliers ; mobilier, murs et planchers ; éléments du couvert ; ustensiles de cuisine et comptoirs ; inscriptions et arrière-plan des cadrans des appareils électriques ?
- Y a-t-il des veilleuses dans les corridors et la salle de bains ?

bord. L'infirmière doit renseigner la personne âgée et ses soignants sur les bienfaits de ces mesures. Elle informe aussi la personne atteinte de DMLA, ou ayant des antécédents familiaux de cette maladie, de la corrélation entre le tabagisme et l'apparition de la DMLA, car le tabagisme est un autre facteur de risque important. Il y a lieu d'encourager la personne à cesser de fumer, le cas échéant. L'infirmière propose aussi l'ajout d'aliments riches en éléments antioxydants dans le régime alimentaire pour retarder l'apparition de troubles oculaires. L'encadré 4.3 (p. 37) contient des renseignements d'ordre nutritionnel.

La majorité des affections oculaires évoluent très lentement. La prévention doit donc mettre l'accent sur un examen régulier de la vue pour détecter les principales causes de déficience visuelle : les cataractes, la DMLA, le glaucome et la rétinopathie diabétique.

Parmi les mesures compensatoires que peut suggérer l'infirmière pour aider la personne âgée aux prises avec une altération visuelle figure le réaménagement de son milieu, dont la présence de sources d'éclairage adéquates et adaptées. L'encadré 4.4 fournit des renseignements à ce sujet.

L'amélioration de la sécurité et de la capacité fonctionnelle par l'utilisation d'aides visuelles

La personne atteinte d'une déficience visuelle peut améliorer sa sécurité et sa qualité de vie en se servant d'aides visuelles. Celles-ci facilitent la focalisation, la vision des reliefs, le grossissement ou la luminance (Encadré 4.5). Elles sont plus efficaces si elles vont

---

ENCADRÉ 4.5
Les aides visuelles

Grossissement

- Verres-loupes
- Loupes manuelles ou sur pied
- Jumelles, télescopes monoculaires et lunettes télescopiques
- Pages-loupes
- Dispositifs d'agrandissement du champ visuel dans les cas de diminution de la vision périphérique
- Livres, magazines et journaux à gros caractères
- Photocopieur ou imprimante laser (pour grossir les caractères)
- Téléphones avec lettres ou numéros en gros caractères ou plaque à gros caractères pour recouvrir le cadran du téléphone
- Règles, cartes à jouer et autres articles à gros caractères
- Thermomètres aux couleurs bien contrastées avec gros caractères
- Aiguilles à gros chas

Source lumineuse

- Source lumineuse à haute intensité
- Lampes à col de cygne
- Lampes de table ou sur pied à trois intensités

Contraste

- Marqueurs à pointe large de couleurs foncées et brillantes ; papier de bricolage de couleur pour la confection d'affiches
- Lettres vertes sur fond jaune ou blanches sur fond vert
- Typoscopes
- Verres jaunes à pince

Éblouissement

- Lunettes de soleil avec verres filtrant les rayons UV
- Pare-soleil et chapeau à large bord
- Traitement antireflet sur les lunettes
- Transparents jaunes et roses
- Lunettes sténopéiques

ENCADRÉ 4.4
Les renseignements relatifs aux sources lumineuses

- Une personne âgée a besoin d'une source lumineuse trois fois plus puissante qu'une personne plus jeune.
- Une source lumineuse indirecte, brillante, à spectre étendu et sans éblouissement lui convient mieux.
- La source lumineuse devrait être installée à 30 cm ou 60 cm de l'objet à regarder.
- Une source lumineuse intermittente, par exemple celle d'un seul néon, fatigue les yeux et diminue l'acuité visuelle.
- Les ampoules doivent rester propres.
- Les ampoules faiblissantes devraient être remplacées avant qu'elles brûlent.
- La puissance d'une source lumineuse est divisée par quatre si la distance double.
- L'intensification de l'éclairage est plus efficace chez la personne âgée dont l'acuité visuelle est faible que chez celle dont la vue est normale.
- Une diminution graduelle de l'éclairage de l'avant-plan à l'arrière-plan est plus efficace qu'un contraste marqué.
- Un éclairage vertical moins fort évite un contraste marqué et permet d'améliorer l'éclairage plus vif à l'avant-plan.
- La source lumineuse devrait être installée à la gauche d'une personne droitière et vice-versa pour diminuer les reflets sur les pages.
- La lecture sur papier glacé est à éviter.

de pair avec un réaménagement du milieu de vie. Par exemple, les loupes combinées avec un meilleur éclairage et avec l'absence d'éblouissement améliorent la vision. Par ailleurs, des aides non visuelles améliorent aussi la vision des reliefs ou l'éclairage, diminuent l'éblouissement ou grossissent les images. Les centres de la vue locaux en proposent et montrent la façon de les utiliser.

Il faut habituellement commander les aides visuelles ou les acheter dans des endroits spécialisés. À la maison, une lampe posée au bon endroit et munie d'une ampoule appropriée se transforme en aide visuelle. L'infirmière peut aussi privilégier la réalisation de documents à gros caractères pour la production de fiches destinées à l'éducation en matière de santé.

Chapitre 5

L'appareil cardiovasculaire

OBJECTIFS D'APPRENTISSAGE

Après avoir lu ce chapitre, vous devriez être en mesure :

- de décrire les changements liés à l'âge qui ont une incidence sur la fonction cardiovasculaire ;

- d'énoncer les facteurs de risque qui ont une incidence sur la fonction cardiovasculaire ;

- d'expliquer les conséquences fonctionnelles des changements liés à l'âge et des facteurs de risque sur la fonction cardiovasculaire ;

- de décrire l'appareil cardiovasculaire et les risques de maladie cardiovasculaire chez les personnes âgées ;

- d'indiquer les interventions infirmières susceptibles d'optimiser le fonctionnement de l'appareil cardiovasculaire chez les personnes âgées.

L'appareil cardiovasculaire remplit des fonctions vitales, dont la circulation sanguine et le transport de l'oxygène, le transport du gaz carbonique et d'autres déchets ainsi que la distribution des nutriments et substances nécessaires au bon fonctionnement des organes et des tissus de l'organisme. L'appareil cardiovasculaire possède une extraordinaire capacité d'adaptation pour contrebalancer le processus du vieillissement. De façon générale, les personnes âgées en santé remarquent peu le déclin appréciable de leur fonction cardiovasculaire. Cependant, son efficacité diminue sous l'assaut de facteurs de risque, ce qui entraîne souvent de graves conséquences fonctionnelles.

5.1 Les changements liés à l'âge et la fonction cardiovasculaire

Il est difficile d'établir si les altérations les plus fréquentes de l'appareil cardiovasculaire résultent du vieillissement, de la maladie ou du mode de vie, comme c'est le cas pour d'autres fonctions physiologiques du corps humain. En effet, jusqu'à tout récemment, l'étude des problèmes cardiovasculaires liés à l'âge ou à la maladie se heurtait à des limites technologiques associées à l'équipement médical pour détecter des troubles cardiovasculaires asymptomatiques (par exemple, l'occlusion d'une artère coronaire). Les premières études portaient davantage sur les principaux problèmes cardiovasculaires de la population âgée que sur les changements liés au vieillissement et affectant la fonction cardiovasculaire.

Aujourd'hui, les chercheurs veulent aussi distinguer les troubles attribuables au vieillissement de ceux qui sont imputables aux facteurs de risque, car le mode de vie influe plus que tout autre facteur physiologique sur la fonction cardiovasculaire. On connaît bien les effets à long terme du tabagisme, du régime alimentaire, de certaines affections et de la sédentarité ; ce que l'on sait moins, c'est la manière de les différencier des effets du vieillissement. Ainsi, les chercheurs constatent une hausse graduelle des cas d'hypertension dans les pays industrialisés, ce qui ne se produit pas dans les sociétés moins industrialisées où l'espérance de vie est moindre. D'après des études interculturelles, le mode de vie serait responsable de problèmes qu'on associe plutôt au vieillissement en raison de leur prévalence au sein de la population. Ainsi, le mode et le milieu de vie auraient une influence sur les troubles cardiovasculaires, même ceux d'origine pathologique.

Aujourd'hui, les chercheurs veulent aussi distinguer les troubles attribuables au vieillissement de ceux imputables aux facteurs de risque, car le mode de vie influe plus que tout autre facteur physiologique sur la fonction cardiovasculaire.

Le myocarde et le système de conduction cardiaque

Parmi les problèmes liés au myocarde, on note l'infiltration de dépôts amyloïdes (des protéines) et de tissu conjonctif dans les fibres musculaires et les valves cardiaques, une calcification valvulaire, l'atrophie ou l'hypertrophie myocardique ainsi que l'épaississement et la raideur valvulaires. Les chercheurs veulent donc savoir quels sont les problèmes qui résultent soit du vieillissement, soit de la maladie. Selon eux, l'atrophie du myocarde découlerait d'une pathologie, et le léger épaississement de la paroi du ventricule gauche, du vieillissement (Lakatta, 2000). L'augmentation du volume de l'oreillette gauche, l'épaississement de l'endocarde auriculaire et des valvules auriculoventriculaires de même que la calcification partielle de l'anneau mitral et aortique sont d'autres changements liés à l'âge. Tous ces phénomènes empêchent la contraction complète du cœur, ce qui affecte le débit cardiaque. En effet, cette détérioration de la contractilité prolonge légèrement le cycle systole/diastole, soit la vidange et le remplissage des cavités cardiaques.

Devenant plus irritable, le myocarde réagit de moins en moins aux influx du système nerveux sympathique.

Le processus du vieillissement modifie peu la physiologie cardiaque, et les changements qui se produisent ne sont notables qu'au moment d'un effort physique important. Même dans ce contexte, le cœur d'une personne âgée en santé s'adapte à la situation. Ce mécanisme d'adaptation peut cependant différer de celui d'un adulte plus jeune ou se révéler un peu moins efficace. Les conséquences fonctionnelles découlant du vieillissement concernent principalement l'électrophysiologie, soit le système de la conduction électrique du cœur. Elles comprennent une réduction du nombre de cellules des zones d'automaticité du tissu nodal sous-jacent, leur déformation graduelle et une augmentation des dépôts de lipides, de collagène et de fibres conjonctives autour du nœud auriculoventriculaire ; la conduction cardiaque se trouve ainsi affectée.

Le système vasculaire

Le vieillissement altère deux des trois tuniques des vaisseaux sanguins. La gravité des conséquences fonctionnelles diffère selon la tunique touchée. Ainsi, la détérioration de l'intima (la tunique interne) entraîne l'athérosclérose, et celle de la média (la tunique moyenne) cause l'hypertension. L'adventice (la tunique externe) semble rester intacte. Celle-ci est formée de tissus adipeux et conjonctif réunis en un feutrage léger qui soutient les fibres nerveuses et les vasa vasorum (les vaisseaux des vaisseaux). Elle distribue le sang jusqu'aux deux tiers externes de la média, le tiers restant et l'intima étant nourris par diffusion à partir de la lumière.

L'intima est constituée d'une couche unique de cellules endothéliales reposant sur une mince couche de tissu conjonctif. Elle régule l'entrée, dans les vaisseaux, des lipides et d'autres substances provenant du sang. Des cellules endothéliales saines facilitent la circulation du sang sans risque de coagulation. S'il y a atteinte des cellules, un processus de coagulation s'enclenche. Avec l'âge, la fibrose, la prolifération cellulaire et l'accumulation de dépôts de lipides et de calcium favorisent la diminution de la lumière, ce qui provoque l'épaississement de l'intima. La dimension et la forme des cellules endothéliales se modifient également, ce qui entraîne la dilatation et l'élongation des artères, et donc la fragilisation de la paroi artérielle.

La tunique moyenne comporte une ou plusieurs couches de fibres musculaires lisses recouvertes d'élastine et de collagène. Ces fibres participent à la production du collagène, des protéoglycanes et des fibres conjonctives qui composent le tissu. Cette tunique règle la distension et la contraction de l'artère, car elle est constituée d'une assise musculaire. Avec le vieillissement, les dépôts de collagène augmentent et les fibres élastiques amincissent et se calcifient, ce qui occasionne une diminution de la souplesse des vaisseaux sanguins. L'aorte est particulièrement touchée ; le diamètre de la lumière s'agrandit pour compenser la diminution de la souplesse des artères. Bien que l'on associe ces altérations au vieillissement, des études longitudinales et interculturelles suggèrent l'existence d'un lien étroit entre ce trouble artériel et le mode de vie.

En raison des transformations régressives de la média causées par le vieillissement, la résistance périphérique s'accentue. Elle s'accompagne aussi d'une détérioration des barorécepteurs et d'une baisse du débit sanguin vers les organes vitaux. Ces changements restent sans gravité pour une personne âgée en santé, mais ils nuisent à la fonction cardiaque, car ils altèrent la résistance périphérique au débit de sang provenant du cœur. De plus, la dégradation vasculaire entrave l'écoulement pulsatoire et accélère les pulsations. Par conséquent, le ventricule gauche doit pomper le sang plus fort, et les barorécepteurs des grandes artères ne parviennent plus à réguler la pression artérielle quand la personne change de position

et que cela provoque une hypotension orthostatique. Cette rigidité vasculaire entraîne une légère élévation de la pression systolique.

Les veines n'échappent pas à ces transformations. Elles épaississent, se dilatent et perdent de leur souplesse avec l'âge. Le sang qui se dirige vers le cœur circule moins bien dans les valvules des grandes veines des jambes. Une réduction de la masse musculaire nuit aussi à la circulation périphérique puisque le retour veineux se fait grâce à la contraction des muscles.

Le baroréflexe

La fonction du baroréflexe est d'assurer la régulation de la pression artérielle en modulant la fréquence cardiaque et la résistance périphérique pour contrebalancer les fluctuations du volume artériel. Des troubles du baroréflexe entraînent un raidissement des artères et une diminution de la réaction cardiovasculaire à la stimulation adrénergique, ce qui gêne la modulation de la fréquence cardiaque en présence de stimuli hypertenseurs et hypotenseurs. La fréquence cardiaque de la personne âgée ne s'adapte plus aussi bien que celle des adultes plus jeunes. Les chercheurs ont observé que l'obésité produisait une augmentation du volume sanguin et du débit cardiaque, causant des troubles cardiovasculaires et des troubles du baroréflexe (Poirier et autres, 2006).

5.2 Les facteurs de risque et la fonction cardiovasculaire

Les changements liés à l'âge qui affectent l'appareil cardiovasculaire ne causent pas de problèmes aux personnes âgées en santé, sauf si elles doivent fournir un effort physique intense. La sédentarité est plutôt le facteur de risque le plus important, en outre parce qu'il touche la majorité des personnes âgées. En effet, la pratique de l'activité physique dans la population âgée diminue avec le vieillissement (Messinger-Rapport et Sprecher, 2002). En fait, les principaux facteurs de risque sont identiques pour les personnes âgées et pour les adultes plus jeunes. Par contre, leurs effets cumulatifs représentent une menace plus grave pour les aînés. De plus, des facteurs de risque spécifiques au sexe de la personne tendent à désavantager les femmes dès la ménopause. Notons aussi que les problèmes d'hypotension orthostatique touchent presque toutes les personnes après l'âge de 70 ou 75 ans.

La sédentarité ou le manque d'exercice physique

Le manque d'exercice physique altère la fonction cardiovasculaire, notamment la pression artérielle, la fréquence cardiaque et l'apport en oxygène (le débit cardiaque). Il constitue un important facteur de risque dans toutes les cardiopathies, abstraction faite des antécédents familiaux (Gibbons et Clark, 2001). Les gérontologues et les physiologistes de l'exercice avancent que c'est le manque d'exercice, plutôt que le vieillissement, qui est responsable de nombreuses modifications de la fonction cardiaque observées chez les personnes âgées (Lakatta, 2000). De nombreuses recherches se penchent sur les effets du manque d'exercice et sur la réaction cardiovasculaire à l'effort chez les aînés. Les preuves cumulées révèlent les bienfaits de l'exercice dans l'amélioration de la capacité cardiorespiratoire par des effets positifs sur le débit cardiaque et la capacité de consommation d'oxygène (Lakatta, 2000). La sédentarité représente donc un facteur de risque crucial, mais corrigeable, qui dégrade la réaction cardiovasculaire à l'effort. Les maladies chroniques et aiguës, un mode de vie sédentaire, une invalidité, une maladie cardiaque ou d'autres affections réduisant la mobilité ainsi que des facteurs psychosociaux comme la dépression et le désintérêt encouragent l'inactivité.

Les risques associés aux maladies cardiovasculaires

Plusieurs facteurs ont une influence sur la gravité du processus athéromateux et sur les autres affections cardiovasculaires : le sexe de la personne, l'obésité, le diabète, l'hérédité, l'hypertension, la dyslipidémie, le vieillissement, les habitudes alimentaires, la sédentarité, le tabagisme, la fumée secondaire, la race, la situation socioéconomique. Le tabagisme constitue à lui seul le facteur de risque le plus important et le plus facile à corriger. Les liens entre le tabagisme, même léger, la fumée secondaire et la maladie cardiovasculaire sont indéniables.

La dyslipidémie est un facteur de risque si les taux de cholestérol à lipoprotéines de basse densité (LDL) sont élevés et si les taux à lipoprotéines de haute densité (HDL) sont faibles. À l'inverse, des taux de cholestérol HDL supérieurs semblent prévenir l'athérosclérose et atténuer le risque de maladie cardiovasculaire.

L'hypertension est l'élévation anormale de la pression artérielle à des valeurs égales ou supérieures à 140/90 mm Hg. Les chercheurs ont constaté que la pression artérielle variant de 130/85 mm Hg à 139/89 mm Hg présenterait un risque de maladie cardiovasculaire (*Prospective Studies Collaboration*, 2002 ; Vasan et autres, 2001). Selon des études récentes, la pression diastolique serait un facteur de risque important dans le déclenchement d'une affection cardiovasculaire. Certains chercheurs s'interrogeaient d'ailleurs sur la pertinence de traiter uniquement la pression systolique isolée, principalement chez les personnes âgées. Les derniers travaux attestent cependant l'importance

de tenir compte à la fois de la pression diastolique et de la pression systolique (Benetos et autres, 2002 ; Mancia et autres, 2002). Les principaux facteurs de risque de l'hypertension sont l'obésité, la sédentarité et un régime alimentaire à haute teneur en sel. On note une plus grande propension à l'hypertension chez les Noirs américains (Vollmer et autres, 2001).

> *Les principaux facteurs de risque de l'hypertension sont l'obésité, la sédentarité et un régime alimentaire à haute teneur en sel.*

Par ailleurs, des facteurs de risque psychosociaux peuvent aussi conduire à une maladie cardiovasculaire. Les facteurs les plus documentés sont l'anxiété, la dépression, la tension associée au travail, le repli sur soi, un soutien social déficient, des sentiments de colère et d'hostilité, des rapports familiaux stressants et une réaction physique ou émotionnelle au stress (Eaton et Anthony, 2002 ; Williams et autres, 2002). Chaput et ses collègues (2002) ont noté que, chez la femme, l'hyperréactivité est un facteur de risque qui favorise la récurrence d'infarctus du myocarde après la ménopause.

On a longtemps associé les maladies cardiovasculaires aux hommes d'âge moyen. C'est pour cette raison que la recherche se concentrait en priorité ou uniquement sur les hommes. Au début des années 1990, les chercheurs ont remarqué une hausse fulgurante de la prévalence de la maladie cardiovasculaire chez les femmes âgées de plus de 50 ans. Cette hausse dépasse même celle des hommes lorsqu'ils atteignent 80 ans. Si les affections cardiovasculaires restent encore une problématique masculine au début et au milieu de l'âge adulte, elles touchent aussi les femmes 10 ans plus tard, avec un profil de risque comparable (Keevil et autres, 2002).

Les facteurs de risque imputables au sexe soulèvent de nombreuses questions. D'importantes recherches ciblant le rôle de l'œstrogène ont été entreprises pour y répondre. Plusieurs des études longitudinales se poursuivent, dont celles portant sur la pertinence de l'hormonothérapie après la ménopause. Eaton et Anthony (2002) ont scruté les dernières études pour y déceler les risques concourant à la survenue d'une maladie cardiovasculaire après la ménopause. Ces facteurs augmentent les risques de développer un syndrome métabolique se caractérisant par un mauvais métabolisme corporel :

- profil lipidique athérogène, c'est-à-dire un taux de cholestérol HDL inférieur, un taux de cholestérol LDL supérieur et un taux de triglycérides élevé ;

- augmentation du gras abdominal (un tour de taille supérieur à 88 cm chez la femme et à 100 cm chez l'homme);

- incidence accrue d'hypertension, dont l'hypertension systolique (supérieure à 130/85 mm Hg);

- hausse du diabète et de la résistance à l'insuline (glycémie à jeun supérieure à 6,1 mmol).

De nombreux travaux traitent de l'hormonothérapie depuis les années 1960. Les premières études établissent que ce traitement diminue le risque de maladie cardiovasculaire après la ménopause. Toutefois, ces études ne prennent pas en considération certaines variables comme la condition socioéconomique des femmes (Humphrey et autres, 2002; Laine, 2002). Les derniers essais menés à des fins de recherche n'ont démontré aucun avantage à recourir à l'hormonothérapie pour maintenir les fonctions cardiovasculaires en santé. En fait, cette thérapie pourrait même accroître les risques de maladies cardiovasculaires, particulièrement si le traitement commence plusieurs années après le début de la ménopause (Humphrey et autres, 2002; *Women's Health Initiative*, 2002).

De plus, des chercheurs examinent l'incidence positive ou négative des antioxydants, de la consommation d'alcool, du régime alimentaire ainsi que des anti-inflammatoires non stéroïdiens sur les maladies cardiovasculaires. Ils examinent aussi l'hypothèse selon laquelle le sel et le potassium augmenteraient ou réduiraient le risque d'un accident vasculaire cérébral ainsi que celui de l'apparition de l'hypertension et d'autres affections cardiovasculaires (Aviv, 2001; Hajjar et autres, 2001). Ces chercheurs veulent également savoir si une élévation de la pression différentielle (c'est-à-dire la différence entre les pressions diastolique et systolique) amplifie le risque de maladie cardiovasculaire chez les personnes atteintes d'hypertension (Blacher et autres, 2000; Williams et autres, 2002).

Les risques associés à l'hypotension

L'augmentation substantielle de l'hypotension orthostatique ou postprandiale (après un repas) après l'âge de 75 ans constitue un facteur de risque lié au vieillissement. Le déclenchement de l'hypotension découle de la conjugaison de changements associés à l'âge et de certains facteurs de risque. Les affections qui attaquent le système nerveux végétatif et le système nerveux central multiplient le risque d'hypotension orthostatique ou postprandiale. Certains médicaments (par exemple, le lévodopa) qui agissent sur le système nerveux peuvent aussi perturber la régulation de la pression artérielle et occasionner de l'hypotension. L'encadré 5.1 présente des exemples de certaines affections et des médicaments qui peuvent les provoquer ou en augmenter les symptômes. D'autres facteurs

RISQUES D'HYPOTENSION ORTHOSTATIQUE
Affections
- Hypertension, dont hypertension systolique isolée
- Maladie de Parkinson
- Accident vasculaire cérébral
- Diabète
- Anémie
- Neuropathie périphérique
- Arythmie
- Diminution du volume liquidien (par exemple, déshydratation), déséquilibres électrolytiques (par exemple, hyponatrémie, hypokaliémie)

Médicaments et substance
- Antihypertenseurs
- Anticholinergiques
- Phénotiazines
- Antidépresseurs
- Lévodopa
- Vasodilatateurs
- Diurétiques
- Alcool

RISQUES D'HYPOTENSION POSTPRANDIALE
Affections
- Hypertension systolique
- Diabète de type 2
- Maladie de Parkinson
- Atrophie multisystémique

Médicaments
- Diurétiques
- Antihypertenseurs ingérés avant les repas

peuvent exacerber l'hypotension, soit l'immobilité, une sympathectomie et la manœuvre de Valsalva pendant l'évacuation de l'urine et des selles.

5.3 Les troubles associés à la fonction cardiovasculaire

Les maladies cardiovasculaires les plus répandues dans la population âgée sont les accidents vasculaires cérébraux, l'hypertension, l'athérosclérose, l'insuffisance cardiaque et la coronaropathie. L'athérosclérose, aussi appelée maladie cardiaque athérosclérosante (MCAS), engendre la coronaropathie, l'accident vasculaire cérébral et l'acrosyndrome vasculaire (troubles vaso-moteurs des extrémités ; maladie de Raynaud). Si l'hypertension est la maladie cardiovasculaire la plus répandue, la coronaropathie est toutefois responsable du plus grand nombre de décès (Messinger-Rapport et Sprecher, 2002).

L'athérosclérose est une maladie dégénérative des artères causée par la formation de dépôts lipidiques et de tissu conjonctif (plaques d'athérome) sur leurs parois. Ce phénomène diminue ou obstrue le débit sanguin (Vokonos, 2000). L'association des facteurs de risque et du vieillissement en est la cause sous-jacente. Ces altérations physiologiques s'amorcent au début de l'âge adulte et s'accumulent au fil des ans. La théorie de Ross et Glomset (1976) portant sur le processus athéromateux fait l'unanimité dans la communauté scientifique. D'après cette théorie, l'athérogénèse obéit au cycle suivant :

1. L'intégrité de l'endothélium est compromise en raison de lésions récurrentes ou continues.
2. Une agrégation des plaquettes se produit à l'emplacement de la lésion.
3. Par adaptation, des fibres mus-culaires de la tunique moyenne migrent vers la tunique interne et prolifèrent à l'emplacement de la lésion.
4. Il y a agglomération de lipides, de tissu conjonctif et de collagène.
5. La lumière du vaisseau sanguin est réduite.

Des substances chimiques (par exemple, le cho-lestérol, les toxines du tabac), la résistance périphé-rique (l'hypertension), des facteurs immunologiques (la transplantation d'un rein) peuvent produire la première lésion. Ce cycle se répète, et la tunique interne épaissit. Par conséquent, le débit sanguin ralentit aux emplacements déjà compromis, ce qui peut provoquer l'apparition d'autres lésions. Si ce cycle incessant occasionne à la longue de graves affections comme l'infarctus du myocarde ou des accidents vasculaires cérébraux, la suppression de la cause peut y mettre fin.

5.4 Les conséquences fonction-nelles des changements liés à l'âge sur la fonction cardiovasculaire

Il a été souligné plus haut que la personne âgée en santé ne perçoit pratiquement aucun changement cardiovasculaire au repos, mais que c'est plutôt sa puissance cardiovasculaire qui fléchit à l'effort. Elle pourrait toutefois développer de l'hypotension ortho-statique ou postprandiale en raison d'une association de facteurs de risque et de changements liés à l'âge. Ainsi, la personne atteinte d'hypertension, d'athéro-sclérose ou d'autres maladies cardiovasculaires éprouve des conséquences fonctionnelles négatives qui affectent son autonomie au quotidien.

Le débit, la fréquence et le rythme cardiaques

Le débit cardiaque, c'est-à-dire la quantité de sang pompée à la minute par le cœur, permet de mesurer la puissance cardiaque, soit la capacité du cœur à répondre aux exigences en oxygène de l'organisme. Si la diminution du débit cardiaque est fréquente chez les aînés, ce sont surtout les affections plutôt que le vieillissement qui la causent. En vieillissant, le débit cardiaque demeure presque inchangé, sauf chez la femme âgée, qui affiche un léger ralentissement lorsqu'elle est au repos.

> *La fréquence cardiaque chez une personne en santé baisse pro-gressivement avec l'avancée en âge (Lakatta, 2000).*

La fréquence cardiaque chez une personne en santé baisse pro-gressivement avec l'avancée en âge (Lakatta, 2000). De plus, des trou-bles de la conduction cardiaque peuvent entraîner le déclenchement d'arythmies ventriculaires et supra-ventriculaires bénignes, même chez les aînés en santé. La fibrillation auriculaire, une forme d'arythmie grave répandue dans la population âgée, résulte davantage d'affections (par exemple, l'hypertension, la coronaropathie, les séquelles d'un infarctus) que du vieillissement.

L'effort physique

Un affaiblissement de la puissance cardiovasculaire chez les personnes âgées en santé entraîne une adap-tation déficiente à l'effort, pendant lequel l'appareil cardiovasculaire est sollicité quatre ou cinq fois plus qu'au repos. La réponse physiologique qu'exige un effort physique englobe les appareils respiratoire, cardiovasculaire, musculaire et squelettique ainsi que le système nerveux. Avec l'âge, la fréquence cardiaque maximale à l'effort chute, et l'apport en oxygène flé-chit. La sédentarité et d'autres facteurs de risque n'y sont pas étrangers. La fréquence cardiaque maximale d'un adulte plus jeune atteint 180 à 200 batte-ments par minute à l'effort (par exemple lors d'un exercice physique), tandis que la fréquence cardiaque maximale d'une personne de 80 ans n'atteint que 135 à 150 battements par minute. De plus, la VO_2max (une mesure qui caractérise notamment un seuil d'endurance physique) peut diminuer de 50 % entre l'âge de 20 et 80 ans (Lakatta, 2000).

La pression artérielle

Les principales répercussions du vieillissement sur la pression artérielle sont les suivantes :

- Chez l'homme, la pression diastolique augmente régulièrement de 1 mm Hg tous les 10 ans.

- Chez la femme, la pression diastolique augmente nettement entre l'âge de 40 et 60 ans, puis se stabilise avant de baisser légèrement après 70 ans.

- La pression systolique s'élève progressivement de 5 mm Hg à 8 mm Hg tous les 10 ans à partir d'environ 50 ans chez l'homme et de 40 ans chez la femme.

- Vers l'âge de 30 ans, la pression systolique est supérieure à la pression diastolique, avec pour résultat l'élargissement graduel de la différentielle.

- Chez la personne âgée, l'élévation de la pression systolique découlant d'un exercice d'aérobie persiste plus longtemps que chez un adulte plus jeune.

Notons que l'augmentation progressive de la pression artérielle en lien avec le vieillissement n'est pas présente dans les populations autres qu'occidentales ; il est donc difficile d'établir un lien direct entre cette augmentation et le vieillissement. L'élévation de la pression artérielle accompagnerait plutôt des facteurs de risque comme la masse corporelle, les habitudes alimentaires (par exemple, une forte consommation de sel) et le mode de vie (par exemple, le tabagisme, la sédentarité).

Le vieillissement modifie la régulation autonome de la pression artérielle et provoque des hypotensions orthostatique et postprandiale. Ces deux affections accompagnent une perturbation du système nerveux autonome et d'autres facteurs de risque. Les personnes atteintes d'hypertension sont parfois sujettes à ces affections, mais pas nécessairement de façon simultanée (O'Mara et Lyons, 2002). Les chercheurs tentent d'établir un lien entre ces trois problèmes de pression artérielle.

L'hypotension orthostatique, aussi appelée hypotension posturale, est une chute de pression de 10 mm Hg à 20 mm Hg se produisant de une à trois minutes après le passage de la position couchée à la position debout. Ce phénomène doit durer au moins cinq minutes pour qu'on le qualifie d'hypotension orthostatique. Il touche environ 20 % de la population âgée de plus de 65 ans et plus de 50 % des personnes vivant en établissement de soins de longue durée (Mukai et Lipsitz, 2002). La forme diastolique est plus fréquente que la forme systolique (Weiss et autres, 2002).

> *Le vieillissement modifie la régulation autonome de la pression artérielle et provoque des hypotensions orthostatique et postprandiale.*

Certaines personnes n'affichent aucun symptôme d'un épisode d'hypotension orthostatique. Toutefois, les symptômes les plus fréquents sont une faiblesse, des maux de tête, des étourdissements, des syncopes, le vertige, des évanouissements, une vision floue, des sueurs abondantes, une déficience cognitive et l'incontinence urinaire. Si l'hypotension orthostatique semble bénigne, elle peut pourtant nuire à la qualité de vie et au sentiment de sécurité de la personne atteinte. Elle entraîne aussi des conséquences fonctionnelles négatives dont un risque accru de chutes et de fractures à la suite d'une perte d'équilibre ou d'une difficulté à marcher. L'hypotension orthostatique peut également être à la source d'un accès ischémique transitoire, d'un accident vasculaire cérébral ou d'une coronaropathie (Weiss et autres, 2002).

L'hypotension postprandiale découle d'une chute de tension de 20 mm Hg qui se produit environ 75 minutes après l'ingestion d'un repas (surtout le déjeuner). Elle touche de 20 % à 40 % des personnes âgées en santé, 36 % de celles qui vivent dans un établissement de soins de longue durée et 82 % des personnes atteintes de la maladie de Parkinson (Mehagnoul-Schipper et autres, 2001 ; O'Mara et Lyons, 2002 ; Puisieux et autres, 2000). Plusieurs troubles physiologiques y sont associés : troubles du baroréflexe, accélération de la vidange gastrique, sécrétion d'hormones gastro-intestinales vasoactives et perturbation de la régulation autonome de la perfusion de la muqueuse gastro-intestinale. L'hypotension postprandiale est probablement causée par le processus de vieillissement, surtout celui de la régulation cardiovasculaire par le système nerveux autonome (Oberman et autres, 2000).

Elle résulte de la consommation de glucides, surtout du glucose, et se manifeste après l'ingestion d'aliments chauds riches en glucides (Maurer et autres, 2000 ; Vloet et autres, 2001). Elle est grave chez les personnes âgées, car elle cause des chutes, des syncopes, des fractures de la hanche, des infarctus du myocarde, des étourdissements liés à l'accès ischémique transitoire cérébral, de la faiblesse et de la malnutrition (Morley, 2001 ; Puisieux et autres, 2000). Les gérontologues recommandent l'examen médical d'une personne âgée qui est tombée ou qui s'est évanouie afin d'éliminer la possibilité d'un épisode d'hypotension postprandiale (O'Mara et Lyons, 2002).

La circulation

Les conséquences fonctionnelles concernent aussi la circulation du sang vers le cerveau et les membres inférieurs. Par exemple, avec l'âge, les changements qui touchent la fonction cardiaque et le baroréflexe diminuent légèrement le débit sanguin cérébral chez la personne âgée en santé, mais plus substantiellement chez celle qui est atteinte de diabète, d'hypertension, de dyslipidémie et de cardiopathie. En outre, l'augmentation de la tortuosité et de la dilatation veineuses se conjugue à un défaut d'étanchéité des valvules veineuses qui empêchent normalement le reflux du sang vers les membres inférieurs. En conséquence, la personne âgée peut développer un œdème malléolaire ou un œdème du pied, et elle est vulnérable à certaines affections, notamment des ulcères variqueux.

La figure 5.1 résume les changements liés à l'âge, les facteurs de risque et les conséquences fonctionnelles négatives qui nuisent à la fonction cardiovasculaire.

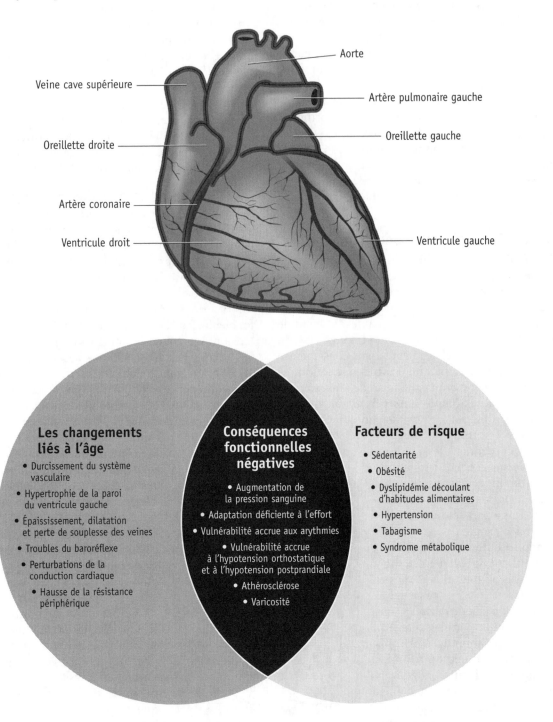

Les changements liés à l'âge

- Durcissement du système vasculaire
- Hypertrophie de la paroi du ventricule gauche
- Épaississement, dilatation et perte de souplesse des veines
- Troubles du baroréflexe
- Perturbations de la conduction cardiaque
- Hausse de la résistance périphérique

Conséquences fonctionnelles négatives

- Augmentation de la pression sanguine
- Adaptation déficiente à l'effort
- Vulnérabilité accrue aux arythmies
- Vulnérabilité accrue à l'hypotension orthostatique et à l'hypotension postprandiale
- Athérosclérose
- Varicosité

Facteurs de risque

- Sédentarité
- Obésité
- Dyslipidémie découlant d'habitudes alimentaires
- Hypertension
- Tabagisme
- Syndrome métabolique

FIGURE 5.1 Le recoupement des changements liés à l'âge et des facteurs de risque, et leurs conséquences négatives sur la fonction cardiovasculaire.

5.5 L'évaluation et les principales interventions de l'infirmière liées à la fonction cardiovasculaire

La détection des risques de maladie cardiovasculaire est l'un des volets les plus fondamentaux de l'examen clinique de base, peu importe l'âge de la personne. Diverses interventions permettent de déceler les facteurs de risque modifiables, et cette étape demeure vitale. L'examen de la fonction cardiovasculaire (par exemple, la fréquence cardiaque, la pression artérielle) est identique pour tous, mais l'infirmière doit aussi prévoir un examen pour détecter l'hypotension orthostatique, plus fréquente chez la personne âgée. De plus, elle vérifiera si la personne a connu des épisodes asymptomatiques d'ischémie du myocarde ou subi une crise cardiaque atypique. Les sections ci-dessous traitent de ces examens que l'infirmière intègre à sa pratique quotidienne.

L'examen de la fréquence, du rythme et des bruits cardiaques

La fréquence cardiaque normale chez la population âgée est identique ou légèrement inférieure à celle des autres tranches d'âge de la population, mais les bruits cardiaques des adultes plus jeunes diffèrent de ceux des aînés. L'auscultation d'une personne âgée en santé peut révéler des changements sans conséquence en l'absence de symptômes ou d'autres résultats anormaux : un quatrième bruit cardiaque, de brefs souffles liés à l'éjection systolique, une percussion difficile des parois cardiaques, des bruits cardiaques sourds ou lointains. Les troubles constatés à l'électrocardiogramme comprennent les arythmies, une déviation du cœur vers la gauche, des blocs de branche, des modifications de l'onde ST-T et la prolongation de l'intervalle PR. Mis à part ces fluctuations, les critères d'examen pour toute la population adulte sont les mêmes.

Le pouls périphérique est similaire chez les adultes plus jeunes et chez les personnes âgées, parce que le vieillissement a peu de répercussions sur la circulation périphérique. Par contre, la population âgée est plus fréquemment affligée de troubles circulatoires et d'autres affections connexes. L'infirmière doit en tenir en compte au moment de son examen.

Si l'infirmière détecte un murmure, une arythmie ou un autre problème, elle doit vérifier si cette perturbation est récente, préexistante mais inconnue, ou déjà examinée et documentée.

Elle demande à la personne si elle est au courant de ce problème. La personne âgée décrit habituellement l'arythmie comme suit : frémissements, palpitations, ralentissement, accélération ou bondissements du cœur. Il est préférable de s'informer auprès d'elle de possibles antécédents d'arythmie avant l'auscultation pour ne pas l'inquiéter inutilement. Les cardiopathies, les déséquilibres électrolytiques, les troubles physiologiques et certains effets secondaires des médicaments peuvent entraîner des arythmies. Parfois, celles-ci découlent simplement du vieillissement. Les souffles cardiaques sont également liés au vieillissement ou à des affections. L'importance du souffle ou de l'arythmie est évaluée en fonction des antécédents médicaux et des causes sous-jacentes. L'infirmière doit aussi savoir à quelle date remonte le dernier électrocardiogramme. Ce renseignement lui indiquera depuis combien de temps ce problème passe inaperçu.

L'évaluation de la pression artérielle

Si quelques infirmières seulement s'occupent du traitement de troubles de la pression artérielle, toutes doivent pouvoir correctement prendre la pression artérielle et interpréter les résultats. Elles doivent donc connaître les dernières directives en matière de détection de l'hypertension pour mieux orienter leurs interventions. Malgré l'accumulation des preuves sur les bienfaits de la détection et du traitement de l'hypertension dans toutes les tranches d'âge de la population, environ le quart des personnes âgées atteintes d'hypertension et vivant à domicile arrivent à contrôler leur pression artérielle (Hajjar et autres, 2002). L'infirmière joue donc un rôle essentiel dans la détection de l'hypertension, la diffusion de renseignements sur ce problème et le suivi médical de la personne âgée.

L'évaluation de la pression artérielle s'avère souvent plus compliquée chez la personne âgée, car elle fluctue selon les changements de position et d'autres facteurs. La pseudo-hypertension est un phénomène fréquent qui indique une élévation de la pression systolique. Il résulte de la compression insuffisante du brassard du sphygmomanomètre sur les artères d'une personne âgée atteinte d'artériosclérose. L'infirmière ne doit pas sous-estimer l'effet « blouse blanche » qui provoque parfois une montée de pression dans le bureau du professionnel de la santé, alors que la pression demeure normale à domicile.

L'autoévaluation de la pression artérielle à domicile est une méthode de plus en plus répandue, certes encouragée par les professionnels de la santé. Les

> *L'évaluation de la pression artérielle s'avère souvent plus compliquée chez la personne âgée, car elle fluctue selon les changements de position et d'autres facteurs.*

personnes âgées étant plus sujettes à l'effet « blouse blanche », l'autoévaluation à domicile procure des renseignements supplémentaires cruciaux pour le traitement de l'hypertension (Frazier, 2002 ; Yarows et autres, 2000). De plus, elle renseigne aussi la personne sur les importantes fluctuations de sa pression au cours de la journée.

L'évaluation de la pression artérielle chez la personne âgée permet de repérer l'hypertension, mais aussi l'hypotension, souvent ignorée. La personne peut être atteinte à la fois d'hypertension, d'hypotension orthostatique et d'hypotension postprandiale. L'infirmière doit évaluer ces trois affections, surtout chez la personne âgée plus fragile. L'encadré 5.2 résume les directives relatives à une évaluation précise de la pression artérielle, y compris la technique de mesure associée à l'examen de l'hypotension orthostatique et de l'hypotension postprandiale.

ENCADRÉ 5.2
Les indications pour l'évaluation de la pression artérielle

Mesure précise de la pression artérielle chez une personne âgée

- Les lectures de la pression artérielle peuvent fluctuer en fonction de facteurs extérieurs (par exemple, près de l'heure d'un repas ou s'il y a changement de position).
- Le temps chaud ou la température très élevée d'une pièce abaisse la pression artérielle.
- La pression artérielle varie pendant la journée ; elle chute la nuit et atteint un pic au lever le matin.
- La personne doit attendre une heure après le repas pour faire prendre sa pression artérielle.
- La personne ne doit pas avoir ingéré de caféine ou fumé une cigarette une demi-heure avant de faire prendre sa pression artérielle (dans la mesure du possible).
- La personne doit être assise et au repos pendant cinq minutes avant de faire prendre sa pression artérielle (dans le cadre d'un examen strict).

Examen de l'hypotension orthostatique

- Prendre une première fois la pression artérielle cinq minutes après que la personne se soit assise ou couchée.
- Prendre une deuxième fois la pression artérielle une à trois minutes après que la personne se soit mise debout.

Examen de l'hypotension postprandiale

- Prendre la pression artérielle une première fois avant le repas.
- Prendre la pression artérielle une deuxième et une troisième fois à des intervalles de 15 minutes après la fin du repas.

Technique de mesure

- Faire asseoir la personne, le bras dénudé et les pieds à plat sur le plancher pendant cinq minutes.
- Maintenir son bras aussi près que possible du niveau du cœur.
- Lui demander de ne pas parler pendant la prise de sa pression artérielle.
- Se servir d'un sphygmomanomètre calibré avec exactitude.
- Choisir un brassard de compression de taille appropriée, c'est-à-dire couvrant au moins 80 % de la circonférence du bras ; sa largeur doit dépasser de 20 % le diamètre de l'avant-bras.

- Noter la taille du brassard utilisé. (Un brassard trop petit donnera des résultats faussement élevés, et un brassard trop grand donnera des résultats faussement faibles.)
- Installer le brassard fermement autour de l'avant-bras, le centre du sac gonflable sur l'artère brachiale et l'extrémité inférieure du brassard située entre 2,5 cm et 3,75 cm au-dessus de la fosse antécubitale.
- Gonfler le brassard de compression jusqu'à 20 mm Hg ou 30 mm Hg au-dessus de la pression systolique palpée.
- Dégonfler le brassard de 2 mm Hg ou 3 mm Hg par seconde.
- Mesurer la pression systolique au premier bruit et la pression diastolique au début du silence.
- En cas de trous auscultatoires, évaluer la pression systolique en installant le brassard, en palpant le pouls radial et en gonflant le brassard jusqu'à ne plus sentir le pouls.
- Noter l'ampleur et l'étendue du trou auscultatoire (par exemple, 184/82 mm Hg, trou auscultatoire 176-148).
- Si la pression diastolique entendue est faible, noter le début des phases IV et V de Kotkoroff (par exemple, 138/72/10 mm Hg). S'assurer de ne pas appuyer trop fortement sur le stéthoscope.
- Mesurer la pression artérielle aux deux bras la première fois, la mesurer par la suite au bras dont le résultat est le plus élevé.
- Si les bruits sont difficiles à ausculter, maintenir le bras de la personne au-dessus de sa tête pendant 30 secondes. Gonfler ensuite le brassard, demander à la personne de baisser le bras et prendre sa pression.
- S'il faut vérifier de nouveau la pression au même bras, dégonfler complètement le brassard avant de le regonfler et attendre au moins deux minutes avant de prendre la pression.

Résultats normaux

- La pression systolique normale se situe à moins de 120 mm Hg et la pression diastolique, à moins de 80 mm Hg.
- La différence normale de pression systolique entre la position assise ou couchée et la position debout est 20 mm Hg ou moins après une minute en position debout.
- La différence normale de pression diastolique entre la position assise ou couchée et la position debout est 10 mm Hg ou moins après une minute en position debout.

L'évaluation des risques de maladie cardiovasculaire

L'évaluation des risques de maladie cardiovasculaire, plus particulièrement ceux qui sont modifiables, constitue le point de départ d'interventions destinées à prévenir des conséquences fonctionnelles négatives. L'hypertension, la dyslipidémie et le tabagisme sont les facteurs de risque modifiables les plus importants chez les personnes âgées. L'obésité, la sédentarité et les mauvaises habitudes alimentaires représentent des aspects du mode de vie qui augmentent énormément le risque de maladie cardiovasculaire. Plusieurs outils d'évaluation simples facilitent la détection des

facteurs de risque et servent d'amorce à une éducation pour la santé. L'encadré 5.3 suggère des pistes pour évaluer ces risques.

Le risque d'hypertension. Environ 60 % des Nord-Américains âgés de 65 à 75 ans et 70 % des plus de 75 ans font de l'hypertension, c'est-à-dire que leur pression artérielle est supérieure à 140/90 mm Hg (Aronow, 2002b). Un rapport publié par le *Joint National Committee on Detection, Evaluation, and Treatment of High Blood Pressure (JNC)* en 2003 fixe la pression systolique normale à moins de 120 mm Hg et la pression diastolique, à moins de 80 mm Hg. Il présente un nouveau stade d'hypertension, le stade 1 ou léger, qui concerne les personnes à risque de développer de l'hypertension. Ces valeurs s'appliquent à la population canadienne et québécoise. Il est à noter que, de façon générale, les omnipraticiens sont aujourd'hui plus proactifs en ce qui a trait au traitement de l'hypertension. Le tableau 5.1 illustre les divers stades de cette affection en présentant quelques-uns des critères associés à la pression artérielle.

Le risque de dyslipidémie. Depuis le début des années 1980, les expressions « gras saturé » et « gras polyinsaturé » ont été largement utilisées et ont sensibilisé la population au problème de la dyslipidémie comme facteur de risque de maladie cardiovasculaire. À la fin des années 1980, les programmes de dépistage du cholestérol connaissaient le même engouement que ceux réservés au dépistage de la pression artérielle dans les années 1970. Dans les années 1990, l'importance du dépistage du cholestérol chez les personnes âgées a fait débat, et le traitement de la dyslipidémie chez les aînés âgés de plus de 75 ans ne ralliait pas toutes les opinions médicales. Enfin, au début des années 2000, des études suggèrent que la détection et le traitement de la dyslipidémie chez les personnes

ENCADRÉ 5.3
Des pistes pour évaluer les risques associés aux maladies cardiovasculaires

Questions relatives à la détection des facteurs de risque

- Avez-vous actuellement ou avez-vous déjà eu des problèmes cardiaques ou circulatoires (par exemple, accident vasculaire cérébral, angine de poitrine, crise cardiaque, caillots sanguins ou fibrillation auriculaire [FA]) ? Si oui, poser les questions d'usage sur le traitement et toute autre question pertinente.

- À quand remonte votre dernier électrocardiogramme ?

- Quelle est votre pression artérielle normale ? Vous a-t-on déjà informé que vous faisiez de la haute pression ou que vous frôliez la haute pression ?

- Prenez-vous ou avez-vous pris des médicaments pour des troubles cardiaques ou de pression artérielle ? Si oui, poser les questions d'usage sur la catégorie de médicament, la posologie, la durée du traitement, etc.

- Fumez-vous ou avez-vous déjà fumé ? Si oui, lui poser les questions se rapportant à l'examen de la fonction respiratoire (voir le chapitre 6).

- Connaissez-vous votre taux de cholestérol ? À quand remonte la dernière vérification de votre taux de cholestérol ?

- Souffrez-vous de diabète ? À quand remonte la dernière vérification de votre taux de sucre (glucose) ?

- Faites-vous de l'exercice ? Quels exercices physiques pratiquez-vous ?

Autres aspects liés aux facteurs de risque

- Comparer le poids actuel de la personne au poids idéal pour sa stature.

- Établir ses habitudes alimentaires, en particulier sa consommation de sel, de fibres et de divers gras. (Le bilan nutritionnel fournit ces renseignements.)

TABLEAU 5.1 — **Les critères relatifs à une pression artérielle normale et aux stades de l'hypertension**

PA (adulte)	Systolique (mm Hg)		Diastolique (mm Hg)
• Normale	• < 120	et	• < 80
• Hypertension	• 120-139	ou	• 80-89
• Stade 1 (léger)	• 140-159	ou	• 90-99
• Stade 2 (moyen)	• ≥ 160	ou	• ≥ 100
• Stade 3 (grave)			

Source : JNC (2003) Rapport du JNC. *Journal of the American Medical Association*, 289, 2560-2577.

âgées, y compris chez les nonagénaires (Aronow, 2002a), soient encouragés.

L'évaluation des signes et des symptômes de cardiopathie

La détection d'un problème cardiaque chez la personne âgée est plus complexe que chez les adultes plus jeunes, car il se manifeste différemment. Par exemple, l'insuffisance cardiaque globale s'installe insidieusement, sur une longue période, et seuls des changements sur le plan cognitif peuvent ultérieurement la signaler. Avant l'établissement du diagnostic approprié, la maladie a déjà franchi plusieurs stades. Il en va de même pour l'angine de poitrine et les infarctus aigus du myocarde, dont les signes sont subtils et inattendus, en l'absence de tous les symptômes classiques. Les chercheurs ont constaté que 25 % à 68 % des cas d'infarctus du myocarde ne sont pas diagnostiqués. Cette situation est plus fréquente chez les femmes et les personnes âgées (Aronow, 2003 ; Sheifer et autres, 2001). Au lieu des douleurs thoraciques habituelles notées chez les personnes d'âge moyen, c'est la dyspnée et des symptômes neurologiques (par exemple, la perturbation de la mémoire, de la confusion) qui signalent le déclenchement d'une ischémie myocardique ou d'un infarctus aigu du myocarde chez les personnes âgées (Aronow, 2003 ; Williams et autres, 2002). Le chercheur Canto et ses collègues (2002) ont observé que seulement 48 % des personnes atteintes d'angine instable présentent des symptômes typiques, dont la douleur thoracique ; les facteurs associés aux signes atypiques sont notamment le vieillissement et des antécédents de démence. Dans cette étude, les principaux symptômes atypiques constatés sont la nausée, la dyspnée, une douleur thoracique aiguë, brûlante ou pleurétique ainsi qu'une douleur ou une sensation de gêne dans la partie supérieure du corps. Les personnes âgées évoquent la présence de vagues symptômes comme la fatigue, la dyspnée, des syncopes, une indigestion et des changements dans leur capacité cognitive au lieu d'une douleur thoracique. De plus, celles qui sont atteintes d'invalidité ou d'autres déficits fonctionnels ne sont peut-être pas suffisamment actives pour afficher des symptômes à l'effort. Il est important de noter que l'absence de douleur thoracique n'écarte pas une coronaropathie.

Si les symptômes d'ischémie myocardique (angine) ou d'autres troubles cardiaques sont légers ou différents des symptômes courants, on les associera probablement à des problèmes de nature autre comme une indigestion ou de l'arthrite dans l'épaule. Des problèmes digestifs ou respiratoires, une douleur ou une gêne dans les bras, les épaules ou la partie supérieure du corps suggèrent peut-être une cardiopathie. La possibilité d'autres affections pouvant expliquer ces symptômes complexifie l'examen. Par exemple, il n'est pas rare qu'une personne âgée souffre de reflux gastro-œsophagien et qu'elle ait aussi des antécédents de cardiopathie ischémique. L'infirmière doit donc étendre ses questions sur la fonction cardiovasculaire à d'autres aspects connexes. L'électrocardiogramme permet de détecter une ischémie myocardique atypique ou silencieuse. L'encadré 5.4 (p. 52) résume les directives relatives à l'examen de la fonction cardiovasculaire et à la détection d'une maladie cardiovasculaire. Il présente des questions s'adressant à la personne âgée et même à la population en général.

> *Des problèmes digestifs ou respiratoires, une douleur ou une gêne dans les bras, les épaules ou la partie supérieure du corps suggèrent peut-être une cardiopathie.*

L'atténuation des risques au moyen d'interventions

Au cours des dernières années, l'hormonothérapie et la consommation d'acide acétylsalicylique (aspirine) à faible dose ont suscité l'intérêt. En 2002, les résultats alarmants d'études longitudinales à grande échelle soulignant les risques associés à l'hormonothérapie ont provoqué l'annulation de sa recommandation aux femmes en ménopause. En vigueur depuis les années 1990, ce traitement devait favoriser la prévention primaire et secondaire de la maladie cardiovasculaire (*U.S. Preventive Services Task Force*, 2002). La prise d'aspirine à faible dose pour minimiser les risques de coronaropathie est aussi très contestée, car elle provoque parfois des saignements gastro-intestinaux et des accidents vasculaires cérébraux hémorragiques. En 2002, un groupe de travail du gouvernement américain (*U.S. Preventive Services Task Force*) et la fondation américaine des maladies du cœur (*American Heart Association*) ont déclaré que les avantages surpassent les inconvénients dans le cas des personnes à risque élevé de développer une maladie cardiovasculaire ou possédant des antécédents d'affections cardiovasculaires. Ils recommandent une posologie de 75 mg à 160 mg par jour d'aspirine pour celles qui tolèrent ce médicament (Pearson et autres, 2002). L'encadré 5.5 (p. 52) résume les conseils d'éducation à la santé visant à atténuer les risques de maladie cardiovasculaire chez les personnes âgées.

Questions relatives à la détection d'une maladie cardiovasculaire

- Ressentez-vous de la douleur ou une compression dans la poitrine ? Si oui, poser des questions sur le type de douleur, son déclenchement, sa durée et d'autres caractéristiques.

- Avez-vous parfois de la difficulté à respirer ? Si oui, poser les questions d'usage sur le déclenchement des difficultés et d'autres caractéristiques.

- Avez-vous parfois des étourdissements ? Si oui, poser des questions sur les circonstances, leur évaluation médicale, le traitement des symptômes et les mesures prises pour éviter des accidents.

- Sentez-vous parfois une accélération des battements du cœur, des battements irréguliers, des palpitations ? Si oui, demander à la personne si elle a subi un examen médical.

- Vous a-t-on déjà informé que vous aviez un souffle au cœur ? Si oui, demander à la personne si elle a passé un examen médical à ce sujet.

Questions relatives à la fonction cardiovasculaire

- Vous fatiguez-vous plus rapidement ou ressentez-vous le besoin de vous reposer plus souvent ?

- Avez-vous des indigestions ?

- Vos pieds ou vos chevilles enflent-ils parfois ?

- Vous réveillez-vous la nuit en ayant de la difficulté à respirer ou un autre problème ? Avez-vous modifié vos habitudes de sommeil en raison de difficultés respiratoires (par exemple, dormez-vous avec plus d'un oreiller ou en position assise sur une chaise ?) ?

- Ressentez-vous de la douleur dans le haut du corps ou dans les épaules ?

Questions relatives à l'hypotension orthostatique

- Ressentez-vous des étourdissements au lever le matin ou au coucher le soir ?

- Si oui, avez-vous d'autres symptômes : nausées, sueurs, confusion ?

- Dans l'affirmative, vérifier si les facteurs de risque énumérés à l'encadré 5.1 (p. 44) s'appliquent à la personne. Si oui, lui demander si elle a subi un examen médical récemment.

La prévention et le traitement de l'hypertension

L'infirmière doit évaluer les effets des médicaments que prend la personne âgée et renseigner celle-ci et les soignants sur les interventions appropriées en cas d'hypertension.

Détection des risques

- Faire vérifier sa pression artérielle chaque année.

- Si le taux de cholestérol est inférieur à 5,2 mmol/L, le faire vérifier tous les cinq ans. S'il se situe entre 5,2 mmol/L et 6,2 mmol/L, suivre un régime alimentaire pour le diminuer ; le faire vérifier chaque année. S'il atteint 6,4 mmol/L ou plus, subir un examen médical.

Réduction des risques

- Favoriser un arrêt du tabagisme.

- Éviter la fumée secondaire, c'est-à-dire d'inhaler la fumée de cigarette des autres.

- Garder un poids inférieur à 110 % de son poids idéal.

- Faire de l'exercice tous les jours et des exercices d'aérobie (qui augmentent le rythme cardiaque) pendant 30 à 45 minutes.

- Éviter les aliments riches en sel et suivre un régime alimentaire visant à diminuer le taux de cholestérol.

- Parler à son médecin du recours à de faibles doses d'aspirine à titre préventif, surtout s'il existe des antécédents familiaux de coronaropathie et d'accidents vasculaires cérébraux.

Pour la personne atteinte d'hypertension de stade 1 (léger), la première étape visant à diminuer ce problème consiste à modifier ses habitudes de vie, puis à entreprendre une pharmacothérapie afin d'obtenir la pression artérielle idéale. Une perte de poids et la pratique régulière d'exercices se révèlent efficaces dans le cas de personnes sédentaires ou ayant une surcharge pondérale (Hinderliter et autres, 2002). Une réduction de la consommation de sel donne aussi d'excellents résultats pour diminuer la pression artérielle, surtout chez les personnes âgées. Il est d'ailleurs recommandé de ne pas ingérer plus de 2,4 g de sel par jour (INC, 2003).

De nombreux médicaments traitent l'hypertension ; plusieurs critères aident à faire le bon choix, notamment l'efficacité thérapeutique et la présence d'autres affections. Les diurétiques thiazidiques, pris seuls ou avec des bêtabloquants ou des inhibiteurs de l'enzyme de conversion de l'angiotensine, amorcent le traitement de l'hypertension. Les inhibiteurs de canaux calciques servent aussi de traitement initial dans certaines situations. Ces dernières années, on privilégie le choix d'un médicament en fonction de ses effets thérapeutiques non seulement sur l'hypertension, mais aussi sur la maladie cardiovasculaire coexistante. Par exemple, les bêtabloquants sont efficaces chez les personnes qui, outre leur hypertension, ont déjà subi un infarctus du myocarde, car ils aident à réduire le travail effectué par le cœur. Par contre, ils ne sont pas indiqués en premier recours chez les personnes de plus de 60 ans. On recommande les inhibiteurs de l'enzyme de conversion de l'angiotensine (IECA) ou les antagonistes des récepteurs de l'angiotensine (ARA) pour traiter l'hypertension chez les personnes atteintes de diabète ou d'insuffisance cardiaque (Kudzma, 2001). La possibilité de prévenir les maladies cardiovasculaires n'est pas négligeable. Des études révèlent que le traitement de l'hypertension au moyen du diurétique thiazidique réduit le risque d'un accident ischémique transitoire cérébral (Klungel et autres, 2001). De plus, le choix d'un médicament dépend de ses effets secondaires, un élément très important chez les personnes âgées dont les capacités fonctionnelles sont déjà réduites. En effet, il existe un lien indirect entre la forme de déficit fonctionnel et les effets secondaires des médicaments. Par exemple, si ceux-ci provoquent une hypotension orthostatique chez une personne âgée de 85 ans encore mobile, cela lui sera plus nuisible que si ces effets surviennent chez une autre personne âgée non mobile.

> *Ces dernières années, on privilégie le choix d'un médicament en fonction de ses effets thérapeutiques non seulement sur l'hypertension, mais aussi sur la maladie cardiovasculaire coexistante.*

Chapitre 6

L'appareil respiratoire

OBJECTIFS D'APPRENTISSAGE

Après avoir lu ce chapitre, vous devriez être en mesure :

- de décrire les changements liés à l'âge qui ont une incidence sur la fonction respiratoire ;

- d'énoncer les facteurs de risque nuisibles à la fonction respiratoire des personnes âgées ;

- d'expliquer les conséquences fonctionnelles des changements liés à l'âge et des facteurs de risque sur la fonction respiratoire ;

- de décrire les méthodes de détection des facteurs de risque et d'évaluation de la fonction respiratoire chez les personnes âgées ;

- d'indiquer certaines interventions susceptibles de diminuer les risques d'altération de la fonction respiratoire et les risques d'affections respiratoires.

La principale fonction de la respiration consiste à saturer le sang en oxygène et à éliminer le gaz carbonique du sang. La respiration et les échanges gazeux sont vitaux, car tous les organes et les tissus nécessitent un apport en oxygène. L'appareil respiratoire d'une personne en santé et non fumeuse subit peu de modifications liées au vieillissement. Les légères modifications notées apparaissent graduellement, et la personne en santé s'y adapte bien.

6.1 Les changements liés à l'âge et la fonction respiratoire

Les répercussions du vieillissement sur l'appareil respiratoire se distinguent difficilement de celles qui sont imputables aux affections et aux facteurs de risque comme le tabagisme, car elles se côtoient constamment. Toutefois, la personne âgée en ressent davantage les effets cumulatifs. Ceux-ci n'enclenchent de conséquences fonctionnelles négatives qu'en présence de certains changements liés à l'âge (par exemple, un affaiblissement de la réponse immunitaire) ou de facteurs de risque (par exemple, une mobilité réduite).

Les voies respiratoires supérieures

Le nez est parfois négligé dans l'exploration de la mécanique de la respiration. Pourtant, les transformations associées au vieillissement des voies respiratoires supérieures peuvent gêner la respiration et le bien-être de la personne. L'altération du tissu conjonctif occasionne une rétraction de la columelle (l'extrémité inférieure de la cloison nasale) et un affaissement de la pointe du nez chez la personne âgée. Bien qu'elle soit plus cosmétique que fonctionnelle, cette situation occasionne une légère déviation de la cloison nasale et entrave la circulation de l'air dans les cavités nasales. Elle pousse alors la personne âgée à respirer par la bouche, favorisant ainsi le ronflement et l'apnée.

Le vieillissement diminue le débit sanguin vers le nez, amenant une réduction des cornets. On remarque aussi une baisse des sécrétions des glandes muqueuses, et ce, même chez la personne âgée en santé. Ces sécrétions claires et liquides activent la dilution du mucus plus visqueux des cellules caliciformes. Une réduction des sécrétions entraîne une augmentation de la viscosité du mucus du nasopharynx, qui devient alors plus difficile à éliminer. Les altérations physiologiques des cornets, du débit sanguin et des glandes muqueuses déclenchent la sécrétion d'un mucus plus épais et sec, d'où l'impression d'avoir le nez bouché. Elles stimulent le réflexe tussigène (la toux) et provoquent des chatouillements constants dans la gorge.

L'épiglotte et les voies respiratoires supérieures expulsent le mucus et les déchets des poumons. Ces structures protègent aussi les bronches des substances dangereuses, que ce soit les micro-organismes ou les gros morceaux de nourriture. Avec le vieillissement, le cartilage de la trachée se calcifie et en provoque la rigidité. Les réflexes tussigène et laryngé, quant à eux, faiblissent, et la personne âgée est moins portée à tousser. Enfin, une baisse du nombre de terminaisons nerveuses dans le larynx semble entraîner un déclin du réflexe nauséeux.

La paroi thoracique et les structures musculosquelettiques

Le vieillissement modifie les structures musculosquelettiques de la cage thoracique. En outre, l'ostéoporose s'attaque aux côtes et aux vertèbres, le fibrocartilage se calcifie et les muscles respiratoires s'affaiblissent. Ces changements peuvent entraîner la cyphose (une déviation de la colonne vertébrale causée par le vieillissement), une réduction du thorax, la rigidité de la paroi thoracique et l'accroissement du diamètre antéropostérieur de la cage thoracique. Ces altérations des structures musculosquelettiques, qui affectent directement la fonction respiratoire, nuisent à la capacité respiratoire et amoindrissent la force inspiratoire et la force expiratoire maximales. Pour les contrebalancer, la personne âgée recourt de plus en plus aux muscles respiratoires accessoires, notamment au diaphragme. Elle devient donc très vulnérable aux fluctuations de la pression intra-abdominale.

> *Les altérations des structures musculosquelettiques, qui affectent directement la fonction respiratoire, nuisent à la capacité respiratoire et amoindrissent la force inspiratoire et la force expiratoire maximales.*

Les poumons

Chez les personnes âgées en santé, les poumons perdent environ 20 % de leur poids. Le vieillissement entraîne la flaccidité des poumons, qui diminuent de volume. Les structures les plus touchées sont les bronchioles terminales, les alvéoles et les capillaires. Le système vasculaire pulmonaire n'est pas davantage épargné. Le tronc de l'artère pulmonaire s'épaissit et durcit, son diamètre s'élargit. On note aussi une réduction du nombre de capillaires et une baisse du volume sanguin capillaire. Enfin, la muqueuse responsable de la diffusion des gaz devient plus épaisse, ce qui entrave le processus de diffusion. Chez les personnes âgées en santé, le vieillissement du parenchyme (le tissu fonctionnel) et la détérioration des fibres élastiques diminuent progressivement la capacité des poumons à se comprimer. Il en résulte la fermeture prématurée des bronches, responsable de la diminution du volume d'air et de la circulation de l'air (air inspiré et expiré).

Les volumes d'air et le débit d'air

Les épreuves de la fonction pulmonaire mesurent, entre autres, les volumes d'air et le débit d'air. Avec l'âge, la paroi thoracique et la capacité des poumons à se comprimer changent et modifient les volumes d'air. Toutefois, la capacité pulmonaire totale reste intacte grâce à des mécanismes compensatoires. Le tableau 6.1 résume les altérations de la fonction pulmonaire causées par le vieillissement.

Les échanges gazeux

Les échanges gazeux constituent la fonction fondamentale de l'appareil respiratoire. Les échanges oxygène/gaz carbonique dépendent de l'équilibre entre la ventilation (le volume d'air dans les poumons) et la perfusion (la quantité de sang circulant dans les poumons). Avec la fermeture prématurée des bronches en raison des effets du vieillissement, les échanges gazeux sont compromis dans les régions pulmonaires inférieures, et l'air inspiré est plutôt distribué dans les régions pulmonaires supérieures. Il y a alors une augmentation de la ventilation et une diminution de la perfusion. Cette situation amène une baisse progressive de la pression partielle en oxygène dans le sang artériel de 4 mm Hg tous les 10 ans.

La réaction à l'hypoxie et à l'hypercapnie

La fréquence respiratoire s'adapte à l'hypercapnie (pression partielle en gaz carbonique trop élevée dans le sang) ou à l'hypoxie (pression partielle en oxygène trop faible dans le sang). L'adaptation fluctue en fonction du problème. Dans le cas de l'hypercapnie, c'est le chémorécepteur central, situé dans le bulbe rachidien, qui déclenche le mécanisme d'adaptation. Les chémorécepteurs périphériques de la carotide et de l'aorte le font pour l'hypoxie. S'ils fonctionnent efficacement, la fréquence et l'amplitude respiratoires augmentent pour compenser la faible concentration en oxygène ou la trop forte concentration en gaz carbonique. Malgré des débats sur le vieillissement du mécanisme d'adaptation à l'hypercapnie et à l'hypoxie, la constatation d'une perte de 40 % à 50 % entre l'âge de 30 et 80 ans semble faire consensus. Plutôt que d'avoir le souffle court, les personnes âgées subissent des perturbations de leur état mental (léthargie, confusion) lorsque la concentration des gaz dans le sang est anormale.

6.2 Les facteurs de risque et la fonction respiratoire

La fonction respiratoire optimale chez les personnes âgées dépend principalement de la capacité maximale

TABLEAU 6.1	La fonction pulmonaire et le vieillissement	
Indicateurs	**Définitions**	**Changements liés à l'âge**
• Volume courant	• Volume d'air inspiré ou expiré à chaque respiration	• Légère diminution
• Volume résiduel	• Volume d'air dans les poumons après une expiration forcée	• Augmentation de 5 % à 10 % tous les 10 ans
• Volume expiratoire maximal	• Volume d'air expiré en une seconde après une inspiration maximale	• Diminution de 23 ml à 32 ml par année chez l'homme et de 19 ml à 26 ml par année chez la femme
• Volume inspiratoire maximal	• Volume maximal d'air inspiré qui s'ajoute au volume courant	• Diminution
• Capacité vitale	• Volume maximal d'air expiré après une inspiration maximale	• Diminution de 14 ml à 30 ml par année chez l'homme et de 14 ml à 24 ml par année chez la femme
• Capacité pulmonaire totale	• Volume total d'air dans les poumons après une inspiration maximale	• Absence de changement en raison de mécanismes compensatoires
• Capacité de diffusion des gaz	• Capacité de transfert des gaz entre les poumons et le sang	• Baisse de 2,03 ml/min/mm Hg tous les 10 ans chez l'homme et de 1,47 ml/min/mm Hg chez la femme
• Pression partielle en oxygène dans le sang artériel (PaO_2)	• Concentration d'oxygène dans les artères	• Baisse de 0,3 % par année ou de 4 mm Hg tous les 10 ans; stabilisation à 83 mm Hg après l'âge de 75 ans

atteinte dans la trentaine. Cette capacité repose sur le développement de la fonction respiratoire à un jeune âge. Si la personne âgée est parvenue à une capacité maximale lorsqu'elle était plus jeune, elle tolère mieux le vieillissement de sa fonction respiratoire, et les facteurs de risque inhérents l'affectent moins lorsque se présentent des troubles respiratoires. Par contre, si sa capacité maximale est faible au départ, les effets du vieillissement et des facteurs de risque surgissent plus tôt, et les manifestations sont plus importantes.

Le tabagisme

Le tabagisme constitue le facteur de risque le plus important dans le développement de pneumopathies et d'insuffisance respiratoire ; cela est vrai pour les personnes de tous les groupes d'âge. Pour les fumeurs de longue date ayant survécu jusqu'à un âge avancé à ses effets nocifs, les risques du tabagisme sont toujours présents et cumulatifs. Il existe un large éventail de données attestant que le tabagisme cause les problèmes de santé suivants : le cancer, les maladies cardiovasculaires et les bronchopneumopathies chroniques obstructives (BPCO).

À l'âge de 35 ans, l'espérance de vie d'un fumeur ou d'une fumeuse qui continuera à fumer jusqu'à son décès se situe à 69,3 et à 73,8 ans respectivement. Pour ceux et celles qui ont cessé de fumer à 35 ans, l'espérance de vie s'élève respectivement à 73,8 et à 79,9 ans. Selon l'étude de Taylor et de ses collègues (2002), les hommes et les femmes qui ont cessé de fumer à 65 ans peuvent prolonger leur vie de 2,0 et de 3,7 ans respectivement, comparativement aux personnes encore dépendantes du tabac. La conclusion est évidente : le tabagisme est très nocif pour la santé, et toute tentative pour cesser de fumer constitue un investissement sur le plan de la qualité de vie.

Les effets nocifs du tabac proviennent de l'action de la chaleur et des produits chimiques sur l'appareil respiratoire. Les gaz toxiques relâchés par la cigarette sont notamment le monoxyde de carbone, l'acide cyanhydrique et le dioxyde d'azote. De plus, la cigarette dégage des goudrons renfermant de la nicotine et d'autres substances chimiques dangereuses.

Les conséquences de la fumée de tabac sur l'appareil respiratoire sont la bronchoconstriction, l'inflammation de la muqueuse des voies respiratoires, la fermeture prématurée des bronches (aussi causée par le vieillissement), la perte de l'activité ciliaire, qui accroît la toux et la sécrétion de mucus, ainsi qu'un

Il existe un large éventail de données attestant que le tabagisme cause les problèmes de santé suivants : le cancer, les maladies cardiovasculaires et les bronchopneumopathies chroniques obstructives (BPCO).

affaiblissement de la réponse immunitaire à l'invasion de micro-organismes pathogènes. Les effets cumulatifs du tabagisme et du vieillissement se combinent et augmentent les risques pour la santé. Même chez un fumeur en bonne santé, la dégradation du volume expiratoire maximal est deux ou trois fois plus importante que chez le non-fumeur. Elle représente une accélération et une exacerbation d'un aspect du vieillissement qui stimule l'apparition d'affections comme les BPCO. En plus de ses effets toxiques sur les poumons, le tabagisme multiplie grandement les risques de pneumopathies, de cardiopathies et d'autres affections graves. L'usage du tabac est également associé à de nombreux types de cancers (Kuper, 2002).

Par ailleurs, il ne faut pas sous-estimer les effets dangereux de la fumée secondaire relâchée dans l'air ambiant pour les personnes qui y sont exposées. En effet, le non-fumeur inhale les mêmes substances chimiques que le fumeur ; c'est pourquoi on parle aussi de tabagisme secondaire ou d'inhalation involontaire de la fumée. Les particules étant toutefois plus minuscules, elles pénètrent plus profondément dans les poumons. D'ailleurs, les concentrations de certaines de ces substances dans les poumons d'une personne exposée à la fumée secondaire sont supérieures à celles qu'inhale le fumeur (Nurminen et Jaakkola, 2001).

Les personnes âgées sont parfois moins bien informées sur les dangers du tabagisme actif et passif que le reste de la population (Brownson et autres, 1992). L'infirmière devrait donc les renseigner à ce sujet.

Les facteurs environnementaux

Les facteurs environnementaux, notamment la qualité de l'air ambiant, affectent particulièrement la fonction physiologique de la respiration. En effet, l'air sec peut assécher les voies respiratoires supérieures et épaissir les sécrétions nasales, qui deviennent alors difficiles à éliminer. L'inhalation de polluants atmosphériques entraîne aussi des conséquences graves sur la santé. Les effets de la pollution de l'air s'accumulent au fil des ans, comme ceux du tabagisme. Leurs répercussions se manifestent chez la personne âgée qui y a été exposée toute sa vie. Par exemple, si celle-ci a toujours vécu dans un centre urbain, elle absorbe des polluants atmosphériques depuis 70 ou 80 ans.

Ainsi, un ancien soudeur ou un pompier retraité ont probablement été exposés à des substances toxiques aux effets à long terme. À une certaine époque, le travailleur ne recevait pas toujours l'information pertinente à ce sujet ; bien souvent, on ne connaissait pas les répercussions à long terme de l'exposition à certaines substances chimiques dangereuses. Cette personne devient donc susceptible d'en subir les effets. Les affections pulmonaires professionnelles ne sont diagnostiquées que très tard, à l'apparition des symptômes et des signes cliniques résultant des effets cumulatifs de l'exposition. L'encadré 6.1 énumère quelques-uns des métiers dans lesquels les travailleurs peuvent être exposés à une affection respiratoire qui, éventuellement, ne se manifestera que des années plus tard.

Les bronchopneumopathies chroniques obstructives (BPCO)

Les bronchopneumopathies chroniques obstructives sont des affections caractérisées par une obstruction chronique des bronches. Elles touchent 10 % de la population nord-américaine âgée de 55 à 85 ans. Les BPCO sont liées à une prédisposition génétique et au tabagisme. D'autres facteurs connexes sont le vieillissement, une situation socioéconomique défavorable, l'exposition à des substances toxiques dans le milieu ambiant et des antécédents médicaux de maladie respiratoire dans l'enfance. Les symptômes

> Les effets cumulatifs de l'évolution des BPCO s'aggravent avec l'âge.

les plus répandus sont la toux, la dyspnée, une respiration sifflante et une augmentation des expectorations.

Les effets cumulatifs de l'évolution des BPCO s'aggravent avec l'âge. L'hypoxémie ou l'hypercapnie qui se produisent parfois perturbent l'état mental des personnes âgées. Les BPCO prolongent également leur hospitalisation ; elles rendent probable la décision de loger les personnes atteintes en établissement (Terry, 2000).

Les autres facteurs de risque

En plus des effets liés au vieillissement de l'appareil respiratoire, celui des fonctions physiologiques peut aussi entraver la respiration. Ainsi, la cyphose et une mauvaise posture peuvent nuire à la capacité respiratoire maximale. Une baisse de la réponse immunitaire peut contribuer à une hausse des taux de morbidité et de mortalité observés chez les personnes âgées atteintes de pneumonie et d'autres infections des voies respiratoires ; par conséquent, elles sont aussi plus susceptibles de contracter le virus de la grippe.

Une affection ou une maladie chronique gênant la mobilité ou les activités peuvent détériorer la fonction respiratoire. La réduction des activités et la position couchée ou une situation favorisant une respiration superficielle entravent le mouvement des muscles responsables de la respiration et compromettent la capacité respiratoire de la personne âgée. Si elle doit rester au lit, ne serait-ce que pour une brève période, elle court le risque de voir altérer sa fonction respiratoire et de contracter des infections des voies respiratoires supérieures. Les conséquences fonctionnelles négatives associées au repos au lit résultent en partie de la position couchée, qui empêche la pleine expansion de la cage thoracique déjà atteinte par les transformations régressives du vieillissement.

L'obésité représente un autre facteur de risque qui nuit à la respiration. Le surplus de poids empêche d'inspirer profondément et de bien ventiler les lobes inférieurs des poumons. Des pertes ou des gains de poids minimaux ont des impacts importants sur la capacité ventilatoire et le volume expiratoire maximal (Morgan et Reger, 2000).

Les médicaments constituent un facteur de risque dont les effets jouent diversement sur la respiration. Ainsi, les anticholinergiques et les sédatifs peuvent assécher le mucus et gêner les voies respiratoires supérieures, en plus de stimuler le réflexe tussigène. Les narcotiques opiacés diminuent la fréquence et l'amplitude respiratoires, et certains inhibiteurs de l'enzyme de conversion de l'angiotensine peuvent provoquer une toux sèche.

ENCADRÉ 6.1
Les travailleurs exposés aux affections respiratoires

- Agriculteurs, travailleurs agricoles, manutentionnaires céréaliers
- Carriers
- Contrôleurs de la circulation
- Mineurs
- Ouvriers des chantiers navals
- Ouvriers des usines de caoutchouc
- Ouvriers d'alumineries
- Ouvriers de l'industrie sidérurgique
- Ouvriers chargés de réparer les tunnels et les rues
- Ouvriers de l'amiante (mines et usines de transformation)
- Pompiers
- Travailleurs de la construction
- Ouvriers des papeteries
- Travailleurs exposés à la poussière, aux vapeurs, aux émanations de gaz, au nickel, à l'arsenic, au béryllium, au chrome ou aux radiations

6.3 Les conséquences fonction-nelles des changements liés à l'âge sur la fonction respiratoire

Les personnes âgées en santé ne remarqueront aucune altération de leur fonction respiratoire dans leurs activités si elles ne fument pas et si elles ne sont pas exposées à d'autres facteurs de risque. Le vieillissement modifie moins la respiration à l'effort que le manque d'exercice et les facteurs de risque décrits plus haut. Par contre, il est possible que l'effort physique les fatigue plus rapidement. Toutefois, la pratique d'activités physiques peut corriger en partie ce problème. Le tableau 6.2 résume les conséquences fonctionnelles des changements liés à l'âge sur la fonction respiratoire.

Chez la population âgée, une propension aux infections respiratoires représente la seule conséquence fonctionnelle négative du vieillissement de l'appareil respiratoire. Les infections respiratoires sont très lourdes de conséquences pour les personnes âgées. Elles entraînent une dégénérescence de leur état fonctionnel ou même leur décès (Barker et autres, 1998). Un affaiblissement des fonctions respiratoire et immunitaire favorise l'apparition de la pneumonie et de la grippe. Les taux de mortalité liés à la pneumonie passent de 24 par 100 000 pour les personnes âgées de 60 à 64 ans à 1 032 par 100 000 pour celles de 85 ans et plus (Callahan et Wolinsky, 1996).

La figure 6.1 (p. 60) énumère les changements liés à l'âge, les facteurs de risque et les conséquences fonctionnelles négatives qui nuisent à la fonction respiratoire des personnes âgées.

6.4 L'évaluation et les principales interventions de l'infirmière liées à la fonction respiratoire

La promotion de la santé et la fonction respiratoire

L'entrevue avec la personne âgée (ou avec ses aidants familiaux) permet à l'infirmière de cerner les facteurs de risque nuisibles à sa fonction respiratoire. L'infirmière peut ensuite les corriger au moyen du plan thérapeutique infirmier. L'entrevue lui permet de se renseigner sur le tabagisme et la vaccination contre la grippe et la pneumonie, et de mieux orienter ses interventions. Elle doit sonder l'opinion de la personne âgée sur ces mesures préventives afin d'élaborer son plan thérapeutique. Enfin, des questions sur la fonction respiratoire l'aident à détecter certains problèmes potentiels. L'encadré 6.2 (p. 61) propose des questions permettant d'évaluer la qualité de la fonction respiratoire globale, les facteurs de risque et la possibilité d'interventions.

La détection des infections respiratoires

Le mot « détection » se révèle plus judicieux que le mot « évaluation » en ce qui concerne les infections respiratoires, car la personne âgée atteinte de pneumonie n'en affiche pas toujours les symptômes classiques. Des symptômes diffus et vagues se substituent aux symptômes habituels comme la toux, les frissons, l'hyperthermie et une numération élevée des globules blancs. Les symptômes les plus fréquents en présence d'une pneumonie au stade initial sont les céphalées, la faiblesse, l'anorexie, la léthargie, la déshydratation, des perturbations de l'état mental et une détérioration de l'état fonctionnel. Selon Johnson et ses collègues (2000), des études portant sur la pneumonie indiquent que les personnes âgées présentent souvent des symptômes atypiques et que ceux-ci se trouvent plus souvent chez la personne âgée atteinte de démence. La confusion est d'ailleurs le symptôme atypique le plus répandu en présence d'une pneumonie.

TABLEAU 6.2	Les conséquences des changements liés à l'âge sur la fonction respiratoire
Changements	**Conséquences**
• Voies aériennes supérieures : calcification du cartilage, détérioration de la fonction et des réflexes neuromusculaires	• Ronflement, respiration par la bouche, diminution des réflexes tussigène et nauséeux
• Augmentation du diamètre antéropostérieur, rigidité de la paroi thoracique, affaiblissement des muscles et du diaphragme	• Utilisation accrue des muscles respiratoires accessoires, effort supplémentaire pour améliorer la capacité respiratoire
• Expansion des alvéoles, amincissement des parois alvéolaires, réduction du nombre de capillaires	• Altération des échanges gazeux, diminution de la pression partielle en oxygène dans le sang artériel
• Altération de la capacité des poumons à se comprimer et fermeture prématurée des bronches	• Modification des volumes pulmonaires, légère baisse de la capacité globale
• Volume courant inchangé ou légèrement réduit, augmentation du volume résiduel, diminution de la capacité vitale	• Capacité pulmonaire totale inchangée

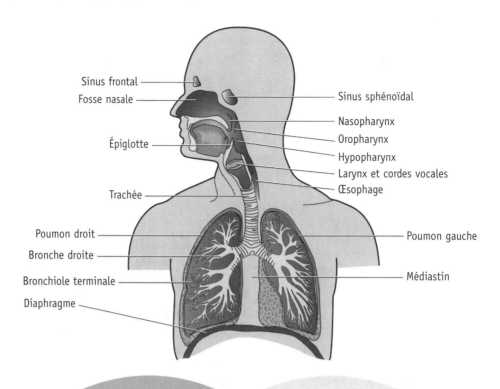

Sinus frontal

Fosse nasale

Épiglotte

Trachée

Poumon droit

Bronche droite

Bronchiole terminale

Diaphragme

Sinus sphénoïdal

Nasopharynx

Oropharynx

Hypopharynx

Larynx et cordes vocales

Œsophage

Poumon gauche

Médiastin

Les changements liés à l'âge

- Altérations des voies respiratoires supérieures
- Augmentation du diamètre antéro-postérieur de la paroi thoracique
- Rigidité de la paroi thoracique
- Affaiblissement des muscles respiratoires
- Diminution de la capacité vitale
- Expansion des alvéoles
- Détérioration de la capacité des poumons à se comprimer
- Fermeture prématurée des bronches

Conséquences fonctionnelles négatives

- Utilisation accrue des muscles respiratoires accessoires
- Effort supplémentaire pour respirer
- Altération des échanges gazeux
- Diminution du réflexe tussigène
- Régression du réflexe nauséeux
- Fragilisation aux infections respiratoires

Facteurs de risque

- Tabagisme
- Exposition aux polluants atmosphériques
- Exposition professionnelle aux substances toxiques (par exemple, l'amiante)

FIGURE 6.1 **Le recoupement des changements liés à l'âge et des facteurs de risque, et leurs conséquences négatives sur la fonction respiratoire.**

La tachypnée (l'accélération du rythme de la respiration) signale souvent une infection des voies respiratoires chez une personne âgée (Feldman, 2001). La fièvre apparaît parfois plus tard, et les bruits pulmonaires typiques de la pneumonie sont souvent absents. Le seul véritable symptôme de la pneumonie est alors la tachypnée. La dyspnée, ou essoufflement, survient plus tard, mais encore faut-il que la personne âgée soit capable de se déplacer. À l'évaluation, l'indice le plus probant de pneumonie chez la personne

ENCADRÉ 6.2
L'entrevue pour l'évaluation de la fonction respiratoire

Questions relatives aux facteurs de risque

- Avez-vous déjà eu des problèmes respiratoires tels que de l'asthme, une maladie pulmonaire chronique, une pneumonie ou d'autres infections ?
- Avez-vous des antécédents familiaux de maladie pulmonaire chronique ?
- Avez-vous déjà eu la tuberculose ?
- Avez-vous déjà travaillé dans un milieu où vous avez été exposé à la poussière, aux vapeurs, à la fumée ou à d'autres polluants atmosphériques ? (Par exemple, dans une exploitation minière ou agricole, ou dans d'autres emplois comme ceux qui sont énumérés à l'encadré 6.1, p. 58.)
- Avez-vous déjà habité des quartiers où le taux de pollution provenant de la circulation automobile ou des usines était très élevé ?
- Fumez-vous ou avez-vous déjà fumé ? Dans l'affirmative, posez les questions de l'encadré 6.3 (p. 62).
- Avez-vous été exposé à la fumée secondaire à la maison, au travail ou au cours d'activités sociales ?

Questions relatives à des activités de prévention de la maladie et de promotion de la santé

- Avez-vous déjà été vacciné contre la pneumonie ? (Dans l'affirmative, demandez la date de la vaccination et s'il y a eu un rappel.)
- Recevez-vous un vaccin antigrippal annuellement ?

Questions relatives à la fonction respiratoire globale

- Avez-vous de la difficulté à respirer ?
- Votre respiration est-elle sifflante ?
- Avez-vous des quintes de toux ? Si c'est le cas, à quel moment se produisent-elles ? Quelle est leur durée ? Quelle en est la cause ? Est-ce une toux sèche ou productive ? Les sécrétions proviennent-elles de la gorge ou des poumons ? À quoi ressemblent-elles ?
- Parvenez-vous à respirer suffisamment bien la nuit ou pendant vos activités ?
- Avez-vous mis fin à des activités parce que vous aviez de la difficulté à respirer ? Par exemple, prenez-vous encore les escaliers ? Marchez-vous moins ? (Cette question ne s'adresse pas aux personnes à mobilité réduite.)
- Ressentez-vous des douleurs à la poitrine ? Avez-vous une impression de pesanteur ou d'oppression dans la poitrine ?
- Dormez-vous avec plus d'un oreiller la nuit ou prenez-vous d'autres mesures parce que vous avez de la difficulté à respirer ?
- Vous réveillez-vous la nuit en toussant ou en éprouvant de la difficulté à respirer ?
- Avez-vous parfois l'impression de manquer de souffle ?
- Avez-vous de la difficulté à respirer lorsque le temps est chaud, froid ou humide ?
- Vous fatiguez-vous facilement ?

âgée pourrait être une baisse de l'intensité des bruits pulmonaires ou la présence de râles discontinus et de ronchi, mais il s'agit encore là de vagues symptômes. Une altération de l'état mental ou fonctionnel, comme de l'incontinence ou des chutes, peut aussi suggérer la présence d'une pneumonie. L'infirmière doit donc être attentive aux symptômes atypiques et recueillir les renseignements pertinents. Selon Feldman (2001), le retard dans le diagnostic de la pneumonie, à cause de l'absence de manifestations spécifiques, pourrait en partie expliquer le taux élevé de mortalité chez les personnes âgées qui en sont atteintes.

L'évaluation des habitudes tabagiques chez la personne âgée

Le tabagisme touche toute la population sans égard à l'âge, mais certaines habitudes tabagiques varient selon les tranches d'âge. Leur évaluation doit comprendre les facteurs de vieillissement qui y sont associés.

Il s'agit aussi d'évaluer les habitudes tabagiques passées et actuelles, c'est-à-dire la fréquence et le type de consommation. L'infirmière doit déterminer,

au moyen de questions, si ces fumeurs âgés sont prêts à cesser de fumer et s'ils connaissent les effets de la cigarette sur la santé. Elle doit également établir si la cigarette représente, pour eux, l'emblème de leurs droits et de leur autonomie. Les personnes âgées sont en droit de prendre des décisions sur leur santé, mais celles-ci doivent reposer sur la connaissance des bienfaits et des risques associés à leurs choix. C'est peut-être le manque d'information qui guide leurs convictions et leurs comportements en matière de consommation de tabac. Wolfsen et ses collègues (2001) ont noté que les résidents des CHSLD expriment peu d'opinions négatives

> *S'il faut respecter le droit des personnes âgées à fumer, les professionnels de la santé ne doivent pas non plus éviter de les renseigner sur le tabagisme en raison de leur âge.*

sur le tabagisme et ne sont pas bien renseignés sur les méfaits du tabac. Les auteurs de cette étude proposent le recours à l'éducation pour la santé afin de diminuer le tabagisme dans cette population. S'il faut respecter le droit des personnes âgées à fumer, les professionnels de la santé ne doivent pas non plus éviter de les renseigner sur le tabagisme en raison de leur âge. L'encadré 6.3 propose des questions visant à connaître les habitudes tabagiques et l'attitude de la personne âgée à l'égard de celles-ci.

L'évaluation des autres facteurs de risque

Il ne faut pas oublier d'examiner les autres facteurs de risque, même si leurs répercussions sur la santé sont moins importantes. L'entrevue doit comporter des questions sur l'exposition à la fumée secondaire et aux polluants atmosphériques, de même qu'à certaines substances nocives, en lien avec le travail. Les répercussions d'une telle exposition se révèlent doublement dangereuses pour les fumeurs. L'infirmière se renseigne donc sur les occupations de la personne et sur l'existence d'obstacles à sa mobilité ou à l'exécution des activités de la vie quotidienne afin de jauger la pertinence d'exercices supplémentaires. Si la mobilité d'une personne âgée est gravement compromise par l'arthrite, les exercices vigoureux sont à bannir. Elle pourrait toutefois tirer profit d'exercices en piscine. Enfin, l'infirmière prévoit des interventions qui encouragent le recours aux vaccins contre la grippe et la pneumonie en vérifiant si la personne âgée connaît l'existence de ces mesures préventives. L'encadré 6.2 (p. 61) suggère des questions pertinentes pour l'évaluation de la fonction respiratoire.

ENCADRÉ 6.3
Des pistes pour l'évaluation des habitudes tabagiques

Questions relatives aux habitudes tabagiques

- Depuis combien de temps fumez-vous ?
- Que fumez-vous ?
- À combien se chiffre votre consommation ?
- Avez-vous déjà fumé autre chose que la cigarette ?

Questions relatives à l'évaluation des dangers du tabagisme

- Croyez-vous que le fait de fumer est dangereux pour tous ?
- Croyez-vous que le fait de fumer est dangereux pour vous ?
- Existe-t-il des avantages à cesser de fumer ?

Questions relatives à l'évaluation de l'attitude à l'égard du tabagisme

- Avez-vous déjà pensé à cesser de fumer ?
- Un professionnel de la santé vous a-t-il déjà conseillé de cesser de fumer ?
- Que pensez-vous du fait d'arrêter de fumer ?
- Avez-vous déjà essayé d'arrêter de fumer ? Si c'est le cas, quel a été le résultat ?
- Seriez-vous intéressé à recevoir de l'information à ce sujet maintenant ?

Chapitre 7

L'appareil digestif et la nutrition

OBJECTIFS D'APPRENTISSAGE

Après avoir lu ce chapitre,
vous devriez être en mesure :

- de décrire les changements liés à l'âge qui ont une incidence sur la fonction digestive ;

- d'énumérer les différents besoins nutritionnels d'une personne âgée ;

- d'énoncer les facteurs de risque qui ont une incidence sur la fonction digestive et sur la nutrition des personnes âgées ;

- d'expliquer les conséquences fonctionnelles des changements liés à l'âge et des facteurs de risque sur la fonction digestive et sur la nutrition ;

- de décrire les questions d'entrevue, les examens et les outils d'analyse qui permettent d'évaluer la fonction digestive et l'état nutritionnel d'une personne âgée.

'entrée de jeu, signalons que les changements liés à l'âge n'ont qu'une faible incidence sur la digestion des aliments et sur la nutrition. Les personnes âgées adaptent sans problème leurs habitudes alimentaires aux modifications de l'appareil digestif. Il en est autrement des nombreux facteurs de risque et de leurs conséquences qui influent sur l'achat, la préparation et l'appréciation des aliments. Les changements liés à l'âge et leurs conséquences fonctionnelles sont traités ici en fonction de la digestion, des habitudes alimentaires et des besoins nutritionnels.

7.1 Les changements liés à l'âge et la fonction digestive

Les changements liés à l'âge touchent l'odorat et le goût ainsi que tous les organes du tube digestif. Même si ces changements n'ont que peu de conséquences fonctionnelles sur les personnes âgées en santé, ils les rendent toutefois plus vulnérables aux facteurs de risque.

L'odorat et le goût

Si le goût et l'odorat contribuent aux plaisirs de la table, c'est cependant ce dernier sens qui joue le premier rôle et qui s'affaiblit davantage chez la personne âgée. L'odorat résulte d'abord de la perception des odeurs par les cellules sensorielles qui tapissent la muqueuse du nez et, dans un deuxième temps, de leur analyse par le système nerveux central (SNC). La faculté de déceler et de reconnaître les odeurs est optimale aux environs de la trentaine, puis se dégrade au fil des ans. Cette détérioration est causée par les changements du SNC et par des facteurs externes comme le tabagisme, une carence en vitamine B_{12}, l'action de certains médicaments (par exemple, les antihistaminiques, le diltiazem, la streptomycine), une parodontopathie, des infections buccales, des infections des voies respiratoires supérieures (par exemple, une sinusite), des maladies polysystémiques (par exemple, la démence, le diabète, l'hypothyroïdie) et certaines activités professionnelles (par exemple, le travail en usine) (Bromley, 2000 ; Finkel et autres, 2001 ; Morley, 2002).

Les sensations gustatives proviennent de l'action des aliments sur les récepteurs sensoriels des bourgeons gustatifs. Ceux-ci sont répartis sur la muqueuse de la langue, le voile du palais et les amygdales. Les sensations gustatives se révèlent selon la capacité du sens du goût, lequel s'estompe avec l'âge. On sait aussi que les cellules gustatives sont remplacées tous les deux ou trois jours. Toutefois, le vieillissement réduit légèrement leur nombre. Il en résulte une diminution de la capacité à reconnaître les aliments, à capter l'intensité des saveurs et à les différencier. Ces changements n'altèrent pas également la perception de toutes les saveurs. La personne âgée en santé peut encore goûter le sucré, mais éprouve plus de difficulté avec l'acide, le salé et l'amer. La malnutrition, la maladie, le port de prothèses dentaires mal ajustées ou la prise de certains médicaments modifient aussi le sens du goût.

La cavité buccale

Le processus digestif commence par l'introduction des aliments dans la bouche et leur mastication par les dents. Le vieillissement des dents et des gencives influe sur la digestion et la dégustation. Avec l'âge, l'émail des dents durcit et se fragilise, la dentine devient plus fibreuse, et la pulpe diminue. Devenues moins sensibles aux stimuli, les dents se brisent aussi plus facilement. S'y ajoutent des décennies d'érosion et d'abrasion qui, ensemble, produisent un aplanissement des cuspides des molaires et des prémolaires. Les os portant les dents s'atrophient, ce qui entraîne le déchaussement ou la chute des dents, surtout lorsque la personne âgée souffre d'une affection buccale, comme une parodontopathie.

La salive et la muqueuse buccale contribuent grandement au processus digestif. La salive est indispensable à la mastication et à la déglutition. Elle humecte la muqueuse et facilite la digestion au moyen de la sécrétion d'enzymes salivaires, de la régulation de la flore buccale, de la minéralisation constante des dents, du nettoyage des bourgeons gustatifs, de la lubrification des tissus mous et de la préparation des aliments à la mastication. La sécrétion salivaire diminue peu chez les personnes âgées en bonne santé, mais environ 30 % d'entre elles sont atteintes de xérostomie (une sécheresse excessive de la bouche) découlant de la prise de certains médicaments ou de la présence de certaines maladies (Ghezzi et autres, 2000 ; Ship et autres, 2002). La section 7.3, portant sur les facteurs de risque, traite de ce sujet. Au cours du vieillissement, la muqueuse buccale perd de sa souplesse, les cellules épithéliales se dégradent, et le sang irrigue moins le tissu conjonctif. Ces changements peuvent être exacerbés par des affections courantes chez la personne âgée, comme la xérostomie et une avitaminose ; la muqueuse, maintenant vulnérable, devient sujette aux infections et aux ulcérations.

Avec l'âge, un affaiblissement neuromusculaire nuit à la mastication et ralentit la déglutition. Ce problème concerne peu la personne âgée en santé, mais augmente les possibilités de dysphagie et d'autres problèmes de déglutition (Nicosia et autres, 2000). Il est à noter que les facteurs de risque comme la perte des dents ou des troubles neurologiques entravent davantage la mastication et la déglutition que le processus de vieillissement lui-même.

L'œsophage

Le processus de digestion se poursuit par le passage des aliments dans le pharynx et l'œsophage vers l'estomac au moyen de contractions et de relâchements involontaires des muscles lisses. Le vieillissement amoindrit la puissance des contractions et réduit la fréquence des relâchements. Cet état s'appelle achalasie de l'œsophage. Les chercheurs ne s'entendent pas sur son origine. Est-il le résultat du vieillissement ou d'un processus pathologique ? Ils admettent toutefois que les conséquences en sont minimales et que la plupart des dérèglements de l'œsophage sont attribuables à des maladies comme le diabète de type I ou à une affection neurologique (Jensen et autres, 2001 ; Shaker et Staff, 2001).

L'estomac

Après avoir traversé l'œsophage, les aliments pénètrent dans l'estomac, où l'action des enzymes gastriques les liquéfie. Ils sont ensuite mélangés et transformés en chyme. Ici non plus, les chercheurs ne s'accordent ni sur la cause des changements de nature gastrique ni sur leur importance et leurs conséquences, mais ils conviennent que le vieillissement ralentit quelque peu la vidange gastrique, surtout si le bol alimentaire est important (Horowitz, 2000 ; Jensen et autres, 2001 ; Morley, 2002). Ce ralentissement pourrait expliquer la sensation de satiété prématurée qu'éprouve souvent la personne âgée.

Des études, menées surtout auprès de personnes présentant des symptômes de troubles gastro-intestinaux, indiquaient une réduction des sécrétions de suc gastrique chez la personne âgée. Des études plus récentes n'établissent toutefois pas de lien entre le vieillissement et une baisse de la sécrétion d'acide et de pepsine dans l'estomac (Jensen et autres, 2001). On constate que plus de 80 % des personnes âgées ont des sécrétions de suc gastrique normales et qu'il y a même, dans certains cas, une augmentation de celles-ci (Linder et Wilcox, 2001). La diminution des sécrétions, l'achlorhydrie, découle d'affections comme la gastrite chronique ou une infection à la bactérie *Helicobacter pylori* (Horowitz, 2000 ; Jensen et autres, 2001).

> On constate que plus de 80 % des personnes âgées ont des sécrétions de suc gastrique normales et qu'il y a même, dans certains cas, une augmentation de celles-ci (Linder et Wilcox, 2001).

L'intestin grêle

Lorsque le chyme passe dans l'intestin grêle, les enzymes digestives de l'intestin grêle, du foie et du pancréas convertissent les aliments en nutriments assimilables. La segmentation mélange le chyme et facilite la digestion. Les nutriments sont alors absorbés par les villosités qui tapissent les parois de cet organe. Le vieillissement amène l'atrophie des fibres musculaires et de la muqueuse intestinale et une diminution du nombre de follicules lymphatiques. Il modifie aussi la forme des villosités qui, de saillies digitiformes, se transforment en replis parallèles. Ce réaménagement structurel ne change pas vraiment la motilité intestinale, la perméabilité de l'intestin et la durée de transit, mais il peut gêner la fonction immunitaire et l'absorption de certains nutriments, comme le calcium et la vitamine D.

Le foie, le pancréas et la vésicule biliaire

Le foie produit et sécrète la bile, essentielle à l'émulsion des lipides. Son action est également fondamentale dans le métabolisme des médicaments et des nutriments (par exemple, les vitamines liposolubles et les glucides) et leur stockage. Au cours du vieillissement, la taille du foie diminue légèrement, et il devient plus fibreux. La lipofuscine (pigment brun) s'accumule, et le débit sanguin au foie est réduit du tiers. Cependant, la maladie joue probablement un plus grand rôle que le vieillissement dans ces modifications. Malgré tout, le foie possède une capacité régénératrice et une puissance de réserve considérables qui lui permettent d'outrepasser tous ces changements sans nuire substantiellement à la fonction digestive.

La sécrétion d'enzymes digestives constitue l'une des principales fonctions du pancréas. Ces enzymes neutralisent les acides du chyme et décomposent les lipides, les protéines et les glucides dans l'intestin grêle. Le pancréas sécrète aussi, par l'entremise des cellules endocrines, de l'insuline et du glucagon, indispensables au métabolisme du glucose. Avec l'âge, il y a diminution du poids du pancréas, hyperplasie du canal pancréatique, fibrose des lobes et déclin de la réceptivité des cellules bêta au glucose. Si ces changements ne touchent en rien la digestion, la baisse de sécrétion d'insuline rend la personne âgée plus susceptible de présenter une intolérance au glucose et, par conséquent, un diabète de type II (Horowitz, 2000).

Les changements à la vésicule biliaire et aux voies biliaires comprennent l'élargissement du canal cholédoque et une augmentation de la sécrétion de la cholécystokinine, une hormone peptidique qui contracte la vésicule biliaire et relâche le sphincter biliaire. Les répercussions en sont une stase biliaire, une multiplication de la flore bactérienne dans la vésicule biliaire et une fréquence accrue d'apparition de calculs biliaires (Horowitz, 2000 ; Ross et Forsmark, 2001). De plus, l'élévation du taux de cholécystokinine tend à supprimer l'appétit (Morley, 2002).

Le côlon

Après l'absorption des nutriments dans l'intestin grêle, le chyme se retrouve dans le côlon, qui en absorbe l'eau et les électrolytes, puis évacue les résidus. Avec le vieillissement, le côlon sécrète moins de mucus, l'élasticité de la paroi rectale diminue et la sensation de distension faiblit. Ces changements n'entravent pas la motilité des fèces dans le gros intestin, mais ils peuvent favoriser la constipation, car il faut un volume de résidus plus imposant dans le rectum avant de déclencher le besoin de déféquer (Prather, 2000).

7.2 Les changements liés à l'âge et les besoins nutritionnels

Les besoins nutritionnels des personnes âgées, surtout celles qui jouissent d'une bonne santé, ne suscitaient guère d'intérêt jusqu'à tout récemment. Pourtant, une analyse des études sur les apports en nutriments dans la vie d'une personne adulte suggère que les personnes âgées auraient besoin de l'apport supplémentaire de nombreux nutriments en raison d'une baisse de leur absorption et de leur utilisation. Selon les chercheurs Wakimoto et Block (2001), des études sur la nutrition seraient nécessaires pour connaître les changements métaboliques et les besoins en nutriments de la population âgée.

> *(...) les personnes âgées auraient besoin de l'apport supplémentaire de nombreux nutriments en raison d'une baisse de leur absorption et de leur utilisation.*

Les calories

La valeur énergétique des aliments s'exprime en calories ou en kilojoules. Dans cet ouvrage, nous retenons la calorie comme étant l'unité de mesure de la valeur énergétique des aliments. Une combinaison de facteurs détermine les besoins en calories d'une personne, notamment la taille, le poids, le sexe, la masse corporelle, l'état de santé et le degré d'activité physique. Les besoins énergétiques fléchissent progressivement au cours des ans en raison d'une baisse de l'activité physique et du métabolisme basal qu'accompagne une réduction de la masse musculaire. C'est

pourquoi les recommandations alimentaires suggèrent une diminution graduelle de l'apport en calories dès l'âge de 40 ou 50 ans. Des études portant sur l'état nutritionnel des personnes âgées révèlent que l'apport énergétique quotidien moyen décroît de 1 000 à 1 200 calories chez les hommes et de 600 à 800 calories chez les femmes entre l'âge de 20 et 80 ans (Wakimoto et Block, 2001).

La répartition qualitative des calories change également. Les personnes âgées consomment un pourcentage supérieur de calories sous forme de glucides et un pourcentage inférieur sous forme de protéines. La diminution du nombre de calories exige une hausse équivalente de la qualité des calories (la valeur nutritionnelle) ingérées pour satisfaire les besoins nutritionnels minimaux. Par conséquent, la probabilité de carences nutritionnelles surgit si la baisse de l'apport calorique n'est pas contrebalancée par une consommation accrue d'aliments très nutritifs et une réduction de la consommation d'aliments peu ou pas nutritifs.

Les protéines

Les protéines fournissent les éléments essentiels à la croissance de nouveaux tissus. La diminution de la masse musculaire, du tissu musculaire et des taux d'albumine plasmatique influe peut-être sur les besoins protéiniques de la personne âgée, mais on connaît très peu ses répercussions sur les aînés en santé. L'apport énergétique minimal quotidien en protéines doit atteindre environ 10 % à 20 % de l'apport calorique total, soit environ un gramme de protéine par kilogramme de poids corporel. Les personnes âgées souffrant d'une affection aiguë ont besoin d'un apport de protéine estimé à 1,5 gramme par kilogramme de poids corporel (Jensen et autres, 2001).

Les glucides et les fibres

Les glucides, ou hydrates de carbone, procurent une source fondamentale d'énergie et de fibres. Sans un apport approprié en glucides, ce sont les lipides et les protéines qui doivent fournir l'énergie, avec pour conséquence une hausse des taux de cholestérol et de triglycérides et une diminution de l'eau, des électrolytes et des acides aminés. On a beaucoup vanté les propriétés des fibres ces dernières années à titre de composant alimentaire indispensable à la prévention de certaines maladies, notamment le cancer du côlon. Les fibres solubles de l'avoine et de la pectine abaissent le taux de cholestérol et améliorent la tolérance au glucose chez les personnes diabétiques. Les fibres insolubles présentes dans les céréales, les produits céréaliers et la plupart des légumes améliorent le transit intestinal et empêchent la constipation. Au moins 55 % des calories consommées au quotidien doivent provenir de glucides complexes.

Les lipides

Les lipides constituent une bonne réserve d'énergie et ils sont particulièrement utiles pour réguler la température, faciliter l'absorption des vitamines liposolubles et diminuer les sécrétions de suc gastrique et l'activité musculaire de l'estomac. Ils donnent une sensation de satiété et un meilleur goût aux aliments. On les classe selon leur provenance. Les gras saturés sont d'origine animale, et les gras monoinsaturés et polyinsaturés sont d'origine végétale. Tous les lipides répondent aux besoins nutritionnels, mais seuls les gras saturés sont associés à une hausse du taux de cholestérol et à des problèmes connexes. Dans la majorité des pays industrialisés, la population consomme plus de lipides que nécessaire. Un excès de gras entraîne de nombreuses maladies, dont l'hyperlipidémie. La proportion de l'apport calorique quotidien en matières grasses ne doit donc pas dépasser 10 % à 30 %. Il est aussi recommandé de privilégier les gras monoinsaturés et polyinsaturés plutôt que les gras saturés.

L'eau

L'eau constitue un élément essentiel du métabolisme. Il faut donc en consommer des quantités suffisantes pour favoriser le bon fonctionnement des activités physiologiques. Sinon, il y a un risque d'altération de la thermorégulation, de déshydratation et d'augmentation des concentrations de médicaments hydrosolubles dans l'organisme.

Au cours de la vie, le pourcentage total d'eau dans l'organisme diminue peu à peu. Ainsi, l'eau représente 80 % du poids d'un nouveau-né, 60 % du poids d'un jeune adulte et environ 50 % de celui d'une personne âgée. Cette perte hydrique, qui correspond à une atrophie de la masse musculaire, dépend du sexe et de la masse corporelle. La quantité d'eau est inférieure chez les femmes et les obèses et supérieure chez les hommes et les personnes musclées. Un apport liquidien insuffisant réduit encore la quantité totale d'eau chez la personne âgée. En outre, ce facteur peut être accentué par les changements liés à l'âge comme une détérioration de la sensation de soif (la personne âgée la ressent moins). À l'exception des aînés ayant une restriction liquidienne à cause d'un problème de santé, on recommande aux personnes âgées de boire chaque jour entre 1 500 ml et 2 000 ml (6 à 8 verres) de liquide sans caféine pour maintenir une bonne hydratation.

7.3 Les effets des facteurs de risque sur la fonction digestive et sur la nutrition

Certains comportements et certaines affections courantes perturbent probablement la nutrition et la digestion des personnes âgées. Une analyse des résultats d'examens effectués auprès des personnes récemment admises dans des centres d'hébergement montre que les facteurs suivants peuvent avoir une incidence sur la nutrition : une perte de poids récente, un diagnostic psychiatrique, une dentition incomplète ou totalement absente, le recours à un diurétique ou à un antidépresseur, la dégradation de la capacité fonctionnelle et le fait de vivre seul (Crogan et Corbett, 2002). Le tableau 7.1 (p. 68) énumère les différents nutriments, les causes possibles de carences et leurs conséquences fonctionnelles.

L'hygiène buccale déficiente

Une mauvaise hygiène buccale explique souvent les problèmes buccodentaires qui entravent la nutrition et la digestion, surtout chez les personnes âgées vivant en centre d'hébergement. Des études européennes et nord-américaines ont dévoilé une forte prévalence de ce problème. Un sondage révélait que le besoin le plus criant de ces personnes est une hygiène buccale régulière (Coleman, 2002). Une analyse récente de données confirmait que 95 % des personnes âgées avaient des caries dentaires. La généralisation de ce problème renforçait jusqu'à tout récemment la conviction que la perte des dents faisait partie intégrante du vieillissement. Au cours des dernières décennies, toutefois, l'amélioration de la santé buccodentaire des personnes âgées a diminué la probabilité qu'elles soient édentées. À la fin des années 1990, environ la moitié des personnes de 75 ans et plus vivant dans un centre d'hébergement et le tiers des personnes de 65 ans et plus vivant en milieu familial n'avaient plus de dents (Ritchie, 2002). La perte des dents résulte entre autres de soins dentaires inadéquats, d'une xérostomie et d'une parodontopathie. On note aussi que les difficultés d'ajustement des prothèses dentaires entraînent des problèmes de déglutition et de digestion.

L'incapacité fonctionnelle et la maladie

Les déficiences fonctionnelles sont étroitement liées à une mauvaise nutrition et à la difficulté d'obtenir de la nourriture, particulièrement pour les personnes âgées vivant seules chez elles (Sharkey, 2002). Ainsi, des problèmes de mobilité ou un déficit visuel peuvent nuire à l'achat et à la préparation d'aliments. Au moins 60 % des personnes vivant en centre d'hébergement souffrent de dysphagie (trouble de la déglutition) plus ou moins prononcée, un problème qui se répercute grandement sur la nutrition (Lewis, 2001). La dysphagie chez les personnes âgées découle souvent de troubles neurologiques qui sont les conséquences directes d'un accident vasculaire cérébral et de la démence. D'autres affections retentissent sur l'appétit et la dégustation. Par exemple, les infections, l'hyperthyroïdie, l'hypoadrénalisme et l'insuffisance cardiaque conduisent à l'anorexie. Les troubles

TABLEAU 7.1	Les causes et les conséquences des carences en nutriments	
Nutriments	**Causes possibles de la carence**	**Conséquences fonctionnelles**
Calories	Anorexie, dépression, troubles mentaux ou physiques	Perte de poids, léthargie, œdème, anémie
Protéines	Perte des dents, absence de prothèses dentaires, anorexie, dépression, démence, forte consommation d'alcool ou de glucides	Réparation déficiente des tissus, hypo-albuminémie, altération de la fixation des médicaments aux protéines
Lipides	Néomycine, phénytoïne, laxatifs, alcool, colchicine, cholestyramine	Incapacité d'absorber les vitamines A, D, E et K
Vitamine A	Huile minérale, néomycine, alcool, cholestyramine, antiacides à base d'aluminium, affection hépatique	Assèchement de la peau, yeux secs, photophobie, héméralopie, hyperkératose
Thiamine (vitamine B_1)	Forte consommation d'alcool ou de thé avec caféine (théine), anémie pernicieuse, diurétiques	Neuropathie, faiblesse musculaire, cardiopathie, démence, anorexie
Riboflavine (vitamine B_2)	Syndrome de malabsorption, diarrhée chronique causée par une surconsommation de laxatifs, alcoolisme, affection hépatique	Chéilite, glossite, photophobie, blépharite, conjonctivite
Niacine (vitamine B_3)	Mauvaises habitudes alimentaires, diarrhée, cirrhose, alcoolisme	Dermatite, stomatite, diarrhée, démence, dépression
Pyridoxine (vitamine B_6)	Diurétiques, hydralazine	Dermatite, neuropathie
Acide folique (vitamine B_9)	Anticonvulsivants, triamtérène, sulfamides, alcool, tabagisme	Anémie macrocytaire, taux élevé d'homocystéine
Vitamine B_{12}	Syndrome de malabsorption, inhibiteurs des récepteurs H2, inhibiteurs de la pompe à proton, colchicine, hypoglycémiants oraux, suppléments de potassium, régime végétarien	Anémie pernicieuse, faiblesse, dyspnée, glossite, engourdissement, démence, dépression
Vitamine C	Acide acétylsalicylique, tétracycline, régime alimentaire pauvre en fruits et en légumes	Lassitude, irritabilité, anémie, ecchymoses, cicatrisation déficiente
Vitamine D	Phénytoïne, huile minérale, phénobarbital, manque de soleil	Faiblesse et atrophie des muscles, ostéoporose, fractures
Vitamine E	Syndrome de malabsorption	Neuropathie, troubles de la démarche, rétinopathie
Vitamine K	Huile minérale, warfarine sodique (Coumadin), antibiotiques, cholestyramine, phénytoïne	Ecchymoses, hémorragie de l'appareil gastro-intestinal, du système nerveux central ou des voies urinaires
Calcium	Phénytoïne, antiacides à base d'aluminium, laxatifs, tétracycline, corticostéroïdes, furosémide, apport élevé en fibres ou en caféine	Ostéoporose, fractures, lombalgie
Fer	Achlorhydrie, néomycine, acide acétylsalicylique, antiacides, apport déficient en protéines animales, forte consommation de fibres, de caféine ou d'acide tannique (dans certaines sortes de thé)	Anémie, faiblesse, lassitude, pâleur
Magnésium	Alcool, diurétiques, diarrhée, laxatifs mucilagineux	Arythmie, irritabilité du système nerveux central et irritabilité neuromusculaire, désorientation
Zinc	Pénicillamine, antiacides à base d'aluminium, laxatifs mucilagineux, forte consommation de fibres	Cicatrisation déficiente, perte des cheveux
Potassium	Laxatifs, furosémide, antibiotiques, corticostéroïdes, diarrhée	Faiblesse, arythmie, toxicité digitalique
Eau	Diurétiques, laxatifs, immobilité, incontinence, diarrhée	Peau et bouche sèches, déshydratation, constipation
Fibres	Mauvaises habitudes alimentaires	Constipation, hémorroïdes

rhumatoïdes et la bronchopneumopathie chronique obstructive (BPCO) concourent au déclin de l'appétit et à une forte dépense énergétique. L'absorption d'aliments sains et leur assimilation par l'organisme sont gravement compromises chez les personnes souffrant de démence.

Les effets indésirables des médicaments

Les médicaments se transforment en facteurs de risque si leurs effets sur la digestion, les habitudes alimentaires et l'utilisation des nutriments dérangent le processus digestif et réduisent l'apport nutritionnel (Tableau 7.2). Leur interaction peut également accentuer les effets des changements liés à l'âge et les facteurs de risque de façon négative.

Les effets indésirables des médicaments tels que l'anorexie, la xérostomie, la sensation de satiété prématurée et une altération de l'odorat et du goût nuisent à l'ingestion et à la digestion d'aliments. La constipation est un autre effet indésirable répandu, particulièrement avec la prise de médicaments qui ciblent le système nerveux central.

TABLEAU 7.2	Les effets possibles des médicaments sur la fonction digestive et sur la nutrition
Médicaments	**Effets possibles**
Digoxine, théophylline, fluoxétine, antihistaminiques (y compris les sirops contre la toux et les médicaments contre les troubles du sommeil en vente libre)	Anorexie
Anticholinergiques, narcotiques, sulfate ferrique, antidépresseurs, neuroleptiques, antiacides à base de calcium ou d'aluminium	Constipation
Cimétidine, laxatifs, antibiotiques, sulfate ferreux, médicaments pour les problèmes cardiovasculaires et médicaments contre la démence	Diarrhée, nausées, vomissements
Diurétiques, ibuprofène, hypnotiques, neuroleptiques, antidépresseurs, antihistaminiques, décongestionnants, substances antiadrénergiques (par exemple, clonidine), anticholinergiques	Sécheresse buccale
Ibuprofène, phénylbutazone, indométhacine, acide acétylsalicylique, phénobarbital, corticostéroïdes	Irritation gastrique
Anticholinergiques, médicaments qui causent une déplétion potassique (par exemple, furosémide)	Iléus paralytique
Laxatifs mucilagineux (par exemple, psyllium, méthylcellulose) pris avant les repas	Satiété prématurée
Diurétiques, vasodilatateurs, antihistaminiques, antimicrobiens, antihypertenseurs, hypoglycémiants, psychotropes	Détérioration des sens de l'odorat et du goût
Huile minérale, cholestyramine	Diminution de l'absorption des vitamines A, D, E et K
Anticonvulsivants	Réduction du stockage de la vitamine K, diminution de l'absorption du calcium
Antiacides à base d'aluminium ou de magnésium	Diarrhée, baisse des taux de calcium, de fluorure et de phosphore
Produits renfermant du bicarbonate de sodium	Surcharge en sodium, rétention hydrique
Gentamicine et pénicilline	Hypokaliémie
Tétracyclines	Diminution de l'absorption du zinc, du fer, du calcium et du magnésium
Néomycine	Diminution de l'absorption des lipides, du fer, du lactose, de l'azote, du calcium, du potassium et de la vitamine B_{12}
Acide acétylsalicylique (aspirine)	Saignements gastro-intestinaux, réduction des taux de fer, d'acide folique et de vitamine C
Corticostéroïdes	Besoins élevés en calcium, en phosphore, en vitamines du groupe B et en vitamines C et D
Cimétidine, suppléments de potassium	Diminution de l'absorption de la vitamine B_{12}
Anti-inflammatoires non stéroïdiens (AINS)	Nausées, vomissements, ulcères et saignements gastro-intestinaux, diminution de l'absorption du fer

Certains médicaments empêchent aussi l'absorption et l'excrétion des nutriments. Par exemple, une modification de la flore bactérienne par la prise d'antibiotiques à large spectre affaiblit la synthèse des nutriments. Les diurétiques ont un impact direct sur la circulation de l'eau, du sodium, du glucose et des acides aminés.

Les facteurs liés au mode de vie

L'alcool et le tabagisme perturbent l'état nutritionnel d'une personne âgée. D'abord, l'alcool possède une valeur calorique très élevée, mais n'offre aucune valeur nutritive véritable. Il ne contient que des calories vides et empêche l'absorption des vitamines du complexe B et de la vitamine C. Comme l'alcoolisme passe souvent inaperçu, il n'est pas toujours traité. Il est possible qu'il contribue à l'aggravation de troubles nutritionnels (Meyyazhagan et Palmer, 2002). Quant à lui, le tabagisme atténue l'odorat, affadit le goût des aliments et nuit à l'absorption de la vitamine C et de l'acide folique.

Les facteurs liés au milieu de vie

Certains facteurs relatifs au milieu de vie altèrent la prise d'aliments et la capacité de les obtenir et de les préparer. Le plaisir de manger est souvent sacrifié dans les salles à manger des CHSLD et autres établissements de soins. Les deux principaux obstacles à la nutrition les plus souvent avancés sont un choix restreint de plats et un personnel réduit pour aider les personnes à autonomie réduite à se nourrir (Crogan et autres, 2001 ; Simmons et autres, 2001).

7.4   Les troubles associés à la fonction digestive et à la nutrition

La constipation, soit l'interprétation subjective d'un dérèglement réel ou imaginaire de l'évacuation intestinale (Wald, 2000), est le problème le plus étroitement lié aux fonctions digestives chez les aînés. Jusqu'à 80 % des personnes âgées vivant dans un établissement de soins et 45 % de celles qui vivent en milieu familial déclarent être aux prises avec des problèmes de constipation (Frank et autres, 2001). La fréquence de ce trouble est plus élevée chez les femmes, chez les gens âgés de plus de 60 ans, ainsi que chez les personnes à faible revenu, moins scolarisées et peu actives (Hinrichs et autres, 2001).

La définition de la constipation repose sur la qualité et la quantité de l'évacuation intestinale, notamment la fréquence des selles et la difficulté à déféquer. La fréquence moyenne de l'évacuation intestinale diffère pour chaque personne et change peu avec l'âge. Elle va de trois fois par jour à une ou deux fois par semaine. Par définition, la constipation se caractérise ainsi :

- les selles sont excessivement dures ;
- la fréquence normale de défécation pour une personne donnée a diminué ;
- la défécation est difficile (l'évacuation intestinale demande un gros effort) ;
- la personne a la sensation d'une évacuation intestinale incomplète.

Les personnes âgées se plaignent souvent de problèmes de constipation qui relèvent davantage de facteurs de risque que du vieillissement. Une incapacité fonctionnelle (par exemple, une mobilité réduite), une maladie (par exemple, l'hypothyroïdie), les effets indésirables de médicaments (dont la consommation prolongée de laxatifs) et de mauvaises habitudes alimentaires (par exemple, un apport insuffisant en fibres alimentaires et en liquides) en sont responsables. Ainsi, l'infirmière examinera les facteurs de risque et offrira les interventions éducatives pertinentes.

> *Les personnes âgées se plaignent souvent de problèmes de constipation qui relèvent davantage de facteurs de risque que du vieillissement.*

7.5   Les conséquences fonctionnelles des changements liés à l'âge sur la fonction digestive et sur la nutrition

Les conséquences fonctionnelles se répercutent sur les aspects suivants de la digestion et de la nutrition : l'achat, la préparation et la dégustation des aliments ; la mastication et la digestion des aliments ; l'état nutritionnel ; la fonction psychosociale. Les conséquences négatives découlent surtout des facteurs de risque plutôt que du vieillissement comme tel.

La figure 7.1 (p. 71) énumère les changements liés à l'âge, les facteurs de risque et les conséquences fonctionnelles négatives qui nuisent à la fonction digestive et à la nutrition des personnes âgées.

7.6   L'évaluation de l'infirmière liée à la fonction digestive et à la nutrition

L'évaluation de la condition physique

L'évaluation de la condition physique et les résultats des épreuves de laboratoire fournissent de précieux renseignements sur l'état nutritionnel et le degré

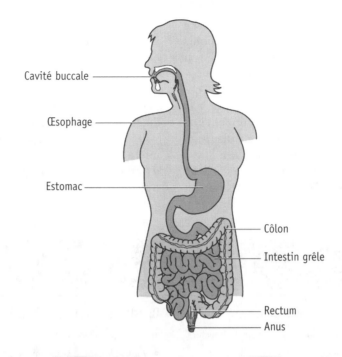

Cavité buccale

Œsophage

Estomac

Côlon

Intestin grêle

Rectum

Anus

Les changements liés à l'âge

- Mastication déficiente
- Perte de souplesse de la muqueuse intestinale
- Ralentissement de la motilité gastro-intestinale
- Baisse du débit sanguin vers les intestins

Conséquences fonctionnelles négatives

- Diminution de l'absorption du fer, du calcium, de l'acide folique et de la vitamine B_{12}
- Malnutrition et déshydratation
- Constipation
- Difficulté à se procurer, à préparer, à consommer et à déguster des aliments

Facteurs de risque

- Prothèse dentaire
- Denture incomplète
- Affaiblissement des sens de l'odorat et du goût
- Consommation d'alcool ou de médicaments
- Incapacité fonctionnelle et maladies gênant la capacité de se procurer, de préparer, de consommer ou de déguster des aliments (par exemple, immobilité, dysphagie, démence)
- Aspects psychosociaux (par exemple, isolement, dépression)

FIGURE 7.1 Le recoupement des changements liés à l'âge et des facteurs de risque, et leurs conséquences négatives sur la fonction digestive et sur la nutrition.

d'hydratation de la personne âgée. La taille, le poids et l'indice de masse corporelle (IMC) sont des paramètres qui permettent de jauger l'état nutritionnel. Il n'est pas vraiment réaliste ni nécessaire pour une personne âgée d'atteindre un poids idéal conforme à la norme. Le maintien d'un poids stable est plus important (Lewis, 2001). Les pertes et les gains de poids fournissent des renseignements sur l'état de santé global. La perte de poids s'exprime en fonction du pourcentage de la perte pondérale calculé comme suit: le poids habituel moins le poids actuel divisé par le poids habituel. En voici un exemple : (72 kg – 54 kg = 18 kg) ÷ 72 kg = 0,25 kg ou une perte de poids de 25 %. Une perte de poids non planifiée supérieure à 5 % en un mois, à 7,5 % en trois mois ou à 10 % en six mois signale une mauvaise nutrition (Omran et Salem, 2002). L'IMC, qui mesure la constitution du corps par rapport à la charge pondérale, permet de déceler un problème de malnutrition. Un IMC normal (poids [kg] ÷ taille [m]^2) se situe entre 22 et 27. Une personne âgée dont l'IMC est inférieur à 19 frôle la malnutrition (Lewis, 2001). Une personne âgée de plus de 70 ans dont l'IMC atteint

24 est jugée comme ayant un poids santé (Russell, 2001). Il semblerait toutefois que les valeurs de l'IMC chez la personne âgée soient discutables. En effet, on observe chez cette clientèle une diminution de la taille et une perte de la masse maigre qui modifient l'IMC. Les résultats seraient plus fiables chez les personnes de 20 à 64 ans (Statistique Canada).

L'encadré 7.1 propose des questions que l'infirmière peut poser en entrevue et qui lui permettent d'évaluer la qualité de la fonction digestive et l'état nutritionnel de la personne âgée.

ENCADRÉ 7.1
L'entrevue pour l'évaluation de la fonction digestive et de l'état nutritionnel

Questions relatives à la santé buccodentaire

- Avez-vous des douleurs ou des saignements dans la bouche ?
- Avez-vous mal aux dents ? Avez-vous des dents branlantes ou sensibles aux sensations de froid et de chaud ?
- Vos gencives saignent-elles ?
- Avez-vous de la difficulté à mastiquer ou à avaler des aliments ou des liquides ? Si c'est le cas, quels aliments ou liquides vous posent des problèmes ?
- Y a-t-il des aliments que vous évitez de manger parce que vous avez de la difficulté à les mastiquer ou à les avaler ?
- Votre bouche ou votre langue vous semblent-elles très sèches ?

Questions relatives au comportement à l'égard des soins dentaires

- À quelle fréquence consultez-vous un dentiste ?
- À quand remontent les derniers soins dentaires que vous avez reçus ?
- Où allez-vous pour obtenir des soins dentaires ?
- *Si la personne ne prend pas rendez-vous annuellement avec un dentiste :* Qu'est-ce qui vous empêche de voir un dentiste ?
- Comment prenez-vous soin de vos dents ?
- Utilisez-vous la soie dentaire ? Si c'est le cas, à quelle fréquence ? Sinon, vous a-t-on déjà montré comment vous en servir ?

Questions relatives aux besoins nutritionnels

- Souffrez-vous de diabète, de maladies cardiaques ou d'une maladie nécessitant une adaptation de votre régime alimentaire ?
  - Êtes-vous allergique à des aliments ?
  - Quels médicaments prenez-vous ?
  - Quelles sont vos activités quotidiennes ?
  - Procéder à l'évaluation nutritionnelle expliquée dans la partie 5.

Questions relatives à l'achat de nourriture

- Comment faites-vous votre épicerie ?
- Vous aide-t-on à vous rendre à l'épicerie ?
- Où allez-vous faire votre épicerie et à quelle fréquence ?
- Quelle portion de votre budget consacrez-vous à l'épicerie ?
- Avez-vous de la difficulté à faire votre épicerie parce que vous voyez mal, vous avez de la difficulté à marcher ou les moyens de transport vous posent un problème ?

Questions relatives à la préparation et à la consommation des aliments

- Où prenez-vous vos repas ?
- Avec qui prenez-vous vos repas ?
- Quelqu'un vous aide-t-il à préparer vos repas ?
- Avez-vous de la difficulté à préparer vos repas (par exemple, à ouvrir des contenants) ?
- Avez-vous de la difficulté à vous déplacer dans la cuisine, à utiliser les électroménagers ou à atteindre les tablettes des armoires ?
- Avez-vous remarqué des changements dans vos habitudes alimentaires ou dans la préparation des aliments (par exemple, depuis la perte d'un compagnon ou d'une compagne pour partager le repas ou la venue d'un nouveau soignant) ?

Questions relatives à l'évacuation intestinale

- À quelle fréquence allez-vous à la selle ?
- Avez-vous remarqué des changements dans la fréquence ?
- Éprouvez-vous des problèmes (par exemple, devez-vous faire un effort pour déféquer ? Les selles sont-elles dures et sèches ou sont-elles évacuées avec difficulté ?) ?
- Avez-vous des selles liquides ou de la diarrhée ?
- Prenez-vous un laxatif ou un autre produit pour vous aider ?
- Ressentez-vous de la douleur ou saignez-vous ?

Voir évaluation, p. 222

L'évaluation du degré d'hydratation

L'évaluation du degré d'hydratation chez la personne âgée pose de nombreux problèmes. Des changements liés à l'âge ou des affections peuvent cacher ou déclencher la déshydratation. Les jeunes adultes déshydratés subissent un dessèchement des muqueuses buccales et se plaignent de la soif. Dans le cas de la personne âgée, ce sont les médicaments qui dessèchent ses muqueuses, et sa sensation de soif est parfois moins intense. Le test du pli cutané est plus précis sur le front et la paroi antérieure de la cage thoracique, car la peau y change moins avec l'âge. L'hypotension orthostatique, l'oligurie ou l'anurie, des troubles de la conscience et un dessèchement de la langue et des muqueuses buccales signalent une déshydratation. Une analyse d'urine permet de connaître le degré d'hydratation. Ainsi, il y a déshydratation si l'urine est très concentrée. La déshydratation peut déséquilibrer la formule sanguine et entraîner une augmentation du sodium, de l'hématocrite, de la créatinine, de l'osmolalité et de l'acide uréique du sang. La perte de poids constitue un autre indice de déshydratation.

> *Des changements liés à l'âge ou des affections peuvent cacher ou déclencher la déshydratation.*

L'évaluation de l'état nutritionnel

Les résultats des épreuves de laboratoire sont très utiles dans l'évaluation de l'état nutritionnel, puisque des valeurs biochimiques anormales sont les signes avant-coureurs d'une carence nutritionnelle chez la personne âgée. On s'interroge sur les effets du vieillissement et des maladies sur les données de laboratoire normales, surtout celles qui sont associées à l'état nutritionnel. Par exemple, l'albuminémie mesure l'état nutritionnel, mais une baisse du taux d'albumine dans le sang ne signifie pas automatiquement une mauvaise nutrition (Covinsky et autres, 2002). Le taux élevé d'albumine d'une personne déshydratée s'abaisse dans le cas d'un traumatisme, d'un œdème, d'une infection, de néoplasie, d'hyperhydratation, d'un syndrome néphrotique et d'un syndrome de malabsorption (Lewis, 2001). Malgré ces réserves, les résultats de l'albuminémie et d'autres épreuves de laboratoire parviennent à brosser un tableau de l'état nutritionnel de la personne âgée par rapport à son état de santé global, même si la déshydratation peut aussi occasionner une fausse augmentation de l'hémoglobine et de l'hématocrite.

Chapitre 8

L'appareil urinaire

OBJECTIFS D'APPRENTISSAGE

Après avoir lu ce chapitre, vous devriez être en mesure:

- de décrire les changements liés à l'âge qui ont une incidence sur la fonction urinaire;

- de définir les différents types d'incontinence;

- d'énoncer les facteurs de risque qui ont une incidence sur les fonctions rénale et urinaire;

- d'expliquer les conséquences fonctionnelles des changements liés à l'âge et des facteurs de risque sur la fonction urinaire;

- de décrire les questions d'entrevue, les observations et les données de laboratoire qui permettent d'évaluer la fonction urinaire d'une personne âgée;

- de connaître les principaux médicaments utilisés pour le traitement de l'incontinence ainsi que leurs effets spécifiques.

L'élimination urinaire permet principalement d'excréter l'eau, les substances minérales et organiques ainsi que les déchets pharmacologiques dont l'accumulation dans l'organisme peut être toxique. Une bonne élimination de l'urine dépend du débit sanguin rénal, de la filtration du sang par les reins, du bon fonctionnement des muscles des voies urinaires et de la régulation par le système nerveux des mécanismes volontaire et involontaire de l'évacuation. Elle repose aussi sur des facteurs sociaux, affectifs et cognitifs, sur les capacités fonctionnelles et sensorielles de l'individu et sur son environnement.

Les personnes âgées en santé vivent très peu de problèmes d'élimination urinaire à moins que ne surgissent des facteurs de risque dont l'une des conséquences négatives est l'incontinence urinaire. Celle-ci nuit énormément aux activités quotidiennes, et les interventions visant à l'enrayer amélioreront grandement la qualité de vie d'une personne âgée.

8.1 Les changements liés à l'âge et la fonction urinaire

Les changements liés à l'âge qui touchent les reins, la vessie, l'urètre et le système nerveux ont une incidence sur l'élimination urinaire. Le vieillissement comme tel peut aussi gêner les habitudes urinaires, perturbant alors la maîtrise de la miction et favorisant l'apparition de l'incontinence. Les deux prochaines sections traitent des transformations et des facteurs de risque qui altèrent l'élimination urinaire. Ces éléments sont liés à l'âge, aux aspects physiologiques et à l'environnement de la personne âgée.

L'homéostasie et l'élimination urinaire

L'excrétion urinaire est un processus complexe qui s'enclenche dans les reins, où s'effectuent la filtration et l'élimination des déchets chimiques de l'organisme. Le sang est d'abord filtré par les glomérules; puis l'urine primitive, le filtrat glomérulaire, traverse la capsule de Bowman et s'écoule par les tubules rénaux jusqu'aux tubes (ou canaux) collecteurs. Pendant ce cheminement, les substances nécessaires au fonctionnement de l'organisme (eau, glucose et sodium) sont retenues, et les déchets métaboliques, eux, sont excrétés dans l'urine. Ce processus est essentiel au maintien de l'homéostasie et à l'excrétion des métabolites des médicaments. La fonction excrétoire dépend du nombre de néphrons (les unités fonctionnelles composant les reins) et de leur efficacité, ainsi que du débit sanguin rénal.

Le volume et la masse des reins augmentent de la naissance au début de l'âge adulte. Il s'amorce ensuite une réduction du nombre de néphrons actifs, surtout dans le cortex rénal, où se situent les glomérules. Cette réduction se poursuit tout au long de la vie et, vers l'âge de 80 ans, la perte correspond à 25 % de la masse rénale. Au chapitre des modifications, on note aussi une diminution de la lobulation et un épaississement de la membrane basale. De plus, le pourcentage de glomérules scléreux (non efficaces) passe de 5 % à l'âge de 40 ans à 35 % à 80 ans. Dès l'âge de 40 ans, le débit sanguin dans le cortex décroît de 10 % tous les 10 ans.

Depuis les années 1970, la notion de baisse moyenne annuelle de 1 % de la fonction rénale débutant entre l'âge de 30 et 40 ans fait consensus. De récentes études soulignent que la fonction rénale n'est pas uniforme dans la population âgée en santé et qu'environ le tiers des aînés ne subit aucun changement sur le plan de la fonction rénale (Lindeman, 2000). Des données laissent entendre que la diminution de l'efficacité de la fonction rénale est probablement davantage associée à un état pathologique tel que l'hypertension qu'au vieillissement.

> *Des données laissent entendre que la diminution de l'efficacité de la fonction rénale est probablement davantage associée à un état pathologique tel que l'hypertension qu'au vieillissement.*

La concentration des urines

Ce sont les tubules rénaux qui se chargent de la dilution et de la concentration des urines. Les facteurs suivants agissent sur le processus physiologique responsable de la concentration des urines et de l'excrétion de l'eau:

- la quantité de liquide dans l'organisme;
- la réabsorption de l'eau et le transport des substances à travers la membrane tubulaire;
- les osmorécepteurs de l'hypothalamus, qui régulent la sécrétion d'hormone antidiurétique (ou vasopressine) selon la concentration de plasma;
- les substances et les facteurs qui influent sur la sécrétion d'hormone antidiurétique comme la caféine, les médicaments, l'alcool, la douleur, le stress et l'exercice;
- la concentration de sodium dans le filtrat glomérulaire.

Une hémorragie, la déshydratation et d'autres états modifiant le volume du plasma ou l'osmolarité plasmatique activent la sécrétion d'hormone antidiurétique (ADH). Ce processus permet de maintenir le volume de plasma et de retenir les liquides et le sodium en cas de carences hydrosodiques. Toutefois, il existe de nombreuses modifications liées au vieillissement qui peuvent altérer les tubules rénaux ainsi que la dilution et la concentration des urines. Ces modifications sont notamment la dégénérescence graisseuse, la présence de diverticules, une réduction des cellules convolutées et la détérioration des membranes basales. Avec l'âge, les tubules rénaux fonctionnent moins bien pendant les échanges de substances, ce qui nuit à la rétention de l'eau et à la suppression de la sécrétion d'hormone antidiurétique en cas d'hypoosmolalité. Le vieillissement empêche aussi le rein de compenser une réduction de sel par la conservation du sodium ; ces altérations entraînent l'hyponatrémie et d'autres déséquilibres.

L'évacuation des urines

L'urine, filtrée par les reins, est transportée par les uretères jusque dans la vessie, un réservoir naturel temporaire. La vessie se compose de collagène, d'un muscle lisse appelé détrusor et de tissu élastique. L'évacuation de l'urine suit un cheminement complexe qui repose sur :

- la capacité de la vessie à se distendre pour emmagasiner l'urine et à se contracter pour l'expulser complètement ;

- la hausse de la pression urétrale par rapport à la pression intravésicale ;

- la régulation de l'appareil urinaire par des nerfs autonomes et des nerfs somatiques ;

- la maîtrise volontaire de la miction.

Le vieillissement modifie chacun des éléments soulignés, ce qui peut nuire à la miction. Chez les personnes plus jeunes, la capacité moyenne de la vessie atteint de 350 ml à 450 ml avant qu'apparaisse le besoin mictionnel. Avec l'âge, le muscle de la vessie s'hypertrophie, et l'épaississement de la paroi vésicale entrave sa distension. Par conséquent, la quantité d'urine que la vessie peut emmagasiner diminue à 200 ml ou 300 ml, ce qui provoque une envie d'uriner qui se manifeste plus tôt.

À l'arrivée de l'urine dans la vessie, le muscle lisse s'étire sans accroissement de la pression intravésicale ; la pression urétrale augmente et dépasse légèrement la pression à l'intérieur de la vessie, permettant le drainage. Si le volume d'urine ne dépasse pas 500 ml à 600 ml et que l'équilibre des pressions reste intact, la miction est maîtrisée. Si le volume d'urine est supérieur ou si le détrusor se contracte involontairement, la pression intravésicale dépasse la pression urétrale ; il y a alors incontinence. Il existe aussi d'autres types d'incontinence, dont celle d'origine mixte. L'équilibre des pressions repose également sur la pression abdominale, l'épaisseur de la muqueuse urétrale et le tonus du détrusor, du col vésical et des muscles du périnée et de l'urètre. Le vieillissement entraîne le remplacement des muscles vésical et urétral par du tissu conjonctif. Cette altération dérègle l'équilibre entre les deux pressions et peut provoquer l'incontinence.

Des sphincters interne et externe régulent l'emmagasinage de l'urine et la vidange de la vessie. Situé à la base de la vessie, le sphincter interne est régi par le système nerveux autonome. Le sphincter externe appartient aux muscles périnéaux, qui sont gouvernés par le nerf honteux interne. Lors de la miction, le détrusor et les muscles abdominaux se contractent, tandis que le sphincter urétral externe et les muscles périnéaux se détendent. Au besoin, le sphincter externe se contracte pour empêcher ou interrompre la miction et pour compenser une élévation brusque de la pression abdominale. Les changements liés à l'âge, comme l'affaiblissement du muscle lisse de l'urètre et le relâchement des muscles périnéaux, amoindrissent la résistance urétrale et le tonus des sphincters. Alors que la vessie s'emplit d'urine, les récepteurs sensoriels logés dans sa paroi transmettent un signal à la moelle épinière sacrée. Les impulsions de la moelle épinière régissent la miction, mais ce sont les centres nerveux supérieurs qui détectent la sensation de réplétion vésicale (vessie pleine), qui freinent la vidange de la vessie au besoin et qui stimulent les contractions pour obtenir une vidange complète. Avec le vieillissement, la dégénérescence du cortex cérébral altère cette sensation et la capacité de vidange complète (par exemple, l'incontinence chez la personne démente). Les personnes plus jeunes ressentent le besoin mictionnel lorsque la vessie est à moitié pleine, mais cette sensation se produit plus tard chez les personnes âgées. Cette réduction du temps d'alerte entre la perception du besoin et la nécessité réelle d'uriner peut donc occasionner de l'incontinence.

L'incontinence et la baisse du taux d'œstrogène

La baisse du taux d'œstrogène à la ménopause explique en partie la hausse de l'incontinence et son déclenchement plus tôt chez la femme. Plusieurs des structures associées à la miction renferment des récepteurs d'œstrogène et subissent les effets des changements hormonaux, particulièrement à la ménopause. Parce que les terminaisons nerveuses dans la vessie contiennent des récepteurs sensibles aux œstrogènes, la diminution du taux d'œstrogène en abaisse le seuil d'excitabilité, ce qui rend la vessie plus vulnérable

> *La baisse du taux d'œstrogène à la ménopause explique en partie la hausse de l'incontinence et son déclenchement plus tôt chez la femme.*

à des stimuli irritants. La diminution du taux d'œstrogène entraîne aussi une réduction du collagène dans les tissus urogénitaux et une perte du tonus musculaire vésical et urétral. La pression urétrale baisse et perturbe la fermeture des sphincters, occasionnant un écoulement d'urine.

La maîtrise volontaire de l'élimination urinaire et les facteurs sociaux

La maîtrise de la miction repose sur le bon fonctionnement des voies urinaires et du système nerveux, ainsi que sur la capacité cognitive et la mobilité. Mais elle dépend également d'un ensemble de facteurs sociaux. Les facteurs suivants y participent :

- le repérage d'un emplacement privé réservé à cet effet ;
- l'accessibilité et la convenance de l'emplacement ;
- la capacité de s'y rendre et de l'utiliser ;
- l'intervalle entre la perception du besoin et la nécessité réelle de miction ;
- la maîtrise volontaire de la miction du moment où le besoin est perçu jusqu'à celui où il est possible d'utiliser l'emplacement approprié.

Le vieillissement peut influencer la faculté à repérer et à atteindre les toilettes. L'équilibre, la mobilité, les troubles oculaires, la dextérité manuelle et l'altération de la vue sont des facteurs qui jouent sur la maîtrise de la miction. Le balancement postural touche souvent les hommes âgés et peut les empêcher d'uriner debout. La baisse de l'odorat peut occulter l'odeur désagréable lorsque l'incontinence survient. Sans répercussion sur l'élimination urinaire, les odeurs sont cependant jugées socialement offensantes et peuvent entraîner l'isolement et le rejet de la personne.

8.2 Les types d'incontinence

Si les changements liés à l'âge ne sont pas nécessairement responsables de l'incontinence, ils en prédisposent l'apparition chez les personnes âgées. L'incontinence est le trouble urinaire le plus répandu dans cette population. Entre 15 % et 35 % des personnes vivant dans la collectivité, le tiers des aînés vivant en centre hospitalier et au moins 50 % des résidents des établissements de soins de longue durée sont incontinents (Schnelle et Smith, 2001 ; Resnick et Yalla, 2002).

La catégorisation de l'incontinence urinaire s'effectue en fonction des symptômes suivants :

- l'incontinence par besoin impérieux se caractérise par un écoulement involontaire d'urine en raison de l'impossibilité de se retenir entre la perception du besoin mictionnel et l'arrivée aux toilettes ;
- l'incontinence à l'effort est l'écoulement soudain d'une petite quantité d'urine résultant d'une

activité qui augmente la pression abdominale (par exemple, soulever une charge, tousser, éternuer, rire ou faire de l'exercice) ;

- l'incontinence mixte, quant à elle, est un écoulement d'urine causé par une augmentation de la pression abdominale et par l'incapacité de retarder la miction après la manifestation d'un besoin impérieux ;
- l'incontinence fonctionnelle concerne l'écoulement d'urine résultant de troubles fonctionnels, d'obstacles dans l'environnement ou d'autres facteurs qui empêchent la personne âgée de se rendre en temps opportun aux toilettes.

8.3 Les facteurs de risque et la fonction urinaire

Plus que les changements liés à l'âge, les facteurs de risque affectent la fonction urinaire chez la personne âgée. Les facteurs de risque les plus importants sont les comportements issus de mythes et de fausses croyances.

Les comportements issus de mythes et de fausses croyances

Les mythes, les fausses croyances et le manque de connaissances en matière de fonction urinaire peuvent influer négativement sur le comportement des personnes âgées et celui de leurs soignants. On entend souvent dire que les personnes âgées acceptent toutes l'incontinence comme étant une évolution normale, inévitable et irréversible du vieillissement. Selon Locher et ses collègues (2002), cette conviction erronée peut empêcher une personne âgée de demander et d'obtenir une aide médicale. Abondant dans le même sens, le chercheur Dugan et ses collègues (2001) ont mis au jour le fait que moins de 30 % de la population âgée ayant un problème d'incontinence le signale à un professionnel de la santé en raison, justement, de ce malentendu. Par ailleurs, Schnelle et Smith (2001) révèlent qu'il est également possible que des intervenants du milieu de la santé dissuadent les aînés de rechercher un traitement à l'incontinence à cause de cette idée persistante selon laquelle il est « normal » qu'une personne âgée soit incapable de maîtriser sa miction.

L'attitude, le comportement et les attentes des membres de l'équipe traitante peuvent aussi encourager l'incontinence. Par exemple, si une personne récemment admise dans un CHSLD connaît des problèmes d'incontinence, le personnel suppose qu'elle est atteinte d'incontinence chronique. Ce comportement peut renforcer le problème. Peut-être les toilettes étaient-elles trop éloignées ou la personne n'a-t-elle pas pu les trouver à temps. Si le personnel présume que la personne est simplement incontinente, il privilégie l'utilisation de culottes d'incontinence, lui suggérant ainsi qu'elle peut renoncer à la maîtrise volontaire de la miction.

Dans les hôpitaux et les établissements de soins de longue durée, l'attitude du personnel et les soins infirmiers prodigués déterminent les modes d'élimination urinaire. Dans les hôpitaux, l'état de santé de la personne âgée ou le désir d'alléger le travail du personnel favorisent l'utilisation de sondes à demeure et de culottes d'incontinence. Il est à noter que le sevrage d'une sonde à demeure commande souvent une rééducation de la vessie et qu'il s'agit d'un processus long et complexe. Par conséquent, la personne âgée qui porte une culotte d'incontinence court le risque de devoir la conserver jusqu'à la fin de ses jours.

Le temps consacré à rétablir les habitudes urinaires de la personne âgée pendant son hospitalisation est minime, voire inexistant. Dans les établissements de soins de longue durée, la lourde charge de travail, le manque de communication ou de cohésion au sein l'équipe ou des connaissances insuffisantes sur les interventions appropriées sont autant d'obstacles en matière de prévention de l'incontinence (Mather et Bakas, 2002). Par exemple, pour épargner du temps, un membre de l'équipe traitante peut inciter une personne âgée à mobilité réduite nécessitant de l'aide pour se rendre aux toilettes à recourir à des produits d'incontinence. Ainsi, la personne âgée qui répond à l'incitatif peut effectivement devenir incontinente.

Une restriction de l'apport liquidien par peur de l'incontinence, en réaction à un début d'incontinence ou pour toute autre raison, peut aggraver le problème. Johnson et ses collègues (2000) ont remarqué que 37 % des personnes âgées incontinentes limitaient leur apport liquidien. Si la vessie ne peut pas se remplir normalement en raison d'une déshydratation ou d'une baisse de l'apport liquidien, le processus neurologique qui régit la vidange vésicale ne peut pas fonctionner correctement. La personne ne perçoit plus le besoin mictionnel, et l'incontinence se produit. La déshydratation et une hydratation déficiente irritent la vessie (altération des électrolytes), ce qui provoque des contractions involontaires des muscles vésicaux menant à l'incontinence.

Une restriction de l'apport liquidien par peur de l'incontinence, en réaction à un début d'incontinence ou pour toute autre raison, peut aggraver le problème.

Les atteintes fonctionnelles

Les atteintes fonctionnelles contribuent largement à l'incontinence parce qu'elles nuisent à la perception du besoin mictionnel et à l'élimination urinaire en temps opportun. En raison des changements liés à l'âge qui réduisent le temps d'alerte entre la perception du besoin et la nécessité réelle d'uriner, tout retard à se rendre aux toilettes peut occasionner une incontinence. Des états pathologiques peuvent aussi conduire à l'incontinence. Par exemple, une personne âgée atteinte d'arthrite ou de la maladie de Parkinson se déplace plus lentement ou manque de dextérité manuelle pour se déshabiller. La démence et d'autres déficits cognitifs peuvent aussi gêner le processus neurologique de maîtrise volontaire de la miction.

Les processus morbides

Deux types de processus morbides favorisent l'incontinence : ceux qui sont propres aux voies urinaires et ceux qui sont associés à d'autres fonctions physiologiques. La plupart des affections qui s'attaquent aux voies urinaires sont liées au sexe de la personne. Les autres touchent toutes les personnes âgées.

Les affections génito-urinaires. Chez la femme âgée, l'affaiblissement des muscles périnéaux, causé par la baisse du taux d'œstrogène après la ménopause ou à la grossesse, augmente le risque d'incontinence. La moindre élévation de la pression abdominale peut alors amener un écoulement d'urine. L'étirement ou le relâchement extrême du muscle pelvien entraîne une cystocèle, une rectocèle ou une urétrocèle. Ces troubles s'accompagnent parfois d'un prolapsus utérovaginal, une cause reconnue d'incontinence. La faiblesse du muscle pelvien empêche la vidange complète de la vessie, et l'urine résiduelle peut produire une bactériurie. La baisse du taux d'œstrogène occasionne aussi l'atrophie du tissu vaginal et du trigone, et la résistance aux agents pathogènes faiblit. La vaginite et l'urétrotrigonite sont étroitement associées à la miction impérieuse, à la pollakiurie (une fréquence élevée de mictions peu abondantes) et à l'incontinence.

Chez l'homme âgé, l'hyperplasie bénigne de la prostate est la cause fréquente de troubles urinaires. Au début, l'hyperplasie bouche le col vésical et comprime l'urètre, ce qui cause une hypertrophie du détrusor et une éventuelle occlusion urétrale. L'hypertrophie graduelle raidit la paroi de la vessie qui, elle, s'amincit. La rétention d'urine qui s'ensuit augmente la possibilité d'infection de la vessie. Ces états peuvent aussi endommager l'uretère et le rein et déclencher une urétérohydrose, une hydronéphrose, une baisse du taux de filtration glomérulaire et de l'urémie. L'homme atteint d'hyperplasie de la prostate peut présenter une polyurie nocturne, une réduction du débit urinaire, une vidange incomplète de la vessie, une miction impérieuse et une pollakiurie. Enfin, une baisse de la résistance urétrale peut aussi survenir à la suite d'une chirurgie transurétrale ou d'une prostatectomie radicale.

Les infections urinaires. Les infections urinaires sont fréquemment à la source de l'incontinence dans la population âgée. Bon an, mal an, plus de 10 % de la population âgée est atteinte d'une infection urinaire, et celle-ci touche deux fois plus de femmes que d'hommes. Yoshikawa (2000) rapporte que les infections urinaires sont la source la plus courante des infections nosocomiales chez les personnes âgées qui portent une sonde à demeure. La bactériurie chronique se caractérise par la présence de plus de 100 000 entérobactéries sans symptômes d'infection urinaire. Chez la personne âgée, l'incontinence constitue souvent le premier signe d'une infection urinaire.

Les autres affections responsables de l'incontinence urinaire

Plusieurs maladies du système nerveux central ou périphérique peuvent contribuer à l'incontinence. Par exemple, la démence et l'incontinence sont souvent associées. Ainsi, dans les premières phases de la maladie, la personne âgée atteinte de démence peut ne pas posséder la capacité cognitive pour trouver les toilettes et les utiliser, mais elle peut rester continente si elle dispose d'un aide-mémoire approprié ou si l'on applique rigoureusement des interventions propres à l'approche prothétique.

Certaines affections du tractus gastro-intestinal, comme la gastroentérite, la constipation et l'occlusion intestinale, peuvent causer l'incontinence. Dans ces deux derniers cas, le volume intestinal comprime la vessie et diminue sa capacité de stockage. Cette situation entraîne la pollakiurie, la miction impérieuse et l'incontinence. L'occlusion intestinale peut également bloquer la vessie. La distension vésicale qui en résulte amène une rétention d'urine ou une incontinence. Le diabète, la sclérose en plaques, la maladie de Parkinson, l'accident vasculaire cérébral et les bronchopneumopathies chroniques obstructives (BCPO) sont d'autres affections qui peuvent contribuer à l'incontinence.

Les effets indésirables des médicaments

Les médicaments agissent de diverses façons sur la fonction urinaire et peuvent conduire à l'incontinence. Par exemple, les diurétiques de l'anse (furosémide) augmentent le débit urinaire et causent une surcharge urinaire qui entraîne la diminution de la capacité vésicale. Plusieurs médicaments, dont ceux qui exercent une action sur le système nerveux central ou sur le système nerveux autonome, nuisent au fonctionnement des voies urinaires et provoquent l'incontinence. La personne âgée atteinte d'autres affections urinaires sera plus vulnérable aux effets indésirables des médicaments. Par exemple, les hommes atteints d'une hyperplasie prostatique seront davantage enclins

TABLEAU 8.1	Les médicaments associés à l'incontinence urinaire	
Classes de médicaments	**Exemples**	**Effets**
Diurétiques de l'anse	Furosémide, bumétanide	L'augmentation de la diurèse peut provoquer une miction impérieuse, la pollakiurie et la polyurie.
Anticholinergiques	Antihistaminiques, neuroleptiques, antidépresseurs, anticonvulsivants, antiparkinsoniens	La diminution de la contractilité de la vessie et le relâchement du muscle vésical occasionnent une rétention d'urine, la pollakiurie et l'incontinence.
Adrénergiques (agonistes alpha-adrénergiques)	Décongestionnants	La diminution de la contractilité de la vessie et la hausse du tonus du sphincter entraînent une rétention d'urine, la pollakiurie et l'incontinence.
Alpha-bloquants	Prazosine, térazosine, doxazosine	La diminution du tonus des sphincters de l'urètre et du col vésical produit des fuites d'urine et l'incontinence à l'effort.
Inhibiteurs des canaux calciques	Nifédipine, nicardipine, israpidine, félodipine, nimodipine	La diminution de la contractilité de la vessie amène une rétention d'urine, la pollakiurie, la nycturie et l'incontinence.
Inhibiteurs de l'enzyme de conversion de l'angiotensine	Captopril, énalapril, lisinopril	Ils peuvent provoquer une toux chronique qui déclenche ou stimule l'incontinence à l'effort.
Hypnotiques et tranquillisants	Benzodiazépines	Ils nuisent à la maîtrise de la miction en suscitant la sédation, le délire et des atteintes cognitives.

à faire de la rétention d'urine s'ils prennent un adrénergique ou un anticholinergique (même ceux qui sont contenus dans des décongestionnants et des antihistaminiques offerts en vente libre). Également, à la ménopause, les femmes qui ne prennent pas d'œstrogène seront portées à faire de l'incontinence à l'effort si elles consomment des bêtabloquants (fréquents dans le traitement de l'hypertension). La térazosine (Hytrin), qui traite l'hyperplasie bénigne de la prostate, peut amener un relâchement de l'urètre et une incontinence à l'effort.

Aux effets directs des médicaments sur l'incontinence, il faut ajouter leurs effets sur l'état fonctionnel. Les anticholinergiques (y compris ceux offerts en vente libre) entravent les capacités cognitive et fonctionnelle et la maîtrise volontaire de la miction. Ils assèchent la bouche, ce qui amène une hausse de l'apport liquidien et de la diurèse et active l'incontinence. De nombreux médicaments entraînent de la constipation, laquelle contribue à son tour à l'incontinence. Cet effet indésirable aggrave la situation dans les cas d'hyperplasie prostatique ou d'affaiblissement des muscles périnéaux. Le tableau 8.1 (p. 79) présente des classes de médicaments et des exemples de leurs effets sur la fonction urinaire de la personne âgée.

Les médicaments peuvent également endommager la fonction rénale par l'hyperstimulation de la sécrétion d'hormone antidiurétique, dont les effets se combinent avec ceux du vieillissement et entraînent l'hyponatrémie. Ces médicaments sont l'acide acétylsalicylique (aspirine), les narcotiques, l'acétaminophène, les antidépresseurs, les barbituriques, le chlorpropamide, le clofibrate, la fluphénazine et l'halopéridol.

Le régime alimentaire et le mode de vie

L'obésité (c'est-à-dire une surcharge pondérale de 20 % supérieure au poids santé) augmente le risque d'incontinence chez la femme. De même, des carences en zinc, en calcium, en magnésium, en protéines et en vitamines C et B_{12} favorisent l'incontinence, car elles affaiblissent le détrusor et les autres muscles des voies urinaires (Bottomley, 2000). Le tabagisme et la consommation de produits contenant de la nicotine peuvent stimuler la miction impérieuse, la pollakiurie ainsi que l'incontinence par besoin impérieux. Certains produits alimentaires (par exemple, le chocolat, les aliments épicés ou acides), additifs alimentaires (par exemple, l'aspartame et d'autres édulcorants artificiels) et boissons gazéifiées ou renfermant de la caféine produisent le même effet.

Les obstacles dans l'environnement

Des obstacles à domicile, dans les endroits publics et dans les établissements de soins peuvent empêcher la personne âgée de se rendre aux toilettes en temps opportun et de les utiliser. Si ces obstacles s'associent à une réduction de la mobilité et aux transformations régressives de la fonction urinaire, ils peuvent déclencher l'incontinence. Entre autres exemples d'obstacles, notons les escaliers, l'absence de barres d'appui et de mains courantes, et des sièges de toilette de hauteur inadéquate. L'encadré 8.1 énumère les obstacles qui peuvent entraîner l'incontinence chez la personne âgée.

8.4 Les conséquences fonctionnelles des changements liés à l'âge sur la fonction urinaire

Malgré les modifications des voies urinaires liées à l'âge, la fonction d'élimination des déchets reste à peu près intacte chez la personne âgée en santé qui ne prend pas de médicaments. Par contre, les effets indésirables des médicaments ou des problèmes de santé sont susceptibles de perturber l'homéostasie et la maîtrise de la miction. Le vieillissement et les facteurs de risque sont aussi à l'origine de conséquences fonctionnelles qui nuisent à la fonction et aux habitudes urinaires et qui encouragent l'incontinence. En cas d'incontinence, d'autres conséquences fonctionnelles, en particulier les aspects psychosociaux, ont de sérieuses répercussions.

ENCADRÉ 8.1
Les obstacles dans l'environnement qui favorisent l'incontinence urinaire

- Des escaliers entre la salle de bains et le salon ou la chambre à coucher
- Une salle de bains située à plus de 15 mètres de distance
- Un domicile où plusieurs personnes partagent la même salle de bains
- Des salles de bains de petite dimension, des portes et des corridors étroits qui empêchent le passage de fauteuils roulants ou de déambulateurs
- Des modèles de fauteuils et une hauteur de lit qui nuisent à la mobilité
- Un mauvais contraste de couleurs, par exemple entre des toilettes blanches et un plancher ou des murs de couleur pâle
- La signalisation des toilettes publiques pour femmes et hommes peu visible ou sans contraste de couleurs suffisant
- Des toilettes publiques mal éclairées et éloignées
- Des lieux à l'éclairage éblouissant qui nuisent à la lecture de la signalisation des toilettes publiques
- Des murs couverts de miroirs qui réfléchissent les lumières vives

Les répercussions sur l'homéostasie et l'élimination urinaire

La fonction rénale d'une personne âgée en santé ne subit que peu de changements. Toutefois, ceux-ci ont pour conséquences une absorption insuffisante du calcium et une prédisposition à l'hyponatrémie et à l'hyperkaliémie. Le vieillissement des reins et des variations dans la sécrétion d'aldostérone altèrent la boucle de régulation qui maintient l'équilibre hydro-électrolytique. La personne âgée réagit alors moins bien aux fluctuations du taux de sodium. Un ralentissement de la fonction rénale augmente l'intervalle permettant de corriger le déséquilibre du pH urinaire. Même avec une bonne hydratation, une baisse du taux de filtration glomérulaire retarde l'excrétion hydrique et peut entraîner une hyponatrémie. La réalisation des activités quotidiennes peut être affectée si la fonction rénale se trouve ralentie. Ainsi, une personne âgée qui transpire au cours d'une activité physique peut se fatiguer plus rapidement, car le processus de rétention de l'eau et du sodium est moins efficace.

Avec l'âge, les reins réagissent moins à l'hormone antidiurétique qui permet la concentration des urines; en conséquence, la concentration maximale d'urine diminue. Le vieillissement peut doubler la production d'urine nocturne même en l'absence de manifestations pathologiques (Miller, 2000).

Par ailleurs, la personne âgée qui prend des médicaments ou qui éprouve des problèmes de santé peut s'attendre à des conséquences fonctionnelles graves :

- l'hypovolémie et la déshydratation découlant de la prise de diurétiques;

- un état de stress physiologique (provoqué, par exemple, par une chirurgie, une infection ou une perte liquidienne excessive) causant une déshydratation, une diminution du volume liquidien et des déséquilibres hydroélectrolytiques;

- une diminution du volume liquidien se produisant peu après le déclenchement d'une maladie avec fièvre en raison d'une incapacité à compenser des pertes liquidiennes imperceptibles.

Les changements rénaux liés à l'âge affectent directement l'action des médicaments hydrosolubles tributaires du taux de filtration glomérulaire (par exemple, la digoxine, la cimétidine et les aminosides) ou du bon fonctionnement des tubules rénaux (par exemple, la pénicilline et la procaïnamide). Une diminution de la fonction rénale accroît le risque d'interactions médicamenteuses et d'effets indésirables. Ces effets indésirables peuvent perturber profondément les capacités physiques et mentales de la personne âgée et avoir de graves conséquences. À moins d'une modification de la posologie pour tenir compte de ces changements, il se produit une accumulation de substances toxiques causée par le ralentissement du processus excrétoire. La personne âgée nécessite un volume urinaire de 50 % supérieur à celui d'une personne plus jeune pour expulser la même quantité de substances.

Les répercussions sur les habitudes urinaires

Les habitudes urinaires de la personne âgée se modifient. Les volumes urinaires diurnes et nocturnes sont respectivement de 50 ml à l'heure et de 70 ml à l'heure, comparativement à 75 ml à l'heure et 35 ml à l'heure chez les jeunes adultes (Miller, 2000). Par conséquent, la personne âgée peut uriner plusieurs fois la nuit. Rappelons qu'avec le vieillissement la capacité de la vessie diminue et que non seulement y a-t-il augmentation de la fréquence urinaire, mais il y a aussi réduction du temps d'alerte entre la perception du besoin et la nécessité réelle d'uriner. La rétention chronique d'urine résiduelle peut causer une bactériurie avec ou sans symptômes qui, quoiqu'elle ne gêne pas l'élimination urinaire, risque d'entraîner des infections urinaires.

> *La réduction de l'apport liquidien, une mesure préventive répandue, augmente les possibilités de déshydratation, de bactériurie, d'incontinence et de constipation, et accroît les effets indésirables des médicaments.*

Les répercussions sur la qualité de vie

L'incontinence urinaire dégrade la qualité de vie d'une personne âgée tant sur le plan physique que sur le plan psychosocial. Les chutes, les fractures, la bactériémie pouvant conduire à la septicémie, l'érythème périnéal, les escarres de décubitus et les infections urinaires en sont des conséquences physiques (Resnick et Yalla, 2002). La réduction de l'apport liquidien, une mesure préventive répandue, augmente les possibilités de déshydratation, de bactériurie, d'incontinence et de constipation, et accroît les effets indésirables des médicaments.

Quant à elles, les répercussions psychosociales de l'incontinence sont la honte, l'anxiété, la dépression, le repli sur soi et la perte de confiance en soi. La personne âgée incontinente cherche à masquer ces incidents ou les odeurs qui en découlent pour éviter l'embarras ou le rejet. Elle est également embarrassée d'aller aux toilettes plus souvent que les autres. L'attitude parfois infantilisante des soignants et certains de leurs comportements (par exemple, le fait d'employer des « couches » plutôt que d'offrir de l'aide pour utiliser les toilettes) sont souvent dévastateurs pour la dignité et l'estime de soi.

Même la personne âgée qui n'est pas incontinente vit des répercussions psychosociales lorsque surgit un besoin impérieux d'uriner. La peur, l'anxiété et un sentiment d'impuissance peuvent la pousser à limiter ses activités. La personne âgée vivant à domicile et dont l'incontinence peut freiner les activités quotidiennes est portée à se sentir seule et déprimée et à manifester de la détresse psychologique (Bogner et autres, 2002 ; Engberg et autres, 2001). Enfin, il ne faut pas négliger la nycturie, fréquemment mentionnée comme une des premières causes des troubles du sommeil (Lose et autres, 2001).

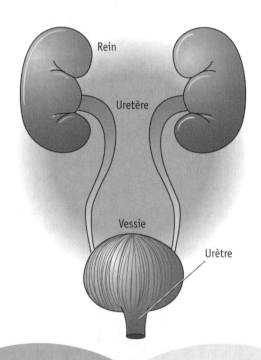

Rein

Uretère

Vessie

Urètre

Les changements liés à l'âge

- Réduction du nombre de néphrons actifs
- Diminution du débit sanguin rénal
- Baisse du taux de filtration glomérulaire
- Hypertrophie des muscles des voies urinaires
- Relâchement des muscles périnéaux
- Contraction de la vessie pendant le remplissage

Conséquences fonctionnelles négatives

- Détérioration de l'homéostasie
- Ralentissement de l'excrétion des médicaments hydrosolubles
- Diminution de la capacité de la vessie
- Nycturie
- Besoin impérieux d'uriner et pollakiurie
- Rétention chronique d'urine résiduelle

Facteurs de risque

- Atteintes fonctionnelles
- Affections génito-urinaires (par exemple, hypertrophie prostatique, infections des voies urinaires)
- Autres affections (par exemple, déshydratation, démence, accident vasculaire cérébral)
- Médicaments (par exemple, diurétiques, anticholinergiques)
- Obstacles du milieu ambiant associés aux atteintes fonctionnelles
- Comportements fondés sur des mythes et de fausses croyances (par exemple, réduire l'apport liquidien, accepter l'incontinence comme partie intégrante du vieillissement)

FIGURE 8.1   **Le recoupement des changements liés à l'âge et des facteurs de risque, et leurs conséquences négatives sur la fonction urinaire.**

L'apparition de l'incontinence intensifie le stress ressenti par les soignants de la personne âgée à domicile, surtout si l'aménagement des lieux ou la capacité fonctionnelle soulèvent des problèmes. Selon Langa et ses collègues (2002), les soignants considèrent les soins associés à l'incontinence comme parmi les plus difficiles à prodiguer et les plus stressants. En effet, ces chercheurs ont noté que les soignants aux prises avec une telle situation consacrent une heure supplémentaire tous les jours aux soins

liés à l'incontinence. Toujours selon Langa et ses collègues, l'incontinence alourdit le fardeau des soignants à domicile, et elle constitue souvent un des facteurs importants dans la décision d'un placement de la personne âgée dans un établissement de soins de longue durée.

La figure 8.1 (p. 82) illustre la relation entre les changements liés à l'âge, les facteurs de risque et leurs conséquences fonctionnelles négatives sur la fonction urinaire.

ENCADRÉ 8.2
L'entrevue pour l'évaluation de l'élimination urinaire

Questions relatives aux facteurs de risque

- (*Hommes*) Avez-vous été opéré pour des problèmes de prostate ou de vessie ?
- (*Hommes*) Vous a-t-on dit que vous aviez des problèmes de prostate ? (*ou* Pensez-vous avoir des problèmes de prostate ?)
- (*Femmes*) Avez-vous eu des enfants ? (Dans l'affirmative, demandez le nombre de grossesses et s'il y a eu des problèmes à l'accouchement.)
- (*Femmes*) Avez-vous déjà été opérée pour des problèmes touchant le bassin, l'utérus ou la vessie ?
- (*Femmes*) Avez-vous déjà eu des infections vaginales ?
- Ressentez-vous de la douleur, des brûlures ou un malaise lorsque vous urinez ?
- Avez-vous déjà eu des infections urinaires ?
- Souffrez-vous de maladies chroniques ?
- Quels médicaments prenez-vous ?
- Avez-vous des problèmes avec vos intestins ?
- Quelle quantité d'eau et d'autres liquides buvez-vous pendant la journée ? (Demandez des précisions sur la consommation de boissons alcoolisées, gazéifiées et caféinées.)

Questions relatives aux facteurs de risque associés à l'aspect social

- Avez-vous des difficultés à marcher ou à garder votre équilibre ?
- Avez-vous des difficultés à lire la signalisation indiquant les toilettes publiques ou à trouver les toilettes publiques ?

Questions relatives aux signes et symptômes de dysfonctionnement urinaire

- Avez-vous des fuites d'urine ?
- Portez-vous des serviettes ou des sous-vêtements protecteurs pour garder vos vêtements secs ?
- Avez-vous de la difficulté à vous retenir assez longtemps pour vous rendre aux toilettes ? (*ou* Combien de temps pouvez-vous vous retenir lorsque vous ressentez le besoin d'aller aux toilettes ?)

- Avez-vous de la difficulté à vous retenir lorsque vous toussez, riez ou effectuez des mouvements brusques ?
- Vous réveillez-vous la nuit pour aller aux toilettes ? (Dans l'affirmative, tentez de faire la distinction entre un symptôme et l'habitude d'aller aux toilettes après s'être réveillé pour une raison quelconque.)
- Immédiatement après être allé aux toilettes, avez-vous l'impression que votre vessie n'est pas complètement vide ?
- Exercez-vous une pression sur votre vessie pendant que vous urinez pour vous assurer qu'elle est complètement vide ?
- (*Hommes*) Avez-vous de la difficulté à commencer ou à continuer à uriner ?

Questions relatives à la présence effective d'incontinence

- Quand votre incontinence a-t-elle débuté ?
- Qu'avez-vous fait pour gérer ce problème ? Avez-vous diminué la quantité de liquides que vous buvez ? Allez-vous aux toilettes plus fréquemment par mesure de précaution ?
- Y a-t-il des facteurs qui aggravent ou améliorent la situation ?
- L'incontinence est-elle constante ou se produit-elle à des moments précis ?
- Ressentez-vous de la douleur lorsque vous urinez ?
- (*Femmes*) Sentez-vous une pression dans la région du bassin ?

Questions relatives aux craintes, à l'attitude et aux répercussions psychosociales

- Avez-vous déjà consulté un médecin ou un professionnel de la santé à ce sujet ?
- Avez-vous modifié vos activités pour ne pas vous éloigner des toilettes ?
- Évitez-vous de vous rendre à certains endroits parce que vous craignez de ne pas pouvoir vous retenir ?

8.5 L'évaluation de l'infirmière liée à la fonction urinaire

L'évaluation de l'élimination urinaire

L'élimination urinaire s'accompagne de balises sociales, et l'attitude de la personne âgée et ses sentiments peuvent teinter la discussion. Si l'infirmière aborde habituellement ce sujet sans problème, ce n'est pas toujours le cas de son interlocuteur : le sujet peut le rendre mal à l'aise, surtout si l'infirmière n'est pas du même sexe ni du même groupe d'âge que lui.

Les mots utilisés peuvent compliquer l'entrevue. En société, il n'est pas rare de recourir à des euphémismes pour éviter le mot « uriner » (par exemple, *je vais aux toilettes, je vais à la salle de bains, je vais au petit coin*). Même le bruit de l'urine qui s'écoule embarrasse de nombreuses personnes qui ouvrent alors le robinet ou tirent la chasse d'eau pour le camoufler en présence d'autres personnes. C'est pour cette raison que la réussite de l'entrevue sur l'élimination urinaire et l'incontinence repose sur l'utilisation de mots compréhensibles qui n'offensent pas la personne âgée. Si celle-ci est atteinte d'un trouble auditif, le mot miction, qui n'appartient pas au langage quotidien, peut ne pas convenir. Les phrases *aller aux toilettes* ou *aller à la salle de bains* ne désignent pas uniquement l'élimination urinaire, mais sont valables puisqu'elles feront l'objet de précisions. Le mot *incontinence*, s'il n'est pas connu de la personne âgée, peut devenir un problème, davantage en cas de

surdité. Plutôt que d'employer ce terme, la personne âgée préférera parler d'accidents, de fuites, de problèmes de reins ou de troubles de la vessie pour décrire son incontinence.

Avant d'interroger la personne sur l'élimination urinaire, l'infirmière consacre ses premières questions aux facteurs de risque (Encadré 8.2, p. 83). Elle évalue l'attitude de la personne âgée à l'égard de l'incontinence urinaire et ses répercussions psychosociales en examinant les réponses obtenues. Si la personne reconnaît son incontinence, l'infirmière doit l'interroger sur les mesures qu'elle a prises. Elle peut alors cerner les craintes et les comportements qui suscitent des répercussions psychosociales ou qui nuisent aux interventions. La manifestation de troubles dépressifs ou le repli sur soi dès le début de l'incontinence signalent une baisse de l'estime de soi et une perturbation des activités normales. Si la personne âgée accepte de discuter de son incontinence, l'infirmière la questionne sur les conséquences qu'elle a constatées sur ses activités quotidiennes et sa vie sociale.

Pour terminer ce chapitre, il y a lieu d'examiner certaines données de laboratoire ayant trait à la qualité de l'urine, ainsi qu'une liste de médicaments utilisés dans le traitement de l'incontinence urinaire.

Les données de laboratoire

Les résultats d'une analyse d'urine et d'une analyse sanguine fournissent des renseignements très utiles à l'évaluation de l'élimination urinaire. Le meilleur

TABLEAU 8.2	Les médicaments pour traiter l'incontinence	
Formes d'incontinence	**Effets des médicaments**	**Exemples**
Incontinence par besoin impérieux et hyperactivité du détrusor	Effet anticholinergique qui détend le muscle vésical et empêche les contractions involontaires	Oxybutynine (Ditropan) Toltérodine (Detrol) Propanthéline (Pro-Banthine) Antidépresseurs tricycliques (Tofranil)
Incontinence à l'effort associée à une faiblesse du sphincter urétral	Effet alpha-adrénergique stimulant qui renforce les contractions du muscle vésical	Pseudoéphédrine (Sudafed)
Incontinence associée à une carence en œstrogène	Effet de rétablissement de la souplesse urétrale chez les femmes postménopausées	Œstrogènes conjugués par voie orale (Premarin) Estradiol par voie orale (Entrace) Crème vaginale (Dienestrol) Anneau vaginal (Estring)
Incontinence accompagnée d'une rétention d'urine et associée à une hyperplasie prostatique	Effet antiadrénergique qui détend le muscle lisse de l'urètre et la capsule de la prostate	Doxazosine (Cardura) Térazosine (Hytrin) Tamsulosine (Flomax)
Rétention d'urine avec incontinence	Effet cholinergique qui stimule les contractions de la vessie	Béthanécol

échantillon d'analyse est prélevé par mi-jet ou lors d'une deuxième évacuation de la vessie. À l'âge de 80 ans, la valeur supérieure de la normale pour la densité est de 1,024. Une légère protéinurie est normale. Mis à part ces deux éléments, les résultats de l'analyse devraient se révéler conformes à la norme pour une personne âgée en santé.

L'analyse sanguine permet d'évaluer la fonction rénale, notamment les taux d'électrolytes, de créatinine et d'urée, ainsi que la clairance de la créatinine. La créatinine sérique d'une personne âgée n'indique pas clairement le taux de filtration glomérulaire. Un prélèvement d'urine sur 24 heures pour mesurer la clairance de la créatinine est plus utile pour évaluer la fonction rénale ; un résultat inférieur à 60 est jugé insuffisant.

Les médicaments

Les médicaments traitent l'incontinence avec plus ou moins de succès, car leur efficacité dépend avant tout de la détection précise de la forme d'incontinence. Ils se révèlent également efficaces pour traiter la cause sous-jacente de l'incontinence (par exemple, la vaginite et l'hyperplasie prostatique). Si des médicaments sont prescrits, l'infirmière doit en connaître les effets recherchés ainsi que les effets indésirables.

Les médicaments les plus utilisés sont ceux qui agissent sur le système nerveux autonome. Les alpha-adrénergiques traitent l'incontinence à l'effort en stimulant les récepteurs du trigone et du sphincter interne pour renforcer la vessie. Les anticholinergiques bloquent la transmission d'influx nerveux et facilitent la maîtrise d'une vessie instable. Les cholinergiques empêchent la rétention d'urine par l'activation des contractions ou l'accroissement de la pression intravésicale. Les alpha-bloquants sont parfois utilisés seuls ou avec des cholinergiques pour réduire la résistance de la vessie à l'excrétion. Le tableau 8.2 (p. 84) présente les types d'incontinence et les effets des médicaments indiqués dans chaque cas.

Chapitre 9

L'appareil locomoteur et la sécurité

OBJECTIFS D'APPRENTISSAGE

Après avoir lu ce chapitre,
vous devriez être en mesure :

- de décrire les changements liés à l'âge qui ont une incidence sur la fonction locomotrice ;

- d'énoncer les facteurs de risque qui peuvent entraîner l'ostéoporose et nuire à la mobilité et à la sécurité ;

- de traiter des conséquences fonctionnelles suivantes : affaiblissement de l'appareil locomoteur, vulnérabilité accrue aux fractures et aux chutes ;

- de discuter des répercussions psycho-sociales et des répercussions à long terme des chutes, des fractures et de l'ostéoporose ;

- de décrire l'évaluation globale de l'appareil locomoteur et celle des risques de chutes et d'ostéoporose ;

- d'indiquer les interventions visant à améliorer la mobilité et à éliminer les risques de chutes et d'ostéoporose.

Plan du chapitre

La mobilité constitue une fonction physiologique cruciale dans le maintien de l'autonomie. Plus que les changements liés à l'âge, ce sont surtout les nombreux facteurs de risque qui menacent la mobilité. La multiplicité de ces risques explique en grande partie la fréquence des chutes, soit à domicile, soit dans les CHSLD. La personne âgée doit donc à la fois demeurer mobile et éviter les chutes. C'est pourquoi la sécurité représente une composante essentielle de la mobilité.

9.1 Les changements liés à l'âge et la fonction locomotrice

Les os, les articulations et les muscles sont les structures de l'organisme rattachées au mouvement, mais d'autres éléments physiologiques contribuent à assurer la sécurité des déplacements. Le système nerveux régule l'ensemble de l'appareil locomoteur, et la vision facilite l'interaction avec le milieu. L'ostéoporose représente le problème aux effets les plus marquants sur l'appareil locomoteur au cours du vieillissement. Faisant l'objet de nombreuses recherches fondamentales et cliniques, ce problème de santé est toutefois facile à prévenir et à traiter. D'ailleurs, une section entière de ce chapitre y est consacrée. D'autres changements liés à l'âge et qui entravent la mobilité seront aussi abordés.

Les os

Les os forment une structure rigide, le squelette, et ils travaillent de concert avec les muscles pour produire le mouvement. Ils servent également de réserve de calcium à l'organisme. Enfin, ils participent à la fabrication des cellules sanguines, ils soutiennent les tissus et ils offrent une protection aux viscères. L'os est composé d'une couche externe dure, l'os cortical ou os compact, et sous cette couche se trouve la trame protéique osseuse, appelée os spongieux ou os trabéculaire. Le pourcentage d'os cortical par rapport à l'os spongieux dépend de la variété de l'os. Les os longs comme le radius ou le fémur sont formés à 90 % d'os cortical. Les os plats, comme l'omoplate, ou courts, comme les vertèbres, contiennent principalement de l'os spongieux. Le vieillissement modifie la composition des os de type cortical et trabéculaire, mais les répercussions et le taux de détérioration ne sont pas identiques dans ces deux variétés d'os. Ces altérations sont traitées dans la section sur l'ostéoporose.

> À l'âge de 80 ans, la perte de masse musculaire s'élève à 30 %. Selon Westerterp et Meijer (2001), la pratique régulière d'activités physiques pourrait toutefois retarder ce phénomène.

La croissance osseuse se termine au début de l'âge adulte, mais les os sont remodelés tout au long de la vie. Les changements liés à l'âge qui freinent ce remodelage sont la résorption osseuse, une baisse d'absorption du calcium et une hausse de la sécrétion de parathormones. De même, un déséquilibre dans l'activité des ostéoblastes responsables de l'élaboration de la matrice osseuse cause un ralentissement de la formation osseuse et provoque une diminution du nombre de cellules actives de la moelle osseuse, celles-ci étant remplacées par des cellules adipeuses. Ces changements se présentent aussi bien chez les hommes que chez les femmes âgés et constituent l'ostéoporose sénile. De plus, avec le vieillissement, la baisse des taux d'œstrogène chez la femme et de testostérone chez l'homme accélère la perte osseuse. Ces facteurs de risque sont examinés dans la section sur l'ostéoporose. D'autres facteurs entravent aussi le remodelage osseux, soit : l'hyperthyroïdie, une diminution de l'activité physique, les BPCO, des carences en calcium et en vitamine D, et la prise de certains médicaments tels les glucocorticoïdes et les anticonvulsivants.

Les muscles

Toutes les activités de la vie quotidienne reposent directement sur le bon fonctionnement des muscles squelettiques régis par les neurones moteurs. Les changements liés à l'âge qui se répercutent le plus sur les muscles sont une diminution de la masse musculaire attribuable à une baisse du nombre de fibres musculaires et de leur taille ; une détérioration des fibres musculaires, auxquelles se substituent du tissu conjonctif puis du tissu adipeux ; enfin, une altération de la membrane des cellules musculaires avec écoulement de liquide et perte de potassium. À l'âge de 80 ans, la perte de masse musculaire s'élève à 30 %. Selon Westerterp et Meijer (2001), la pratique régulière d'activités physiques pourrait toutefois retarder ce phénomène. La réduction du nombre de neurones moteurs entraînerait aussi une diminution de la fonction motrice, de la force musculaire et de l'endurance. Des exercices physiques visant à maintenir et à améliorer les deux derniers paramètres pourraient limiter ces conséquences négatives liées à l'âge.

Les articulations et le tissu conjonctif

Le vieillissement altère tous les tissus des articulations musculosquelettiques, notamment les articulations non portantes. Contrairement aux os et aux muscles, qui sont renforcés par l'exercice, les articulations se détériorent avec l'usage et montrent des signes d'usure même au début de l'âge adulte. La dégénérescence des articulations s'amorce dans la trentaine, avant même que l'organisme atteigne sa maturation squelettique. Elle touche les tendons, les ligaments et la synovie, ce liquide qui lubrifie les articulations mobiles.

Les transformations les plus importantes subies par les articulations au cours du vieillissement sont :

- la réduction de la viscosité de la synovie ;
- la dégénérescence du collagène et des cellules d'élastine ;
- la fragmentation des structures fibreuses en tissu conjonctif ;
- l'apparition d'excroissances cartilagineuses en réaction à l'usure continue ;
- la formation de tissu cicatriciel et la calcification partielle des capsules et du tissu conjonctif articulaires ;
- l'altération de la qualité du cartilage articulaire qui s'érode, se fissure et se désagrège, et dont la surface se trouve amincie et rongée.

La dégénérescence articulaire provoque une détérioration des mouvements de flexion et d'extension, un raidissement des tissus fibreux, une exposition accrue aux forces du mouvement, l'érosion des os sous les excroissances cartilagineuses et l'incapacité croissante du tissu conjonctif à transmettre les forces de traction.

Le système nerveux

Le vieillissement du système nerveux modifie la démarche, l'équilibre, l'oscillation du corps et la vitesse de réaction. Il agit donc sur la locomotion et la mobilité. En outre, une baisse de la vision et des fonctions somatosensorielles et vestibulaires altère l'équilibre (Woollacott, 2000).

La baisse du réflexe de redressement et de la proprioception, surtout chez la femme, ainsi qu'une diminution de la sensibilité vibratoire et du sens arthrocinétique des membres inférieurs concourent à détériorer le maintien de l'équilibre en station debout. L'oscillation du corps indique le mouvement du corps lorsque la personne est en station debout. D'après les recherches de Gill et de ses collègues (2001), le vieillissement nuit à la stabilité posturale et augmente l'oscillation. Enfin, une réduction de la vitesse de réaction et d'exécution due à l'âge gênerait aussi la mobilité et la sécurité. Cette baisse de la vitesse de réaction est universellement reconnue, mais le processus qui la déclenche ne fait pas consensus. Peu importe les causes, elle entraîne un ralentissement de la démarche et de l'exécution des activités de la vie quotidienne, en plus d'entraver certaines fonctions perceptuelles. La personne âgée réagit beaucoup plus lentement aux stimuli du milieu environnant. Elle risque donc davantage de faire une chute dans un endroit peu familier ou devant un obstacle imprévu.

9.2 Les facteurs de risque et la fonction locomotrice

Les facteurs de risque les plus inquiétants sont directement liés aux chutes, aux fractures et à l'ostéoporose. Les infirmières doivent s'attacher à en éliminer ou à en atténuer un certain nombre par des interventions éducatives visant à empêcher des conséquences fonctionnelles négatives graves.

La distinction entre les facteurs multiplicateurs des risques de chutes, de fractures et d'ostéoporose et ceux qui altèrent l'appareil locomoteur n'est pas évidente. Une alimentation déficiente et certaines facettes du mode de vie semblent gêner le bon fonctionnement de l'appareil locomoteur. Le manque d'exercice est reconnu pour contribuer à un affaiblissement musculosquelettique, et il appert que certains exercices parviennent à ralentir ou à prévenir la perte de puissance musculaire (Evans, 2000). Selon Westerterp et Meijer (2001), qui ont analysé de nombreuses études sur le sujet, la pratique de l'activité physique se révèle cruciale dans le maintien de la structure et du fonctionnement des muscles squelettiques. Les recherches laissent aussi entendre que l'exercice freinerait la baisse de la mobilité découlant d'une réduction de l'activité physique liée à l'âge. La nutrition joue aussi un rôle dans la fonction locomotrice. Campbell et ses collègues (2001) affirment que l'apport nutritionnel recommandé de 0,8 g/kg par jour de protéines n'est pas suffisant pour assurer le fonctionnement de l'appareil locomoteur chez les personnes âgées ; on suggère plutôt un apport de l'ordre de 1,0 g/kg à 1,2 g/kg.

L'ostéoporose

L'ostéoporose représente une dégénérescence évolutive de la masse osseuse qui touche tous les adultes ; elle est à la source de nombreuses fractures. Les recherches de Walker-Bone et de ses collègues (2001) révèlent les liens étroits entre l'ostéoporose et les fractures atraumatiques (fractures ostéoporotiques). Ces chercheurs insistent sur le fait d'inclure la notion de fracture dans la définition de l'ostéoporose. Celle-ci constitue un aspect du processus de vieillissement dont les conséquences fonctionnelles sont graves, même en l'absence d'autres facteurs de risque.

Depuis les années 1880, les médecins remarquent une hausse des cas de fractures de la hanche et de l'avant-bras chez la femme âgée. Ce n'est que dans les années 1940 que la carence en œstrogène apparaît comme principale responsable de l'ostéoporose et des fractures. Dans les années 1960, les médecins soupçonnent que les nombreuses fractures dont sont victimes les femmes âgées sont atraumatiques ou imputables à de légers accidents. Dans les années 1970 et 1980, l'utilisation de techniques non effractives de mesure de la densité osseuse fait progresser les connaissances sur l'ostéoporose. Pendant les années 1990, les sociétés pharmaceutiques concentrent leurs recherches sur la mise au point de médicaments efficaces et sûrs ciblant la prévention et le traitement de cette dégénérescence. Au début des années 2000, l'accessibilité des techniques non effractives de mesure de la densité osseuse ainsi que l'élaboration et l'offre de plusieurs médicaments réservés à l'ostéoporose en ont encouragé le diagnostic, la prévention et le traitement aussi bien chez les hommes que chez les femmes. Les recherches portent aussi sur le mode de vie, dont certains aspects réduiraient le risque d'ostéoporose. Jusqu'au milieu des années 1990, la plupart des études s'attardaient aux femmes, mais les recherches actuelles sur l'ostéoporose s'intéressent aux hommes âgés et aux groupes très vulnérables tels les résidents des établissements de soins de longue durée et les personnes qui prennent certains médicaments pendant des périodes prolongées.

L'ostéoporose primaire touche aussi bien l'homme que la femme, mais la perte de densité osseuse qui s'étale dans le temps est supérieure chez la femme et se produit plus tôt.

Le nombre de femmes atteintes d'ostéoporose dépasse celui des hommes. Les deux sexes atteignent leur masse osseuse optimale vers le milieu de la trentaine, mais la perte osseuse qu'ils subissent diffère grandement. La densité osseuse de la femme est stable entre cet optimum osseux et le déclenchement de la ménopause, période où la baisse du taux d'œstrogène altère considérablement la masse osseuse. Au cours des 10 premières années de la ménopause, le taux de perte osseuse annuel peut atteindre 7 % ; après la ménopause, il se situe entre 1 % et 2 %. La perte osseuse chez l'homme s'élève à 1 % par année dès qu'il atteint sa masse osseuse optimale. De plus, son os cortical est plus épais et continue de croître par augmentation du périoste jusqu'à l'âge de 75 ans (Kenny et Prestwood, 2000). Selon Shreyasee et Felson (2001), l'accroissement du diamètre des os chez l'homme permet de le protéger des fractures.

Les nombreuses techniques d'évaluation de la densité minérale osseuse (DMO) ont facilité le diagnostic de l'ostéoporose, qui s'effectue en fonction d'un écart type inférieur à la masse osseuse optimale. La définition de l'ostéoporose adoptée par l'Organisation mondiale de la santé (OMS) stipule un écart type d'au moins 2,5 inférieur à la moyenne fixée pour les jeunes femmes de race blanche (National Institutes of Health [NIH], 2001).

L'ostéoporose est dite primaire si elle est associée au vieillissement et à la ménopause, et secondaire si elle est d'origine médicamenteuse ou physiopathologique. L'ostéoporose primaire touche aussi bien l'homme que la femme, mais la perte de densité osseuse qui s'étale dans le temps est supérieure chez la femme et se produit plus tôt. Environ 20 % des femmes et entre 40 % et 50 % des hommes sont atteints d'ostéoporose secondaire (Kenny et Prestwood, 2000). Les glucocorticoïdes, utilisés surtout dans le traitement de l'arthrite rhumatoïde et des BPCO, sont étroitement liés à l'ostéoporose secondaire, tout comme les antiépileptiques tels la phénytoïne et l'acide valproïque (Sato et autres, 2001).

Les œstrogènes et les androgènes participent à la formation osseuse chez les deux sexes. Si le rôle de l'œstrogène dans le déclenchement de l'ostéoporose chez la femme fait l'objet de recherches depuis des dizaines d'années, les études observant la participation de la testostérone dans la constitution de l'ostéoporose chez l'homme commencent à peine. L'apparition tardive des premières règles, une ménopause précoce et de faibles taux d'œstrogène endogène seraient responsables d'une diminution de la densité minérale osseuse (NIH, 2001). Des études en cours examinent la responsabilité d'autres hormones, dont l'œstrogène, dans le déclenchement de l'ostéoporose chez l'homme. Un débat sur l'influence des hormones concluait qu'à la puberté, la bonne formation du squelette du garçon dépend en grande partie des taux d'œstradiol et de testostérone sériques. Par contre, la baisse de la densité minérale osseuse provient davantage d'une diminution des taux d'œstradiol que des taux de testostérone ou d'androgène surrénalien (Shreyasee et Felson, 2001).

D'autres facteurs de risque entraînent une baisse de la densité minérale osseuse, notamment le vieillissement, des antécédents familiaux ainsi qu'un faible poids et un faible indice de masse corporelle (IMC). Des apports quotidiens en calcium et en vitamine D inférieurs à 1 500 mg et à 600 UI respectivement accroissent le risque d'ostéoporose. Une consommation élevée de protéines, de caféine, de sel et de phosphore détériore l'équilibre calcique et favoriserait le déclenchement de l'ostéoporose chez les personnes dont l'apport en calcium est déficient (NIH, 2001). Le tabagisme et la sédentarité donnent le même résultat. Les facteurs de risque les plus connus sont indiqués à l'encadré 9.1, (p. 90) de même que les facteurs pouvant contribuer à réduire le risque d'ostéoporose.

Facteurs qui augmentent le risque d'ostéoporose

- Sexe féminin
- Vieillissement
- Ossature fine
- Maigreur, poids inférieur à la normale (faible IMC)
- Personne de race blanche ou asiatique
- Hérédité
- Faible apport en calcium, passé et présent
- Carence en vitamine D
- Longue immobilité
- Manque d'activité physique sollicitant les articulations portantes
- Carence en œstrogène (femmes)
- Baisse du taux de testostérone (hommes)
- Tabagisme
- Abus d'alcool
- Consommation prolongée de certains médicaments (par exemple, corticostéroïdes, anticonvulsivants, hormones thyroïdiennes)
- Utilisation abusive d'antiacides, surtout ceux qui renferment de l'aluminium

Facteurs qui diminuent le risque d'ostéoporose

- Consommation de diurétiques thiazidiques
- Hormonothérapie
- Prise de médicaments réservés au traitement de l'ostéoporose
- Origine afro-américaine ou hispanique

L'ostéoporose et le risque de fractures

Les chercheurs tentent depuis quelques années de repérer les facteurs qui amplifient les risques de fractures chez une personne atteinte d'ostéoporose en distinguant ceux qui sont rattachés aux fractures et ceux qui sont liés à l'ostéoporose. La fracture de la hanche est la plus étudiée. Les atteintes visuelles, les troubles cognitifs, des antécédents de chutes, les obstacles du milieu et une diminution de l'état fonctionnel comme le ralentissement de la démarche représentent autant de risques de fractures (NIH, 2001). Baron et ses collègues (2001) ont associé le tabagisme aux fractures de la hanche chez la femme. Les conséquences du tabagisme s'aggravent après la ménopause. Ils ont aussi découvert que ce risque disparaît 15 ans après la cessation du tabagisme. Des recherches ont également établi une corrélation entre la durée du tabagisme chez l'homme et une baisse de la densité minérale osseuse (Shreyasee et Felton, 2001). Wu et ses collègues (2002) ont pour leur part constaté

qu'une fracture survenue entre l'âge de 20 et 50 ans augmente de 74 % le risque d'une nouvelle fracture après l'âge de 50 ans. Enfin, d'autres études signalent que toute fracture ostéoporotique (même vertébrale) avertit de la possibilité d'autres fractures chez la personne âgée (Walker-Bone et autres, 2001).

9.3 Les facteurs de risque, la mobilité et les chutes

Les chutes sont une conséquence fonctionnelle du vieillissement qui suscitent toujours un grand nombre de recherches au Canada, en Grande-Bretagne et aux États-Unis. Il y a près d'un demi-siècle, un article déclarait que la propension des personnes âgées à tomber et à se blesser est tellement fréquente qu'elle est acceptée comme partie intégrante du vieillissement et n'intéresse personne (Sheldon, 1960). Au cours des 10 dernières années, les gériatres et les gérontologues ont contesté cette affirmation selon laquelle les chutes sont le fruit du hasard ou d'accidents. Selon Morley (2002), les chutes et les problèmes de mobilité sont plutôt le résultat d'une multiplicité de facteurs interdépendants. La démarche clinique actuelle consiste à en cerner les causes probables et à prévoir les interventions appropriées. La catégorisation des facteurs de risque dépend de la cause, notamment les changements liés à l'âge, les affections et les incapacités fonctionnelles courantes, les effets des médicaments et le milieu de vie (Encadré 9.2, p. 91). Le risque de chutes s'accroît proportionnellement à la multiplication des facteurs.

Les chercheurs ont également découvert que les risques diffèrent selon le milieu de vie. Ainsi, la faiblesse, les étourdissements, les troubles de la démarche et de l'équilibre sont responsables des chutes dans les établissements de santé. Chez les personnes âgées vivant dans la collectivité, ce sont plutôt les contraintes environnementales qui sont en cause (Rubenstein et Josephson, 2002). Basante et ses collègues (2001) ont passé en revue 21 études sur les chutes dans les établissements de soins de longue durée et y ont relevé comme principales causes les médicaments (par exemple, les psychotropes), le déconditionnement (par exemple, une faiblesse extrême des membres inférieurs, des troubles de la démarche et un mauvais équilibre), la contention physique et les obstacles (par exemple, le gilet ou la ceinture de contention, les tables roulantes) ou une association de ces éléments. Harrison et ses collègues (2001) ont étudié les risques de chutes chez 67 résidents de centres d'hébergement atteints de divers troubles cognitifs et ayant fait une chute au cours d'une période de trois mois. Ils ont noté, chez les personnes atteintes de démence, une hausse du nombre de chutes proportionnelle à la détérioration des capacités cognitives.

ENCADRÉ 9.2
ENCADRÉ 9.2
Les facteurs de risque associés aux chutes et aux fractures

Changements liés à l'âge
- Altérations visuelles et auditives
- Ostéoporose
- Baisse de la vitesse de réaction
- Troubles de la démarche, augmentation de l'oscillation
- Hypotension orthostatique
- Nycturie

Affections et incapacités fonctionnelles
- Maladies cardiovasculaires (par exemple, arythmies ou infarctus du myocarde)
- Maladies respiratoires (par exemple, BPCO)
- Troubles neurologiques (par exemple, maladie de Parkinson, accident vasculaire cérébral)
- Perturbations métaboliques (par exemple, déshydratation, déséquilibres électrolytiques, anémie, hyperthyroïdie, hypoglycémie)
- Atteintes musculosquelettiques (par exemple, arthrose)
- Accès ischémique transitoire (AIT)
- Troubles oculaires (par exemple, cataractes, glaucome, dégénérescence maculaire)
- Troubles cognitifs (par exemple, démence, confusion)
- Facteurs psychosociaux (par exemple, dépression, anxiété, agitation)

Médicaments et interactions
- Anticholinergiques, même les ingrédients contenus dans les médicaments offerts en vente libre (par exemple, la diphenhydramine)
- Diurétiques
- Benzodiazépines et autres hypnotiques
- Neuroleptiques
- Antidépresseurs
- Antihypertenseurs
- Anti-inflammatoires non stéroïdiens (AINS)
- Alcool

Facteurs propres au milieu de vie
- Contention, y compris les ridelles
- Éblouissement
- Mauvais éclairage
- Absence de rampes d'escalier
- Planchers glissants
- Carpettes
- Fils électriques au sol ou encombrement d'objets
- Milieu inconnu
- Planchers bien cirés
- Hauteur inadéquate des lits, des chaises et des toilettes

Une étude portant sur 98 personnes âgées vivant dans un centre de réadaptation montre qu'un diagnostic d'accident vasculaire cérébral (AVC) constituait l'unique variable susceptible d'entraîner une chute (Patrick et Blodgett, 2001).

Les changements liés à l'âge et les affections courantes

Les changements associés au vieillissement, dont la nycturie, l'ostéoporose, les troubles oculaires, les troubles de la démarche, l'hypotension orthostatique, une baisse de la force musculaire et des perturbations neurologiques (comme une diminution de la vitesse de réaction), multiplient les risques de chutes. En outre, l'ostéoporose accroît la gravité des blessures. Toutefois, le processus de vieillissement n'explique pas à lui seul les chutes ; c'est plutôt l'interaction de tous ces facteurs de risque qui intervient.

Aux changements liés à l'âge susceptibles d'augmenter les risques de chutes s'ajoutent des affections courantes. Ainsi, une déficience visuelle attribuable à des affections, comme la cataracte et la rétinopathie, constitue un important facteur de risque indépendant (Lord et Dayhew, 2001). De même, les déficiences auditives nuisent à la mobilité, particulièrement en établissement de santé ou en milieu inconnu. Les chapitres 4 et 5 traitent en profondeur de l'ouïe et de la vue, des sens à ne pas négliger en matière de mobilité et de sécurité.

Les affections contribuent aux chutes comme suit :

- elles sont traitées au moyen de médicaments dont les interactions augmentent les risques de chutes ;
- elles peuvent provoquer des incapacités fonctionnelles, par exemple des troubles visuels ou une réduction de la mobilité ;
- elles peuvent occasionner des perturbations métaboliques ou des altérations physiologiques ;
- la maladie chronique entrave la pratique d'exercices ou d'autres activités recommandées pour obtenir une meilleure mobilité.

Les chutes peuvent signaler une maladie aiguë ou l'évolution d'une maladie chronique. Ainsi, une modification de l'état de santé peut aussi se muer en facteur de risque, surtout en présence d'autres facteurs. Étant donné toutes ces possibilités, il ne faut pas se surprendre que la plupart des chutes et des blessures surviennent chez des personnes âgées atteintes d'incapacités fonctionnelles et de nombreux problèmes médicaux.

> *Les chutes peuvent signaler une maladie aiguë ou l'évolution d'une maladie chronique.*

Il en va de même des troubles cognitifs ou d'autres facteurs psychosociaux. La démence et la dépression émoussent la vigilance d'une personne. La démence nuit à l'analyse des stimuli transmis par l'environnement. Les médicaments, les affections concomitantes, les pertes cognitives, une baisse de la capacité d'adaptation au milieu et la gravité des incapacités fonctionnelles (par exemple, des problèmes de mobilité) constituent d'autres facteurs de risque pour la personne âgée atteinte de démence (Shaw, 2002). Des troubles de la démarche, les effets indésirables des médicaments et la difficulté à se concentrer sur les facteurs environnementaux et à y réagir concourent à accroître les possibilités de chutes pour la personne âgée en dépression. Les troubles du sommeil sont aussi un facteur de risque indépendant pour la personne vivant dans la collectivité (Brassington et autres, 2000).

Les effets indésirables des médicaments

De nombreuses études font état de centaines de médicaments susceptibles d'amplifier les risques de chutes. Certaines d'entre elles ont examiné la corrélation entre les chutes, les médicaments et le diagnostic. Elles n'en viennent pas toutes aux mêmes conclusions sur les médicaments ou les diagnostics, mais la détection d'une relation de cause à effet entre les médicaments et les chutes exige de comprendre l'action d'un médicament, l'affection à traiter et l'interaction de divers facteurs. Par exemple, l'hypotension orthostatique résulte de problèmes médicaux, du vieillissement ou d'effets médicamenteux indésirables. Si une personne de 80 ans atteinte d'hypertension avec risque d'hypotension orthostatique prend un médicament (par exemple, un bêtabloquant) dont l'effet indésirable est l'hypotension orthostatique, les possibilités de chutes sont ainsi décuplées. Plutôt que de mémoriser tous ces médicaments et leurs effets indésirables, l'infirmière cherchera les causes sous-jacentes des risques de chutes.

Plutôt que de mémoriser tous ces médicaments et leurs effets indésirables, l'infirmière cherchera les causes sous-jacentes des risques de chutes.

La confusion, la dépression, la sédation, l'arythmie, l'hypovolémie, l'hypotension orthostatique, la baisse de la vitesse de réaction, les troubles cognitifs et les troubles de la démarche et de l'équilibre (par exemple, l'ataxie, la proprioception réduite, l'oscillation accrue) représentent aussi bien des effets indésirables des médicaments que des éléments de risque. Des études poussées sur le rapport entre la prise de benzodiazépines et les chutes ont démontré que l'altération de la fonction psychomotrice est un effet indésirable important de ces médicaments. Ce n'est toutefois qu'un de leurs effets indésirables, les autres étant la sédation et les troubles cognitifs.

Il faut également tenir compte des diverses interactions entre les médicaments, entre la maladie et les médicaments, et entre l'alcool et les médicaments, ainsi que de la posologie, de la demi-vie et de la chronologie de l'administration des médicaments. Ainsi, il existe un rapport entre les benzodiazépines à longue demi-vie (par exemple, le flurazépam) et les chutes, les blessures et les fractures. Ray et ses collègues (2000) ont remarqué une majoration de 44 % du nombre de chutes chez les personnes vivant en établissement qui prenaient des benzodiazépines. L'augmentation de la posologie, une prescription récente et une demi-vie d'élimination plus longue accentuent les facteurs de risque.

Les études réalisées visaient surtout les médicaments d'ordonnance, mais les médicaments offerts en vente libre comportent aussi des risques en raison de leurs effets indésirables sur la fonction psychomotrice. Les analgésiques et les médicaments pour combattre le rhume et l'insomnie renferment de l'alcool ou des anticholinergiques. Ces ingrédients peuvent interagir avec d'autres médicaments et favoriser les chutes. Depuis quelques années, les médias et les revues médicales ont signalé les effets indésirables de la diphenhydramine, un ingrédient qui entre fréquemment dans la composition de médicaments contre les troubles du sommeil, les rhumes, les sinusites et les allergies. La diphenhydramine altère les capacités psychomotrices nécessaires à la conduite automobile. Des études ont aussi constaté des effets négatifs sur l'humeur, la vitesse de réaction, l'attention, la vigilance, la mémoire de travail et l'activité. Ces effets persistent le lendemain si le produit a été pris la veille au soir (Kay, 2000). Les effets de ces médicaments offerts en vente libre sur les personnes âgées peuvent provoquer des chutes et des blessures. L'encadré 9.2 (p. 91) présente quelques-uns de ces médicaments.

Les facteurs propres au milieu

Dans les hôpitaux et les établissements de santé, la chambre et la salle de bains demeurent les endroits où les chutes sont les plus fréquentes. Dans la chambre, les chutes se produisent le plus souvent lorsque la personne âgée se lève ou se couche, ou encore lorsqu'elle grimpe sur les ridelles ou sur l'appui-pied. Dans la salle de bains, les chutes se produisent lorsque la personne passe du fauteuil roulant au siège de toilette et vice versa ou qu'elle se dépêche à s'asseoir sur les toilettes. À domicile, les chutes sont courantes dans les escaliers, la chambre à coucher et le salon. La personne âgée tombe en glissant sur les surfaces mouillées, en descendant les escaliers, en se couchant, en se levant du lit ou d'une chaise, ou en s'y assoyant, et en trébuchant sur un recouvrement de sol ou des objets sur le plancher. Des études indiquent que les obstacles diffèrent selon le milieu. Par exemple, l'utilisation d'appareils fonctionnels dans les hôpitaux et les établissements de santé augmente le risque de chutes (Tideiksaar, 1997).

Bref, les chutes ne sont pas de simples accidents. La personne âgée y est plus exposée en présence de multiples facteurs. L'aggravation du risque de chutes est proportionnelle au nombre de facteurs intrinsèques ou extrinsèques en jeu. Des interventions pertinentes peuvent amenuiser ce risque. Elles seront traitées plus loin dans ce chapitre.

9.4 L'arthrose

Maladie dégénérative des articulations, l'arthrose touche plusieurs personnes âgées. Bien qu'elle représente l'évolution extrême de certains aspects du vieillissement, elle n'en est pas la conséquence inexorable. Les transformations régressives des os et du cartilage sont universelles après l'âge de 60 ans, mais toute la population âgée ne sera pas atteinte d'arthrose (Loeser, 2000). L'arthrose est maintenant reconnue comme une affection articulaire très complexe caractérisée par l'interaction de facteurs tels un traumatisme, la génétique, l'obésité et le vieillissement, qu'accompagne parfois une baisse du taux d'œstrogène chez les femmes en postménopause. La pratique régulière d'exercices modérés, la perte de poids, s'il y a lieu, l'abandon d'activités soutenues et un apport suffisant en vitamines C et D sont les mesures préventives recommandées.

Le traitement, quant à lui, comprend plusieurs aspects : une perte de poids au besoin ; le port de chaussures amortissantes ; la prise d'analgésiques et le recours à une chaleur humide pour atténuer la douleur ; le maintien d'un bon équilibre entre le repos et la pratique d'activités faisant intervenir les articulations portantes ; la participation à un programme d'exercices supervisé pour augmenter la force musculaire, l'équilibre et l'endurance ; l'utilisation d'un déambulateur et d'autres appareils fonctionnels pour soulager les articulations portantes, renforcer l'équilibre ou se déplacer librement. Les traitements complémentaires populaires sont l'acupuncture, la thérapie magnétique, le toucher thérapeutique et la prise de glucosamine, de chondroïtine et de vitamines C, D et E. Le traitement de l'arthrose exige un plan thérapeutique infirmier pluridisciplinaire comprenant des soins médicaux et infirmiers, la physiothérapie et l'ergothérapie. L'infirmière doit consacrer une partie de son temps à planifier des interventions en matière d'éducation pour la santé, car un volet important du traitement est de permettre à la personne âgée de procéder à ses soins personnels.

9.5 Les conséquences fonctionnelles des changements liés à l'âge sur la fonction locomotrice

Le vieillissement altère l'appareil locomoteur, mais les conséquences en sont minimes chez une personne âgée en santé. L'exercice aide d'ailleurs à les minimiser. Le vieillissement des articulations détériore quelque peu la mobilité et l'amplitude articulaire, mais si la personne âgée ne souffre pas d'arthrose ou d'autres affections, les conséquences fonctionnelles sont bénignes. Toutefois, celles résultant de l'ostéoporose ou de l'interaction du vieillissement et des centaines de facteurs de risque associés aux chutes sont beaucoup plus importantes. Les effets cumulatifs des facteurs de risque sur l'état fonctionnel et la qualité de vie se révèlent aussi plus dommageables que les changements liés à l'âge.

Les répercussions sur la fonction locomotrice

Même en l'absence de facteurs de risque, le vieillissement diminue la force, l'endurance et la coordination musculaires. Le déclin de la force musculaire s'amorce vers l'âge de 40 ans et se situe entre 30 % et 50 % à 80 ans. Il est plus important dans les membres inférieurs et provient d'une réduction de la masse musculaire. Le degré d'activité et la pratique à vie de l'exercice influent sur la force musculaire, peu importe l'âge. L'endurance et la coordination musculaires fléchissent en raison du vieillissement des muscles et du système nerveux central. En conséquence, la personne âgée ressent une fatigue musculaire même après un court exercice.

La détérioration des articulations commence vers la trentaine et se poursuit toute la vie. Elle se traduit par une baisse de l'amplitude articulaire. Les conséquences en sont une réduction des mouvements des membres supérieurs pouvant nuire à certaines activités (par exemple, écrire, manger et faire sa toilette), ainsi qu'une diminution de la flexion lombaire, de la flexion des hanches et de la rotation externe, de la flexion des genoux et de la dorsiflexion des pieds, cela pouvant empêcher la personne âgée de mettre des bas et des chaussures et de monter des escaliers ou des pentes. Ces troubles articulaires réduisent la vitesse de réaction aux stimuli du milieu de vie et ralentissent la réalisation des activités de la vie quotidienne.

Après l'âge de 75 ans, la conséquence fonctionnelle la plus visible est un changement dans la démarche, différente chez l'homme et la femme ; celle-ci adopte une démarche dandinante, une foulée et un point d'appui plus petits. Chez la femme, la maîtrise musculaire est moindre, et les membres inférieurs subissent une légère courbure qui modifie l'angle des hanches. C'est le contraire chez l'homme. Sa démarche est plus ample, mais il balance moins les bras, adopte un pas plus court, lève moins les pieds et penche davantage la tête et le torse. L'homme et la femme âgés se déplacent plus lentement, et le temps d'appui est plus long. Ces changements augmenteraient les risques de chutes. Des études soulignent d'ailleurs que les personnes âgées victimes de chutes marchent plus lentement, à plus petits pas et de manière irrégulière (Tideiksaar, 1997). Les troubles de la démarche sont fréquents, mais une altération importante de celle-ci ne résulte pas inévitablement du vieillissement. La pratique de l'exercice et une vie active renforcent la démarche.

Les répercussions sur le risque de fractures

Les fractures imputables à l'ostéoporose représentent une conséquence fonctionnelle très préoccupante. Cet état est responsable d'un nombre élevé de fractures dans la population âgée. Les fractures ne sont pas seulement réservées aux personnes âgées, mais celles qu'elles subissent sont différentes. D'abord, les os se fracturent presque sans traumatisme, alors que les os des enfants et des jeunes adultes en santé se brisent à la suite d'un choc puissant. Les fractures sont dites ostéoporotiques lorsqu'elles surviennent après un traumatisme minimal, par exemple une simple chute à partir de la station debout. Ensuite, les possibilités de fracture s'élèvent avec l'âge. Chez la femme, il est plus important de connaître le nombre d'années qui s'est écoulé depuis la ménopause que l'âge chronologique. Enfin, les conséquences associées aux fractures de la hanche dans la population âgée sont plus graves, car elles détériorent la qualité de vie et limitent l'autonomie.

Les conséquences fonctionnelles du vieillissement de l'appareil locomoteur sont très différentes entre les deux sexes. Les enfants et les jeunes adultes masculins subissent davantage de fractures que les femmes ; par contre, le nombre de fractures grimpe en flèche chez la femme après l'âge de 35 ans et double vers la soixantaine (Walker-Bone et autres, 2001). Le taux de fractures ostéoporotiques chez les personnes de race blanche et asiatiques est très supérieur à celui des Afro-Américains. Aucune raison précise ne l'explique. Les facteurs qui justifieraient peut-être cet écart seraient l'importance de la masse osseuse chez les Afro-Américains à la maturation squelettique, une densité osseuse plus grande et un os cortical plus épais. La perte osseuse causée par le vieillissement ou par la ménopause serait plus lente dans cette population.

Les répercussions sur le risque de chutes

La fréquence très élevée de chutes chez les personnes âgées, et plus particulièrement les femmes, est alimentée par le vieillissement et une foule de facteurs de risque. Une analyse des études portant sur la fréquence des chutes dans cette population (Tideiksaar, 1997) dévoile les éléments suivants :

- à domicile, 25 % des personnes âgées de 65 à 74 ans et 33 % des personnes de 75 ans et plus font une chute chaque année ; 50 % d'entre elles tombent plusieurs fois ;
- dans les hôpitaux, environ 20 % des personnes âgées font une chute pendant leur hospitalisation ; 50 % d'entre elles tombent plusieurs fois ;
- dans les centres d'hébergement, jusqu'à 50 % des résidents font une chute chaque année, et au moins 40 % d'entre eux tombent plusieurs fois.

L'association du vieillissement et de l'interaction des multiples facteurs de risque constitue une double menace pour la personne âgée, puisqu'elle accroît les possibilités de chutes et de fractures.

Une des raisons légitimant les recherches sur les chutes, les fractures et l'ostéoporose est l'énorme ponction qu'elles exercent sur l'enveloppe budgétaire des soins de santé consacrés aux personnes âgées. Ce fardeau financier repose sur le système de santé et sur la société. Cet intérêt est motivé, car les chutes sont les blessures les plus coûteuses à traiter au Canada et aux États-Unis et une des principales causes d'hospitalisation des personnes âgées (Ellis et Trent, 2001). D'autres dépenses s'y ajoutent :

- environ 20 % des admissions à l'hôpital et jusqu'à 40 % des admissions en établissement de soins de longue durée sont liées à des chutes ;
- l'hospitalisation d'une personne âgée victime d'une chute est presque deux fois plus longue que celle d'un patient admis pour une autre raison ;
- le nombre annuel de nouvelles fractures de la hanche augmente significativement tous les 10 ans après l'âge de 50 ans.

Les répercussions des chutes et des fractures sur la qualité de vie sont très importantes. D'après plusieurs études, elles détériorent l'état fonctionnel de la personne âgée, mais ces conséquences ne peuvent pas être chiffrées. Les statistiques ci-dessous, tirées de plusieurs publications, révèlent certaines des répercussions à long terme des chutes et des fractures (Ellis et Trent, 2001 ; Magaziner et autres, 2000) :

- 18 % à 33 % des personnes âgées qui se fracturent une hanche décèdent dans l'année ;
- 45 % des personnes âgées qui vivent à domicile au moment d'une fracture de la hanche sont admises dans un établissement de soins de longue durée ; 15 % à 25 % d'entre elles y restent un an ;

- près de 67 % des personnes âgées de 85 ans et plus qui sont hospitalisées pour des blessures associées à une chute sont transférées dans un établissement de soins de longue durée ;

- environ 75 % des personnes âgées autonomes avant leur fracture de la hanche ne peuvent plus marcher sans aide ni retrouver le même degré d'autonomie dans l'année qui suit.

Ces statistiques soulignent l'importance des interventions préventives se rapportant à l'ostéoporose et aux chutes. Ces interventions visent aussi à réduire le risque de blessures graves.

Les répercussions sur la qualité de vie

Il y a 20 ans, l'expression « syndrome de chute » désignait une démarche particulière aux personnes âgées qui avaient fait une chute et avaient été hospitalisées pour des blessures (Murphy et Isaacs, 1982). Ce syndrome ne correspond pas à des troubles neurologiques ou orthopédiques qui expliqueraient cette démarche singulière. Les personnes ne marchaient pas de cette façon caractéristique auparavant. Le syndrome de chute est défini par la crainte évidente de tomber, la tendance à saisir les objets à portée de main et à s'y agripper ainsi qu'à se déplacer de manière hésitante et irrégulière (Murphy et Isaacs, 1982). Maki (1997) a constaté que cette démarche est plus répandue chez les personnes âgées qui ont peur de tomber. Elle se distingue par un temps d'appui prolongé sur les deux pieds, une foulée plus courte et un déplacement plus lent. D'après l'auteur, cette démarche craintive facilite la stabilisation et permet d'éviter les chutes.

Au milieu des années 1980, la crainte de tomber est ainsi décrite par Tideiksaar et Kay (1986) :

- la personne âgée fait une chute, perd l'équilibre ou a peur de tomber ;

- elle perd confiance en sa capacité d'accomplir l'activité qui a entraîné sa chute ou suscité un risque de chute ;

- elle cesse l'activité ;

- elle se confine chez elle ou à un fauteuil roulant.

Pendant les années 1990, la crainte de tomber devient la plus grande inquiétude de la population âgée, surpassant même celle du vol ou des ennuis financiers (Yardley et Smith, 2002). La peur situationnelle de la chute survient lorsque cette crainte accompagne l'exécution d'une activité précise (par exemple, prendre son bain, faire sa toilette, monter les escaliers ou se déplacer à l'extérieur). La personne qui succombe à cette peur esquive l'activité ou devient très nerveuse si elle n'y parvient pas. Sa peur finit par englober d'autres activités qu'elle écartera également (Tideiksaar, 1997).

La crainte de tomber surgit souvent à la suite de plusieurs chutes et de blessures graves. Pourtant, selon certaines études, même les personnes qui n'ont jamais fait de chutes ont peur de tomber (Murphy et autres, 2002). D'autres facteurs comme la douleur, la fragilité, l'anxiété, la dépression, un mauvais état de santé, un équilibre précaire, une mobilité et un degré d'activité faibles, une qualité de vie médiocre et la prise de médicaments d'ordonnance intensifient cette peur (Drozdick et Edelstein, 2001 ; Yardley et Smith, 2002).

Cumming et ses collègues (2000) ont remarqué que la crainte de tomber constitue un important problème de santé même pour les personnes âgées n'ayant jamais fait de chutes. Elle est un facteur prédictif du placement éventuel dans un établissement de santé pour les personnes victimes d'une chute, mais non pour celles qui ne sont jamais tombées. Ces chercheurs ont également constaté un lien entre l'altération de l'état fonctionnel et la baisse de la confiance en ses capacités liée aux chutes chez ces deux groupes.

La peur de tomber peut se transformer en mesure préventive si elle favorise la prudence. Elle peut aussi susciter la honte, l'anxiété, la perte de confiance en soi et amener la dépression, l'isolement et un appauvrissement de la qualité de vie. Elle nourrit d'autres peurs telles que les possibilités de blessures et d'invalidité prolongée, la perte de l'autonomie, de la confiance en soi, de l'identité et de la dignité, sans parler de l'embarras (Yardley et Smith, 2002). Elle pousse souvent la personne plus fragile à réduire considérablement ses activités, surtout si elle a déjà subi des blessures (Murphy et autres, 2002). L'embarras explique peut-être le rapport entre la crainte de tomber et l'abandon d'activités pour éviter une chute en public (Yardley et Smith, 2002).

Le soignant d'une personne âgée vivant à domicile craint aussi les chutes et s'en inquiète beaucoup. Il sera peut-être porté à limiter sans raison les activités de la personne âgée ou à vouloir la placer dans un établissement assurant une meilleure surveillance, et ce, sans tenir compte de ses désirs. Le fait d'emménager dans

> *La peur de tomber peut se transformer en mesure préventive si elle favorise la prudence. Elle peut aussi susciter la honte, l'anxiété, la perte de confiance en soi et amener la dépression, l'isolement et un appauvrissement de la qualité de vie.*

un milieu inconnu n'empêchera pas les chutes et pourrait même en multiplier les risques. Le soignant qui prend cette décision ou qui l'encourage se rassure en songeant à la sécurité de la personne dont il prend soin. De même, la contention physique ne prévient pas les chutes et peut même entraîner de graves blessures. Les familles et certains travailleurs de la santé croient toujours, cependant, que la contention et la réduction de l'activité représentent des mesures préventives efficaces

et sûres. Les infirmières peuvent fournir des renseignements pertinents à ce sujet. La tendance actuelle favorise un milieu sans contention et la correction des facteurs de risque afin d'offrir aux personnes âgées la possibilité de se déplacer en toute sécurité.

La figure 9.1 montre les changements liés à l'âge et les facteurs de risque susceptibles, par leur interaction, d'entraîner des conséquences fonctionnelles négatives sur la fonction locomotrice des personnes âgées.

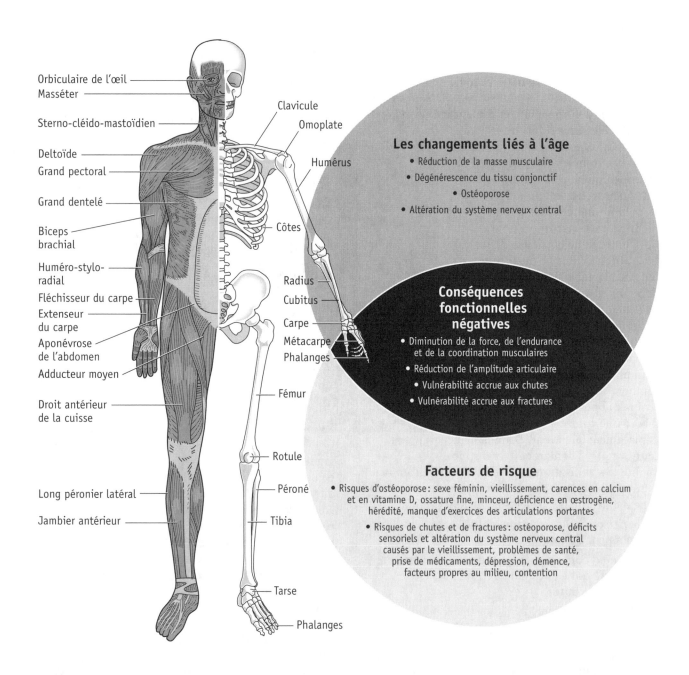

FIGURE 9.1 **Le recoupement des changements liés à l'âge et des facteurs de risque, et leurs conséquences négatives sur la fonction locomotrice.**

9.6 L'évaluation de l'infirmière liée à la fonction locomotrice

Le vieillissement des muscles et du squelette d'une personne âgée en santé modifie d'abord sa démarche et ralentit l'exécution de certaines activités de la vie quotidienne. Les conséquences négatives se multiplient pour la personne âgée atteinte d'arthrose, de troubles neurologiques ou d'autres problèmes de santé qui touchent la démarche, l'équilibre ou les articulations. Il s'agit, au cours de l'évaluation, de distinguer les changements liés à l'âge de ceux qui sont attribuables à un état pathologique afin de garantir la précision des interventions. L'infirmière commence par observer la manière dont la personne se déplace et accomplit ses activités. Elle examine aussi la façon dont elle se lève d'une chaise sans accoudoirs.

L'infirmière évalue, au moyen de questions, la capacité de la personne âgée à effectuer les activités de la vie quotidienne. Si elle perçoit un problème, elle s'enquiert de l'utilisation d'appareils fonctionnels pour assurer sa mobilité, son équilibre ou son état fonctionnel, sa sécurité et son autonomie. Si la personne n'emploie aucun appareil qui lui serait utile, l'infirmière cherche à savoir si elle sait où s'en procurer ou si elle est intéressée à s'en servir, puisque son attitude influe sur le recours à de tels appareils.

La personne âgée voit aussi sa taille diminuer et sa posture se courber. Elle peut s'en préoccuper ou ne pas s'en rendre compte. Ces changements ne nuisent pas vraiment à la réalisation de ses activités. La taille d'une personne diminue de 2 cm à 4 cm par décennie en raison des effets de l'ostéoporose ou du vieillissement. L'infirmière peut demander à la personne de lui indiquer sa taille et si elle a remarqué une diminution de celle-ci. Elle est ainsi à même de constater si l'aîné s'en inquiète ou non. Les conséquences fonctionnelles inhérentes sont insignifiantes, sauf pour la personne de petite taille, qui trouvera plus difficile la réalisation de certaines tâches. Toutefois, pour ces personnes, l'infirmière peut proposer l'usage de dispositifs d'aide et encourager le réaménagement des armoires afin de placer les articles les plus utilisés à portée de main. L'encadré 9.3 (p. 98) présente des questions d'entrevue pour l'évaluation de la fonction locomotrice et de la présence de certains facteurs de risque chez la personne âgée.

L'évaluation du risque d'ostéoporose

L'infirmière évalue ce risque pour toutes les personnes âgées puisque les interventions préventives, c'est-à-dire un apport suffisant en calcium et en vitamine D et la pratique régulière d'exercices faisant intervenir les articulations portantes, s'adressent à tous. Elle traque les facteurs de risque modifiables, comme le tabagisme et l'abus d'alcool, et encourage la personne âgée à les éliminer en présence de facteurs de risque invariables (par exemple, une ossature fine). Elle tire la majorité de ces renseignements de son évaluation générale ou des antécédents médicaux de la personne. Leur analyse se fait en fonction de la mobilité et de la sécurité de cette dernière.

Le diagnostic de l'ostéoporose se fonde sur l'évaluation de la densité minérale osseuse (DMO). Les parties examinées sont les hanches, les mains, les poignets, les talons, les tibias, les avant-bras et la colonne lombaire. Ce test et les programmes de dépistage sont maintenant répandus. L'infirmière doit bien les connaître pour en expliquer l'importance et les résultats à la personne âgée. Le dépistage systématique n'est pas encore en vigueur, tant aux États-Unis qu'au Canada, mais les normes recommandent un test de densité minérale osseuse s'il facilite le choix judicieux des interventions par la personne et le professionnel de la santé ou la supervision des interventions (NIH, 2001).

La multiplication des traitements médicaux sûrs et efficaces donne aux résultats des tests de DMO une importance accrue pour les personnes très vulnérables. Même celles qui sont moins menacées peuvent, à partir de ces résultats, mieux décider du traitement à suivre, car certains sont plutôt hasardeux (par exemple, l'hormonothérapie). Ainsi, une femme dont le test indique une légère baisse de la densité minérale osseuse peut opter pour la pratique d'exercices et la prise de calcium et de vitamine D plutôt que pour la consommation de médicaments. Une autre dont l'écart type est de quatre sous la moyenne (normale inférieure à deux) préférera peut-être s'en remettre à un traitement médicamenteux. L'évolution des connaissances et des techniques laisse entrevoir la systématisation du dépistage pour toutes les personnes âgées. L'infirmière demandera à la personne si elle connaît ce test et si elle en a parlé à son médecin. L'encadré 9.3 (p. 98) propose des questions pour l'évaluation du risque d'ostéoporose.

> *L'évolution des connaissances et des techniques laisse entrevoir la systématisation du dépistage pour toutes les personnes âgées.*

L'évaluation du risque de chutes et de la crainte de tomber

L'un des volets fondamentaux des soins de santé dispensés aux personnes âgées est la détection du risque de chutes, car il est vital de mettre en œuvre des mesures préventives pour les personnes vulnérables. Conformément à des directives en matière de prévention et de traitement, les professionnels de

ENCADRÉ 9.3
L'entrevue pour l'évaluation de la fonction locomotrice, du risque de chutes et de l'ostéoporose

QUESTIONS RELATIVES À LA FONCTION LOCOMOTRICE GLOBALE

- Avez-vous de la difficulté à accomplir vos activités normales en raison de problèmes articulaires?
- Ressentez-vous de la douleur ou un malaise dans vos articulations?
- Sentez-vous parfois que vous perdez l'équilibre?
- Avez-vous de la difficulté à vous déplacer?
- Utilisez-vous des aides fonctionnelles (par exemple, un déambulateur, une canne)?

QUESTIONS RELATIVES AU RISQUE D'OSTÉOPOROSE
Questions à poser à toutes les personnes âgées

- Connaissez-vous un parent qui fait de l'ostéoporose ou qui a subi une fracture à un âge avancé?
- Vous êtes-vous déjà fracturé un membre à l'âge adulte? (Dans l'affirmative, posez d'autres questions sur son âge au moment de l'accident, le lieu, les circonstances, le traitement, etc.)
- Prenez-vous des suppléments de calcium et de vitamine D?
- Avez-vous déjà passé un test de densité osseuse?
- Avez-vous déjà parlé à votre médecin de prévention de l'ostéoporose?
- Prenez-vous des médicaments contre l'ostéoporose?

Questions à poser aux femmes

- Quand avez-vous commencé votre ménopause?
- Avez-vous déjà suivi ou suivez-vous une hormonothérapie? (Dans l'affirmative, posez des questions sur le type de thérapie, la posologie, la durée, etc.)

QUESTIONS RELATIVES AUX RISQUES DE CHUTES ET À LA CRAINTE DE TOMBER

- Avez-vous fait une chute au cours des dernières années? (Dans l'affirmative, posez des questions sur les circonstances et les facteurs de risque énumérés dans l'encadré 9.2, p. 91.)

- Avez-vous peur de tomber? (Dans l'affirmative, posez des questions précises sur ces craintes, par exemple, *Que se passerait-il si vous tombiez?*)
- Y a-t-il des activités que vous aimeriez faire, mais que vous vous abstenez de faire parce que vous avez de la difficulté à vous déplacer? (Dans l'affirmative, demandez quelles sont ces activités, par exemple, faire ses emplettes, utiliser les transports en commun, etc.)
- Y a-t-il des activités que vous aimeriez faire, mais que vous vous abstenez de faire parce que vous craignez de tomber? (Dans l'affirmative, demandez quelles sont ces activités, par exemple, circuler dans les escaliers, prendre un bain ou une douche, etc.)

OBSERVATIONS RELATIVES À LA FONCTION LOCOMOTRICE GLOBALE

- Mesurez la taille actuelle de la personne, prenez-la en note, et ajoutez-y la taille qu'elle déclare.
- Observez sa démarche.
- Observez la personne se lever d'une chaise sans accoudoirs.

RENSEIGNEMENTS TIRÉS DE L'ÉVALUATION GLOBALE ET UTILES À L'ÉVALUATION DE LA FONCTION LOCOMOTRICE

- La personne fait-elle régulièrement de l'activité physique, particulièrement des exercices ciblant les articulations portantes?
- Fume-t-elle?
- Quelle quantité d'alcool consomme-t-elle?
- Quel est son apport quotidien en calcium et en vitamine D?
- A-t-elle des problèmes médicaux prédisposant aux chutes ou à l'ostéoporose? (Encadrés 9.1, p. 90, et 9.2, p. 91)
- Prend-elle des médicaments dont les effets sont susceptibles d'entraîner des risques de chutes (y compris les médicaments en vente libre)?
- Fait-elle de l'hypotension orthostatique?
- Est-elle atteinte de troubles oculaires modérés ou graves?
- Est-elle atteinte de troubles cognitifs ou d'autres troubles psychosociaux qui gênent son attention ou sa vitesse de réaction aux stimuli du milieu?

---

la santé doivent s'informer au moins une fois par année auprès de la personne âgée pour savoir si elle a été victime d'une chute (Rubenstein et autres, 2001). Cette démarche s'appuie sur la certitude que les chutes sont fréquentes, évitables, souvent non déclarées et la cause première de blessures et d'une baisse des activités, lesquelles altèrent l'état de santé et la qualité de vie (Rubenstein et autres, 2001).

La prévention des chutes et des blessures fait partie intégrante des activités de promotion de la santé. L'infirmière qui s'occupe

Voir évaluation, p. 226

de personnes âgées doit donc évaluer et noter les facteurs de risque, surtout en établissement. Même dans les milieux où la personne âgée est plus autonome, ces directives restent appropriées. L'infirmière cherche les facteurs de risque et demande chaque année à la personne si elle a fait des chutes. Si la personne âgée possède des antécédents de chutes ou si plusieurs facteurs de risque jouent contre elle, l'infirmière approfondit son examen pour y englober également les risques de blessures, et ce, dans le but de corriger les situations problématiques. L'encadré 9.3

présente des exemples de questions d'évaluation pour la personne autonome ou semi-autonome.

L'évaluation du risque de chutes est multidimensionnelle et, idéalement, comprend l'observation de la personne dans son milieu de vie. Si l'infirmière d'un établissement de santé se préoccupe d'abord de l'environnement immédiat, elle doit aussi se soucier des possibilités de chutes dans le milieu de vie de la personne âgée lorsqu'elle prépare sa sortie de l'établissement. Bien que les critères d'évaluation soient les mêmes, les risques de chutes diffèrent d'un endroit à l'autre. Un éclairage déficient et des carpettes se transforment en risques au domicile, alors que c'est le cas des appareils fonctionnels dans un établissement de santé. L'observation de la personne au moment de sa réinsertion dans son milieu et de sa réaction aux stimuli fournit de précieux renseignements. Elle permet de vraiment jauger son état fonctionnel et son comportement adaptatif. Si une personne âgée affirme pouvoir monter les escaliers sans problème, l'infirmière pourrait alors

> *Si l'infirmière d'un établissement de santé se préoccupe d'abord de l'environnement immédiat, elle doit aussi se soucier des possibilités de chutes dans le milieu de vie de la personne âgée lorsqu'elle prépare sa sortie de l'établissement.*

constater qu'elle pratique en fait cette activité dans des conditions périlleuses. L'infirmière qui travaille en établissement ne connaît pas le milieu de vie normal de l'aîné, mais elle est en mesure d'observer sa démarche. Elle peut questionner ses soignants ou la personne elle-même sur l'aménagement des lieux et sa capacité à y évoluer en toute sécurité. Elle peut également suggérer l'évaluation du domicile par d'autres intervenants pour préparer le retour à la maison. L'encadré 9.4 présente des pistes pour l'évaluation de la sécurité à domicile. Cette évaluation concerne toutes les personnes âgées, mais particulièrement celles pour qui les risques de chutes sont élevés.

Les outils d'évaluation du risque de chutes facilitent la détection des personnes vulnérables, mais n'indiquent pas les causes sous-jacentes. Ces outils sont offerts dans les centres locaux de services communautaires (CLSC) et les divers établissements de santé et de soins de longue durée. Peu importe l'outil utilisé, une évaluation plus poussée s'impose si l'infirmière décèle des risques ou si la

---

ENCADRÉ 9.4
Des pistes pour l'évaluation de la sécurité du milieu de vie

Éclairage et contraste des couleurs

- L'éclairage est-il suffisant et sans éblouissement ?
- Les interrupteurs sont-ils à portée de main et faciles d'utilisation ?
- Peut-on allumer avant d'entrer dans les pièces ?
- Des veilleuses sont-elles installées aux endroits appropriés ?
- Les couleurs sont-elles suffisamment contrastées entre les objets, par exemple entre une chaise et le plancher ?

Dangers

- Y a-t-il des carpettes ou d'autres recouvrements de sol dangereux ? Les planchers sont-ils bien cirés ?
- S'il y a des carpettes, sont-elles antidérapantes ? Les coins sont-ils fixés au plancher ?
- Y a-t-il des objets, des fils électriques ou d'autres obstacles qui traînent sur le plancher ?
- Y a-t-il un animal domestique qui pourrait provoquer une chute ?

Mobilier

- Les chaises sont-elles de hauteur et de profondeur convenables pour cette personne ?

- Les chaises ont-elles des accoudoirs ? Les tables sont-elles stables et de hauteur adéquate ?
- Les petits meubles sont-ils disposés de façon à ne pas nuire aux déplacements ?

Escaliers

- L'éclairage est-il suffisant ?
- Y a-t-il des interrupteurs au sommet et au pied de l'escalier ?
- Y a-t-il deux rampes d'escalier solides ?
- Les marches sont-elles de hauteur égale ?
- Sont-elles antidérapantes ?
- Devrait-il y avoir un ruban de couleur pour signaler le bord des marches, particulièrement la première et la dernière marche ?

Salle de bains

- Y a-t-il des barres d'appui installées aux endroits appropriés dans la baignoire et près des toilettes ?
- Y a-t-il un tapis de caoutchouc ou des bandes antidérapantes au fond de la baignoire ?
- La personne a-t-elle déjà songé à utiliser un siège de bain ?
- Le siège des toilettes est-il de hauteur convenable ?

ENCADRÉ 9.4
Des pistes pour l'évaluation de la sécurité du milieu de vie (*suite*)

- La personne a-t-elle déjà pensé utiliser un siège de toilette surélevé ?
- La couleur des toilettes contraste-t-elle avec la couleur des autres objets ?
- Le papier hygiénique est-il facilement accessible ?

Chambre à coucher

- Le lit est-il de hauteur convenable ?
- Les bords du matelas sont-ils suffisamment fermes pour fournir un bon soutien en position assise ?
- Si le lit est équipé de roulettes, sont-elles correctement bloquées ?
- Des ridelles seraient-elles plus sûres ou plus dangereuses ?
- Lorsque les ridelles sont abaissées, le sont-elles complètement ?
- Le passage entre la chambre à coucher et les toilettes est-il dégagé d'objets et bien éclairé, surtout la nuit ?
- Une chaise percée serait-elle utile la nuit ?
- Y a-t-il une lampe près du lit ? La personne est-elle suffisamment lucide pour l'allumer avant de se lever ? En est-elle capable ?
- La disposition du mobilier facilite-t-elle l'utilisation sans danger d'appareils de déambulation ?
- Y a-t-il un téléphone près du lit ?

Cuisine

- Les aires de rangement sont-elles exploitées de manière optimale ? (Par exemple, les articles utilisés fréquemment sont-ils rangés dans des endroits faciles d'accès ?)
- Les fils électriques des électroménagers sont-ils placés de telle façon qu'ils ne peuvent pas nuire ?
- Y a-t-il un petit tapis antidérapant devant l'évier ?

- Les cadrans de la cuisinière et des autres électroménagers sont-ils bien lisibles ?
- La personne sait-elle utiliser le four à micro-ondes en toute sécurité ?

Aides fonctionnelles

- Y a-t-il un voyant d'appel à la disposition de la personne et sait-elle s'en servir ?
- Quelles aides fonctionnelles utilise-t-elle ?
- D'autres aides fonctionnelles lui seraient-elles aussi utiles ?
- Utilise-t-elle les aides fonctionnelles correctement ou représentent-elles des risques supplémentaires ?

Sécurité générale

- Comment la personne parvient-elle à saisir les objets hors de sa portée ?
- Comment remplace-t-elle les ampoules au plafond ?
- Les cadres de portes sont-ils suffisamment larges pour laisser passer les aides fonctionnelles ?
- Les seuils de portes représentent-ils un danger ?
- Les téléphones sont-ils faciles d'accès, surtout en cas d'urgence ? Un téléphone sans fil conviendrait-il mieux ?
- Un système d'appel d'urgence serait-il plus pratique ?
- La personne porte-t-elle des chaussures solides munies de semelles antidérapantes ?
- Garde-t-elle une liste de numéros de téléphone à composer en cas d'urgence à proximité du téléphone ?
- A-t-elle prévu un plan d'évacuation en cas d'incendie ?
- Y a-t-il des détecteurs de fumée ? Fonctionnent-ils ?
- Y a-t-il un détecteur de monoxyde de carbone installé à l'emplacement approprié (si la maison est équipée d'appareils au gaz, d'un poêle à bois ou d'un autre appareil qui émet du monoxyde de carbone) ?

---

personne âgée a déjà fait une chute. Elle fait souvent partie d'une évaluation gérontologique ou d'un programme de réadaptation. Les programmes d'évaluation plus spécialisés privilégient une approche pluridisciplinaire pour examiner les éléments suivants : la capacité cognitive, la nutrition, la prise de médicaments, les problèmes de santé, la démarche et l'équilibre ainsi que les antécédents de chutes et les facteurs responsables. L'infirmière incite la personne âgée qui a déjà fait une chute, ou qui court un grand risque de chuter, à participer à ces programmes plutôt qu'à se résigner à l'éventualité d'autres chutes.

La crainte de tomber qui survient après une chute devient en soi une conséquence fonctionnelle négative. L'évaluation des chutes et des facteurs de risque doit automatiquement comprendre une question à ce sujet.

Plusieurs outils permettent d'évaluer cette crainte en fonction de l'exécution ou de l'abandon de certaines activités (Tideiksaar, 1997). L'encadré 9.3 (p. 98) comprend des questions portant sur la peur de chuter.

9.7 Les interventions pour le maintien de la fonction locomotrice

Les interventions d'ordre nutritionnel

Le maintien d'une bonne fonction locomotrice exige un apport en calcium suffisant, soit entre 1 200 mg et 1 500 mg par jour pour les personnes de 51 ans et plus. Le régime alimentaire moyen d'un Nord-Américain n'en contient que 500 mg à 800 mg. Il faut donc le compléter par des suppléments de calcium. Deux analyses des résultats d'études confirment que les suppléments de calcium diminuent la perte osseuse, augmentent la densité minérale osseuse, réduisent le nombre de fractures dans la population âgée et se révèlent très bénéfiques pour les femmes en post-ménopause (Grossman et MacLean, 2001 ; Morgan, 2001). Par contre, ils deviennent nocifs si la personne âgée prend des médicaments ou présente des désordres physiologiques telle une insuffisance rénale. Ils gênent l'absorption du zinc, du fer et d'autres nutriments ainsi que de médicaments comme l'aténolol, les salicylés, le propranolol, les tétracyclines et les bisphosphonates. La posologie la plus efficace se situe à 600 mg par dose (Morgan, 2001). Les effets indésirables les plus fréquents à des doses de 1 500 mg ou moins sont la constipation, les flatulences et un rebond d'acide gastrique.

La vitamine D est tout aussi importante pour les muscles et le squelette, et elle permet l'assimilation du calcium. L'apport quotidien en vitamine D est déficient chez la plupart des personnes âgées, et celles qui ne s'exposent pas au soleil sont incapables de la synthétiser. Les recherches tendent à prouver qu'une dose de 400 UI à 800 UI par jour est bénéfique. Il faut toutefois faire preuve de prudence puisque la vitamine D est liposoluble et que les doses excessives ne sont pas excrétées. Les effets indésirables de la vitamine D sont l'hypercalciurie, l'hypercalcémie et la formation de calculs rénaux.

Les interventions d'ordre médical

L'offre de nouveaux médicaments pour contrer l'ostéoporose a nécessité la tenue d'essais cliniques à répartition aléatoire visant à comparer leur efficacité dans le traitement ou la prévention de l'ostéoporose et des fractures. En ce moment, les efforts se concentrent principalement sur la mise au point de médicaments capables de réduire la fréquence des fractures, surtout celles de la hanche. D'abord autorisés pour le traitement de l'ostéoporose, certains médicaments pourraient faire l'objet d'autres essais cliniques qui élargiraient leur rayon d'action à la prévention de l'ostéoporose et des fractures. Quant à l'ostéoporose chez les hommes, les essais cliniques viennent à peine de commencer, et les recommandations sur les traitements possibles étaient fort peu nombreuses au début des années 2000. Les connaissances en ce qui a trait à cette problématique évoluent si rapidement que les infirmières doivent se tenir informées des plus récents progrès si elles veulent intégrer ces renseignements à l'éducation pour la santé qu'elles dispensent. La présente section résume l'information sur les médicaments consacrés à la prévention et au traitement de l'ostéoporose chez les deux sexes, ainsi que les recommandations connexes.

Depuis le début des années 1980, des études confirment l'efficacité de la prise d'œstrogène par voie orale ou par timbre transdermique pour prévenir la perte osseuse et diminuer la fréquence des fractures chez les femmes en postménopause. Ainsi, pendant 20 ans, l'hormonothérapie a été le traitement de choix pour prévenir et traiter l'ostéoporose chez la femme après la ménopause. Bien que l'action de l'œstrogène soit maximale lorsque le traitement démarre immédiatement après la ménopause, il se révèle tout aussi efficace à un âge plus avancé pour freiner la déperdition osseuse. La sécurité de l'hormonothérapie a soulevé de nombreuses questions dans les années 1970. La diminution des doses et l'ajout de la progestérone en ont partiellement réduit les risques. En 2002, les résultats d'études à long terme dévoilaient d'autres risques très graves lorsque l'hormonothérapie s'étalait sur plusieurs années. Ces résultats, et les dernières avancées pharmaceutiques dans le traitement de l'ostéoporose (voir plus loin dans cette section), ont multiplié le nombre de médicaments réservés à la prévention et au traitement de l'ostéoporose. Ils ont aussi modéré le recours à l'hormonothérapie.

En 1984, aux États-Unis, on approuve l'usage de la calcitonine, une hormone naturelle qui inhibe la résorption osseuse. C'est le premier traitement médical sans œstrogène de l'ostéoporose. Les obstacles à l'élargissement de son utilisation étaient son coût élevé, l'administration par injection et des doutes sur son efficacité à long terme. En 1995, une version en vaporisateur est autorisée pour traiter la baisse de densité minérale osseuse. Contrairement à l'œstrogène, la calcitonine possède un pouvoir analgésique qui calme la douleur imputable aux fractures vertébrales. Elle n'est pas approuvée dans la prévention de l'ostéoporose, mais des recherches se poursuivent sur son utilité dans la prévention des fractures.

La mise au point de modulateurs sélectifs des récepteurs œstrogéniques au cours des 10 dernières années offre de nouvelles possibilités de traitement pour les femmes atteintes d'ostéoporose. Ils imitent l'action de l'œstrogène dans certains tissus, mais la bloquent ailleurs. Ils cherchent à simuler les effets bénéfiques de l'œstrogène sur les os et à neutraliser ses effets négatifs sur le tissu mammaire et endométrial. Le tamoxifène est un modulateur sélectif des récepteurs œstrogéniques utilisé pour traiter le cancer du sein depuis 1994. D'après de récentes recherches, il semble stabiliser la masse osseuse et prévenir les fractures. À la fin de 1997, le raloxifène devient le premier modulateur sélectif des récepteurs œstrogéniques approuvé dans le traitement de l'ostéoporose. Des chercheurs tentent d'établir l'efficacité de ces modulateurs dans la prévention des fractures. Leurs effets indésirables sont des bouffées de chaleur, des crampes dans les jambes et la thrombose veineuse profonde.

Tous ces traitements contrebalancent ou empêchent la détérioration osseuse, mais ils sont incapables de stimuler la croissance des os. Les sociétés pharmaceutiques canalisent leurs efforts sur l'élaboration d'anabolisants dont l'action activerait la formation osseuse en surcompensant la résorption osseuse. Depuis les années 1980, des chercheurs se penchent sur les effets anabolisants du fluorure de sodium, mais sans succès. S'il aide à la croissance osseuse, il ne permet pas de diminuer les risques de fractures. Il pourrait même les amplifier, car la nouvelle couche osseuse n'est pas très solide. (Haguenauer et autres, 2001). La recherche et le développement se concentrent sur la parathormone, un anabolisant qui active très efficacement la croissance osseuse, mais qu'il faut administrer par injection. Les chercheurs veulent aussi savoir quelle serait la durée bénéfique du traitement et s'il vaut mieux l'associer à d'autres interventions médicales ou prévoir une administration cyclique avec d'autres médicaments. Bien des questions restent sans réponse sur sa sûreté et son efficacité, mais cet anabolisant pourrait bientôt devenir une nouvelle arme contre l'ostéoporose.

Bref, le traitement des femmes atteintes d'ostéoporose a prouvé son utilité, car il augmente la densité minérale osseuse et réduit la perte osseuse et les risques de fractures. Son efficacité est moins sûre dans le cas des femmes vulnérables, mais non atteintes d'ostéoporose, ce qui n'empêche pas d'envisager un traitement pour toutes les personnes vulnérables. Bien entendu, cette décision, comme toute décision médicale, doit s'appuyer sur une évaluation des avantages et des désavantages du traitement. De toutes nouvelles études examinent les répercussions d'une réduction du risque de fractures chez les femmes menacées ou atteintes d'ostéoporose, ou possédant des antécédents de fractures. Elles indiqueront sans doute que les diverses formes de traitement viseront différentes cibles. De plus, les modifications apportées au mode de vie et à l'alimentation profiteraient à tous les adultes.

Chez les hommes, un traitement par la testostérone semble augmenter la densité minérale osseuse et diminuer les risques de fractures. Cependant, ses effets semblent plus probants sur l'ostéoporose résultant de l'hypogonadisme. Une étude portant sur des sujets âgés montrant de faibles taux de testostérone sérique révèle que l'administration de testostérone par timbre transdermique semble ralentir la perte osseuse du col

Tous ces traitements contrebalancent ou empêchent la détérioration osseuse, mais ils sont incapables de stimuler la croissance des os.

du fémur, réduire les tissus adipeux et accroître la masse musculaire (Kenny et autres, 2001). Ses effets sont minimaux sur les hommes âgés dont le taux de testostérone est normal. Toutefois, on étudie actuellement la possibilité que la testostérone, seule ou associée à l'hormone de croissance, puisse augmenter la densité osseuse chez les hommes atteints d'ostéoporose primaire (Christmas et autres, 2002). D'autres études examinent les inquiétudes soulevées par les effets à long terme de ce traitement. Les sociétés pharmaceutiques tentent de mettre au point des voies d'administration pratiques de la testostérone (Matsumoto, 2000). La parathormone et la déhydroépiandrostérone (DHEA) sont deux traitements hormonaux à l'étude. Les suppléments de vitamine D et de calcium restent fortement recommandés.

Les interventions pluridisciplinaires pour prévenir les chutes et les blessures

L'infirmière doit appliquer des interventions destinées à prévenir les chutes et les blessures dont les causes sont multifactorielles ; la prévention passe donc par le soutien d'équipes pluridisciplinaires. L'infirmière et les autres professionnels de la santé travaillent conjointement à éliminer ou à corriger les facteurs de risque connus. L'éducation en matière de santé constitue l'une des interventions préconisées auprès des personnes âgées et de leur famille. Des programmes pour la prévention des chutes et des blessures sont en vigueur dans les établissements de santé et les centres d'hébergement (Cumming, 2002 ; Jensen et autres, 2002 ; Rose et autres, 2002).

Tout programme de prévention entend atténuer les risques propres au milieu de vie et à chaque personne âgée vulnérable. Il s'agit de tenir compte des facteurs extrinsèques et intrinsèques, ainsi que des facteurs susceptibles de diminuer les risques de chutes et de blessures. Le personnel des établissements doit cibler les personnes âgées vulnérables et mettre en application les mesures préventives qui s'imposent. C'est pourquoi la formation des intervenants auprès des personnes visées représente l'un des principaux volets de ces programmes. Cette formation comporte aussi des stratégies de sensibilisation du personnel à l'importance de juguler les risques de chutes. L'encadré 9.5 (p. 103) décrit un programme pour la prévention des chutes dans les établissements qui accueillent et soignent les personnes âgées.

ENCADRÉ 9.5
Un programme de prévention des chutes dans les hôpitaux et les établissements pour personnes âgées

Repérage des personnes âgées vulnérables

- Repérer, au cours de la première évaluation, les risques de chutes ou de blessures (par exemple, les médicaments consommés, l'ostéoporose, les problèmes de santé, les antécédents de chutes, un trouble cognitif, une baisse de la vigilance, une mobilité réduite, l'âge supérieur ou égal à 75 ans).
- Noter les risques dans le carnet d'évaluation.
- Atténuer si possible les risques de chutes, d'ostéoporose ou de blessures ; une démarche pluridisciplinaire s'impose souvent.
- Réévaluer les risques de chutes et de blessures à des intervalles précis (par exemple, chaque quart de travail, chaque jour, chaque modification de l'état fonctionnel de la personne âgée).
- Se servir d'articles de couleur (par exemple, des étiquettes de couleur vive pour la fiche, une bande d'identification de couleur au poignet de la personne, des panneaux disposés près du lit de la personne et à l'extérieur de la chambre) pour désigner les participants au programme de prévention.

Formation du personnel, de la personne âgée et de sa famille

- Informer la personne âgée et sa famille du programme de prévention en leur distribuant des brochures contenant des renseignements sur la prévention des chutes et l'aide en cas de chute.
- Former le personnel au programme de prévention et le sensibiliser aux risques de chutes, surtout ceux qu'il génère par ses interventions (par exemple, le recours à la contention, le choix des chaussures).

- Se servir d'affiches et de brochures pour sensibiliser le personnel au programme.

Interventions à mettre en pratique pour toutes les personnes âgées vulnérables

- Garder la cloche d'appel à proximité.
- Offrir d'aider la personne dans ses activités de la vie quotidienne et tenter de prévoir ses besoins avant que l'aide soit nécessaire.
- Inciter la personne à demander de l'aide, au besoin.
- Vérifier souvent la situation de toutes les personnes âgées qui ne sont pas enclines à demander de l'aide.
- S'assurer d'abaisser le plus possible le lit et de vérifier si les roues sont bloquées.
- Évaluer souvent et avec soin le milieu de vie de la personne pour y déceler les facteurs susceptibles d'entraîner des chutes et des blessures ; les corriger, si possible.
- Envisager l'utilisation d'un détecteur de mouvement.
- Évaluer attentivement les répercussions de la contention physique, y compris les ridelles.
- S'il y a contention, en réévaluer la pertinence à chaque quart de travail.
- S'il y a lieu, présenter l'aîné au personnel du quart de travail suivant et le familiariser avec le milieu et la notion de temps, au besoin.
- Noter les interventions préventives sur la fiche de la personne âgée.

Chapitre 10
Le système thermorégulateur

OBJECTIFS D'APPRENTISSAGE

Après avoir lu ce chapitre,
vous devriez être en mesure :

- de décrire les changements liés à l'âge qui ont une incidence sur la thermorégulation ;

- d'énoncer les facteurs de risque qui ont une incidence sur la thermorégulation d'une personne âgée ;

- d'expliquer les conséquences fonctionnelles des changements liés à l'âge et des facteurs de risque sur la thermorégulation ;

- de détailler l'évaluation de la thermorégulation d'une personne âgée ;

- d'indiquer les interventions de promotion de la santé liées à la thermorégulation chez les personnes âgées.

Le maintien d'une température corporelle constante constitue une fonction physiologique importante du corps humain. Le système thermorégulateur et le processus de la thermorégulation interpellent de nombreux systèmes, soit les systèmes nerveux, endocrinien, cardiaque et respiratoire. Une faible variation de la température corporelle interne peut affecter le bien-être physique, la qualité du sommeil, la résistance de l'organisme et les fonctions cognitives. L'exposition à la chaleur intense ou au froid peut aussi induire des conséquences fonctionnelles néfastes chez les personnes vulnérables. Les individus à risque sont principalement les personnes âgées souffrant de maladie cardiaque ou respiratoire et celles qui présentent des troubles cognitifs. Ce chapitre décrit les changements liés à l'âge et les facteurs de risque qui ont une incidence sur la thermorégulation de la personne âgée. Il explique également les conséquences fonctionnelles de ces changements et l'impact des facteurs de risque sur cette fonction vitale de l'organisme.

10.1 Les changements liés à l'âge et la thermorégulation

La principale fonction de la thermorégulation est le maintien constant de la température corporelle malgré les fluctuations parfois extrêmes de la température ambiante. Avec l'âge, il se produit un léger dérèglement de la thermorégulation dont il faut tenir compte au moment de dispenser des soins aux personnes âgées. La régulation de la production et de la déperdition de la chaleur corporelle obéit à des processus physiologiques complexes. Le système nerveux central régit la thermorégulation par l'entremise de l'hypothalamus. Des facteurs internes et externes agissent sur la thermorégulation. Les facteurs internes sont le métabolisme, les affections (par exemple, une infection), l'activité musculaire, le débit sanguin périphérique, la quantité de tissu adipeux sous-cutané, les nerfs sensitifs, l'ingestion de liquide et de nutriments, la prise de médicaments ainsi que la température du sang circulant dans l'hypothalamus. Les facteurs externes sont la température ambiante, le degré d'humidité, la circulation de l'air et le type et la quantité de vêtements portés.

La température corporelle normale et la réaction fébrile aux affections

La température corporelle normale se situe entre 36,1 °C et 37,2 °C, la normale étant d'environ 37,0 °C. Les fluctuations diurnes n'excèdent pas deux degrés Celsius. La température normale du corps baisse avec l'âge, surtout chez les personnes âgées de plus de 75 ans. La température corporelle moyenne d'un aîné prise par voie buccale varie de 36,1 °C à 36,8 °C, et la température prise par voie rectale, de 36,7 °C à 37,2 °C. La fièvre, quant à elle, est un mécanisme de défense contre des états pathologiques tels que le cancer, une infection, la déshydratation ou une affection du tissu conjonctif.

L'exactitude des températures buccale et axillaire est remise en doute lorsqu'il s'agit de connaître la température centrale d'une personne âgée puisqu'il y a un écart entre sa température centrale et celle de sa peau. Cet écart est beaucoup plus important que celui observé chez une personne plus jeune. La température rectale a longtemps été la norme, mais elle peut être difficile à prendre. Ces dernières années, la prise de température tympanique l'a supplantée, car c'est la méthode la moins invasive et la plus rapide, surtout en cas de maladie aiguë. Selon des études, la température tympanique indique plus précisément la température centrale chez la personne âgée parce qu'elle est identique à la température rectale ou affiche un écart inférieur à 1,0 °C (Smitz et autres, 2000). Par ailleurs, comme les CHSLD sont la cible de nouvelles souches de bactéries résistantes aux traitements usuels et que les épidémies d'infections nosocomiales sont à la hausse, la prise de température tympanique pourrait devenir la norme, tout comme la prise de température rectale l'a été et l'est encore aujourd'hui. La fenêtre de la température corporelle normale d'une personne âgée se situe à 37 °C pour les températures buccale et axillaire, à 37,2 °C pour la température tympanique et à 37,5 °C pour la température rectale. Il faut se rappeler que la température normale du corps varie d'un individu à l'autre. Pour mesurer la fièvre d'une personne âgée, il faut d'abord prendre en compte sa température basale prise pendant plusieurs jours. Des études indiquent qu'une élévation d'au moins 1,1 °C suppose une hypothermie (Castle, Yeh et autres, 1993 ; Norman et Yoshikawa, 1996).

10.2 Les facteurs de risque et la thermorégulation

Les facteurs climatiques et socioéconomiques

Le processus de vieillissement prédispose à l'hypothermie et à l'hyperthermie. L'hypothermie chez les jeunes adultes survient au moment d'une exposition prolongée à des températures très froides ; toutefois, une personne âgée simplement exposée à des températures relativement fraîches, surtout si certains facteurs de risque entrent en jeu, peut aussi en souffrir. Un phénomène semblable se produit en cas d'exposition à la chaleur : si le jeune adulte supporte bien des températures très chaudes, la personne âgée exposée à des températures modérément chaudes peut éprouver des difficultés d'adaptation. L'association de facteurs de risque et de facteurs climatiques peut provoquer de graves problèmes, voire entraîner le décès, car le dérèglement de la thermorégulation rend la personne âgée plus vulnérable à l'hypothermie et à l'hyperthermie.

Les conditions climatiques accroissent la vulnérabilité de la population âgée à l'hypothermie et à l'hyperthermie. Les statistiques montrent que les vagues de chaleur font augmenter le nombre de décès annuels causés par des troubles pathologiques associés à la chaleur (Hirsch, 1998). Si le climat est parfois imprévisible et non contrôlable, plusieurs facteurs influençant la thermorégulation peuvent cependant faire l'objet de mesures préventives.

Les vagues de chaleur se révèlent très dangereuses pour la personne âgée habitant un lieu sans aération suffisante. Le danger augmente lorsque la chaleur s'accompagne d'une forte humidité et d'un taux de pollution très élevé. En milieu urbain, pour des raisons de sécurité, la personne âgée sera portée à fermer ses fenêtres et donc à empêcher une aération adéquate, ce qui entraîne forcément une élévation de la température dans son environnement immédiat.

Mis à part les températures très chaudes, des conditions de vie difficiles et un régime alimentaire carencé en protéines et en calories favorisent également l'hypothermie et l'hyperthermie. Par ailleurs, le manque d'information sur le phénomène du dérèglement de la thermorégulation au cours du vieillissement peut nuire à la détection d'une infection. Par exemple, si les soignants d'une personne âgée sont convaincus qu'une maladie infectieuse s'accompagne toujours de fièvre, ils supposeront qu'en l'absence de celle-ci il n'y a pas d'infection. De même, s'ils croient que la température normale universelle est 37,0 °C, ils ne remarqueront pas une élévation de température chez une personne âgée dont la température normale est inférieure à 37,0 °C.

Les médicaments

Les effets d'un médicament peuvent masquer une fièvre et l'infection dont elle est le symptôme. Les neuroleptiques, l'acétaminophène, les agents stéroïdiens et les anti-inflammatoires non stéroïdiens peuvent camoufler la fièvre. L'intoxication aux salicylés peut amener l'hyperthermie par acidose métabolique. L'hypothermie, quant à elle, peut provenir d'effets médicamenteux qui entraînent la suppression du réflexe du frisson et une hausse de la vasodilatation. Le déclenchement de l'hyperthermie peut aussi

L'association de facteurs de risque et de facteurs climatiques peut provoquer de graves problèmes, voire entraîner le décès, car le dérèglement de la thermorégulation rend la personne âgée plus vulnérable à l'hypothermie et à l'hyperthermie.

résulter de l'action de médicaments qui augmentent la diurèse et la production thermique et qui nuisent à la transpiration. Certains médicaments comme les diurétiques et les phénothiazines perturbent la thermorégulation et amplifient les risques d'hypothermie et d'hyperthermie.

Les troubles physiologiques

Des troubles cardiaques ou circulatoires peuvent déstabiliser la thermorégulation. Les maladies cardiovasculaires et vasculaires cérébrales ainsi que les déséquilibres hydroélectrolytiques, notamment la déshydratation, l'hypernatrémie ou l'hyponatrémie, augmentent les risques d'hypothermie et d'hyperthermie. En outre, un ralentissement de la fonction rénale compromet la réaction fébrile chez les personnes âgées. Dans les hôpitaux, la personne âgée qui subit une chirurgie risque de souffrir d'hypothermie en raison de l'immobilité à laquelle elle est confinée, de vêtements trop légers qui exposent sa peau, de la température ambiante, de son âge, des effets de l'anesthésie et des médicaments. L'hypothermie est fréquente dans la moitié des cas de chirurgie pratiquée sous anesthésie générale, plus particulièrement dans la population âgée (Hirsch, 1998).

Les dysfonctionnements endocriniens rattachés à l'hypothermie sont l'hypoglycémie, l'hypothyroïdie et l'hypopituitarisme. Les troubles neurologiques associés à la maladie de Parkinson représentent également une cause sous-jacente de l'hypothermie.

L'inactivité découlant d'une maladie physique chronique ou de facteurs psychosociaux comme la dépression ou l'isolement accroît le risque d'hypothermie, tout comme la fatigue et l'hypoxie, qui suppriment le réflexe du frisson. L'hypotension orthostatique peut participer au déclenchement de l'hypothermie.

La pratique modérée d'exercices par temps très chaud peut provoquer un état pathologique associé à la chaleur si la personne âgée ne compense pas suffisamment la perte liquidienne. La déshydratation la guette si elle compte sur la sensation de soif pour l'avertir de boire, car celle-ci faiblit avec l'âge. Une détérioration de la capacité de ses reins à concentrer les urines peut aussi occasionner une déshydratation et d'autres réactions pathologiques à la chaleur. Ces risques s'alourdissent si, en raison de problèmes de mobilité, la personne âgée diminue son apport liquidien pour éviter de se rendre trop souvent aux toilettes. Enfin, si elle ne se réhydrate pas convenablement entre les exercices ou pendant une exposition prolongée à une température élevée, elle ne pourra éviter un état pathologique associé à la chaleur.

Le tableau 10.1 présente les facteurs de risque de dérèglement de la thermorégulation liés à l'hypothermie et à l'hyperthermie.

TABLEAU 10.1 Les facteurs de risque de dérèglement de la thermorégulation		
Facteurs de risque	Hypothermie	Hyperthermie
Être âgé de 75 ans et plus	X	X
Température ambiante déviant légèrement de la zone de confort	X	X
Déshydratation	X	X
Déséquilibres électrolytiques	X	X
Infections	X	X
Maladies cardiovasculaires et vasculaires cérébrales	X	X
Maladie vasculaire périphérique		X
Hypotension orthostatique	X	
Diabète	X	X
Hypoglycémie	X	
Hypothyroïdie	X	
Hyperthyroïdie		X
Maladie de Parkinson	X	
Inactivité et immobilité	X	
Hypertension		X
Obésité		X
Consommation d'alcool	X	X
Phénothiazines	X	X
Anticholinergiques		X
Barbituriques	X	X
Diurétiques	X	X
Antidépresseurs	X	
Benzodiazépines	X	
Réserpine	X	
Médicaments associés aux maladies cardiovasculaires (par exemple, sympatholytiques, bêtabloquants, inhibiteurs des canaux calciques lents)		X

10.3 Les conséquences fonctionnelles des changements liés à l'âge sur la thermorégulation

Une personne âgée en santé, qui vit dans un milieu où la température ambiante est agréable, ne remarque peut-être pas, ou si peu, le dérèglement que subit son système thermorégulateur. En fait, un seul facteur de risque peut déclencher l'hypothermie ou l'hyperthermie; en outre, il suffit de légères variations de la température ambiante conjuguées à d'autres facteurs comme des affections ou les effets de certains médicaments pour perturber la thermorégulation d'une personne âgée. Notons que le risque de morbidité ou de mortalité est supérieur chez l'aîné atteint d'hypothermie ou d'hyperthermie.

La réaction à un milieu froid

L'hypothermie accidentelle survient à des températures relativement fraîches; elle touche au moins 10 % des personnes âgées vivant dans un climat froid comme celui de la Grande-Bretagne, du Canada et de certaines régions des États-Unis. Au début, la personne âgée ne frissonne pas ou ne se plaint pas du froid. Toutefois, en l'absence de mesures préventives, l'hypothermie continue de progresser, et elle altère la fonction mentale. Les effets du dérèglement de la thermorégulation s'additionnent, et l'hypothermie s'aggrave rapidement lorsque la température centrale fléchit à 34,0 °C. Avec l'âge, les reins ne parviennent plus à conserver efficacement l'eau. Ce problème et celui de l'insuffisance de l'apport liquidien, habituelle chez la personne âgée, intensifient les répercussions de l'hypothermie. Si cette progression n'est pas freinée et si la situation n'est pas corrigée, le décès survient à la suite de troubles cardiaques associés à une grave altération de la thermorégulation.

La réaction à un milieu chaud

Le processus de vieillissement détériore la capacité de la personne à réagir à des températures très chaudes. Par conséquent, il en résulte un ralentissement et une diminution de la transpiration, de même qu'une perception erronée de la température ambiante. Outre les facteurs de l'environnement et le dérèglement de la thermorégulation, des agents pyrogènes et des états pathologiques peuvent déclencher l'hyperthermie.

Un coup de chaleur est une hyperthermie grave qui peut se produire chez une personne âgée en santé et active, mais elle est également fréquente chez les personnes malades ou qui se déplacent en fauteuil roulant lorsqu'elles se trouvent à l'extérieur. Elle est causée par un dérèglement de la thermorégulation lié à l'âge, accompagné de facteurs de risque comme un effort musculaire intense et prolongé et la chaleur ambiante.

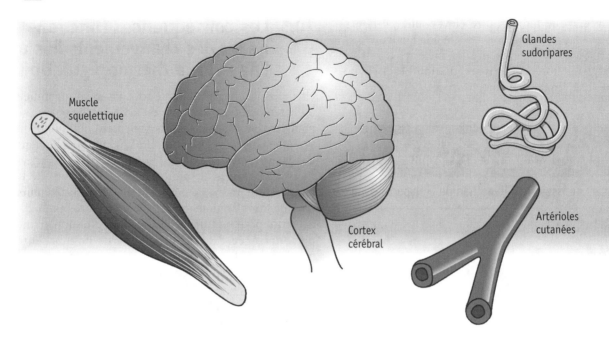

Les changements liés à l'âge

- Diminution du tissu sous-cutané
- Déficience de la vasoconstriction
- Ralentissement et affaiblissement du réflexe du frisson
- Baisse de la circulation périphérique
- Détérioration de la capacité à supporter la chaleur
- Inefficacité du processus de transpiration

Conséquences fonctionnelles négatives

- Plus grande déperdition d'énergie ; moins de protection contre la chaleur
- Abaissement de la température normale
- Vulnérabilité accrue à l'hypothermie
- Fragilisation aux problèmes pathologiques associés à la chaleur
- Diminution de la réaction fébrile à l'infection
- Incapacité à maintenir la température corporelle optimale ; vulnérabilité accrue à l'hyperthermie

Facteurs de risque

- Déshydratation
- Variations extrêmes de la température ambiante
- Affections (par exemple, infections, diabète, maladie cardiovasculaire)
- Inactivité, immobilité
- Être âgé de 75 ans et plus
- Prise de médicaments (par exemple, anticholinergiques)
- Consommation d'alcool

FIGURE 10.1 Le recoupement des changements liés à l'âge et des facteurs de risque, et leurs conséquences fonctionnelles négatives sur la thermorégulation.

Le déclin de la sensation de soif lié au vieillissement serait responsable d'un apport liquidien inadéquat et, donc, d'un dérèglement de la thermorégulation. En l'absence de mesures préventives ou correctrices, l'aggravation de l'hyperthermie entraîne le décès par troubles respiratoires.

La figure 10.1 (p. 108) montre les changements liés à l'âge, les facteurs de risque et les conséquences fonctionnelles négatives qui nuisent à la thermorégulation chez les personnes âgées.

10.4 L'évaluation de l'infirmière liée à la thermorégulation

Dans son entrevue pour évaluer le système thermorégulateur d'une personne âgée, l'infirmière respectera certains principes pour évaluer la température de la personne et elle l'interrogera sur les facteurs de risque qui l'exposent à souffrir d'hypothermie ou d'hyperthermie dans son environnement. L'encadré 10.1 présente les principes, les questions et les observations qui permettront à l'infirmière de détecter les facteurs de risque susceptibles de perturber la thermorégulation d'une personne âgée.

10.5 Les interventions de promotion de la santé liées à la thermorégulation

Les interventions en matière de promotion de la santé ayant pour objectif de remédier à un dérèglement de la thermorégulation visent surtout la prévention

ENCADRÉ 10.1
L'entrevue pour l'évaluation de la thermorégulation

Principes relatifs à l'évaluation de la température

- Notez la température corporelle normale de la personne ainsi que les fluctuations diurnes et saisonnières.
- Présumez que même une légère élévation de la température normale indique une affection.
- Prenez note de la température actuelle et des écarts de la température corporelle normale plutôt que d'utiliser des termes comme *afébrile*.
- Respectez les consignes pour une prise de la température corporelle exacte. Utilisez un thermomètre indiquant des températures inférieures à 35 °C.
- Pour la lecture des résultats, tenez compte des effets des médicaments qui modifient la température corporelle (par exemple, les médicaments qui masquent la fièvre).
- Ne croyez pas qu'une infection est toujours signalée par une élévation de température.
- N'oubliez pas qu'en cas d'infection, une détérioration de l'état fonctionnel ou de l'état mental est un signe avant-coureur plus sûr qu'un changement de la température corporelle.
- Ne supposez pas qu'une personne âgée prendra des mesures préventives pour se protéger de la chaleur ou du froid ou qu'elle se plaindra de la température ambiante.

Questions relatives aux facteurs de risque d'hypothermie et d'hyperthermie

- Avez-vous des problèmes de santé particuliers lorsque la température ambiante est chaude ou froide ?
- Pouvez-vous maintenir une température ambiante agréable dans votre maison et dans votre chambre l'été et l'hiver ?
- Que faites-vous pour supporter les chaudes températures de l'été ?
- Pouvez-vous payer vos factures d'électricité ?
- Comment vous protégez-vous du froid l'hiver (par exemple, utilisation d'une couverture électrique, de sources de chaleur supplémentaires) ?
- Avez-vous déjà reçu des soins pour un coup de chaleur ou de froid ?
- Avez-vous déjà fait une chute et n'avez pas été en mesure de vous relever ou de demander de l'aide ?

Observations relatives à l'évaluation des facteurs de risque d'hypothermie et d'hyperthermie

- La personne âgée vit-elle dans une maison où la température est inférieure à 21,1 °C l'hiver ?
- Consomme-t-elle de l'alcool ou prend-elle des médicaments qui influent sur sa température corporelle (Tableau 10.1, p. 107) ?
- Vit-elle seule ? Dans l'affirmative, à quelle fréquence voit-elle d'autres personnes ?
- Est-elle atteinte d'une affection qui la prédispose à l'hypothermie (par exemple, des troubles endocriniens, neurologiques ou cardiaques) ?
- Son apport liquidien et nutritionnel est-il suffisant ?
- Fait-elle de l'hypotension orthostatique ?
- Est-elle immobile ou sédentaire ?
- Est-elle atteinte de démence, de dépression ou de troubles psychosociaux qui altèrent sa lucidité ?
- Vit-elle dans un endroit mal aéré, sans climatisation ?
- Les conditions atmosphériques sont-elles très chaudes ou humides ? Le taux de pollution est-il élevé ?
- La personne fait-elle de l'exercice par temps chaud ?
- Est-elle atteinte de maladies chroniques comme le diabète ou des troubles cardiovasculaires qui la prédisposent à l'hypothermie ?
- Ses médicaments ou ses maladies chroniques pourraient-ils entraîner une hyponatrémie ou une hypokaliémie ?

de l'hypothermie et d'états pathologiques associés à la chaleur. Ces interventions éducatives peuvent contribuer à éliminer de nombreux facteurs de risque. Elles permettent aussi de dépister un déséquilibre de la régulation thermique et de le corriger promptement pour en freiner les conséquences fonctionnelles négatives. Bien entendu, elles contribuent aussi à assurer le confort et le bien-être de la personne âgée.

L'encadré 10.2 résume les interventions préventives applicables; il peut servir de guide de promotion de la santé dans la prévention de l'hypothermie et des états pathologiques associés à la chaleur.

ENCADRÉ 10.2
Les mesures de promotion de la santé liées à l'hypothermie et aux états pathologiques associés à la chaleur

Prévention de l'hypothermie

- Conserver, si possible, la température ambiante à environ 23,0 °C; elle ne doit pas être inférieure à 21,1 °C.
- Se servir d'un thermomètre gradué dont l'indication des degrés est précise et clairement lisible pour mesurer la température ambiante de la pièce.
- Porter des sous-vêtements non ajustés et suffisamment épais pour empêcher une déperdition thermique; se vêtir de plusieurs couches de vêtements.
- Porter un chapeau et des gants à l'extérieur et des chaussettes pour dormir.
- Porter des vêtements supplémentaires le matin alors que le métabolisme du corps est à son plus bas.
- Opter pour des draps ou des couvertures de flanelle.

Prévention des états pathologiques associés à la chaleur

- Maintenir une température ambiante inférieure à 29,4 °C.
- Si le domicile n'est pas climatisé, se servir de ventilateurs pour faire circuler l'air et le rafraîchir.
- Par temps chaud, se rendre dans les endroits publics climatisés comme les bibliothèques ou les centres commerciaux.
- Consommer une plus grande quantité de boissons, sans caféine ni alcool, même sans avoir soif.
- Porter des vêtements de coton amples et légers de couleur claire.
- Porter un chapeau ou utiliser une ombrelle pour se protéger du soleil et de la chaleur à l'extérieur.
- Éviter les activités pratiquées à l'extérieur pendant la partie la plus chaude de la journée (soit entre 10 h et 14 h); choisir de les accomplir tôt le matin ou le soir.
- Déposer un sac de glace ou des serviettes froides et humides sur le corps, particulièrement sur la tête, sur l'aine et sous les aisselles. Prendre des douches ou des bains à l'eau tiède (23,9 °C), sans se savonner, plusieurs fois par jour pendant les périodes de canicule.

Maintien d'une température corporelle optimale

- Boire chaque jour de 8 à 10 verres de boissons ne contenant ni caféine ni alcool pour maintenir un bon apport liquidien.
- Ne pas compter sur la sensation de soif pour signaler le besoin de boire.
- Prendre de petits repas à intervalles fréquents plutôt que de gros repas.
- Éviter de boire de l'alcool.
- Par temps froid, effectuer des exercices physiques modérés et des activités à l'intérieur pour augmenter la circulation sanguine et la production thermique.

Nutrition

- Favoriser une bonne nutrition et des apports en zinc, en sélénium et en vitamines A, C et E.

Mesures préventives

- Connaître la température normale de son corps le matin au lever et au milieu de la soirée.
- Connaître la différence entre sa température corporelle l'hiver et l'été.
- Se faire vacciner contre la pneumonie et la grippe.
- Savoir que la mélatonine et d'autres substances ayant un impact sur certains neurotransmetteurs du cerveau (Tableau 10.1, p. 107) peuvent modifier la régulation de la température corporelle; ne les utiliser que sur le conseil d'un professionnel de la santé.
- Faire de l'exercice, de l'imagerie mentale, se faire masser, méditer.

Chapitre 11
La peau et les téguments

OBJECTIFS D'APPRENTISSAGE

**Après avoir lu ce chapitre,
vous devriez être en mesure :**

- de décrire les changements liés à l'âge qui ont une incidence sur la peau et les téguments ;

- d'énoncer les facteurs de risque qui peuvent altérer la peau d'une personne âgée ;

- d'expliquer les conséquences fonctionnelles des changements liés à l'âge et des facteurs de risque qui altèrent la peau et les téguments ;

- de préciser les questions, les méthodes d'examen et les observations relatives à l'évaluation de la peau et des téguments d'une personne âgée ;

- d'indiquer les interventions associées aux soins de la peau.

La peau, les cheveux et les ongles remplissent plusieurs fonctions physiologiques et sociales. La peau participe aux processus suivants : la thermorégulation, l'excrétion des déchets métaboliques, la protection des structures sous-jacentes, la synthèse de la vitamine D, la rétention des liquides et le maintien de l'équilibre électrolytique. Organe sensoriel, elle est sensible à la douleur, au toucher, à la pression, à la température et aux vibrations. L'apparence de la peau est davantage tributaire du processus de vieillissement, du mode et du milieu de vie que de l'âge de la personne.

Les cheveux protègent principalement la peau des blessures et des températures hostiles. Au même titre que la peau et les cheveux, les ongles occupent aussi une fonction physiologique en protégeant le tissu sous-jacent des blessures ; ils peuvent parfois révéler l'étendue des soins personnels.

11.1 Les changements liés à l'âge et la peau

La peau est l'organe le plus grand et le plus visible du corps. Elle se compose de trois couches superposées : l'épiderme, le derme et l'hypoderme. Les téguments, quant à eux, regroupent les cheveux, les ongles et les glandes sudoripares. Il est difficile de distinguer les transformations régressives de la peau et des téguments causées par le vieillissement de celles qui sont imputables à des facteurs de risque. L'hérédité influe probablement aussi sur le grisonnement et la perte des cheveux.

L'épiderme

L'épiderme est la couche externe relativement imperméable de la peau ; elle constitue une barrière cutanée bloquant la perte des liquides et la pénétration des substances présentes dans l'environnement. L'épaisseur de l'épiderme varie en fonction de la partie du corps qu'il recouvre. Il est formé de cellules juxtaposées en perpétuelle régénération, kératinisation et desquamation. Les kératinocytes et les mélanocytes forment respectivement 85 % et 3 % des cellules épidermiques. Ces cellules prennent naissance dans la couche basale de l'épiderme, aussi appelée couche germinative. Les kératinocytes ne cessent de migrer vers la surface de la peau, où ils meurent. Au cours du processus de vieillissement, ils grossissent et se déforment. Ces changements se manifestent aussi bien sur la peau qui a été exposée au soleil que sur celle qui en a été protégée. De plus, le renouvellement de l'épiderme ralentit de 30 % à 50 % entre l'âge de 30 et de 80 ans (Yaar et Gilchrest, 2001).

Les papilles donnent à la peau sa texture et relient l'épiderme au derme à la jonction dermoépidermique.

Avec le vieillissement, les papilles se contractent, et la jonction dermoépidermique s'aplatit, ce qui amincit la fine couche cutanée située entre l'épiderme et le derme. Il se produit alors un ralentissement des échanges de nutriments entre ces deux tissus. Contrairement à d'autres altérations qui touchent davantage la peau exposée au soleil, celle-ci survient sur toutes les surfaces cutanées.

Situés dans la couche basale de l'épiderme, les mélanocytes sont responsables de la couleur de la peau et forment une barrière protectrice contre les rayons ultraviolets. La principale transformation régressive des mélanocytes s'enclenche vers l'âge de 25 ans ; s'opère ensuite une diminution de 10 % à 20 % des cellules actives tous les 10 ans, que la peau soit protégée ou non des rayons solaires. Les mélanocytes sont deux à trois fois plus nombreux dans la peau exposée au soleil. La couche cornée de l'épiderme subit également une perte d'humidité. Cette dernière constatation a cependant été remise en question à la suite de mesures précises. La sécheresse de la peau chez la personne âgée découlerait plutôt d'une réduction de la prolifération des cellules épidermiques (Leveque, 2000).

Le derme

Les fonctions du derme consistent à soutenir les structures internes et les structures sous-jacentes, en plus de nourrir l'épiderme non vascularisé. La coloration de la peau, les sensations et la régulation thermique relèvent aussi du derme. Avec ses 80 % de fibres collagènes, il procure l'élasticité et la résistance qui empêchent la peau de se déchirer et de trop s'étirer. Les fibres d'élastine, qui représentent 5 % du derme, facilitent l'étirement de la peau dans l'accomplissement d'un mouvement. La substance fondamentale qui retient l'eau fixe les propriétés élastiques de la peau. Les vaisseaux sanguins profonds participent à la thermorégulation, et les vaisseaux superficiels transportent les nutriments vers l'épiderme. Les nerfs cutanés situés dans le derme reçoivent l'information relative à la douleur, à la pression, à la température et au toucher léger ou appuyé.

La diminution de 1 % par année du nombre de fibres collagènes dès le début de l'âge adulte entraîne l'amincissement continu du derme. Le nombre de fibres d'élastine augmente, mais leur qualité s'altère avec le vieillissement et les influences du milieu externe. Le réseau vasculaire diminue du tiers avec l'âge, ce qui cause l'atrophie et la fibrose des follicules pileux ainsi que des glandes sudoripares et sébacées. Enfin, il y a une baisse du nombre de fibroblastes et de mastocytes.

L'hypoderme et les nerfs cutanés

L'hypoderme est la couche interne de tissu adipeux qui protège les tissus sous-jacents des lésions.

Il emmagasine les calories, sert d'isolant à l'organisme et régule la déperdition thermique. Le processus de vieillissement entraîne l'atrophie de certaines régions tissulaires sous-cutanées qui sont exposées au soleil, particulièrement celles de la plante des pieds et de la surface des mains, du visage et des jambes. D'autres régions du tissu sous-cutané subissent plutôt une hypertrophie, avec pour consé- quence une hausse progressive de la masse adipeuse entre l'âge de 30 et de 80 ans. Celle-ci est plus impor- tante chez la femme. Elle se loge dans l'abdomen chez l'homme et dans les cuisses chez la femme. L'âge dété- riore aussi la sensibilité des nerfs cutanés à la pression, aux vibrations et au toucher léger.

> *L'âge détériore aussi la sensibilité des nerfs cutanés à la pression, aux vibrations et au toucher léger.*

Les glandes sudoripares et sébacées

Les glandes sudoripares eccrines et apocrines sont situées dans le derme. Les glandes eccrines s'ouvrent à la surface de la peau et prédominent à la paume des mains, à la plante des pieds et au front. Les glandes apocrines sont plus grosses et se prolongent dans les follicules pileux, surtout ceux des régions axillaires et génitales. Les glandes eccrines jouent un rôle important dans la thermorégulation. Les glandes apocrines ne produisent que la sueur dont la dégrada- tion bactérienne génère une odeur corporelle distincte. Le nombre de glandes eccrines et apocrines diminue avec l'âge, de même que leur efficacité.

Les glandes sébacées parcourent toute la couche dermique, sauf la paume des mains et la plante des pieds. Elles sécrètent continuellement du sébum qui se mêle à la sueur pour former une émulsion. Le sébum empêche la perte d'eau et ralentit légèrement la multiplication des bactéries et des champignons microscopiques. La sécrétion de sébum commence à décroître au début de la trentaine, et davantage chez la femme. Plus tard, la taille de ces glandes augmente, mais la production de sébum diminue avec l'âge.

Les ongles

Le taux de croissance des ongles dépend de nom- breux facteurs, notamment de l'âge, de l'état de santé, de la circulation sanguine autour de l'ongle et vers l'ongle, de l'activité des doigts et des orteils et du cli- mat. Au début de l'âge adulte, la croissance des ongles commence à ralentir, et ce ralentissement se poursuit au fil des ans. Le vieillissement occasionne l'appari- tion de sillons longitudinaux ainsi qu'une diminution de la lunule et de l'épaisseur du corps de l'ongle. Les ongles deviennent donc plus fragiles, mous et cassants. Ceux d'une personne âgée sont opaques, jaunâtres ou grisâtres et présentent des sillons longitudinaux.

Les cheveux

La couleur des cheveux et la distribution pileuse changent chez la personne âgée ; les effets les plus visibles sont la calvitie et le grisonnement. Vers l'âge de 50 ans, environ 50 % des individus ont des cheveux gris, et près de 60 % des hommes présentent une calvitie. C'est une réduction de la production de méla- nine et la substitution progressive des cheveux pigmentés par des che- veux non pigmentés qui causent le grisonnement. Le vieillissement perturbe également la distribution pileuse ; ainsi, des poils foncés et rudes poussent au-dessus de la lèvre supérieure et au bas du visage chez la femme, alors qu'ils se logent dans les oreilles, les narines et les sour- cils chez l'homme. La pilosité diminue sur tout le corps, le torse d'abord, puis la région pubienne et les aisselles. Chez certains hommes, la calvitie est héré- ditaire, la production d'un duvet remplaçant celle de poils adultes.

11.2 Les facteurs de risque et la peau

L'hérédité, la maladie, les effets indésirables des médi- caments, le mode de vie et l'environnement représen- tent autant de facteurs de risque pour la peau et les téguments. Malgré son caractère irréversible, l'hérédité a peu de répercussions sur la peau et les téguments, contrairement au mode et au milieu de vie. Par contre, ces derniers peuvent faire l'objet d'interventions ciblées. La détection de ces facteurs de risque, comme l'exposition au soleil, se révèle donc cruciale.

L'hérédité

L'hérédité tient le premier rôle dans l'apparition de maladies et dans les transformations régressives de la peau et des cheveux. Les personnes à la peau blanche, aux cheveux et aux yeux pâles sont plus vulnérables aux rayons ultraviolets que les personnes à la peau fon- cée, comme l'atteste la fréquence plus élevée des cas de cancer de la peau chez les personnes de race blanche, comparativement aux personnes de race noire.

Le mode et le milieu de vie

Les facteurs associés au mode et au milieu de vie qui pèsent lourdement sur le vieillissement de la peau sont l'exposition solaire, le stress émotif, la toxicomanie et l'alcoolisme ; mais le plus important reste l'exposition au soleil (Antell et Taczanowski, 1999). Des conditions climatiques difficiles occasionnent aussi des réper- cussions négatives. Le photovieillissement représente les altérations cutanées résultant de l'exposition aux rayons ultraviolets. Ses méfaits se caractérisent par un épaississement de l'épiderme, un grossissement des glandes sébacées, une baisse marquée de l'élasticité, la dilatation et la sinuosité des vaisseaux sanguins, une réduction du nombre de fibres collagènes, une augmentation du nombre de fibres d'élastine épaisses et enchevêtrées, ainsi que par des lésions et des kératoses séborrhéiques et actiniques. La peau arbore une apparence rude et parcheminée, rougeâtre ou jaunâtre. Des rides profondes sillonnent le visage et le cou. Même de courtes expositions aux rayons ultraviolets qui ne dégénèrent pas en coups de soleil peuvent détériorer les fibres collagènes et entraîner le photovieillissement (Kang et autres, 2001). Ces dégradations cutanées sont incorrectement associées au vieillissement précoce bien que les dommages causés par les rayons ultraviolets se différencient des changements liés à l'âge. Cette erreur provient de l'apparition tardive des effets pervers et cumulatifs de ces rayons. Elle découle aussi de la conviction que certains dérèglements cutanés, dont le ralentissement de la cicatrisation, semblent indiquer une accélération du processus de vieillissement.

> *L'hérédité tient le premier rôle dans l'apparition de maladies et dans les transformations régressives de la peau et des cheveux.*

Le tabagisme est un autre facteur de risque qui nuit à la peau et qui peut entraîner la calvitie et le grisonnement des cheveux (Antell et Taczanowski, 1999). La peau des fumeurs est plus ridée et grisâtre ; ces caractéristiques sont plus prononcées chez la femme. Le tabagisme affecte la qualité de la peau et l'empêche de remplir sa fonction protectrice contre les rayons du soleil, ce qui augmente le risque de cancer de la peau. Dans une étude, les chercheurs Yaar et Gilchrest (2001) rapportent que les substances cancérigènes contenues dans les cigarettes dégradent les cellules épidermiques et dermiques.

Les effets indésirables des médicaments

Les effets indésirables les plus courants des médicaments sur la peau sont le prurit, les dermatoses et la photosensibilité. Parmi les effets les moins fréquents, mentionnons l'alopécie et les modifications pigmentaires de la peau et des cheveux. Les médicaments peuvent également intensifier les altérations cutanées inhérentes à l'âge. Ainsi, les diurétiques peuvent amplifier la xérodermie ou aggraver la sécheresse cutanée.

Les dermatoses, ou éruptions cutanées, sont les effets indésirables les plus signalés. Elles peuvent survenir à la suite de la prise de n'importe quel médicament et diffèrent grandement les unes des autres, mais ne présentent aucun signe particulier. Contrairement aux autres dermatoses, cependant, celles que l'on attribue aux effets indésirables des médicaments se déclarent soudainement, puis se répandent sur le corps de manière symétrique. Elles se manifestent aussi par des rougeurs accentuées. Des réactions cutanées surviennent fréquemment au moment de la prise d'un nouveau médicament ou au cours d'un traitement médicamenteux initial ou ultérieur. La pénicilline et les médicaments qui en contiennent provoquent souvent des éruptions cutanées. Les sulfamides, les céphalosporines, les barbituriques et les salicylés sont d'autres médicaments pouvant causer des dermatoses.

La photosensibilité est un effet secondaire qui rend la peau très sensible aux rayons ultraviolets. L'éruption inflammatoire initiale ne touche que les surfaces de la peau exposées au soleil, mais elle peut s'étendre sur tout le corps et persister après l'arrêt de la médication. Elle peut commencer au cours d'une exposition solaire ou à l'occasion de vacances dans un pays chaud. Les thiazides, les phénothiazines, les tétracyclines, l'amiodarone et les sulfamides sont les médicaments susceptibles de déclencher la photosensibilisation.

Les facteurs qui augmentent les risques de lésions

La majorité des personnes âgées peuvent se mouvoir ou accomplir leurs activités suffisamment bien pour éviter des lésions. Ce n'est pas le cas d'une minorité pour qui ce problème est grave et lourd de conséquences.

Une escarre de décubitus est définie comme la nécrose cellulaire d'une surface de l'épiderme résultant d'une ischémie prolongée des tissus au site d'une proéminence osseuse (Franz, 2001). Si ce problème n'est pas très répandu chez les personnes âgées en santé, il en va tout autrement des aînés en perte d'autonomie. Les personnes qui ne peuvent bouger seules y deviennent très vulnérables (Figure 11.1, p. 115). Depuis quelques années, les coûts liés à la prévention et au traitement des escarres de décubitus soulèvent beaucoup d'intérêt. Leur présence ou leur absence en font maintenant un baromètre de la qualité des soins de santé prodigués en établissement (Amling et autres, 2001 ; Berlowitz et autres, 2000 ; Meraviglia et autres, 2002).

Les autres facteurs de risque qui s'ajoutent à la mobilité réduite sont l'humidité, la friction, les forces de cisaillement, une carence hydrique ou nutritionnelle (surtout l'hypoprotéinémie) et certaines maladies (la démence). Les changements de la peau liés au vieillissement et les affections courantes dans la population âgée accroissent le risque de formation d'escarres de décubitus ou ralentissent la guérison de ces lésions.

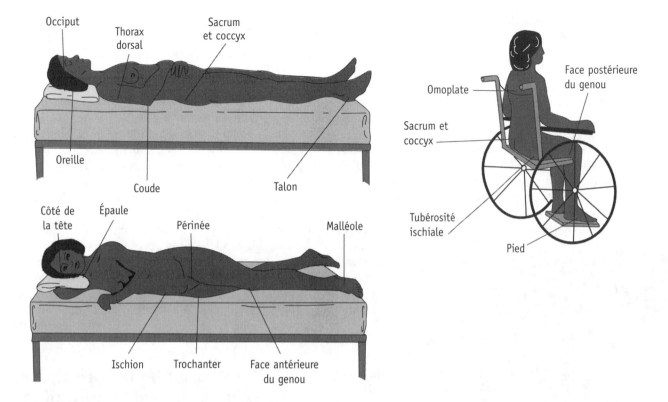

FIGURE 11.1 **Le risque accru de formation d'escarres de décubitus sur certaines surfaces.** Avec l'autorisation de Craven, R. F. et Hirnle, C. J., *Fundamentals of nursing: Human health and function*, Philadelphie, Lippincott, Williams et Wilkins, 4e édition, 2003, p. 988.

11.3 Les conséquences fonctionnelles des changements liés à l'âge sur la peau

Le vieillissement et les facteurs de risque dérèglent plusieurs fonctions liées à la peau et aux téguments, notamment la thermorégulation, la sensibilité tactile et le processus de cicatrisation. Des changements dans l'apparence de la peau et des cheveux entraînent parfois des conséquences psychosociales issues des attitudes négatives associées aux signes du vieillissement.

Les répercussions sur la vulnérabilité aux lésions

Normalement, le processus de vieillissement ne change en rien le rôle protecteur des ongles. Les conséquences en sont surtout esthétiques. Les ongles d'une personne âgée deviennent fragiles et cassants. Si, en plus, l'ongle est endommagé ou s'il est atteint d'onychomycose (une infection fongique de l'ongle), la guérison sera plus longue.

Dans la plupart des cas, les transformations que subissent l'épiderme et le derme en raison du vieillissement n'ont aucune répercussion négative. Par contre, si l'intégrité de la peau est menacée, sa fragilisation perturbe sa fonction protectrice. L'aplatissement de la jonction dermoépidermique affaiblit sa résistance aux forces de cisaillement et la rend vulnérable aux ecchymoses et aux blessures. Elle aura aussi tendance à réagir aux affections par la formation de cloques. L'amincissement du derme et les effets de l'aplatissement de la jonction dermoépidermique augmentent la vulnérabilité de la peau aux plaies, à l'effort mécanique et aux rayons ultraviolets. La diminution des fibres collagènes compromet son élasticité et la rend plus vulnérable aux abrasions et aux déchirures. Les lésions de la peau sont courantes chez la personne âgée à mobilité réduite.

La régénération de la peau est deux fois plus longue à 80 ans qu'à 30 ans. Si la peau est intacte, ce ralentissement sera sans conséquence véritable. Toutefois, en cas de plaie, même superficielle, elle mettra beaucoup plus de temps à guérir. Les répercussions du vieillissement sur la guérison de blessures profondes sont, entre autres, des complications postopératoires, une réduction de l'élasticité des plaies en voie de cicatrisation et un risque accru de surinfection.

Les répercussions sur le bien-être et la sensibilité tactile

L'assèchement de la peau (xérodermie) affecte presque toutes les personnes âgées. On la constate chez 85 %

des aînés vivant à domicile. Une réduction de la production de sébum et de sueur diminue l'humidité de la peau. Les facteurs de risque qui activent la xérodermie sont le stress, le tabagisme, l'exposition aux rayons du soleil, un milieu environnant sec, une transpiration abondante, les effets indésirables de médicaments, l'emploi abusif de savon et certaines maladies (par exemple, l'hyperthyroïdie).

La sensibilité tactile commence à fléchir vers l'âge de 20 ans. Ce phénomène est imputable en partie à la diminution du nombre de corpuscules de Pacini et de Meissner. Parmi les autres facteurs responsables, on note une baisse de la température corporelle et des perturbations du système nerveux central. La détérioration de la sensibilité tactile augmente les risques de brûlures causées par l'eau bouillante chez les personnes âgées.

> *La détérioration de la sensibilité tactile augmente les risques de brûlures causées par l'eau bouillante chez les personnes âgées.*

Une réduction de la graisse sous-cutanée, de la production de sueur eccrine et de l'irrigation sanguine du derme nuit à la thermorégulation. Ces changements liés à l'âge entravent la sécrétion de la sueur, le réflexe du frisson, la vasoconstriction et la vasodilatation périphériques ainsi que l'isolement thermique. Ils amplifient la vulnérabilité de la personne âgée à l'hypothermie et à d'autres états pathologiques associés à la chaleur (voir le chapitre 10).

Les répercussions sur la qualité de vie

Avec le vieillissement, la peau devient plus pâle, fine et translucide, et elle affiche une pigmentation inégale. Elle se ride et s'affaisse, laissant parfois apparaître des lésions et des excroissances. La diminution du nombre de mélanocytes et de la circulation sanguine dans le derme modifie la coloration de la peau. Les rides et l'affaissement de la peau proviennent du vieillissement du derme et de l'épiderme, notamment de la diminution du nombre de fibres collagènes. Ces changements qui se produisent dans la graisse sous-cutanée amènent la peau des bras à pendre.

Des modifications esthétiques s'installent progressivement, mais elles nuisent peu à la fonction physiologique ; les répercussions psychosociales sont plus graves, car la société attache une grande importance à l'apparence physique et juge négativement le processus de vieillissement. Peu importe l'âge, l'apparence physique demeure un facteur important en ce qui a trait à la perception et à l'estime de soi. De plus, la société associe la beauté à une peau d'apparence jeune. Les impacts et les répercussions de cette valeur entraînent des attitudes négatives à l'égard du vieillissement et, par conséquent, nuisent à l'acceptation de ce processus par la personne âgée.

Les effets du vieillissement sur le visage et le cou, surtout visibles autour des yeux et de la bouche, peuvent vexer la personne qui tente de dissimuler son âge. Dans la région des yeux, les signes les plus évidents sont une augmentation de la pigmentation, la présence de rides et l'accumulation de liquide et de cellules adipeuses sur la paupière supérieure et sous l'œil. La perte d'élasticité de la peau, à laquelle s'ajoutent la diminution et le déplacement de la graisse sous-cutanée, amène l'affaissement de la peau du cou et donne naissance à un double menton.

Le tableau 11.1 (p. 117) résume les changements liés à l'âge et leurs effets sur la peau et les téguments ainsi que leurs conséquences fonctionnelles. La figure 11.2 (p. 118) présente les changements liés à l'âge, les facteurs de risque et leurs conséquences fonctionnelles négatives sur la peau et les téguments.

11.4 L'évaluation et les principales interventions de l'infirmière liées à la peau et aux téguments

La détection des problèmes de la peau (et des téguments) est relativement facile, puisque cet organe est bien visible. La condition de la peau signale aussi les dérèglements physiologiques ou psychosociologiques liés à la nutrition, à l'hydratation et aux soins personnels. L'infirmière obtient des renseignements sur la peau et les téguments en procédant à une entrevue et à un examen. Elle peut le faire également lorsqu'elle prodigue des soins tels que l'aide à l'hygiène personnelle et l'auscultation des poumons ou de la fréquence cardiaque apicale. Elle complète ces renseignements par une observation attentive des signes particuliers de la peau et des téguments. Cette démarche confirme sa perception ou l'incite à poursuivre son examen. Ainsi, l'apparence d'un homme âgé qui ne semble pas s'être rasé depuis quelques jours, associée à l'évaluation de son état fonctionnel, pourrait corroborer un état dépressif chez cette personne ou le besoin d'aide pour accomplir ses soins d'hygiène personnels.

La détection des affections cutanées

À l'aide de questions, l'infirmière veut déceler les troubles physiologiques ou les facteurs de risque susceptibles d'occasionner des affections cutanées ; elle s'informe aussi des pratiques d'hygiène qui influent sur la santé de la peau et des cheveux de la personne âgée. Elle peut ainsi intervenir au besoin et offrir de l'enseignement sur les soins appropriés à la peau.

TABLEAU 11.1 Les conséquences des changements liés à l'âge sur la peau et les téguments	
Changements	**Conséquences**
• Diminution du taux de prolifération des cellules épidermiques	• Ralentissement du processus de cicatrisation, vulnérabilité accrue aux infections
• Aplatissement de la jonction dermoépidermique, amincissement du derme, diminution du nombre de fibres collagènes, hausse du nombre de fibres d'élastine et baisse de leur qualité	• Affaiblissement de l'élasticité, vulnérabilité accrue aux blessures, aux ecchymoses, au stress mécanique, aux rayons ultraviolets et à la formation de cloques
• Baisse du débit sanguin dans le derme et réduction du nombre de mélanocytes et de cellules de Langerhans	• Bronzage moins profond, pigmentation inégale, vulnérabilité au cancer de la peau, altération de la clairance, de l'absorption et de la réaction immunologique du derme
• Déclin de la production de sueur eccrine, réduction de la graisse sous-cutanée et du débit sanguin dans le derme	• Diminution de la sueur et des frissons, vulnérabilité accrue à l'hypothermie et à l'hyperthermie
• Diminution de l'humidité	• Peau sèche, malaise
• Diminution du nombre de corpuscules de Pacini et de Meissner	• Amoindrissement de la sensibilité cutanée, augmentation des risques de brûlures
• Ralentissement de la croissance des ongles	• Vulnérabilité au fendillement et aux blessures, ralentissement du processus de cicatrisation
• Modifications de la couleur, de la quantité et de la distribution des cheveux	• Baisse de l'estime de soi proportionnelle à l'attitude négative de la société à l'égard de ces changements

C'est souvent la personne âgée qui mentionne la présence de taches de vieillesse ou de tout changement qu'elle a constaté. Elle veut savoir comment prendre soin de sa peau et de ses cheveux. L'évaluation globale et l'examen de la peau fournissent des indications à l'infirmière sur les médicaments consommés et sur d'autres facteurs de risque. Les renseignements sur l'apport liquidien, l'état nutritionnel, la mobilité et la sécurité servent aussi à évaluer l'état de la peau et des téguments. L'encadré 11.1 présente des questions en lien avec l'évaluation de la condition de la peau et des téguments.

L'observation de la peau et des téguments

L'examen minutieux de la peau et des téguments dans un lieu privé, bien éclairé et à une température confortable est essentiel à l'évaluation de la peau. Cet examen est crucial, car si les affections bénignes, la xérodermie par exemple, sont les premières notées, les maladies plus graves comme le cancer de la peau passent souvent inaperçues. Il faut inspecter la couleur, l'élasticité, la sécheresse et l'état général de la peau et noter les excroissances ou les affections cutanées. L'infirmière doit se rappeler, en examinant un érythème ou une escarre, qu'une altération cutanée est difficile à déceler sur une peau foncée au premier regard.

La présence de diverses lésions complique l'évaluation de la peau chez une personne âgée. La plupart sont inoffensives, même si elles se révèlent esthétiquement désagréables, mais certaines sont cancéreuses ou précancéreuses. Il faut rassurer la personne au sujet de ces lésions bénignes, mais l'inciter à faire

ENCADRÉ 11.1
L'entrevue pour l'évaluation de la peau et des téguments

Questions relatives aux facteurs de risque et aux affections cutanées
- Avez-vous des inquiétudes au sujet de votre peau ou avez-vous des problèmes avec votre peau?
- Avez-vous des lésions qui ne guérissent pas?
- Vous faites-vous facilement des ecchymoses (des «bleus»)?
- Avez-vous déjà suivi un traitement contre le cancer de la peau ou pour un autre problème cutané?
- Êtes-vous souvent exposé au soleil?
- Fréquentez-vous un salon de bronzage?
- Vous protégez-vous des rayons du soleil?
- Avez-vous des éruptions, des démangeaisons, de l'enflure ou la peau sèche?

Questions sur les soins d'hygiène personnels
- À quelle fréquence prenez-vous un bain ou une douche?
- Quelle est la température de l'eau?
- Vous savonnez-vous chaque fois?
- Quel genre de savon utilisez-vous?
- Utilisez-vous des lotions, des crèmes ou des onguents pour la peau? Quelles sortes et à quelle fréquence? Où les appliquez-vous?
- Avez-vous des problèmes avec vos ongles des doigts et des orteils?
- Vous aide-t-on ou avez-vous besoin d'aide pour prendre soin de vos ongles?

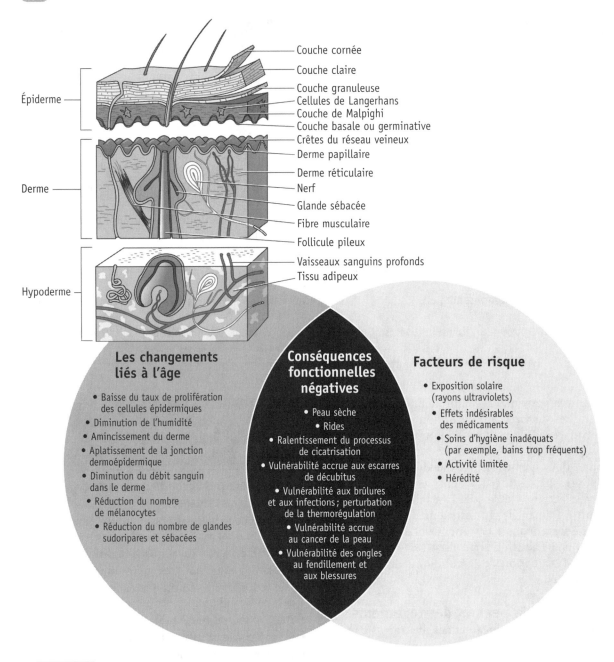

FIGURE 11.2   **Le recoupement des changements liés à l'âge et des facteurs de risque, et leurs conséquences négatives sur la peau.**
Illustration redessinée avec l'autorisation de Sage Products Inc. Tiré de «Skin care : Keeping the outside healthy», *Nursing 99* (suppl.), décembre 1999.

examiner celles qui semblent suspectes. Un examen approfondi d'une lésion s'impose en cas de rougeur, d'enflure, de pigmentation foncée, d'humidité ou d'écoulement, de douleur ou de malaise, ou si le centre de la lésion est plat et si les contours sont irréguliers ou élevés. Il en va de même avec une lésion qui s'aggrave ou une plaie qui guérit trop lentement, ou encore pour un grain de beauté ou une lésion cutanée dont l'emplacement favorise l'irritation ou l'abrasion. L'observation d'une lésion suspecte doit tenir compte de sa dimension, de sa forme, de sa couleur, de son emplacement, de ses contours (distincts ou diffus), de son type (macule ou papule), de son caractère superficiel ou perforant, avec ou sans inflammation, rougeur ou écoulement. Le vocabulaire rattaché aux lésions cutanées des personnes âgées n'est pas toujours précis, et plusieurs termes sont utilisés indifféremment. Le tableau 11.2 (p. 119) présente ce vocabulaire, associé aux observations tirées d'un examen de la peau et des téguments.

TABLEAU 11.2	Le vocabulaire associé aux lésions cutanées chez les personnes âgées et leur description

Vocabulaire	Description
Taches de vieillesse, taches séniles, lentigo sénile, taches de son séniles	Macules brun pâle ou foncé (tache plane, au maximum 1 cm de diamètre), souvent sur les surfaces de la peau exposées au soleil
Kératose actinique, kératose solaire	Papules (lésion faisant saillie, au maximum 1 cm de diamètre) ou plaques rouges, jaunes, brunes ou rose pâle, à la texture rugueuse entourées d'un érythème ; lésions précancéreuses
Kératose séborrhéique	Papules ou plaques brunes ou noires aux contours nets, à la texture cireuse ou verruqueuse, souvent sur le torse ou le visage
Hyperplasie sébacée	Enflure jaunâtre en forme de beignet, principalement sur le visage chez l'homme
Angiomes séniles, taches rubis, angiomes télangiectasiques	Enflures superficielles des petits vaisseaux sanguins, rouge vif, de la taille d'une pointe d'épingle
Angiomes stellaires	Petites papules rouges avec ramifications fines rayonnant d'un vaisseau ; lésions signalant parfois un état pathologique
Étoiles veineuses	Lésions bleuâtres et irrégulières, parfois en forme d'étoile, principalement sur les jambes ou la poitrine
Chéilites actiniques	Papules bleuâtres aux contours nets, principalement sur les lèvres ou les oreilles
Acrochordons	Lésions pédiculées rose pâle
Cors et durillons	Callosités kératinisées résultant d'une pression ou d'une irritation continue
Xanthélasma	Dépôts de cholestérol situés habituellement autour de l'œil ; dépôts signalant parfois un état pathologique, surtout s'ils sont nombreux ou étendus

La peau et les téguments signalent parfois des troubles physiologiques, surtout lorsque les observations de l'infirmière s'ajoutent à son évaluation. Par exemple, si les doigts de la personne sont brunâtres, ils trahissent l'usage du tabac ; si des fèces sont incrustées sous les ongles et autour de la cuticule, ils peuvent indiquer une constipation. Quelquefois, les ongles d'orteil révèlent des difficultés de mobilité, particulièrement s'ils sont longs au point de se recourber sous les orteils. L'état de la peau peut dévoiler de graves problèmes que la personne âgée passe sous silence. Ainsi, de nombreuses ecchymoses à différents degrés de guérison témoignent peut-être de chutes, d'un problème d'alcoolisme, de négligence personnelle ou des mauvais traitements qui lui sont infligés. Les observations et l'information obtenue sont primordiales s'il y a soupçon de négligence ou de mauvais traitements, et ce, malgré les dénégations de la personne ou de son soignant.

Il ne faut pas oublier le rôle du vieillissement dans l'évaluation de la peau et des téguments pour mieux connaître l'état de santé. L'infirmière vérifie souvent l'élasticité de la peau sur les mains ou les bras parce que ce sont des endroits accessibles et socialement acceptables. Toutefois, en présence d'une xérodermie et d'une perte d'élasticité causée par l'âge, il est préférable d'opter pour une surface de la peau couverte comme le sternum ou l'abdomen. Au contraire des mains et bras, ces régions révèlent plus sûrement l'état d'hydratation de la peau, tout comme les muqueuses buccales de la personne âgée qui ne prend pas de médicaments. En effet, un médicament, offert en vente libre ou non, qui contient un anticholinergique assèche la bouche. Le ralentissement de la cicatrisation complique aussi l'évaluation de la peau puisque les étapes habituelles ne correspondent plus aux critères associés à la cicatrisation chez les personnes plus jeunes.

L'état de la peau peut dévoiler de graves problèmes que la personne âgée passe sous silence.

Les cheveux, la peau et les ongles fournissent des indices sur l'estime de soi et sur d'autres éléments psychosociaux. Des contraintes physiques ou des problèmes psychosociaux comme l'apathie ou la détérioration de l'état mental peuvent nuire aux soins personnels. Une personne qui se néglige est peut-être atteinte de dépression ou de démence, ou se trouve socialement isolée. L'encadré 11.2 (p. 120) offre des pistes pour l'observation de la peau et des téguments.

ENCADRÉ 11.2
Des pistes pour l'observation de la peau et des téguments

Examen de la peau

- Quelle en est la couleur?
- Y a-t-il des surfaces où la pigmentation est inégale?
- Y a-t-il des traces de bronzage ou de coups de soleil?
- Y a-t-il des surfaces dont la coloration est altérée de quelque façon que ce soit?
- Y a-t-il des indices d'une mauvaise circulation, surtout aux extrémités (par exemple, des varices ou des surfaces de couleur rouge, bleue ou brune associées à une stase chronique aux membres inférieurs)?
- Quelle est la température de la peau?
- La température des extrémités diffère-t-elle beaucoup de celle du reste du corps?
- La peau est-elle sèche, moite et froide, huileuse?
- Quelle est la texture de la peau? Est-elle lisse ou rugueuse?
- La peau est-elle translucide?
- Quel est le degré d'élasticité de la peau de l'abdomen?
- Y a-t-il des cicatrices? (Dans l'affirmative, en décrire les emplacements et l'apparence.)
- Y a-t-il des indices de chutes ou de mauvais traitements?
  - Y a-t-il des lésions ressemblant à celles décrites au tableau 11.2 (p. 119)?

Voir évaluation, p. 227
  - Procéder à l'évaluation du risque d'escarre avec l'échelle de Braden (un score inférieur à 18 sur 23 représente un risque de plaie de pression).

Examen des cheveux et des ongles

- Quelles sont la couleur, la condition et la texture des cheveux?
- Comment les cheveux sont-ils distribués?
- Y a-t-il des pellicules, des signes de desquamation ou d'autres problèmes?
- Quels sont la couleur, la longueur, la condition et l'état de propreté des ongles des doigts et des orteils?
- Quelles sont la couleur et la condition générale du lit unguéal des doigts et des orteils?

Soins d'hygiène personnels

- La personne prend-elle visiblement soin d'elle-même?
- Si elle se néglige, s'en inquiète-t-elle ou s'en explique-t-elle?
- Existe-t-il des facteurs psychosociaux qui nuisent aux soins personnels (par exemple, l'isolement social ou le fardeau de prendre soin d'une autre personne)?
- Y a-t-il des signes évidents de négligence, notamment une odeur corporelle, des cheveux longs, ébouriffés ou emmêlés, des ongles des doigts et des orteils trop longs et négligés, des croûtes brunâtres sur la peau, des ecchymoses ou des affections cutanées?

L'évaluation des escarres de décubitus

L'infirmière doit évaluer les risques d'escarres de décubitus, les escarres existantes et leur évolution. Il existe maintenant de nombreux outils d'évaluation des risques. Au Canada et au Québec, l'échelle de Braden est l'outil de dépistage le plus populaire, dont la fiabilité et la justesse ont été maintes fois prouvées.

L'utilisation fréquente d'un tel outil dépend généralement de la gravité et de l'évolution de l'état de la personne ainsi que du milieu clinique où elle séjourne et de la durée de son séjour. Ainsi, la majorité des escarres de décubitus se forment dans les trois semaines qui suivent l'admission dans un établissement de soins de longue durée. Un dépistage fréquent serait opportun durant cette période. On recommande également un dépistage à l'admission dans un centre d'hébergement ou dans un établissement de soins et si des changements sont constatés.

L'évaluation des escarres de décubitus facilite l'élaboration d'interventions judicieuses dont l'efficacité sera jaugée soigneusement. L'erreur la plus fréquente d'une personne peu habituée à les soigner est une évaluation erronée de la gravité de la lésion (Siegler et Ayello, 2001). Il faut évaluer une escarre de décubitus de façon continue pour en noter les stades d'évolution.

Les conditions propices à une peau saine

Une peau saine dépend de l'état de santé général de la personne. Dans la population âgée, une bonne nutrition et une hydratation appropriée se révèlent fondamentales. Le milieu de vie et les soins d'hygiène influent aussi sur la santé de la peau. Les interventions infirmières visent donc à en informer la personne. L'encadré 11.3 (p. 121) présente les renseignements à offrir à la personne âgée ou à son soignant à ce sujet. Les publications en soins gérontologiques préconisent pour la plupart de ne pas prendre plus de trois bains ou douches par semaine, mais rien ne démontre qu'une peau sèche résulte directement de leur fréquence. Il faudrait plutôt blâmer le tabagisme, la déshydratation, l'exposition au soleil, un faible taux d'humidité ambiante et l'utilisation de savons irritants (Shepperd et Brenner, 2000).

ENCADRÉ 11.3
La promotion d'une peau saine par les soins appropriés

Maintien d'une peau saine

- Inclure un apport suffisant de liquide dans son régime alimentaire.
- Se servir d'un humidificateur pour conserver un taux d'humidité ambiant qui varie de 40 % à 60 %.
- Appliquer des crèmes adoucissantes et hydratantes au moins deux fois par jour.
- Utiliser une crème adoucissante immédiatement après le bain lorsque la peau est encore humide.
- Éviter de masser les proéminences osseuses lors de l'application d'une crème adoucissante.
- Éviter l'alcool à friction.
- Éviter les produits de beauté parfumés ou renfermant de l'isopropanol.
- Éviter les produits contenant plusieurs ingrédients, car les additifs inutiles peuvent provoquer une allergie.

Soins d'hygiène personnels

- Utiliser le savon avec modération ou opter pour un savon non parfumé au moment du bain ou de la douche.
- Garder la température de l'eau du bain ou de la douche entre 17 °C et 22 °C.
- Bien rincer la peau après s'être savonné. Un bain dans une baignoire à remous stimule la circulation sanguine, mais il faut conserver l'eau à une température modérée.
- Choisir une crème adoucissante après le bain plutôt qu'un produit émollient dans l'eau du bain pour minimiser les risques de chute sur une surface huileuse et optimiser les bienfaits de la crème adoucissante.
- Se servir de crèmes adoucissantes renfermant de la vaseline ou de l'huile minérale (par exemple, les marques Keri, Eucerin, Aquaphor).
- Prendre des précautions supplémentaires pour ne pas glisser si une huile de bain est utilisée.
- Porter des pantoufles ou des chaussettes antidérapantes si une crème adoucissante est appliquée sur la plante des pieds.

- Bien s'essuyer la peau, surtout entre les orteils et aux endroits où des surfaces de la peau se frottent les unes sur les autres et ne pas y appliquer de crème.
- S'essuyer la peau par de légers tapotements plutôt que par des frottements vigoureux.
- Recourir aux soins d'un podiatre à intervalles réguliers.

Pour éviter les méfaits du soleil

- Porter un chapeau à larges bords, des pare-soleil, des lunettes de soleil et des vêtements à manches longues.
- Préférer des vêtements de coton aux vêtements en polyester, qui laissent passer les rayons ultraviolets.
- Appliquer souvent de généreuses quantités de crème solaire en commençant une heure avant l'exposition au soleil.
- Choisir une crème solaire avec un coefficient de protection d'au moins 15. Éviter l'exposition solaire entre 10 h et 15 h.
- Se protéger aussi des rayons ultraviolets dans l'eau et par temps nuageux.
- Les cabines de bronzage utilisent les rayons ultraviolets de type A dont l'innocuité est vantée, mais qui, à doses élevées, endommagent la peau.

Prévention des blessures par abrasion

- Ne pas utiliser d'empois, d'agents de blanchiment ni de détergents irritants pour laver les vêtements ou le linge de maison.
- Opter pour des draps en tricot ou en percale.
- Choisir des débarbouillettes en coton ou en tissu éponge.
- Si des serviettes d'incontinence doublées de plastique sont nécessaires, s'assurer que le plastique est recouvert de matériel doux et absorbant d'une épaisseur convenable.

Nutrition

- Assurer un apport suffisant en zinc, en magnésium et en vitamines A, B complexe, C et E.

Soins de santé parallèles et complémentaires

- Une plante émolliente : l'aloès ordinaire.

La prévention et le traitement des escarres de décubitus

La prévention des escarres de décubitus constitue l'une des principales responsabilités de l'infirmière qui s'occupe de personnes âgées en perte d'autonomie. Ces lésions sont imputables à une mauvaise circulation et à une pression externe. L'infirmière doit s'assurer que les personnes à mobilité réduite peuvent changer de position toutes les deux heures et que des mesures sont prises pour soulager la pression qui s'exerce sur certaines surfaces. Une analyse des études sur le sujet dévoile que les matelas conçus pour réduire la pression sont supérieurs aux matelas ordinaires, car ils diminuent les risques d'escarre dans une proportion de 70 %. Toutefois, l'utilisation en alternance de différents appareils de réduction (par exemple, un matelas pneumatique et un matelas à faible perte d'air) semble donner des résultats équivalents sur le plan de l'efficacité (Thomas, 2001). Cette analyse conclut que l'utilisation d'un appareil de réduction de la pression est essentielle à la prévention des escarres de décubitus. Le choix dépend de son coût, de sa disponibilité et du bien-être qu'il procure. Des revêtements et des coussins de gel, de mousse et d'élimination de la pression par faible perte d'air sont également offerts sur le marché.

En plus d'empêcher toute cause de pression constante sur la peau, l'infirmière doit aussi éviter les forces de friction et de cisaillement ainsi que l'excès d'humidité. Elle doit stimuler la circulation en appliquant régulièrement des crèmes hydratantes, sans toutefois masser les proéminences osseuses. Des soins d'hygiène personnels appropriés et l'élimination rapide d'agents irritants, telle l'urine, atténuent le problème, tout comme la promotion d'une hydratation et d'une alimentation adéquates.

L'infirmière doit s'assurer que les personnes à mobilité réduite peuvent changer de position toutes les deux heures et que des mesures sont prises pour soulager la pression qui s'exerce sur certaines surfaces.

Les interventions suggérées à l'encadré 11.3 (p. 121) sont appropriées pour prévenir la formation d'escarres de décubitus.

Outre le soin de ces plaies de lit, les interventions de l'infirmière visent aussi la nutrition, particulièrement l'apport protéinique. Pour améliorer la guérison des escarres de décubitus, un apport en protéines acceptable se situe entre 1,2 g/kg/jour et 2 g/kg/jour (Lewis, 2001 ; Thomas, 2001). La prise de suppléments de vitamine C et de zinc en doses supérieures ne semble pas accélérer la guérison, et des doses de zinc supérieures à 100 g par jour pourraient se révéler nocives (Houston et autres, 2001 ; Thomas, 2001).

Chapitre 12
Le sommeil et le repos

OBJECTIFS D'APPRENTISSAGE

Après avoir lu ce chapitre,
vous devriez être en mesure :

- de décrire les changements liés à l'âge qui ont une incidence sur le sommeil et le repos ;

- d'énoncer les facteurs de risque qui peuvent perturber le sommeil et le repos d'une personne âgée ;

- d'expliquer les changements du cycle du sommeil et les troubles du sommeil fréquents chez la personne âgée ;

- de préciser les questions et les observations relatives à l'évaluation des habitudes de sommeil d'une personne âgée ;

- d'indiquer les interventions qui favorisent le sommeil et éliminent les facteurs de risque qui nuisent au sommeil d'une personne âgée.

Plan du chapitre

Chaque personne passe environ le tiers de sa vie à dormir et à se reposer. Pourtant, nous en savons peu sur les fonctions physiologiques et psychosociales fondamentales associées à ces activités. Au cours du sommeil et des temps de repos, il se produit un ralentissement du métabolisme, une réduction de la production de somathormone ainsi qu'une accélération de la régénération tissulaire et de la synthèse protéinique. En outre, le sommeil profond (que nous expliquerons plus loin) permet le stockage, le triage et l'organisation de l'information cognitive et émotive. Ainsi, la qualité et la durée du sommeil influent sur les fonctions physiologiques et le bien-être psychosocial.

Avant les années 1930, aucune recherche ne s'intéressait au sommeil, car celui-ci était simplement considéré comme un arrêt des activités diurnes et non comme une activité en soi. Dans les années 1950, l'observation des cycles du sommeil au moyen d'un polygraphe approfondit la connaissance de cette activité. Au cours des années 1960, on observe trois états de conscience distincts : le sommeil lent, le sommeil paradoxal et les épisodes de réveil nocturne. Les années 1970 marquent la venue de cliniques spécialisées qui se consacrent à l'étude, au diagnostic et au traitement des troubles du sommeil. Au début des années 2000, les médias attirent l'attention du public sur les problèmes associés au manque de sommeil dans les sociétés industrialisées, en particulier sur la forte proportion de personnes qui ne dorment pas suffisamment. Internet devient une source importante de renseignements à ce sujet. En outre, le syndrome de l'apnée du sommeil est de plus en plus connu. L'avancée des connaissances et les progrès technologiques dans ce domaine peuvent ainsi venir en aide aux personnes âgées aux prises avec des troubles du sommeil. Encore faut-il bien comprendre la nature de ceux-ci.

12.1 Les changements liés à l'âge et les habitudes de sommeil et de repos

Les recherches sur le sommeil ont d'abord voulu distinguer les caractéristiques de chaque cycle de sommeil selon les périodes de la vie ; elles se sont aussi intéressées aux habitudes et à la structure particulières du sommeil de la personne âgée. On connaît maintenant assez bien la composition des cycles

du sommeil, mais certains phénomènes demeurent obscurs, comme l'apnée du sommeil, le rythme circadien et leurs répercussions sur la personne âgée. Un cycle de sommeil se définit par le temps qu'une personne demeure au lit, endormie ou éveillée, ainsi que par la profondeur et la qualité de son sommeil. Les changements liés à l'âge modifient peu la durée du sommeil, mais ils se répercutent sur sa qualité et sur la durée du repos. Les troubles du sommeil sont parmi les plus importants problèmes pour lesquels les personnes âgées consomment des médicaments ou consultent un médecin (Giron et autres, 2002). Si certains de ces troubles sont imputables au vieillissement, la plupart relèvent de facteurs de risque et d'éléments extrinsèques. L'interaction de plusieurs facteurs physiologiques, psychosociaux et du milieu de vie influence les habitudes de sommeil et les troubles qui lui sont associés. Cette interaction se complexifie avec l'âge.

> *Les troubles du sommeil sont parmi les plus importants problèmes pour lesquels les personnes âgées consomment des médicaments ou consultent un médecin (Giron et autres, 2002).*

Le temps passé au lit et la durée quotidienne de sommeil

Les chercheurs reconnaissent unanimement que les personnes âgées passent plus de temps au lit que les adultes plus jeunes, sans nécessairement vouloir dormir. Toutefois, ils ne s'entendent pas sur la durée totale du sommeil. Chez les aînés en santé, elle serait comparable à celle des personnes plus jeunes. Une méta-analyse de 41 études menées à l'aide d'un polysomnogramme et ayant pour objet les transformations du sommeil liées au vieillissement constatait une régression du temps de sommeil nocturne chez les personnes âgées (Floyd et autres, 2000).

Les adultes, âgés ou non, dorment environ 6,5 à 7,5 heures par période de 24 heures ; les personnes âgées augmentent leur temps de repos de trois ou quatre heures pour obtenir une durée de sommeil équivalente à celle d'adultes plus jeunes. Ils font d'ailleurs la sieste plus souvent qu'eux et plus tôt dans l'après-midi (soit entre midi et 15 h). Une sieste leur permet d'atténuer leur somnolence diurne excessive et d'améliorer, entre autres, leur vigilance (Tamaki et autres, 2000).

L'efficacité du sommeil et les réveils nocturnes

L'efficacité du sommeil (alors que la personne est au lit) dépend de la perception de sa qualité. Le pourcentage d'efficacité du sommeil se situe entre 80 % et 95 % pour les adultes plus jeunes et à environ 70 %

pour les personnes âgées. Ce fléchissement provient d'une plus longue période de latence du sommeil chez les aînés, c'est-à-dire du temps qu'ils mettent à s'endormir, et du nombre croissant de leurs réveils nocturnes. À partir de l'âge de 40 ans, le nombre de réveils nocturnes augmente progressivement ; ceux-ci finissent par occuper un cinquième de la nuit à un âge plus avancé.

Les causes de ce phénomène, qu'il découle d'états pathologiques ou du vieillissement, ne font pas l'unanimité, tout comme les autres changements fréquemment notés chez les personnes âgées. L'apnée du sommeil, un malaise physique, la démence ou la dépression, des affections, un seuil d'éveil auditif plus faible ou une hausse de la concentration plasmique de noradrénaline constituent des facteurs pouvant multiplier le nombre de réveils nocturnes. Quelle que soit leur cause – vieillissement ou maladie –, les réveils nocturnes surviennent de plus en plus souvent avec l'avancée en âge et représentent donc des facteurs de risque associés aux troubles du sommeil chez les aînés.

Le cycle du sommeil

Le sommeil nocturne est divisé en cycles. Chaque cycle, d'une durée de 70 à 120 minutes, se compose lui-même de cinq phases : quatre phases de sommeil lent, aussi appelé sommeil à ondes lentes (stades 1 à 4), et une phase de sommeil paradoxal, au cours de laquelle se produisent les rêves. Les quatre stades du sommeil lent ne sont pas identiques : deux surviennent alors que le sommeil est léger (stades 1 et 2), et les deux autres témoignent d'un sommeil profond (stades 3 et 4).

Au début de chaque cycle, les stades de sommeil lent évoluent en ordre croissant de profondeur, du stade 1 (léger) au stade 4 (profond). L'ordre est ensuite inversé, du stade 4 au stade 1. Vient ensuite le sommeil paradoxal. Ce cycle (sommeil lent, stades 1, 2, 3, 4 ; sommeil lent, stades 4, 3, 2, 1 ; sommeil paradoxal) se répète toute la nuit. À mesure que celle-ci avance, la durée du sommeil paradoxal augmente (donc la période de rêves s'allonge), et celle des stades 3 et 4 du sommeil lent (donc le sommeil profond) diminue. Pour cette raison, il est plus facile de réveiller une personne en fin de nuit.

Pendant les quatre stades de sommeil lent, les muscles se détendent, il y a ralentissement du métabolisme et des rythmes cardiaque et respiratoire, qui sont plus réguliers qu'au cours du sommeil paradoxal ou que lorsque la personne est éveillée. Plus particulièrement, les stades 3 et 4 du sommeil lent, ceux du sommeil profond, participent au ressourcement physiologique. La sécrétion d'hormones survient pendant le stade 4.

Les rêves peuvent aussi survenir pendant les stades de sommeil lent, mais les plus élaborés et ceux qui se rapprochent davantage de la réalité se produisent plutôt au cours de la période de sommeil paradoxal. Celui-ci se caractérise par les changements physiologiques suivants :

- mouvements oculaires rapides ;
- diminution de la tonicité des muscles ;
- fluctuation de la pression artérielle ;
- baisse de l'activité thermorégulatrice ;
- augmentation des sécrétions gastriques ;
- élévation supérieure de la concentration des urines par les reins ;
- hausse de 40 % du débit sanguin au cerveau ;
- augmentation du rythme et de la fréquence respiratoires et du pouls ;
- engorgement du clitoris et hausse du débit sanguin vaginal ;
- tumescence pénienne.

Ces changements physiologiques associés au sommeil paradoxal peuvent amplifier certains problèmes médicaux. Ainsi, une augmentation des sécrétions gastriques peut occasionner des douleurs au tractus gastro-intestinal chez un individu atteint d'un ulcère gastroduodénal. De même, la personne souffrant d'une bronchopneumopathie chronique obstructive (BPCO) devient dyspnéique ou elle peut subir un trouble respiratoire aigu en raison d'une baisse de la saturation en oxygène.

La durée des stades du cycle de sommeil

Au cours de la vie, la part de la durée du stade 1 du sommeil lent dans un cycle passe de 5 % chez le jeune adulte à environ 20 % chez la personne âgée. Au début de la nuit, l'état de somnolence est plus long chez la personne âgée. Pendant la nuit, la durée du stade 1 de son sommeil lent varie beaucoup, mais celle du stade 2 se compare à la durée du même stade d'une personne plus jeune. La durée des stades 3 et 4 diffère énormément ; en effet, chez de nombreuses personnes âgées, ces stades tendent à disparaître. Roth et Roehrs (2000) ont étudié les stades du sommeil entre l'âge de 30 et de 59 ans et ont remarqué que les stades 3 et 4 occupent 10 % du sommeil chez les personnes dans la quarantaine et 6 % chez les gens dans la soixantaine. Le stade 4, celui du sommeil paradoxal, est une phase importante de la nuit, tant chez les personnes âgées que chez les plus jeunes. Ces dernières ont le même nombre de périodes de sommeil paradoxal que les aînés, mais la durée de chaque période tend à diminuer avec l'âge. Ainsi, chez le jeune enfant, plus de 40 % du temps de sommeil correspond à des périodes de rêves. Ce pourcentage est réduit à 25 % à l'âge 70 ans (Blazer, 1998). Chez les personnes âgées, le sommeil paradoxal tend à disparaître, contrairement aux adultes plus jeunes, chez qui ce type de sommeil se concentre dans la deuxième moitié de la nuit. Le tableau 12.1 présente le cycle du sommeil et la comparaison des changements qui surviennent dans celui-ci selon l'âge de la personne.

Le rythme circadien

La structure du sommeil est régie par le rythme circadien (ou horloge biologique). Il agit sur les fonctions physiologiques telles que la thermorégulation et la sécrétion d'hormones, dont le cortisol et la mélatonine, ainsi que sur le cycle sommeil/éveil. C'est au rythme circadien que sont soumis les individus qui se sentent envahis par la somnolence entre 22 h et minuit et qui se réveillent entre 6 h et 8 h le lendemain, frais et dispos. Avec le vieillissement, le rythme circadien est devancé, et la personne se couche et se lève plus tôt. Le dérèglement du rythme circadien perturbe le sommeil et empêche ainsi la personne de se rendormir la nuit. On parle alors de **syndrome d'avance de phase**. Les troubles du sommeil engendrés par le dérèglement du rythme circadien ne résultent pas seulement du processus de vieillissement. Une

Les troubles du sommeil engendrés par le dérèglement du rythme circadien ne résultent pas seulement du processus de vieillissement.

exposition insuffisante à une lumière vive peut les aggraver (Klerman et autres, 2001). Il est également possible que les troubles du sommeil et les perturbations du rythme circadien proviennent de facteurs extérieurs telle l'obligation de se coucher et de se lever à des heures précises (Blazer, 2002).

12.2 Les facteurs de risque et le sommeil

Les troubles du sommeil qui affectent souvent les personnes âgées, même celles qui sont en bonne santé, ne résultent pas seulement des changements liés à l'âge. De nombreux facteurs psychosociaux et physiologiques qui leur sont propres jouent aussi un rôle. Certains facteurs associés au milieu, notamment aux hôpitaux et, plus particulièrement, aux CHSLD, peuvent également nuire au sommeil.

Les facteurs psychosociaux

Les croyances populaires et les attitudes influencent beaucoup le sommeil et peuvent générer de l'anxiété. Si une personne âgée est persuadée que ses réveils nocturnes sont anormaux et qu'elle fait de l'insomnie, elle cherche alors une solution basée sur la prise de médicaments. Si elle est convaincue qu'il lui faut dormir un certain nombre d'heures chaque nuit, elle peut aussi croire que ses épisodes de réveil nocturne

TABLEAU 12.1	Les changements dans le cycle du sommeil en fonction de l'âge	
Phases du cycle du sommeil	**Jeunes adultes**	**Personnes âgées**
Phase du sommeil lent : tension musculaire normale, mouvements oculaires lents		Variation à la hausse de la durée de la phase de sommeil lent
• Stade 1	5 % DST	Hausse constante pour atteindre 10 % à 20 % DST
• Stade 2	50 % DST	Normalement pas de changement
• Stade 3	10 % DST	Peu ou pas de changement
• Stade 4	10 % DST	Très court ou disparu, surtout chez l'homme
Phase du sommeil paradoxal : baisse de la tonicité musculaire, mouvements oculaires rapides, rêves d'apparence réelle	25 % DST	Plus courte, moins intense, répartie plus uniformément
Changements globaux		Accroissement de la durée de la période de latence
		Augmentation du nombre de réveils nocturnes
		Modification de la qualité du sommeil et réduction de la durée de la période de sommeil profond
		Hausse de la durée du temps passé au lit
		Durée de sommeil identique sur une période de 24 heures

DST : Durée de sommeil totale

sont en fait de l'insomnie et vouloir obtenir un traitement qui pourrait s'avérer inapproprié. L'inquiétude, les pensées négatives et la crainte de se réveiller la nuit exacerberont ses appréhensions (Libman et autres, 1997). Maggi et ses collègues (1998) ont constaté que les pensées négatives, les souvenirs, l'anxiété et d'autres facteurs psychologiques sont responsables de la plupart des perturbations du sommeil chez les personnes âgées.

L'anxiété, la démence, la dépression et les déficits sensoriels sont des troubles psychologiques qui gênent le sommeil. La difficulté de s'endormir, parfois suivie de fréquents réveils nocturnes et d'une résistance à se rendormir, peut trahir des états anxieux ou l'installation du processus de la démence. Les personnes atteintes de démence montrent les particularités suivantes : l'élimination du sommeil lent de stade 4, une déstabilisation du cycle sommeil/éveil, une réduction maximale de la période de sommeil paradoxal ou du stade 3 du sommeil lent, de nombreux réveils nocturnes et la nécessité de s'offrir des siestes diurnes. Quant à elles, les personnes atteintes de dépression s'endorment plus lentement, dorment moins profondément, se réveillent plus souvent la nuit, s'éveillent plus tôt le matin et se sentent moins reposées. La démence, la dépression ou les déficits sensoriels affectent le rythme circadien et la réaction aux stimuli externes, avec pour conséquence le dérèglement du cycle sommeil/éveil. Par exemple, le trouble du sommeil d'une personne ayant un déficit visuel peut découler de son impossibilité à réguler les stimuli lumineux (Zizi et autres, 2002).

L'ennui et le manque d'activités sociales ou de stimulation peuvent aussi altérer la structure du sommeil. La personne qui ne participe à aucune activité organisée, sociale ou de loisirs établira difficilement de saines habitudes de sommeil. Une étude européenne portant sur plus de 13 000 personnes âgées révélait que le vieillissement n'était pas synonyme d'insomnie, mais plutôt que l'inactivité et une vie sociale insatisfaisante pouvaient le devenir (Ohayon et autres, 2001). Ces chercheurs affirmaient que des activités et une vie sociale heureuse éloignaient l'insomnie. Les personnes seules atteintes de démence ou de dépression vivent davantage de troubles du sommeil parce que l'ennui, le manque de motivation, la difficulté à se concentrer sur des activités stimulantes ou le désir de s'isoler de situations stressantes les poussent à rester au lit pendant la journée.

Les facteurs liés au milieu de vie

Les facteurs associés au milieu de vie sont les plus perturbateurs, notamment pour les personnes qui ne vivent pas seules. En effet, les exigences et les activités de l'entourage, que ce soit à la maison ou en établissement, désorganisent les habitudes de sommeil, particulièrement si plusieurs personnes partagent une chambre. Peu importe l'âge, un adulte qui doit dormir dans un autre lit que le sien doit s'y adapter avant d'avoir un bon sommeil. Une personne âgée s'endormira plus difficilement dans un établissement de santé, particulièrement au cours des premières nuits suivant son admission.

Dans les établissements de santé, l'agitation, le manque d'intimité, les exigences contradictoires formulées par diverses personnes et le fait de dormir à proximité d'autres individus représentent tous des facteurs susceptibles de gêner les habitudes de sommeil. La personne âgée habituée à dormir seule ou avec un membre de sa famille ressent une sorte d'intrusion dans sa vie privée ; elle a entre autres l'obligation de porter un vêtement de nuit, de retirer son dentier et de partager une chambre avec des étrangers. S'il lui est impossible de respecter son rituel du coucher, par exemple d'écouter de la musique ou de lire, elle mettra beaucoup de temps à s'endormir. L'horaire des soignants peut désorganiser ses habitudes de sommeil. Ainsi, le temps de réveil dans un établissement est fixé en fonction de l'optimisation des soins et de la distribution des repas. Les résidents doivent s'y conformer. À domicile, la personne âgée à mobilité réduite doit aussi modifier ses habitudes de sommeil pour les adapter à l'horaire de son soignant, qui a peut-être d'autres obligations.

Le bruit, une température ambiante inconfortable et l'éclairage sont des facteurs qui, bien que nuisibles, sont modifiables, surtout en établissement. Vers l'âge de 40 ans, la sensibilité au bruit s'accroît. Les personnes se réveillent au moindre son, même s'il est faible. Cruise et ses collègues (1998) ont noté un lien étroit entre une détérioration du sommeil, le bruit et les soins liés à l'incontinence dans les centres d'hébergement. Des températures trop élevées ou trop basses en raison d'un réglage inapproprié des systèmes de chauffage ou de climatisation, par exemple, peuvent dégrader la qualité du sommeil. L'éclairage influe aussi sur le rythme circadien et les habitudes de sommeil. Un éclairage très vif dans les chambres et les corridors peut déranger le sommeil, de même qu'une lampe de chevet ou un plafonnier allumés pour la prestation de soins de santé. Un mauvais éclairage perturbe également le cycle sommeil/éveil. Plusieurs chercheurs se concentrent d'ailleurs sur les répercussions de l'éclairage sur le sommeil. Par exemple, Mishima et ses collègues (2001) ont découvert que la sécrétion nocturne de mélatonine diminuait de façon importante chez les sujets âgés exposés à un faible éclairage. Ceux-ci éprouvaient aussi des troubles du sommeil. Une autre étude menée auprès de résidents de centres d'hébergement (dont l'âge moyen était de 86 ans) établissait un lien entre un éclairage élevé pendant le jour et une diminution du nombre de réveils nocturnes (Shochat et autres, 2000).

Les troubles du sommeil peuvent aussi survenir à domicile. Par exemple, un soignant âgé peut être réveillé la nuit par le membre de la famille dont il s'occupe. La peur, la solitude et les bruits du voisinage sont d'autres facteurs nuisibles au sommeil. Le placement de la personne âgée dans un centre d'hébergement devient peut-être une option pour assurer le soutien et la sécurité nécessaires à des nuits paisibles. Enfin, si la personne qui vit en établissement ou à domicile passe toute la journée dans sa chambre, elle ne différencie plus les activités diurnes des activités nocturnes, ce qui peut aussi dérégler ses habitudes de sommeil.

Les facteurs physiologiques

Les problèmes de santé, la douleur, les malaises et les effets indésirables de médicaments et d'agents chimiques engendrent de nombreux troubles du sommeil. À l'instar des autres facteurs de risque, ils ne concernent pas uniquement les personnes âgées, mais ils sont plus répandus dans cette population et plus dommageables s'ils s'associent au vieillissement et à d'autres facteurs.

Certains états pathologiques, notamment l'angine de poitrine, l'hypertension, l'ulcère duodénal, la coronaropathie et les BPCO s'aggravent la nuit, surtout pendant le sommeil paradoxal. Les douleurs et malaises aigus et chroniques entraînent aussi des troubles du sommeil. Parfois, une crampe dans les muscles du mollet ou du pied interrompt le sommeil. Le tableau 12.2 associe les facteurs de risque physiologiques et leurs conséquences négatives sur le sommeil.

L'apnée du sommeil

Plusieurs études portent sur l'apnée du sommeil, et de nombreuses cliniques spécialisées dans les troubles du sommeil en font leur principal sujet de recherche. L'apnée obstructive est l'arrêt involontaire de la respiration pendant au moins 10 secondes. Une fréquence horaire de cinq à huit épisodes signale un état pathologique. L'apnée survient lorsque les muscles de la gorge se détendent pendant le sommeil. L'ouverture de la gorge se rétrécit, et le passage de l'air est bloqué. Les symptômes de l'apnée obstructive sont la fatigue diurne, des céphalées matinales, une diminution de la vigilance et des ronflements forts et irréguliers pendant le sommeil. Les aînés ne sont pas les seuls à en souffrir, mais entre un tiers et deux tiers des personnes âgées de 60 ans et plus connaissent au moins cinq épisodes d'apnée par heure. L'apnée du sommeil apparaît vers l'âge de 50 ans, et sa fréquence croît avec l'âge. Elle touche plus d'hommes que de femmes. Outre l'avancée en âge, les autres causes sont l'obésité, la démence, la dépression, l'hypertension, l'hyperthyroïdie, la cyphoscoliose – une déformation des structures de la mâchoire ou du nez –, sans oublier le tabagisme, l'alcool et les médicaments qui dépriment le centre de contrôle respiratoire du cerveau.

Les effets indésirables des médicaments et d'autres substances

Les effets de certains médicaments et de substances comme la caféine, l'alcool et la nicotine nuisent au sommeil. La caféine stimule le système nerveux central et prolonge la période de latence du sommeil, en plus de provoquer des réveils nocturnes. Si la

TABLEAU 12.2	Les facteurs physiologiques et leurs conséquences négatives sur le sommeil
Facteurs physiologiques	**Conséquences**
Arthrite	Douleur et malaise chroniques nuisibles au sommeil
BPCO	Réveil causé par l'apnée et la détresse respiratoire
Diabète	Réveil causé par une polyurie nocturne ou une glycémie mal maîtrisée
Troubles gastro-intestinaux, ulcères	Douleur résultant d'une augmentation des sécrétions gastriques pendant le sommeil paradoxal
Hypertension	Réveil très matinal
Hyperthyroïdie	Difficulté accrue à s'endormir
Angor nocturne	Réveil nocturne sans sensation de douleur, surtout pendant le sommeil paradoxal
Mouvement involontaire des membres pendant le sommeil, syndrome des jambes sans repos	Réveil nocturne occasionné par les mouvements involontaires des membres
Dérèglement du rythme circadien	Coucher devancé, réveil très matinal, difficulté à se rendormir après un réveil nocturne
Maladie de Parkinson	Augmentation de la période de veille, diminution de la durée du sommeil

nicotine à faibles doses possède des propriétés relaxantes et sédatives, des quantités élevées ont des effets stimulants et entraînent des répercussions sur le rythme cardiaque et la fréquence respiratoire. L'alcool entraîne la somnolence, mais élimine le sommeil paradoxal; la personne se réveille plus souvent, surtout dans la deuxième moitié de sa période de sommeil. La consommation d'alcool réduit la durée totale du sommeil et augmente la somnolence diurne. De plus, une personne qui a cessé de prendre de l'alcool continuera à souffrir d'insomnie liée à la consommation d'alcool pendant quelques années par la suite. L'apnée obstructive constitue une cause sous-jacente de l'insomnie, mais la consommation d'alcool, de somnifères ou d'autres agents dépresseurs du système nerveux central intensifiera ce trouble du sommeil. Pour parvenir à dormir, la personne augmentera la dose du médicament et, par conséquent, subira d'autres effets indésirables. Les effets indésirables des médicaments se produisent plus souvent dans la population âgée que chez les adultes plus jeunes (voir le chapitre 14).

Les somnifères occasionnent des troubles du sommeil chez les personnes âgées de diverses façons.

- ils procurent une satisfaction au départ, mais l'accoutumance au médicament s'installe parfois en quelques jours;
- ils produisent des effets indésirables après une augmentation de la dose pour contrebalancer l'accoutumance, car le système nerveux central est déprimé, et la personne âgée est de plus en plus sensible aux effets du médicament;
- ils entraînent des effets paradoxaux, notamment des cauchemars et de l'agitation;

La consommation d'alcool réduit la durée totale du sommeil et augmente la somnolence diurne.

- ils entravent le sommeil paradoxal et les stades de sommeil profond.

L'arrêt de la consommation de somnifères sera suivi d'un rebond du sommeil paradoxal, accompagné de cauchemars. Certains somnifères offerts sur le marché depuis plusieurs années possèdent des demi-vies très longues et entraînent de la somnolence diurne qui nuit au sommeil nocturne. Par exemple, le flurazépam (Dalmane) se décompose en un métabolite actif dont la demi-vie moyenne dure de 47 à 100 heures. Si la personne en prend tous les soirs pendant une semaine, sa concentration sanguine de flurazépam sera cinq ou six fois plus élevée que celle de la dose originale.

D'autres médicaments sont associés aux troubles du sommeil: les stéroïdes, les antidépresseurs, les préparations contenant de l'aminophylline, les extraits thyroïdes, les antiarythmiques et les antihypertenseurs qui agissent sur le système nerveux central. Le tableau 12.3 résume les effets indésirables de certains médicaments et de certaines substances sur le sommeil. Rappelons que l'arrêt de la consommation d'alcool ou de somnifères perturbe tout de même le sommeil et provoque des cauchemars.

12.3 Les conséquences fonctionnelles des changements liés à l'âge sur le sommeil

Les conséquences fonctionnelles des changements liés à l'âge sur le sommeil se résument ainsi: les personnes âgées s'endorment plus difficilement, elles se réveillent facilement et plus souvent, la durée de la

TABLEAU 12.3 Les effets indésirables de certains médicaments et substances

Médicament ou substance	Effets indésirables
Alcool	Élimination du sommeil paradoxal, réveil très tôt
Anticholinergiques	Hyperréflexie, suractivité, contractions musculaires
Barbituriques	Élimination du sommeil paradoxal, cauchemars, hallucinations, réactions paradoxales
Benzodiazépines	Réveil causé par l'apnée
Bêtabloquants	Cauchemars
Corticostéroïdes	Agitation, perturbation du sommeil
Diurétiques	Réveil résultant d'une polyurie nocturne, apnée du sommeil causée par une alcalose
Théophylline, lévodopa, isoprotérénol, phénytoïne	Prolongation de la période d'endormissement et dérèglement des stades du cycle de sommeil
Antidépresseurs	Mouvement involontaire des membres pendant le sommeil, élimination du sommeil paradoxal

période de latence s'allonge, et les stades de sommeil profond (stades 3 et 4 du sommeil lent) raccourcissent. Toutefois, ces changements ont peu d'influence sur leur vie quotidienne, car la durée totale de leur sommeil est relativement inchangée. La prévalence des facteurs de risque qui rendent les aînés fragiles aux troubles du sommeil les porte à souffrir d'insomnie et de somnolence diurne excessive. Comparativement aux adultes de moins de 65 ans, les personnes plus âgées éprouvent presque deux fois plus de troubles du sommeil (Umlauf et Weaver, 2001). Les facteurs qui en augmentent la probabilité sont l'angine, la dépression, l'anxiété et l'inquiétude, la maladie chronique, un déficit cognitif, ainsi que l'appartenance à la race blanche et au sexe féminin et une autoévaluation négative de son état de santé. Les troubles du sommeil se multiplient chez les personnes âgées qui vivent en établissement. Par exemple, le cycle sommeil/éveil des résidents de centres d'hébergement est raccourci d'une heure en raison de l'activité du personnel, du bruit ambiant et de la configuration des lieux.

Au moins un tiers de la population âgée souffre de troubles du sommeil, que ce soit sous la forme d'une somnolence diurne, d'un endormissement difficile ou de fréquents réveils nocturnes. À la fin des années 1970, les troubles du sommeil ont fait l'objet d'un classement systématique et de l'établissement de normes diagnostiques. L'insomnie est une difficulté à s'endormir ou à dormir et représente l'un des troubles du sommeil les plus répandus chez les personnes âgées. L'hypersomnie est une somnolence diurne excessive qui se manifeste par une chute de la vigilance. Elle se différencie de la fatigue, qui est une baisse d'énergie (Umlauf et Weaver, 2001).

Si la privation de sommeil n'est pas une conséquence intrinsèque du processus de vieillissement, elle peut être la résultante de ce processus combiné avec des facteurs de risque. Les conséquences psychosociales d'une brève perte de sommeil englobent la confusion, l'irritabilité, l'hypersomnie, une diminution marquée de la concentration et des résultats médiocres aux tests psychométriques. Des études ont relevé que les troubles du sommeil et les plaintes à ce sujet sont liés à des déficits cognitifs chez les personnes âgées et d'âge moyen (Jelicic et autres, 2002). Une privation prolongée du sommeil entraîne de la fatigue, de l'irritabilité, de la désorientation, un sentiment de persécution, un déficit de l'attention, des troubles de la perception et des troubles neurologiques transitoires comme des tremblements des mains.

> *Comparativement aux adultes de moins de 65 ans, les personnes plus âgées éprouvent presque deux fois plus de troubles du sommeil (Umlauf et Weaver, 2001).*

Certains de ces signes (par exemple, la désorientation, le déficit de l'attention et le sentiment de persécution) peuvent faire croire à des symptômes de démence ou de maladies plutôt qu'à une privation de sommeil. La figure 12.1 (p. 131) montre les changements liés à l'âge, les facteurs de risque et leurs conséquences fonctionnelles négatives sur le sommeil et le repos des personnes âgées.

12.4 L'évaluation et les principales interventions de l'infirmière liées au sommeil et au repos

La détection des troubles du sommeil

L'infirmière évalue les habitudes de sommeil et de repos de la personne âgée; elle repère aussi les facteurs de risque qui en détériorent la qualité et la durée. Elle cherche à savoir si la personne est renseignée sur les troubles du sommeil pour en prévenir le développement. L'infirmière doit aussi déceler les comportements nuisibles, par exemple, la prise prolongée de somnifères, qui se fondent sur une information ou sur des convictions erronées. Ces observations et les réponses à ses questions lui offrent l'occasion de suggérer des activités d'éducation pour la santé au moyen d'interventions ciblées.

L'encadré 12.1 (p. 132) suggère des questions pour l'évaluation des habitudes de sommeil et de repos de personnes âgées autonomes; l'infirmière peut aussi les poser aux soignants de personnes âgées non autonomes. L'échelle d'évaluation de la qualité du sommeil de Pittsburgh, présentée à la partie 5 de cet ouvrage, s'avère un outil adéquat pour l'évaluation du besoin de sommeil chez la personne âgée.

Aux renseignements obtenus auprès de la personne âgée en perte d'autonomie ou de ses soignants, l'infirmière ajoute ses propres observations sur les activités que pratique la personne et sur ses périodes de repos le jour et le soir. Cette démarche se révèle essentielle si ses observations contredisent les renseignements fournis. Par exemple, une personne âgée peut affirmer ne pas pouvoir dormir alors qu'elle semble dormir toute la nuit, selon les observations des soignants. Une autre peut nier un trouble du sommeil bien qu'elle fasse souvent la sieste et s'endorme pendant le déroulement d'activités.

Voir évaluation, p. 224

Les habitudes qui améliorent le sommeil

L'infirmière privilégie les activités d'éducation pour la santé, l'amélioration du milieu de vie et les techniques

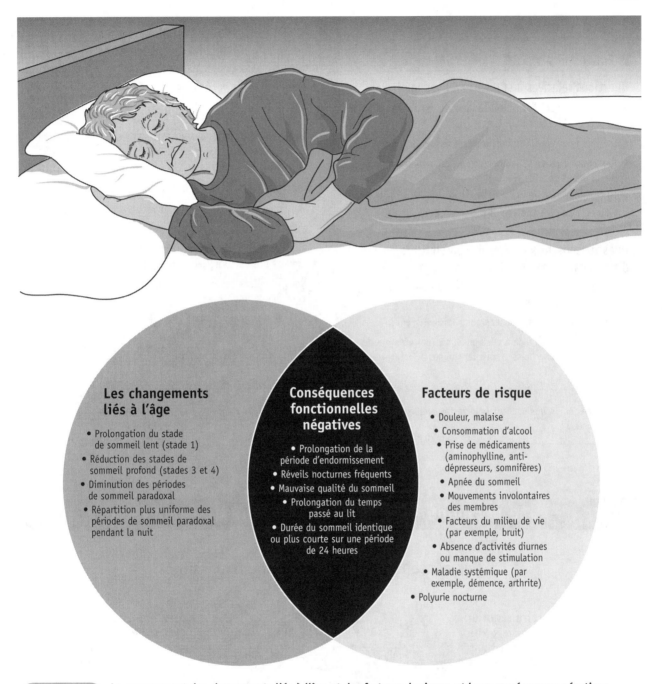

Les changements liés à l'âge

- Prolongation du stade de sommeil lent (stade 1)
- Réduction des stades de sommeil profond (stades 3 et 4)
- Diminution des périodes de sommeil paradoxal
- Répartition plus uniforme des périodes de sommeil paradoxal pendant la nuit

Conséquences fonctionnelles négatives

- Prolongation de la période d'endormissement
- Réveils nocturnes fréquents
- Mauvaise qualité du sommeil
- Prolongation du temps passé au lit
- Durée du sommeil identique ou plus courte sur une période de 24 heures

Facteurs de risque

- Douleur, malaise
- Consommation d'alcool
- Prise de médicaments (aminophylline, anti-dépresseurs, somnifères)
- Apnée du sommeil
- Mouvements involontaires des membres
- Facteurs du milieu de vie (par exemple, bruit)
- Absence d'activités diurnes ou manque de stimulation
- Maladie systémique (par exemple, démence, arthrite)
- Polyurie nocturne

FIGURE 12.1 Le recoupement des changements liés à l'âge et des facteurs de risque, et leurs conséquences négatives sur le sommeil.

de relaxation pouvant favoriser le sommeil. Il s'agit d'abord d'informer la personne âgée et les soignants des changements liés à l'âge qui ont une incidence sur le sommeil (Figure 12.2, p. 132). Rappelons que ces changements sont une période d'endormissement allongée, une plus grande facilité à se réveiller la nuit, de fréquents réveils nocturnes et une difficulté accrue à se rendormir ensuite. La connaissance de ces changements par la personne âgée peut atténuer son inquiétude associée aux troubles du sommeil.

L'encadré 12.2 (p. 133) comporte plusieurs conseils liés à la promotion de saines habitudes de sommeil et de repos.

L'information sur les effets des médicaments sur le sommeil

Les somnifères sont certes efficaces pour le traitement à court terme (moins de 15 jours) des troubles du sommeil, surtout en milieu hospitalier. Toutefois, dans les centres d'hébergement ou les établissements

ENCADRÉ 12.1
L'entrevue pour l'évaluation des habitudes de sommeil et de repos

Questions relatives à la qualité du sommeil

- Où situeriez-vous la qualité de votre sommeil sur une échelle de 1 à 10, 10 étant la meilleure qualité ?

- Lorsque vous vous réveillez le matin, êtes-vous reposé ?

- Ressentez-vous de la somnolence au cours de la journée ou au début de la soirée ?

- La fatigue liée à un sommeil non réparateur vous empêche-t-elle d'accomplir toutes vos activités quotidiennes ?

Questions visant à repérer des possibilités d'amélioration des habitudes

- Quelles sont vos activités habituelles dans les heures précédant le coucher ?

- À quelle heure vous couchez-vous habituellement ?

- Qu'est-ce qui vous aide à vous endormir (par exemple de la nourriture, une boisson, des techniques de relaxation, le milieu de vie) ?

- Prenez-vous un médicament pour dormir ?

- Prenez-vous un médicament pour rester éveillé pendant la journée ?

- Consommez-vous des boissons ou des médicaments renfermant de l'alcool ou de la caféine vers la fin de l'après-midi ou en soirée ? (Dans l'affirmative, en quelle quantité et quelle sorte ?)

- Quelles activités effectuez-vous d'habitude pendant la journée et la soirée ?

Questions relatives aux habitudes de sommeil

- Où dormez-vous (par exemple, dans lit, sur un canapé, dans un fauteuil inclinable) ?

- Combien de temps s'écoule-t-il avant que vous vous endormiez ?

- Croyez-vous qu'il s'écoule trop de temps ?

- Vous réveillez-vous durant la nuit ? (Dans l'affirmative, combien de fois ?)

- Qu'est-ce qui dérange votre sommeil la nuit (par exemple, la nécessité d'aller aux toilettes, les activités d'autres personnes dans la chambre ou dans le milieu environnant, des facteurs comme le bruit ou l'éclairage) ?

- S'il s'est produit des changements dans votre vie au cours des derniers mois, vos habitudes de sommeil se sont-elles modifiées depuis ce temps (par exemple, depuis que vous vivez dans ce centre d'hébergement, depuis le décès de votre conjoint) ?

Une personne âgée sur deux manque de sommeil !

Des conseils pratiques pour mieux dormir

Adoptez un horaire régulier
Essayez de vous coucher à la même heure tous les soirs et de vous lever à la même heure chaque matin.

Pratiquez des activités à l'extérieur
La lumière naturelle et une activité pratiquée à l'extérieur sont excellentes pour la santé et préparent au sommeil.

Créez une chambre douillette
Il faut dormir dans une chambre calme, sombre et fraîche ; le matelas doit être confortable et ferme.

FIGURE 12.2 **Des conseils pratiques pour mieux dormir.**
Avec la permission du Better Sleep Council. Tirée du National Commission on Sleep Disorders Research. *Wake up America: A national sleep alert*, Washington, D.C., 1992, par l'auteur.

ENCADRÉ 12.2
Les mesures de promotion de la santé liées au sommeil et au repos

À privilégier

- Établissez un rituel du coucher qui vous convient et essayez de le respecter tous les soirs.
- Conservez le même horaire quotidien pour le réveil, le repos et le coucher.
- Prenez un bain chaud pour vous détendre dans l'après-midi ou au début de la soirée.
- Consommez des aliments qui favorisent le sommeil (surtout le soir) : du lait chaud, une infusion de camomille et un léger goûter composé de glucides complexes (par exemple, des aliments faits de grains entiers).
- Pratiquez l'une des techniques de relaxation suivantes : la visualisation, la méditation, la respiration profonde, l'auto-relaxation progressive, l'exercice passif, l'écoute de musique douce, le massage du corps ou des pieds ou une lecture facile ; vous pouvez aussi regarder des émissions de télévision qui vous détendent ou utiliser une chaise berçante.
- Effectuez des exercices d'aérobie modérés chaque jour avant la fin de l'après-midi ; évitez les exercices vigoureux dans la soirée.

À éviter

- Évitez de consommer de l'alcool avant de vous coucher, sinon votre réveil sera plus matinal. Si vous en buvez, n'en prenez qu'une petite quantité.
- Après 13 h, évitez les aliments, les boissons et les médicaments renfermant de la caféine, notamment le thé, le cacao, le café, les confiseries au chocolat, le chocolat chaud ainsi que certains analgésiques et sirops contre le rhume offerts en vente libre. Évitez aussi l'alcool, le sucre, les glucides raffinés, et les aliments contenant des additifs et des agents de conservation.

- Ne fumez pas dans la soirée, car la nicotine est un stimulant.
- Si l'heure de votre coucher est modifiée de façon temporaire, essayez le plus possible de vous lever à la même heure le lendemain ; ne restez pas au lit plus tard le matin.
- Ne lisez pas au lit ou n'y effectuez pas d'activités non liées au sommeil.
- Si vous vous réveillez la nuit et ne pouvez pas vous rendormir, levez-vous après 30 minutes et effectuez une activité non stimulante dans une autre pièce, par exemple la lecture.
- Levez-vous à votre heure habituelle, même si vous n'avez pas bien dormi pendant la nuit.

Nutrition

- Assurez-vous d'obtenir des apports suffisants en zinc, en calcium, en magnésium, en manganèse et en vitamines B et C.
- La vitamine E et l'acide folique sont parfois utiles pour soulager le syndrome des jambes sans repos.

Thérapies complémentaires et alternatives

- Le yoga, la méditation, l'acupuncture, la visualisation, l'hypnothérapie et la photothérapie sont des moyens de favoriser le repos et le sommeil.
- En aromathérapie, la camomille, la coriandre, la lavande et la marjolaine peuvent aussi aider à trouver le sommeil.

Précautions

- Malgré leurs bienfaits tant vantés pour assurer le sommeil, la prudence s'impose dans l'utilisation du tryptophane et de la mélatonine en raison de possibles effets indésirables chez les personnes âgées ; ces produits doivent être consommés uniquement sur les conseils du médecin ou du pharmacien.

---

de soins de longue durée, leurs effets indésirables en annulent tous les bienfaits. Un rapport du National Institutes of Health (NIH, 1990), un organisme gouvernemental américain, portant sur le traitement des troubles du sommeil dans la population âgée recommandait d'éviter le recours aux somnifères comme premier traitement de ces problèmes. Selon ce rapport, aucune étude ne prouve leur efficacité sur une période prolongée. Cette recommandation fait d'ailleurs partie des directives (tant aux États-Unis qu'au Canada) sur l'utilisation de médicaments psychotropes dans les centres d'hébergement (Ruby et Kennedy, 2001). Holbrook et ses collègues (2001) ont analysé des études portant sur l'utilisation des benzodiazépines dans le traitement de l'insomnie et ont conclu que, chez les personnes âgées, les thérapies comportementales sont préférables en raison de leur efficacité prolongée. Ces chercheurs ont proposé que ces thérapies intègrent des interventions en éducation pour la santé dans le but d'améliorer les habitudes de sommeil et de corriger les conceptions erronées.

La prescription d'un somnifère exige une connaissance approfondie de la durée de la demi-vie du médicament, car elle varie beaucoup en fonction du type de benzodiazépine. Certains ont une durée étendue chez les personnes âgées. Les benzodiazépines dont la demi-vie est très longue provoquent parfois des effets indésirables qui

> *Les benzodiazépines dont la demi-vie est très longue provoquent parfois des effets indésirables qui augmentent, par exemple, les risques de chute.*

TABLEAU 12.4	La demi-vie des benzodiazépines	
Médicament	Durée de la demi-vie chez l'adulte (heures)	Durée de la demi-vie chez la personne âgée (heures)
Flurazépam (Dalmane)	47 à 100 ✕	120 à 160 ✕
Diazépam (Valium)	20 à 50	36 à 98
Lorazépam (Ativan)	10 à 20	10 à 20*
Chlordiazépoxide (Lubrium)	5 à 20	15 à 30
Témazépam (Restoril)	9 à 13	8 à 20
Oxazépam (Serax)	5 à 20	5 à 20*
Alprazolam (Xanax)	6 à 20	6 à 20*
Triazolam (Halcion)	2 à 5	2 à 6

* Données obtenues insuffisantes pour faire une distinction entre l'action chez une personne âgée et un adulte plus jeune.

augmentent, par exemple, les risques de chute. Le tableau 12.4 indique la durée de la demi-vie des somnifères consommés par les personnes âgées et les adultes plus jeunes.

Par ailleurs, l'infirmière informe la personne âgée et ses soignants des effets de l'alcool, des médicaments et de certains agents chimiques sur le sommeil. L'encadré 12.3 résume ces renseignements.

L'infirmière doit non seulement renseigner la personne âgée sur les effets des médicaments, mais aussi sur ceux des substances qui agissent sur le cerveau (par exemple, le L-tryptophane et la mélatonine). Le L-tryptophane est un acide aminé indispensable à la synthèse de la sérotonine dans le cerveau. L'adulte moyen en ingère, par son alimentation, de 0,5 g à 2 g par jour, contenus dans les protéines et les produits laitiers. Le L-tryptophane possède des propriétés sédatives naturelles et agit surtout sur la latence du sommeil et le sommeil à ondes lentes. À des doses de 1 g ou moins, il facilite le sommeil chez la personne éprouvant des difficultés à dormir, mais il ne diminue pas le nombre de réveils nocturnes. Malgré ces faibles doses jugées pourtant inoffensives, la Food and Drug Administration (FDA), un organisme gouvernemental américain, exigeait le rappel du tryptophane synthétique vers la fin de 1989, car des rapports ont mis au jour un lien entre celui-ci et une maladie sanguine rare et possiblement fatale. Il n'existe toutefois aucune contre-indication à le consommer dans sa forme naturelle, par exemple, en buvant du lait chaud.

La mélatonine, un dérivé du L-tryptophane, est une hormone synthétisée par l'épiphyse du cerveau. Le taux de mélatonine obéit à un rythme circadien. Ce taux baisse avec l'âge, mais les répercussions sur l'organisme, s'il y en a, sont mal connues. Le taux de

ENCADRÉ 12.3
L'information sur les effets des médicaments et d'autres substances sur le sommeil

- L'efficacité des somnifères diminue très rapidement en raison de l'accoutumance qui s'installe souvent en moins d'une semaine et invariablement après un mois.
- Il faut éviter de prendre des somnifères plus de trois soirs consécutifs.
- Les somnifères, même ceux qui sont offerts en vente libre, nuisent aux activités diurnes; ils altèrent aussi la qualité du sommeil.
- Les personnes âgées sont plus vulnérables aux effets indésirables des somnifères.
- La plupart des somnifères éliminent le sommeil paradoxal. À l'arrêt de la prise de somnifères, il se produit parfois un rebond du sommeil paradoxal accompagné de cauchemars et d'un nombre excessif de rêves.
- Les somnifères offerts en vente libre renferment des antihistaminiques et peuvent causer de la confusion, de la constipation ou une vision floue, qu'ils soient pris seuls ou avec d'autres médicaments.
- La consommation d'une faible quantité d'alcool peut occasionner des cauchemars et des réveils nocturnes dans la deuxième moitié de la nuit.
- Les médicaments qui nuisent au sommeil sont les stéroïdes, les diurétiques, la théophylline, les anticonvulsivants, les décongestionnants et les hormones thyroïdiennes.
- La prise simultanée d'un somnifère et d'un autre médicament peut se révéler nocive et même fatale.
- Le L-tryptophane possède des effets sédatifs; on le retrouve dans le lait, les œufs, la viande, le poisson, la volaille, les haricots, les arachides et les légumes verts à feuilles.

mélatonine est très faible le jour et atteint un sommet la nuit entre 2 h et 4 h. La mélatonine aide à combattre le décalage horaire et le dérèglement du rythme circadien chez les personnes aveugles, mais son efficacité dans le traitement de l'insomnie n'est pas clairement établie. À l'aide d'un polysomnogramme, Zhdanova et ses collègues (2001) ont examiné les effets de trois doses de mélatonine administrées à des personnes âgées de 50 ans et plus qui souffraient d'insomnie. Ils ont découvert que des doses de 0,1 mg à 0,3 mg de mélatonine amélioraient l'efficacité du sommeil sans entraîner d'effets indésirables. Cependant, une dose pharmacologique de 0,3 mg pouvait entraîner de l'hypothermie et garder anormalement élevée la concentration plasmique de la mélatonine pendant le jour (Zhdanova et autres, 2001). Les effets indésirables de la mélatonine sont la somnolence, l'hypothermie et une baisse de la libido.

Partie 2

L'altération des fonctions cognitives

Chapitre 13

Les déficits cognitifs : le délirium, la démence et la dépression

Avec la participation de Camille Dolbec, inf., B. Sc., Chef de service, Unités prothétiques, CSSS-IUGS, Adjoint à l'enseignement à l'École des sciences infirmières de l'Université de Sherbrooke

OBJECTIFS D'APPRENTISSAGE

Après avoir lu ce chapitre,
vous devriez être en mesure :

- de décrire les caractéristiques du délirium, les façons de le détecter et les interventions préventives ;

- de définir et de distinguer les termes associés aux différentes formes de déficit cognitif ;

- d'énoncer les modèles théoriques possibles de la maladie d'Alzheimer ;

- de décrire les principales formes de démences ;

- d'énumérer les facteurs multipliant les risques d'émergence de la démence ;

- d'expliquer les conséquences fonctionnelles des déficits cognitifs sur les personnes âgées et leurs répercussions sur les soignants ;

- d'indiquer les interventions possibles auprès des personnes âgées atteintes de déficits cognitifs.

Au cours du processus normal de vieillissement, les personnes âgées en santé ne subissent qu'un léger fléchissement de leurs facultés cognitives. Toutefois, à mesure qu'elles avancent en âge, le risque de développer des affections qui altéreront substantiellement leurs fonctions cognitives augmente. La dégénérescence des fonctions cognitives et, par conséquent, de la capacité fonctionnelle représente l'une des épreuves les plus pénibles que doivent affronter la personne âgée et ses soignants. À domicile ou en établissement, l'infirmière est appelée à s'occuper de personnes âgées atteintes de délirium ou de démence, les deux principales causes de déficits cognitifs au sein de cette population. Elle doit distinguer ces deux déficits et en détecter les causes. L'infirmière doit également s'assurer de préserver le plus possible la dignité et la qualité de vie de la personne âgée malgré le déclin graduel de sa condition. Ce chapitre aborde les états pathologiques et traite des déficits cognitifs chez les personnes âgées atteintes de délirium ou de démence. De plus, il fait valoir le rôle de l'infirmière et celui des membres de l'équipe traitante dans la promotion du bien-être de ces personnes. Les connaissances sur la démence s'élargissant rapidement, les infirmières et les membres de l'équipe soignante évoluant en CHSLD ne doivent pas hésiter à compléter les renseignements donnés dans ce chapitre.

Les chercheurs et les médecins attestent que le délirium représente la complication la plus fréquente chez les personnes âgées hospitalisées (Inouye et autres, 2001).

13.1 Le délirium

Les chercheurs et les praticiens considèrent de plus en plus le délirium comme une composante importante et curable des déficits cognitifs chez la personne âgée. Le diagnostic du délirium repose sur les caractéristiques suivantes :

- une perturbation de la conscience accompagnée d'une altération de la capacité d'attention ;
- des troubles mentaux (par exemple, une désorientation spatiotemporelle, des perturbations de la perception de soi, de la mémoire et de la pensée) ;
- des comportements dangereux ou perturbateurs (par exemple, une forte vocalisation, une agression contre les soignants, des tentatives de se déshabiller ou de manipuler de façon brusque l'équipement).

De façon générale, les symptômes de délirium se manifestent abruptement en quelques heures ou en quelques jours et fluctuent au cours de la journée, perturbant surtout le cycle éveil/sommeil. Ils n'ont pas pour origine directe la démence ou la dépression. Les infirmières nomment souvent « état confusionnel aigu (ECA) » le syndrome médical du délirium. La plupart des professionnels de la santé utilisent indifféremment l'un ou l'autre terme (Rapp et autres, 2001).

Les chercheurs et les médecins attestent que le délirium représente la complication la plus fréquente chez les personnes âgées hospitalisées (Inouye et autres, 2001). D'ailleurs, les professionnels de la santé se penchent actuellement sur cet important problème. Les recherches se concentrent sur l'apparition du délirium chez les personnes qui sont atteintes de démence ou qui ont subi une chirurgie de la hanche (Fick et autres, 2002 ; Millisen et autres, 2002). Les dernières études portant sur le délirium révèlent les données suivantes quant à la proportion de personnes âgées atteintes de démence :

- 22 % à 89 % de toutes les personnes âgées de 65 ans et plus (Fick et autres, 2002) ;
- 14 % à 80 % de tous les patients âgés hospitalisés pour une affection aiguë (Foreman et autres, 2001) ;
- 40 % à 60 % des personnes vivant en établissement (Rapp et autres, 2001) ;
- 13 % à 61 % des personnes ayant subi une fracture de la hanche (Morrison et autres, 2003).

Les spécialistes entendent également préciser le début et la durée des symptômes. Chez les personnes âgées, l'épisode de confusion se déclenche au cours des deux premières journées d'hospitalisation, et rarement après la sixième (Rapp et autres, 2001). Des chercheurs ont constaté qu'il pouvait se prolonger jusqu'à six mois après la sortie de l'hôpital ; en outre, près du quart des personnes âgées admises dans un centre de réadaptation ou de soins spécialisés après un séjour à l'hôpital affichaient des symptômes de délirium (Marcantonio et autres, 2003). Dans la majorité de ces cas, les symptômes persistaient une semaine plus tard, et d'autres s'y ajoutaient parfois. Ces chercheurs confirmaient donc la prévalence de symptômes de confusion persistants qui nuisent à la guérison des personnes âgées (Marcantonio et autres, 2003).

Bien que le délirium puisse affecter des personnes de tous âges, les aînés y sont plus vulnérables en raison de facteurs de risque, dont la démence est le plus connu. Des chercheurs (Foreman et autres, 2001 ; Han et autres, 2001 ; Inouye et autres, 2001 ; McCusker et autres, 2001 ; Morrison et autres, 2003 ; Zeleznik, 2001) ont trouvé les autres facteurs de risque suivants :

- l'âge : 80 ans et plus ;
- des états pathologiques concomitants (Encadré 13.1) ;
- une hydratation insuffisante, une déshydratation et une mauvaise nutrition ;
- une contention chimique ou physique ;
- des médicaments (par exemple, les benzodiazépines, les anticholinergiques, les médicaments pour traiter les maladies cardiovasculaires) ;
- une douleur insuffisamment soulagée ;
- une immobilité ;
- un déficit visuel ou auditif, une privation sensorielle ;
- une dépression ;
- une anesthésie générale ;
- un repli sur soi ou une surcharge sensorielle.

Des complications surgissent lorsqu'un épisode de délirium se superpose aux déficits cognitifs d'une personne âgée atteinte de démence. La famille et les professionnels de la santé attribuent alors ces nouveaux problèmes à la démence. Les travaux des chercheurs et des cliniciens démontrent également la difficulté des médecins et des infirmières à distinguer les symptômes du délirium, surtout lorsqu'ils s'amalgament à ceux de la démence. Les études en soins infirmiers corroborent le fait que l'ensemble des facteurs suivants empêche la détection du délirium : l'absence d'examen de l'état mental, l'absence d'un protocole d'examen normalisé et le manque d'information sur la différence entre la démence et le délirium (Fick et autres, 2002 ; Fick et Foreman, 2000 ; Foreman et autres, 2001).

Selon plusieurs auteurs (Fick et Foreman, 2000 ; McCusker et autres, 2001 ; Morrison et autres, 2003), le délirium est responsable de problèmes importants chez la personne âgée, entre autres :

- la prolongation de la période d'hospitalisation ;
- l'augmentation de la mortalité ;
- le besoin accru de soins infirmiers ;
- le déficit fonctionnel immédiat et à long terme ;
- l'augmentation du taux de placement en établissement.

De plus, les personnes qui présentent des symptômes concomitants de délirium et de démence retournent à l'hôpital dans le mois qui suit leur sortie, ce qui n'est pas le cas de celles qui sont atteintes seulement de délirium ou qui ne souffrent pas de ces troubles (Fick et Foreman, 2000).

Ces dernières années, les publications médicales et de soins infirmiers insistent sur l'importance de reconnaître les manifestations du délirium chez les personnes hospitalisées et chez celles qui vivent dans un établissement de soins de longue durée au moyen d'outils d'évaluation normalisés (Inouye et autres, 2001). Le mini-examen de l'état mental (aussi appelé test de Folstein), fourni dans la partie 5, sert couramment à mesurer les fonctions cognitives, mais il ne convient pas aux symptômes du délirium. Il faut l'utiliser plus d'une fois pour en éprouver l'efficacité et pour mieux évaluer l'évolution de l'état mental d'une personne. Il ne permet donc pas de déterminer le moment du déclenchement de ces symptômes. L'orientation spatiotemporelle constitue le premier indice de l'état

Voir évaluation, p. 210

ENCADRÉ 13.1
Les états pathologiques pouvant occasionner le délirium

- Des perturbations de l'équilibre des fluides et des électrolytes (par exemple, la déshydratation, la diminution du volume liquidien, l'acidose, l'alcalose, l'hypercalcémie, l'hypokaliémie, l'hyponatrémie ou l'hypernatrémie, l'hypoglycémie ou l'hyperglycémie, l'hypomagnésémie)
- Des troubles cardiaques (par exemple, une fibrillation auriculaire, un infarctus du myocarde, une insuffisance cardiaque globale)
- Des infections (par exemple, une pneumonie, une septicémie, une méningite, une encéphalite, une infection des voies urinaires)
- Des affections métaboliques ou endocriniennes (par exemple, l'hypothyroïdie ou l'hyperthyroïdie, l'hypopituitarisme ou l'hyperpituitarisme, les troubles de la glande parathyroïde, l'hypocorticisme ou l'hypercorticisme)
- Un traumatisme (par exemple, des fractures, un traumatisme crânien)
- Des affections respiratoires (par exemple, la tuberculose, une embolie pulmonaire)
- Une maladie inflammatoire (par exemple, la maladie de Horton, une forme d'artérite)
- Une occlusion intestinale
- Une affection abdominale aiguë
- Une affection maligne
- La malnutrition
- Un empoisonnement aux métaux lourds ou au monoxyde de carbone
- L'alcoolisme
- L'hypothermie ou l'hyperthermie
- Une insuffisance rénale ou hépatique
- Des crises et des états postconvulsifs

mental pour les professionnels de la santé. Toutefois, c'est le moins pertinent des critères (Fick et Foreman, 2000). L'évaluation de tous les éléments suivants est préférable : état mental, facteurs de risque et critères spécifiques au délirium. La communauté franco-phone bénéficie maintenant d'une version fran-çaise validée du *Confusion Assessment Method* (*CAM*) mise au point en 1990 par Inouye et ses collaborateurs. Nous vous présentons, dans la partie 5, cet outil d'évaluation ainsi que l'algorithme diagnostique utilisés par Laplante et ses collaborateurs (2005).

Voir évaluation, p. 218

Le diagnostic d'état confusionnel aigu doit être envisagé si les premières manifestations de la déte-rioration mentale surviennent brusquement ou résul-tent de facteurs de risque tels des problèmes de santé et les effets secondaires de médicaments. L'objectif des soins infirmiers consiste à atténuer les facteurs responsables du délirium, à restaurer l'état mental de la personne et à empêcher celle-ci de se blesser. Les résultats escomptés visent le recouvrement opti-mal de la mémoire, de la pensée et de la perception (Wakefield et autres, 2001). Il est important de consi-dérer un délirium comme une urgence médicale et de ne jamais prendre cette situation à la légère. Cet état grave doit amener les praticiens à en chercher et à en traiter la cause sous-jacente.

Les infirmières et les autres professionnels de la santé peuvent pré-venir le délirium ou en soulager les symptômes par la personnalisation des plans thérapeutiques infirmiers. Certaines interventions sont simples ; elles font appel à des outils qui facilitent l'orientation (par exemple, une horloge, une montre, un calen-drier) et qui compensent les déficits sensoriels (par exemple, des lunettes, un appareil auditif). Voici d'autres exemples d'interventions :

> *Il est important de considérer un délirium comme une urgence médicale et de ne jamais prendre cette situation à la légère.*

- le réaménagement du milieu de vie (par exemple, la réduction du bruit ambiant, l'ajout d'objets familiers) ;

- le soutien psychologique (par exemple, la stimulation des fonctions cognitives, des activités sociales) ;

- la reconnaissance des effets secondaires des médicaments et la gestion de leurs conséquences ;

- la stabilité physiologique (par exemple, l'oxygé-nation à faible dose, le maintien de l'équilibre des fluides et des électrolytes) ;

- le soulagement approprié de la douleur ;

- l'activité physique (par exemple, la déambulation, la physiothérapie).

13.2 Une vue d'ensemble de la démence

La terminologie

L'utilisation indifférente et souvent erronée de nom-breux termes liés à la démence complique la compré-hension de ce que sont les déficits cognitifs. Les dernières avancées en la matière ont permis d'en dis-tinguer plusieurs formes, mais en ont également mul-tiplié les termes. De toute la terminologie relative aux personnes âgées, le vocabulaire rattaché aux déficits cognitifs est le moins bien compris, le plus inexact et celui dont la charge affective est la plus forte. Ainsi, le mot « sénilité » suggère injustement que les compor-tements de la personne atteinte de démence sont le lot inévitable de la vieillesse. Quant au mot « dément », il est plutôt associé à des comportements bizarres, anti-sociaux et même criminels. Le public et les profes-sionnels de la santé trouvent raisonnable l'emploi de certains mots et rejettent les autres, de la même manière qu'ils acceptent ou non des termes relatifs au cancer. Voici quelques-uns des termes qu'emploient les professionnels pour désigner les déficits cognitifs qui touchent la population âgée : confusion, démence, sénilité, maladie d'Alzheimer, accidents vasculaires cérébraux mineurs, problèmes de mémoire, maladie de vieux, syndrome cérébral orga-nique et durcissement des artères. Le choix du terme dépend de la pré-férence individuelle et relève parfois de l'ignorance. Les déficits cognitifs sont en outre un sujet très délicat. L'infirmière doit bien saisir le sens des termes associés aux déficits cognitifs pour choisir celui qui cor-respond aux causes sous-jacentes et qu'accepteront la personne âgée et ses soignants.

Le mot « sénilité » est la première appellation utilisée – et encore très répandue – pour désigner les déficits cognitifs. Neutre de prime abord, ce mot signifie « ce qui est propre à la vieillesse ». Toutefois, depuis les deux derniers siècles, il qualifie le vieillissement d'état mental et physique handicapant. Au cours du XXe siècle, il réfère toujours à diverses maladies débilitantes et à une détérioration de l'état mental. L'emploi de ce terme sous-entend que les déficits cognitifs restent inextricablement liés à la vieillesse. Dans les années 1970, la sénilité explique tous les troubles associés au vieillissement pour lesquels d'autres examens ou traitements sont jugés inutiles. Il y a près de 20 ans, on recommandait aux infirmières d'éviter certains termes pour désigner les personnes âgées, notamment le mot « sénile », considéré comme archaïque, négatif et nuisible. En effet, ce n'est pas un terme à connotation professionnelle, et il ne doit jamais décrire une personne âgée (Hogstel, 1988).

Au début du XXᵉ siècle, le diagnostic de durcissement des artères est très répandu ; cette expression est plus appropriée que le terme « sénilité » parce qu'elle nomme un facteur déterminant. Toutefois, elle n'en affirme pas moins que ce facteur, d'ordre pathologique, appartient inévitablement au vieillissement. Par conséquent, l'expression « durcissement des artères » ne chasse en rien le mythe des déficits cognitifs comme composante intégrante du processus de vieillissement. À l'instar du premier terme (sénilité), l'expression « durcissement des artères » n'est plus utilisée et est jugée obsolète.

De nos jours, il est convenu que le terme démence décrit précisément la dégénérescence des fonctions cognitives. Il s'agit de l'affaiblissement des fonctions intellectuelles causé par une lésion des cellules nerveuses. De nombreux symptômes cognitifs la caractérisent, par exemple, des troubles de la mémoire, l'aphasie, l'apraxie, l'agnosie ou le déclin des fonctions exécutives, ainsi que des troubles non cognitifs comme des troubles de la personnalité ou du comportement (Morris, 2000). Ce terme médical est cousin du mot dément, d'origine populaire et péjoratif, encore plus désobligeant que le mot sénile. L'infirmière doit donc parler d'une « personne atteinte de démence » et non d'un « dément » pour éviter toutes les connotations négatives et pour identifier convenablement une personne aux prises avec un syndrome de déficits cognitifs.

Il faut ajouter que le terme démence ne correspond pas à la définition d'un état pathologique. La démence recouvre une combinaison particulière de symptômes, c'est-à-dire un syndrome qui exige la détection de la cause première. Ainsi, la maladie d'Alzheimer est la forme de démence la plus fréquente, et elle représente près de 70 % des cas. Certains professionnels de la santé et la population en général utilisent indifféremment « maladie d'Alzheimer » et « démence », même si cela est inexact. Première forme reconnue de démence, la maladie d'Alzheimer fait l'objet du plus grand nombre de recherches. Les chercheurs et les gérontologues, cependant, se rendent de plus en plus compte que la démence se décline souvent sous d'autres formes telles la démence vasculaire, la démence frontotemporale et la démence à corps de Lewy.

La tendance actuelle consiste à spécifier chaque stade de l'évolution de la démence. Les chercheurs et les praticiens appellent « déficits cognitifs légers » le stade prodromique de la démence. Les problèmes éprouvés par la personne atteinte ne répondent pas aux critères francs définissant la démence. Malgré certains déficits cognitifs, anormaux pour son âge, la capacité de la personne à exécuter les activités de la vie quotidienne ne s'en trouve que peu modifiée.

Elle connaît des troubles de la mémoire à court terme, une baisse des fonctions exécutives et des difficultés avec l'arithmétique écrite (Griffith et autres, 2003). Une démarche semblable s'applique aussi aux premiers stades d'autres formes de démence. Par exemple, le « déficit cognitif vasculaire » décrit les troubles cognitifs découlant de problèmes vasculaires qui, bien que détectables, ne sont pas suffisamment graves pour porter le nom de « démence vasculaire » (Wentzel et autres, 2001).

Enfin, le chevauchement de plusieurs formes de démence complique cette terminologie. En effet, deux formes (ou plus) de démence peuvent se côtoyer chez une même personne. Ainsi, depuis les années 1960, le terme « démence mixte » signale la présence d'au moins deux formes de démence ; la maladie d'Alzheimer et la démence vasculaire sont les formes les plus fréquemment associées (Zekry et autres, 2002b). Les chercheurs tentent de confirmer que la démence vasculaire exacerbe les symptômes de la maladie d'Alzheimer (Snowden, 1997 ; Zekry et autres, 2002a).

Des modèles théoriques de la démence

Les progrès accomplis dans l'établissement d'une terminologie adéquate témoignent des avancées substantielles réalisées dans l'exploration du phénomène de la démence au cours du siècle dernier. De nos jours, les altérations pathologiques et les troubles du comportement propres aux diverses formes de démence sont mieux compris. La recherche a également progressé en ce qui a trait aux différentes causes sous-jacentes de la démence.

En 1974, Hachinski et ses collègues publient un article fondamental affirmant que l'artériosclérose cérébrale provoque des déficits cognitifs chez les personnes âgées. Ces scientifiques dénoncent également l'expression « durcissement des artères » et privilégient le terme « démence par accidents vasculaires cérébraux répétés » pour décrire les démences d'origine vasculaire cérébrale. Selon eux, ce n'est pas l'artériosclérose (ou ischémie cérébrale chronique) qui entraîne la démence, mais de nombreux infarctus cérébraux (AVC). Leur recherche corrobore aussi les résultats de celle de Tomlinson et de ses collègues (1968, 1970) en attestant que la maladie d'Alzheimer est la cause la plus fréquente de démence évolutive. À la fin des années 1980, le terme « démence par accidents vasculaires cérébraux répétés » est jugé trop limité. On lui préfère alors le terme « démence vasculaire ». Le critère proposé par Hachinski pour détecter cette forme de démence reste pertinent, mais d'autres critères cliniques s'y sont ajoutés depuis et permettent de mieux traduire la diversité des lésions cérébrales ischémiques.

À mesure que progressaient les connaissances sur la démence vasculaire et la maladie d'Alzheimer, certaines formes de dégénérescence cérébrale, de troubles du comportement et de déficits cognitifs ne correspondaient pas au classement diagnostique. Cette découverte date des années 1990, époque de la mise au point de l'imagerie encéphalique facilitant l'observation des fonctions cérébrales. Ainsi, la tomographie et l'imagerie par résonance magnétique (IRM) montrent les détériorations structurelles et les lésions responsables de déficits cognitifs. La tomographie d'émission monophotonique et la tomographie par émission de positrons renseignent avec exactitude sur les taux de métabolisme du glucose et de l'oxygène dans le cerveau. Cette information complète les résultats d'autopsies, les dossiers médicaux, les examens de l'état mental et autres sources d'information des chercheurs. Plusieurs études longitudinales offrent également de précieux renseignements sur le mode de vie et les fonctions cognitives à l'âge adulte. Certaines d'entre elles évaluent précisément toute l'information en fonction des résultats d'autopsies. Plusieurs modèles théoriques scrutent le rôle probable de certaines protéines. Des chercheurs proposent même de catégoriser les formes de démence selon l'anomalie protéinique. D'après trois modèles théoriques, des anomalies protéiniques spécifiques telles celles qu'on associe à la protéine tau et à la protéine du précurseur de l'amyloïde seraient directement liées à la maladie d'Alzheimer, à la démence à corps de Lewy et à la démence frontotemporale (Rogan et Lippa, 2002).

13.3 Les formes de démence

Cette section examine toutes les formes de démence, mais surtout celle qui est associée à la maladie d'Alzheimer, la plus répandue et la plus étudiée. Il faut savoir qu'à mesure de leur évolution les démences se différencient plus difficilement les unes des autres. Dans les stades avancés de la maladie, la plupart des états démentiels se traduisent par les mêmes pertes d'autonomie fonctionnelle ; les personnes atteintes évoluent inexorablement vers un état de vulnérabilité et de dépendance extrêmes.

À chaque forme de démence sont associés des médicaments et des traitements spécifiques ; la précision du diagnostic devient donc primordiale.

Le dépistage précoce, rendu possible grâce à des campagnes de sensibilisation et d'information, facilite l'établissement du diagnostic exact et permet d'atténuer les symptômes particuliers de la maladie dans ses stades initiaux et intermédiaires. À chaque forme de démence sont associés des médicaments et des

traitements spécifiques ; la précision du diagnostic devient donc primordiale.

Adoptons d'abord une définition opérationnelle de la démence. Selon Arcand-Hébert (1987), il s'agit d'une « détérioration globale des fonctions cognitives chez une personne qui jouit d'un état de conscience normal, ce qui la distingue d'un déficit cognitif focal, comme l'aphasie, d'un déficit global et définitif comme le retard mental et d'une déficience cognitive globale causant la stupeur ou le délirium qui constitue un épisode aigu ». Cette définition fait apparaître de multiples déficits cognitifs qui se manifestent à la fois par :

- une altération de la mémoire (information nouvelle ou acquise antérieurement) ;
- un ou plusieurs troubles cognitifs :
  - l'aphasie (langage) ;
  - l'apraxie (gestes appris) ;
  - l'agnosie (reconnaissance des objets, des personnes) ;
  - des troubles des fonctions exécutives (planification, organisation, régulation de l'activité, capacité d'abstraction).

Selon Dolbec (2005), les personnes atteintes de déficit cognitif se voient irrémédiablement entraînées dans un processus de perte de leurs capacités cognitives, soit de façon progressive comme dans la maladie d'Alzheimer, soit de façon abrupte dans les cas de traumatismes crâniens ou d'accidents vasculaires cérébraux (démences vasculaires). Ces pertes de facultés résultent de la destruction des cellules nerveuses du cerveau, ce qui est très différent des maladies d'origine psychiatrique ou des troubles de la pensée. Les manifestations seront différentes selon les lobes cérébraux atteints. Les démences ont deux origines principales : il y a les démences qui découlent de maladies organiques dégénératives du cerveau (avec une apparition progressive et une évolution constante) et les démences issues de troubles vasculaires ou de traumatismes (d'apparition brusque et évoluant par paliers). Le tableau 13.1 (p. 145) présente plusieurs types de maladie causant des démences, selon qu'elles sont d'origine dégénérative ou vasculaire.

La prévalence de la maladie d'Alzheimer

Parmi les diverses statistiques citées sur la prévalence de la maladie d'Alzheimer, certaines indiquent que 50 % des personnes âgées de 85 ans et plus et jusqu'à 80 % de celles qui résident en établissement en sont atteintes. Si les études portant sur les taux de la maladie diffèrent selon les tranches d'âge, les gérontologues s'accordent à l'idée que les probabilités de développer la maladie corrèlent avec l'avancée en âge. Les gérontologues s'entendent aussi sur les taux de prévalence, c'est-à-dire sur le nombre de personnes atteintes à un âge donné. Ces taux sont ventilés comme suit : 1 % à 3 % de 65 à 74 ans, 6 % à 11 % de 75 à 84 ans et 30 % pour les personnes âgées de 85 ans et plus. D'autres études réfutent la corrélation entre une hausse de la prévalence et l'âge. Elles dévoilent un plafonnement vers l'âge de 85 à 90 ans et un fléchissement vers 93 ans pour les hommes et 97 ans pour les femmes (Miech et autres, 2002). Enfin, des recherches sur les centenaires signalent des taux respectifs de 51 % et de 64 % pour les formes légère et grave (Andersen-Ranberg et autres, 2001 ; Silver et autres, 2001).

La maladie d'Alzheimer et les modifications neurologiques dans le cerveau

Les plaques séniles et la dégénérescence neurofibrillaire, d'abord décrites par Alzheimer en 1907, représentent les critères absolus de la maladie d'Alzheimer. De nombreuses autopsies en ont corroboré la découverte depuis les années 1960 (Figure 13.1). Ces modifications neurologiques font aussi partie intégrante du vieillissement normal et d'autres maladies dégénératives, mais leur épaisseur dans certaines régions du cerveau (par exemple, le néocortex) et la symptomatologie évidente valident le diagnostic (Tsuang et Bird, 2002). Outre l'atrophie cérébrale, la dégénérescence des neurones et des synapses – surtout ceux du néocortex et de l'hippocampe – caractérise la maladie (Figure 13.2, p. 146).

En 1907, Alzheimer décrit le peptide β amyloïde comme une « substance singulière », mais jusqu'en 1984, on ne lui attribue ni nom ni définition. C'est au début des années 1990 que les scientifiques déclarent que la présence du peptide β amyloïde dans les plaques séniles et les vaisseaux sanguins représente un indice indéniable de la maladie. Ils découvrent aussi que de nombreuses cellules de l'organisme sécrètent cette substance. Cette découverte oriente leurs recherches sur son rôle et celui de la protéine du précurseur de l'amyloïde. Ils savent maintenant que le peptide β amyloïde est un minuscule fragment de protéine insoluble appartenant à une protéine plus importante, la *protéine du précurseur de l'amyloïde*. Les scientifiques

TABLEAU 13.1	Les types de maladie causant des démences	
Source dégénérative	**Source vasculaire**	

Source dégénérative	**Source vasculaire**
Démence de type Alzheimer ou maladie d'Alzheimer (la plus fréquente)	Démence vasculaire
	Démence multi-infarctus
Démence de Parkinson (en fin de maladie)	Démence mixte (vasculaire et d'Alzheimer)
Démence de Korsakoff (personne alcoolique)	Démence par accident vasculaire cérébral
Démence de Pick	Démence par hémorragie ou anoxie cérébrale
Démence frontotemporale	
Aphasie primaire progressive	
Démence à corps de Lewy	
Maladie de Creutzfeld-Jacob (« maladie de la vache folle », rare, grave et contagieuse)	

Source : Arcand et Hébert (1997), p. 160-161.

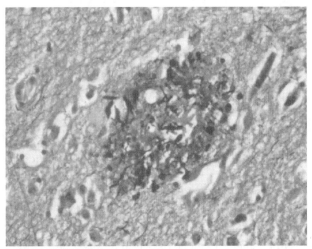

a. Plaque renfermant de l'amyloïde.

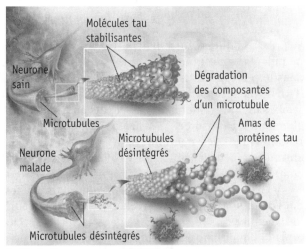

b. Dégénérescence neurofibrillaire.

FIGURE 13.1   **D'importantes découvertes sur la maladie d'Alzheimer.**
Images reproduites avec l'autorisation de l'organisme américain Alzheimer's Disease Education and Referral Center, un service offert par le National Institute on Aging des États-Unis.

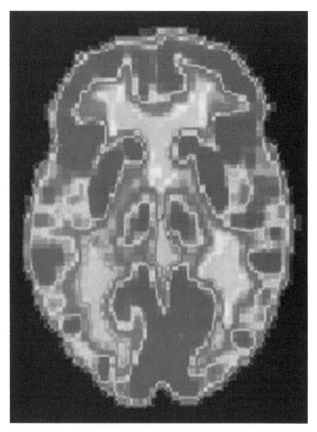

a. Cerveau d'une personne en santé.

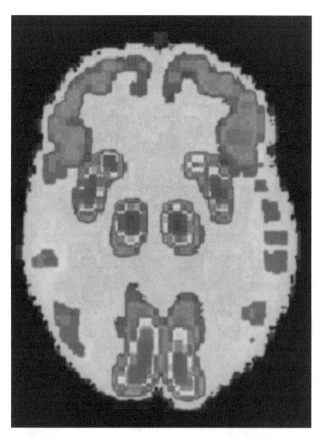

b. Cerveau d'une personne atteinte de la maladie d'Alzheimer. Les régions en jaune signalent une baisse des niveaux d'activité des neurones.

FIGURE 13.2 **Tomographies par émission de positrons.**
Images reproduites avec l'autorisation de l'organisme américain Alzheimer's Disease Education and Referral Center, un service offert par le National Institute on Aging des États-Unis.

n'ont pas encore réussi à en cerner les fonctions exactes, mais ils en reconnaissent la présence dans les cellules de l'organisme. Ils ignorent encore comment la protéine du précurseur de l'amyloïde sécrète le peptide. Le fait est que les plaques séniles se trouvant dans le cerveau des personnes atteintes de la maladie d'Alzheimer et de trisomie et les parois de leurs vaisseaux sanguins renferment des dépôts anormalement abondants d'amyloïde. Ces dépôts déclenchent une réaction dans les neurones sains voisins, laquelle entraîne leur dégénérescence et leur mort (Conway et autres, 2003).

À l'heure actuelle, l'étude des plaques amyloïdes fait l'objet de la plupart des recherches sur la maladie d'Alzheimer. Les chercheurs veulent savoir si l'accumulation anormale d'amyloïde résulte d'une sécrétion excessive ou d'une élimination déficiente de ce peptide. Est-elle la cause ou la répercussion d'un état pathologique ? Ils recherchent des enzymes ou des médicaments susceptibles d'en supprimer la sécrétion. Les chercheurs essaient également de réduire

la toxicité de la protéine. Ils avaient d'ailleurs mis au point un vaccin anti-Alzheimer qui stimulait le système immunitaire et détruisait cette protéine, mais les graves effets secondaires constatés chez les sujets ont mis fin aux essais cliniques au début des années 2000. Les sociétés pharmaceutiques procèdent actuellement à des essais avec des inhibiteurs des sécrétases dont la fonction est d'empêcher les enzymes de diviser la protéine du précurseur de l'amyloïde.

Les modifications neurologiques à la source de la maladie conduisent à la dégénérescence des neurotransmetteurs, et cette détérioration produit les troubles cognitifs et les troubles du comportement. La dégradation des neurotransmetteurs associée à la maladie comprend :

- une dégénérescence des récepteurs de la sérotonine et une diminution de la quantité de sérotonine dans les plaquettes sanguines ;

- une baisse de 50 % de la sécrétion d'acétylcholine dans les régions cérébrales atteintes de dégénérescence neurofibrillaire et renfermant des plaques séniles ;

❍ une diminution de la quantité d'acétylcholinestérase qui décompose l'acétylcholine après sa sécrétion ;

❍ une diminution de la quantité de choline acétyltransférase, plus importante dans les régions envahies de plaques séniles et atteintes de dégénérescence neurofibrillaire.

En se fondant sur ces résultats, les sociétés pharmaceutiques concentrent leurs recherches sur le développement de médicaments qui interviennent sur les voies de neurotransmission. Les premiers essais cherchaient à accroître l'apport en choline et en acétylcholine au moyen de substances comme la choline et la lécithine. L'échec de cette démarche a réorienté leurs efforts vers la prévention ou le ralentissement de la dégradation de l'acétylcholine par l'utilisation d'inhibiteurs de la cholinestérase (par exemple, la tacrine, le donépézil, la rivastigmine et la galantamine). La section consacrée aux interventions portera justement sur les plus récentes recherches à ce sujet.

Les modèles théoriques des causes de la maladie d'Alzheimer

Au milieu des années 1930, les chercheurs s'interrogent sur de possibles facteurs génétiques comme cause de la maladie d'Alzheimer. Ce n'est toutefois qu'à la fin des années 1970 que l'expression « maladie d'Alzheimer familiale » surgit dans les revues spécialisées. Des travaux en cours sur la génétique révèlent que 5 % à 10 % des cas proviennent d'une mutation génétique (Rogan et Lippa, 2002). Dans la forme familiale, le parent atteint transmet le gène à ses enfants. Ceux-ci ont entre 25 % et 50 % de probabilité de développer la maladie s'ils vivent suffisamment longtemps. Ce risque est démultiplié si la maladie touche plus d'une génération et survient avant l'âge de 65 ans (Tsuang et Bird, 2002).

Mis à part les composantes génétiques, les chercheurs considèrent également de nombreux autres facteurs, par exemple le mécanisme déclencheur des inflammations cérébrales. Selon certaines études, la consommation prolongée d'anti-inflammatoires non stéroïdiens (AINS) pourrait diminuer le risque de la maladie (Landi et autres, 2003 ; Zandi et autres, 2002). Le rôle des protéines chargées de la maturation des cellules nerveuses fait également l'objet de recherches dans la mise au point de nouveaux médicaments. Les chercheurs explorent aussi l'importance de l'œstrogène,

> *Mis à part les composantes génétiques, les chercheurs considèrent également de nombreux autres facteurs, par exemple le mécanisme déclencheur des inflammations cérébrales.*

des antihypertenseurs, des statines (hypocholestérolémiants) et des antioxydants (par exemple, les vitamines C et E) dans la préservation des fonctions cognitives et la prévention ou le traitement de la maladie (Crisby et autres, 2002 ; Forette et autres, 2002 ; Hajjar et autres, 2002 ; Masaki et autres, 2000 ; Murray et autres, 2002). D'autres travaux examinent les carences nutritionnelles, l'hypertension et un taux élevé de cholestérol comme facteurs potentiels (Kivipelto et autres, 2002). Les traumatismes crâniens, les substances toxiques dans l'environnement et la circulation du calcium dans les cellules cérébrales suscitent un grand intérêt, de même que l'hypothèse que la maladie d'Alzheimer soit une maladie métabolique systémique s'attaquant surtout aux tissus cérébraux.

Depuis des décennies, des théories sont étudiées sans produire de résultats, mais sans toutefois être abandonnées. Ainsi, la découverte en 1920 du virus de la maladie de Creutzfeld-Jacob a soulevé de nombreuses hypothèses sur une cause virale de la démence. Des chercheurs suivent cette piste pour certaines formes de la maladie d'Alzheimer. Les recherches sur l'aluminium, si populaires dans les années 1960, reposaient sur les résultats d'examens de cerveaux montrant des taux anormalement élevés d'aluminium. Certains travaux ont confirmé cette découverte, mais aucun n'a pu préciser si ces taux étaient une cause ou un effet de la maladie. Selon les dernières recherches, rien ne prouve que les taux élevés d'aluminium détectés proviennent de la quantité ingérée par l'alimentation ou qu'ils sont responsables du déclenchement de la maladie d'Alzheimer.

Les scientifiques considèrent aussi l'apport d'autres minéraux qui, seuls ou conjointement avec l'aluminium, pourraient enclencher la maladie. Ainsi, des études ont soulevé la possibilité que des taux supérieurs de fluorure dans l'eau potable pourraient prévenir la maladie, puisque le fluorure peut bloquer l'absorption d'aluminium dans le tractus intestinal. Les chercheurs ne négligent pas l'association calcium-aluminium dans le cerveau comme facteur potentiel. Enfin, ils savent que les personnes atteintes de la maladie d'Alzheimer possèdent de faibles taux de zinc, mais comme pour l'aluminium, ils n'ont pas réussi à établir un lien de cause à effet.

Enfin, après des années de recherches intensives, aucun modèle théorique ne parvient à expliquer la cause de la maladie d'Alzheimer. De nombreux gérontologues en viennent à la conclusion que cette maladie, comme la démence en général, découle d'une constellation d'affections hétérogènes nourries par une multiplicité de facteurs en interaction (par exemple, le vieillissement, le milieu ambiant, les mutations génétiques) (Kukull et Bowen, 2002). Ils réussiront peut-être un jour à cerner plusieurs sous-catégories de la maladie et à trouver des modes de prévention et de traitement.

Pour terminer, de nos jours, les gérontologues classent les personnes atteintes de la maladie d'Alzheimer en trois groupes, selon la gravité de la dégradation cérébrale et le degré de détérioration de leurs fonctions cognitives (Figure 13.3). Le premier groupe comprend les personnes qui ne souffrent pas de dégénérescence cérébrale mais qui présentent un

affaiblissement des fonctions cognitives appelé « troubles de la mémoire liés à l'âge ». Le deuxième groupe se compose de personnes au stade précédant la démence, appelé « déficit cognitif léger ». C'est le stade initial de la maladie (Boeve et autres, 2003 ; Ritchie et autres, 2001 ; Storandt et autres, 2002). Ce groupe connaît un taux de mortalité élevé et court un plus grand risque de développer la maladie que les groupes témoins ne manifestant pas de problèmes cognitifs (Bennett et autres, 2002 ; Morris, 2000). Environ la moitié d'entre eux développent effectivement la maladie dans les quatre ans qui suivent l'apparition des symptômes liés à ce stade (Brandt, 2001). Le troisième groupe comprend les personnes atteintes de la maladie d'Alzheimer.

Après avoir examiné certains aspects portant sur la maladie d'Alzheimer, nous présentons, dans les paragraphes suivants, la démence vasculaire, la démence frontotemporale et, enfin, la démence à corps de Lewy.

La démence vasculaire

Grâce aux progrès réalisés au fil des ans, on comprend mieux aujourd'hui la démence vasculaire. Si l'artériosclérose ou l'athérosclérose semblaient autrefois en être la cause première, on sait maintenant qu'elle résulte de la disparition de cellules nerveuses dans les régions irriguées par des vaisseaux sanguins malades. Dans la majorité des cas, il suffit d'un seul accident vasculaire cérébral (AVC) majeur ou d'accidents vasculaires cérébraux mineurs répétés. On emploie aussi le terme « démence par récurrence d'accidents vasculaires cérébraux ». Les facteurs qui augmentent le

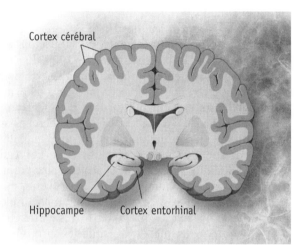

a. Maladie d'Alzheimer avant l'apparition des symptômes. Amorce d'une légère détérioration du cortex avec déficit cognitif léger.

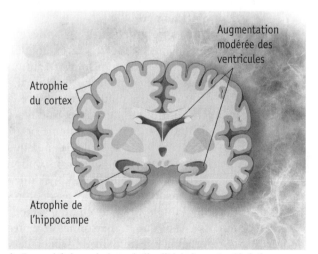

b. Forme bénigne de la maladie d'Alzheimer. La dégénérescence s'attaque aux régions du cerveau responsables de la mémoire, du langage et du raisonnement.

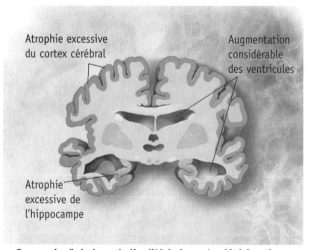

c. Forme aiguë de la maladie d'Alzheimer. La détérioration cérébrale enclenche une atrophie grave de plusieurs régions du cerveau.

FIGURE 13.3   **Les différentes formes de la maladie d'Alzheimer.**
Images reproduites avec l'autorisation de l'organisme américain Alzheimer's Disease Education and Referral Center, un service offert par le National Institute on Aging des États-Unis.

risque de démence vasculaire après un AVC sont le vieillissement, le diabète, d'autres accidents vasculaires cérébraux et une détérioration de l'hémisphère gauche du cerveau (Chui, 2000 ; Desmond et autres, 2000 ; Roman, 2002). Environ un quart à un tiers des patients ayant souffert d'un premier AVC en subissent un deuxième dans les trois mois qui suivent.

La définition d'AVC est plus large et englobe tous les facteurs susceptibles de provoquer une ischémie persistante, soit le catalyseur physiopathologique de la démence vasculaire (Chui, 2000). Les gérontologues saisissent bien que la démence vasculaire est la conséquence d'un AVC, lui-même causé par l'un ou plusieurs des troubles suivants :

- une embolie unique ou multiple ou l'athérosclérose des grands vaisseaux sanguins ;
- un micro-infarctus (lacunes des petites artères) ;
- des lésions diffuses de la substance blanche (par exemple, démence de Binswanger) ;
- une hémorragie des grands ou des petits vaisseaux sanguins ;
- des traumatismes crâniens avec lésions cérébrales (souvent frontales) ;
- des lésions hypoxiques ;
- une hypoperfusion à la suite d'une ischémie cérébrale totale après arrêt cardiaque ou hypotension grave ;
- une hypoperfusion causée par des états pathologiques persistants tels que l'hypotension orthostatique, l'arythmie ou une insuffisance cardiaque globale ;
- une diminution de la lumière associée au diabète, à l'hypertension ou à l'artériosclérose.

Les symptômes de la démence vasculaire diffèrent selon la région du cerveau où est localisée la lésion. Les plus connus sont les déficits cognitifs (par exemple, l'aphasie, les troubles de la mémoire), les troubles du comportement (par exemple, l'apathie, la dépression, les troubles de l'affectivité) et les déficits senso-rimoteurs (l'hémiparésie, les troubles de démarche, l'hémianesthésie, l'incontinence urinaire).

De nombreux ouvrages de référence indiquent que la démence vasculaire se distingue de la maladie d'Alzheimer par son apparition soudaine et son évolution en escalier. Cependant, si elle survient après de multiples infarctus mineurs, elle s'installe peu à peu et évolue de façon progressive. La démence vasculaire s'associe habituellement à des facteurs de risque comme le tabagisme, le diabète, l'hypertension, l'hyperlipidémie, les accidents vasculaires cérébraux, les affections cardiovasculaires et la sédentarité. Des mesures préventives et un traitement peuvent les corriger.

La démence frontotemporale et la démence de Pick

Depuis le début des années 1990, la démence frontotemporale (par exemple, la maladie de Pick) représente, pour les gérontologues, une forme distincte et courante de la démence à début précoce (Ratnavalli et autres, 2002). L'atrophie des neurones, plutôt que la présence de plaques séniles et la dégénérescence neurofibrillaire, prédomine dans les lobes frontal et temporal antérieur. Il se forme une accumulation anormale de la protéine tau, qui ressemble à celle du peptide β amyloïde de la maladie d'Alzheimer. Des antécédents familiaux d'une maladie similaire et l'apparition de la maladie avant l'âge de 65 ans constituent d'autres indicateurs de cette maladie.

Aux stades initiaux, ses symptômes diffèrent grandement de ceux des autres formes de démence, mais ils finissent par s'y confondre à mesure de son évolution. Les troubles du comportement sont d'abord plus importants que ceux de la mémoire. Un bon nombre des symptômes typiques concernent la fonction exécutive (l'abstraction, la planification et la maîtrise du comportement). Si les troubles de la mémoire se manifestent à l'apparition de la maladie, ils découlent de la difficulté à se concentrer, de l'apathie ou de l'indifférence. Selon Dolbec (2005), les personnes souffrant d'une démence frontotemporale représentent un défi pour les intervenants. Elles sont particulièrement difficiles à gérer à cause des atteintes sur le plan de la capacité de jugement et de leur personnalité explosive associée à des capacités physiques préservées. Ces personnes demandent donc une approche particulière, de la rigueur, de la douceur et de la patience de la part des intervenants (comme elles interprètent mal la transmission des émotions faciales et vocales, tout devient facilement perçu comme une agression).

> *Les personnes souffrant d'une démence frontotemporale demandent une approche particulière, de la rigueur, de la douceur et de la patience de la part des intervenants.*

Les troubles du comportement les plus fréquents liés à ce type de démence sont :

- l'apathie ou l'hyperactivité ;
- l'impulsivité ;
- le déficit de l'attention ;
- les troubles de l'affectivité ;
- l'incontinence urinaire ;

- les troubles de la personnalité ;
- le repli sur soi ;
- le manque d'intuition sur le comportement social convenable ;
- la désinhibition (par exemple, une jovialité déplacée, un comportement impudique) ;
- la perte de la conscience de soi (par exemple, la négligence des soins d'hygiène personnelle) ;
- les troubles du langage (par exemple, une impropriété de langage, la répétition des paroles des autres) ;
- l'hyperphagie (par exemple, boire ou manger de façon excessive ou compulsive) ;
- la persévération ou la répétition ininterrompue des mêmes gestes (par exemple, taper des mains constamment, fredonner ou chanter sans arrêt).

L'apparition de cette maladie, souvent avant l'âge de 65 ans, et la similarité de ses symptômes à ceux de troubles psychiatriques, entraînent couramment un mauvais diagnostic. En 2001, des chercheurs et des cliniciens réputés ont établi des critères spécifiques à cette maladie et ont souligné l'importance de la distinguer d'un trouble psychiatrique (McKhann et autres, 2001). Il devenait urgent d'établir cette distinction, car de nouveaux médicaments propres aux diverses formes de démence sont maintenant offerts.

La démence à corps de Lewy

La démence à corps de Lewy est provoquée par des inclusions nerveuses sphériques que forme une protéine dans le neurone. Selon des gérontologues, elle représente une sous-catégorie de la maladie d'Alzheimer, car environ 20 % à 30 % des autopsies pratiquées sur des personnes atteintes de la maladie d'Alzheimer montraient la présence d'un nombre imposant de corps de Lewy dans le cortex et le tronc cérébral (Lopez et autres, 2000). Cette forme de démence est donc étudiée de près. D'autres spécialistes jugent que cette maladie est une forme de la maladie de Parkinson puisqu'elle en montre plusieurs des signes cliniques et des caractéristiques pathologiques (McKeith et autres, 2003). Enfin, pour certains, il s'agit d'une forme de démence distincte. Les débats se poursuivent entre experts sur les critères associés à cette maladie et sur sa catégorisation.

D'ailleurs, les gérontologues et les cliniciens remettent en question les critères diagnostiques récemment élaborés pour la démence à corps de Lewy, car tous les symptômes supposément spécifiques à la maladie, soit le parkinsonisme, les hallucinations visuelles et les troubles cognitifs, sont aussi observés dans d'autres formes de démence ainsi que dans la maladie de Parkinson. Ils se demandent surtout si ce sont des signes cliniques de la maladie ou les effets secondaires des médicaments que consomment les personnes atteintes (Serby et Samuels, 2001). Cette question est d'autant plus pertinente qu'un signe particulier de la maladie est l'hypersensibilité aux nombreux médicaments agissant sur le système nerveux central. Ainsi, les réactions aux effets médicamenteux ressemblent aux symptômes de la démence. Les médicaments habituellement prescrits peuvent provoquer des hallucinations visuelles et des troubles cognitifs (Serby et Samuels, 2001). Des chercheurs essaient également d'établir en quoi les troubles cognitifs associés à cette forme de démence diffèrent (s'ils diffèrent) de ceux qui caractérisent les autres formes de démence (Walker et autres, 2000).

Cette sensibilité typique aux neuroleptiques comporte de graves répercussions, car les personnes atteintes peuvent réagir brutalement aux effets des médicaments de type cholinergique comme les neuroleptiques, et même en décéder. Il est impératif que les infirmières et les autres professionnels de la santé sachent qu'une personne atteinte de démence à corps de Lewy réagit de façon particulière ou extrême à de faibles doses de neuroleptiques. Les sédatifs, quant à eux, produisent une très forte agitation, la somnolence ou l'insomnie, et les neuroleptiques ou les antiparkinsoniens provoquent le délirium et des hallucinations visuelles. La maladie se manifeste aussi par la fragilisation de la personne, qui peut s'accentuer rapidement en raison d'une autre affection (par exemple, une infection) ou d'un changement touchant son milieu de vie (Rogan et Lippa, 2002). La difficulté à diagnostiquer cette maladie et les effets de ses importantes conséquences doivent inciter les infirmières à être vigilantes quant à la possibilité qu'une personne non diagnostiquée en soit atteinte.

Les facteurs qui nuisent au diagnostic de la démence et aux interventions connexes

Les attitudes, les mythes et l'ignorance représentent des facteurs de risque qui empêchent l'établissement du bon diagnostic et les interventions appropriées. Les gérontologues ont accompli des progrès remarquables ces dernières années. Non seulement connaissent-ils mieux les causes des déficits cognitifs, mais ils les repèrent aussi plus facilement. Les professionnels de la santé ont ainsi moins tendance à conjuguer déficits cognitifs graves et vieillissement normal. Pourtant, de nombreuses personnes âgées, leur famille et les soignants croient encore à tort que la sénilité vient avec l'âge. Cette situation entraîne une négligence à l'égard des problèmes curables. La personne âgée ne reçoit donc pas le traitement adéquat ou l'aide nécessaire. Même si la démence ne se guérit pas encore, il existe un grand nombre de traitements. À défaut de traitements, il est possible de retarder l'évolution de la maladie, d'en gérer les symptômes et de prévoir un plan thérapeutique infirmier à long terme. S'il n'est pas du ressort de l'infirmière de diagnostiquer la démence, elle a néanmoins la responsabilité d'informer la personne et son soignant des changements cognitifs normaux liés à l'âge et d'encourager l'examen de la présence de symptômes liés à des problèmes cognitifs jugés anormaux. L'infirmière doit combattre toute attitude péjorative et favoriser l'évaluation des déficits cognitifs.

Les composantes culturelles, comme les notions de vieillissement et de maladie, influent sur les attitudes touchant la démence. Par exemple, dans certaines communautés culturelles, la démence fait partie du processus normal de vieillissement ; dans d'autres, les signes de démence sont une honte. Il est primordial que tous les professionnels de la santé fassent preuve de discernement dans l'interprétation des différences culturelles touchant le vieillissement, la maladie et les comportements associés à la démence. Ces différences génèrent parfois des obstacles ou des réticences à l'égard des traitements et des services d'aide offerts.

13.4 Les conséquences fonctionnelles de la démence

Les conséquences fonctionnelles des déficits cognitifs associés à la maladie d'Alzheimer sont les plus connues puisque cette forme de démence a suscité le plus grand nombre de travaux. Chercheurs et cliniciens les décrivent depuis les années 1950. Les conséquences liées à d'autres formes de démence le sont beaucoup moins, car les chercheurs commencent à peine à reconnaître les symptômes propres à chacune d'elles. Cependant, toutes les formes de démence présentent certaines conséquences fonctionnelles similaires ; celles qui sont attribuables à la maladie d'Alzheimer valent pour les autres formes de démence. Aux derniers stades de la maladie, les conséquences fonctionnelles sont les mêmes pour toutes les démences. Par contre, peu importe le stade d'évolution ou la forme de démence, elles se manifestent différemment selon la personnalité et la coexistence d'états pathologiques (par exemple, la dépression, des déficits fonctionnels) et d'autres facteurs déterminants.

Il y a 50 ans, Sjögren, un psychiatre scandinave, définissait les stades de la maladie d'Alzheimer de la façon suivante : stade 1 : troubles de la mémoire ; stade 2 : troubles du langage, troubles du comportement moteur et troubles de la reconnaissance des objets ; stade 3 : phase terminale avec incontinence,

> *L'espérance de vie des personnes atteintes de démence est réduite de moitié ou du tiers par rapport à celle des personnes qui ne le sont pas.*

déambulation, perte des compétences langagières. Cette description reste populaire jusqu'aux années 1980. Un psychiatre américain, Reisberg, propose alors une version évoluée comptant sept stades. Reisberg subdivise les deux derniers stades (6 et 7) pour marquer une détérioration des capacités fonctionnelles à l'inverse de leur acquisition, un procédé baptisé *rétrogenèse* (Reisberg, 1986 ; 2002). L'Échelle de détérioration globale ou Échelle Reisberg a été mise à jour depuis (Auer et Reisberg, 1997). Elle est couramment utilisée et facilite l'évaluation de la maladie dans toutes les situations. Le tableau 13.2 (p. 152) résume les conséquences fonctionnelles des déficits cognitifs énumérées aux sept stades. Notons que l'établissement du diagnostic s'effectue après constatation de l'évolution des symptômes.

Malgré l'emploi répandu de l'Échelle Reisberg, les chercheurs et les praticiens savent bien que la dégénérescence propre à la maladie d'Alzheimer diffère énormément d'un individu à l'autre, et ce, du déclenchement de la maladie jusqu'au décès de la personne. Ainsi, la dégradation progressive des capacités cognitives est universelle ; le rythme individuel d'évolution de la maladie et les capacités fonctionnelles touchées diffèrent toutefois. Les chercheurs explorent donc les relations de cause à effet entre les conséquences fonctionnelles et certaines variables, notamment la réaction affective, des pathologies simultanées, le soutien des soignants et les facteurs propres au milieu de vie. Ils veulent aussi découvrir les conséquences fonctionnelles qui trahiraient la présence de la maladie avant l'établissement du diagnostic (par exemple, le stade 2 de l'Échelle Reisberg). Ainsi, Gates et ses collègues (2002) ont constaté que des troubles du langage précèdent le stade clinique. Ils auraient pour cause des altérations pathologiques des voies auditives ou des lobes frontotemporaux.

Depuis quelques années, il apparaît clairement aux gérontologues et aux professionnels de la santé que la conséquence fonctionnelle ultime de la maladie d'Alzheimer est le décès. Cette maladie constitue l'une des 10 principales causes de décès chez les personnes âgées (Foley et autres, 2003). L'espérance de vie des personnes atteintes de démence est réduite de moitié ou du tiers par rapport à celle des personnes qui ne le sont pas. Il s'écoule généralement une dizaine d'années entre le diagnostic et le décès, le dernier stade accaparant les deux ou trois années dernières années de vie (Shuster, 2000). Les professionnels de la santé jugent actuellement que la démence est une maladie terminale et

TABLEAU 13.2	L'Échelle Reisberg pour évaluer la démence de type Alzheimer

Stade	Conséquences fonctionnelles
1. Adulte normal	Aucun déficit cognitif ou plainte associée à un trouble.
2. Troubles de la mémoire liés à l'âge	Déficits correspondant au vieillissement normal (par exemple, difficulté à trouver ses mots, oubli de l'emplacement d'objets); aucune manifestation objective de ces déficits n'est apparente au travail ou dans les réunions sociales.
3. Déficit cognitif léger	Problèmes constatés dans l'exécution de tâches complexes, surtout en situation de socialisation et de travail, compétences organisationnelles altérées; d'autres personnes remarquent les troubles cognitifs.
4. Démence légère	Capacité réduite d'exécuter des tâches complexes (par exemple, préparation des repas, gestion personnelle de ses finances), détérioration de la connaissance d'événements actuels et récents, disparition de l'affect, retrait dans les situations compliquées.
5. Démence modérée	Déficits cognitifs évidents, incapacité à exécuter des tâches complexes sans supervision ou aide, difficulté à se rappeler le nom de personnes connues.
6. Démence modérément grave	Dégénérescence prononcée des fonctions cognitives (par exemple, désorientation, importants troubles de la mémoire à court terme), troubles de la personnalité et de l'affectivité (par exemple, anxiété, idées délirantes).
	Altération de fonctions cognitives ayant pour résultat:
	• la difficulté à s'habiller convenablement sans aide;
	• l'incapacité à prendre son bain sans aide;
	• l'incapacité à faire sa toilette sans aide (par exemple, incapacité à s'essuyer proprement après la selle);
	• l'incontinence urinaire occasionnelle ou fréquente;
	• l'incontinence fécale occasionnelle ou fréquente.
7. Démence grave	Dégénérescence graduelle des fonctions psychomotrices et appauvrissement du vocabulaire:
	• vocabulaire réduit à six mots ou moins;
	• vocabulaire réduit à un seul mot intelligible;
	• incapacité à marcher sans aide;
	• incapacité à s'asseoir sans aide;
	• perte du sourire;
	• incapacité de lever la tête de façon autonome.

préconisent des soins de confort en fin de vie pour les personnes ayant atteint le stade 7 de l'Échelle Reisberg (Shuster, 2000).

Les chercheurs, les cliniciens, les personnes atteintes de démence, leur famille et les soignants veulent connaître les facteurs qui jouent sur la longévité et l'évolution de la maladie. L'affaiblissement de la condition physique est un indicateur fiable de la longévité (Aguero-Torres et autres, 2002). D'autres facteurs pouvant accélérer la dégénérescence cognitive et fonctionnelle sont le début précoce de la maladie, la prolongation d'une affection, des antécédents familiaux de démence et l'alcoolisme (Santillan et autres, 2003). Les maladies vasculaires cérébrales (par exemple, un AVC) et la présence d'autres affections et de symptômes extrapyramidaux activent aussi l'évolution de la maladie et diminuent la durée de vie (Carlson et autres, 2001; Knopman et autres, 2002; Santillan et autres, 2003).

Les effets de la démence sur la personne atteinte

Le mythe selon lequel la personne atteinte de démence n'est pas en mesure de reconnaître ses symptômes ou n'en a pas conscience est persistant. Cette erreur a donné lieu à plusieurs mésententes chez les professionnels de la santé; par exemple, on croit que si la personne pose des questions sur la maladie d'Alzheimer, c'est qu'elle fait preuve d'un certain niveau de conscience. Ce mythe d'un déni systématique s'estompe depuis quelques années, car les gérontologues effectuent en ce moment des recherches sur la notion d'*anosognosie*, soit la méconnaissance par l'individu de sa maladie, de son état et de la perte de sa capacité fonctionnelle. Des indices laissent entendre que l'anosognosie découle plutôt de dommages aux lobes frontaux et à l'hémisphère droit. Enfin, la conscience des déficits cognitifs varie constamment selon les personnes et les stades de la démence : certaines en sont pleinement conscientes, et d'autres, aucunement.

La peur, la honte, la colère, l'anxiété, la frustration, la solitude, la dépression, l'incompétence, la culpabilité, l'affaiblissement de l'affect et le retrait d'activités stimulantes sont autant d'émotions et de comportements fréquents vécus aux premiers stades de la démence. Les personnes cherchent toujours à masquer leurs déficits pour se protéger et pour épargner leur famille. Cette situation ne signifie nullement qu'elles les nient ou qu'elles n'en soient pas conscientes. Ce sont peut-être des indices encourageants d'acceptation et d'adaptation (Clare, 2002a).

Seuls les individus qui vivent ou qui travaillent avec une personne atteinte, ou encore qui la fréquentent régulièrement, remarqueront de subtils changements au début de la maladie, par exemple des troubles du raisonnement ou de la mémoire à court terme. Lorsque ses déficits sont détectés, la personne ne manque pas d'explications pour les valider, comme une dépression ou un événement important (par exemple, la retraite ou le veuvage). Aux premiers stades de la démence, la personne abandonne l'exécution de tâches complexes pour parer aux répercussions de ces déficits cognitifs. Par exemple, un employé prendra sa retraite sans admettre ses déficits cognitifs comme principale raison. Les personnes qui n'accomplissent pas d'activités intellectuelles ou psychomotrices compliquées peuvent cacher leurs déficits ou les compenser jusqu'à ce qu'ils gênent trop la réalisation des activités quotidiennes.

> *L'infirmière ne doit pas oublier que les phases émotionnelles diffèrent selon chaque personne, mais qu'elles se manifestent toujours. La peur, la honte, la colère, l'anxiété et la frustration émergeront au cours d'un des stades de la maladie ou seront présentes tout au long de son évolution, de diverses façons.*

À mesure que la maladie évolue, la personne ne peut plus occulter ses problèmes, et même les gens qui la fréquentent peu s'interrogeront sur la raison de ceux-ci.

Au cours d'entrevues, Clare (2002b) a demandé à des personnes atteintes de la maladie d'Alzheimer aux premiers stades et à leur partenaire d'indiquer les mesures adoptées pour s'adapter à l'apparition de la maladie. Voici les plus fréquentes :

- se raccrocher (par exemple, essayer de façon plus soutenue, prendre des médicaments, respecter la routine établie) ;
- compenser (par exemple, se servir d'aide-mémoire, compter sur son partenaire) ;
- se battre (par exemple, obtenir des renseignements, parler de la maladie, créer pour soi des responsabilités différentes) ;

- accepter (par exemple, trouver l'équilibre entre l'espoir et le désespoir, accepter la détérioration de ses capacités).

L'objectif de toutes ces mesures d'adaptation est de se sentir mieux.

Cohen et ses collègues (1984) ont décrit six phases émotionnelles qui se manifestent au cours de la maladie d'Alzheimer. D'après ce modèle, la phase 1 se produit avant le diagnostic. La personne sent qu'il se passe quelque chose de grave, et elle s'inquiète. La phase 2 s'enclenche avec le diagnostic. C'est le refus de la maladie. À la phase 3, la personne atteinte et sa famille doivent surmonter le choc de la nouvelle ; elles vivent la culpabilité, la colère, la dépression, la déstabilisation et le questionnement. La phase 4 est l'étape de l'adaptation. La personne et sa famille prévoient les problèmes à régler maintenant et plus tard. Les phases 5 et 6 n'ont lieu que si la vie de la personne se prolonge. La phase 5 est celle de la maturité. La personne accepte l'inévitable détérioration de ses facultés et tente de conserver ses capacités fonctionnelles. La phase 6 est l'étape dont aucune personne atteinte ne peut parler, car si elle parvient à réagir à certains stimuli de son milieu de vie, elle ne peut cependant plus agir (Cohen et autres, 1984).

L'infirmière ne doit pas oublier que les phases émotionnelles diffèrent selon chaque personne, mais qu'elles se manifestent toujours. La peur, la honte, la colère, l'anxiété et la frustration émergeront au cours d'un des stades de la maladie ou seront présentes tout au long de son évolution, de diverses façons.

Aux derniers stades de la maladie, malgré la gravité des déficits cognitifs, la personne a toujours une réaction émotionnelle, même déficiente. Elle finit par ne plus pouvoir exprimer ses sentiments que par son comportement. Les soignants ont donc la responsabilité de stimuler la communication non verbale et de l'interpréter, puisqu'il s'agit du principal mode de communication au stade ultime de la démence (Hubbard et autres, 2001).

Les impacts de la démence sur le comportement : les symptômes non cognitifs

La personne affiche une multitude de comportements, souvent appelés « symptômes non cognitifs », qui se substituent aux déficits cognitifs. Le plus répandu est l'apathie, qui afflige jusqu'à 92 % des personnes atteintes de la maladie d'Alzheimer (Landes et autres, 2001). L'apathie est l'incapacité de se motiver, associée à de l'indifférence, à un manque d'initiative, de persévérance et d'intuition, au désintérêt, à une participation sporadique à des activités sociales et à un amoindrissement de la réponse émotionnelle (Landes et autres, 1984). Voici d'autres comportements possibles, non associés aux déficits cognitifs :

- des idées délirantes ;
- des hallucinations ;
- des changements dans la personnalité ;
- une agitation physique ou verbale ;
- une conduite impudique ou inappropriée en public ;
- des perturbations de l'humeur (par exemple, des troubles dépressifs, de l'euphorie, des troubles de l'affectivité) ;
- une anomalie de la fonction motrice (par exemple, marcher constamment, fouiller, errer) ;
- une détérioration neurovégétative (par exemple, des changements de l'appétit, des troubles du sommeil).

Les chercheurs ont examiné plusieurs aspects de ces comportements, qui surviennent à des moments différents de l'évolution de la maladie, et en tirent les conclusions suivantes :

- ils se produisent chez au moins 90 % des personnes au cours de la maladie ;
- ils diffèrent beaucoup d'une personne à l'autre ;
- ils annoncent l'installation de la maladie ;
- ils peuvent se répéter et se transformer ;
- ils accompagnent les déficits cognitifs graves et une dégénérescence rapide ;
- ils se multiplient avec l'évolution de la maladie ;
- ils entraînent souvent un placement en établissement ;
- ils proviennent probablement d'altérations neuropathologiques ;
- ils peuvent s'améliorer avec la prise de médicaments (par exemple, des médicaments cholinergiques, des psychotropes) (Chung et Cummings, 2000).

Les troubles du comportement ne posent pas toujours problème aux soignants, mais les publications en gérontologie s'y attardent indûment. Cette tangente renforce la peur et l'inquiétude à l'égard de conséquences fonctionnelles possibles, mais incertaines. Il arrive que l'on entende des affirmations selon lesquelles une personne ne peut être atteinte de la maladie d'Alzheimer puisqu'elle n'a ni hallucinations ni agressivité. Ces remarques trahissent le mythe des incontournables comportements difficiles liés à la maladie. Un membre de la famille d'une personne aux prises avec la maladie d'Alzheimer a un jour demandé si sa mère serait *gentille* ou *méchante* à mesure qu'évoluerait sa maladie. Cette question suppose que toutes les personnes atteintes n'affichent pas toujours un comportement difficile, mais elle n'en révèle pas moins une conviction négative ou erronée sur les comportements typiques à la démence. Le milieu de vie des malades et la perception des soignants peuvent occasionner des problèmes. Par exemple, dans un établissement où les portes extérieures sont verrouillées, l'errance ne constitue pas une inquiétude, ce qui n'est pas le cas à domicile. De même, l'agitation nocturne représente une source de problèmes pour le conjoint et seul soignant, mais non pour les infirmières dont c'est le travail de donner des soins jour et nuit.

Le terme « agitation » recouvre une multitude de comportements : l'anxiété, l'irritabilité, des perturbations du sommeil, l'errance, une répétition des mêmes gestes, une vocalisation non agressive ou répétitive, ou une agressivité physique ou verbale. L'agitation résulte aussi de troubles dépressifs, de troubles physiologiques ou d'effets indésirables de médicaments. En conséquence, il ne faut pas systématiquement l'attribuer à la démence dont est atteinte la personne. En réalité, l'agitation signale souvent un problème de santé non encore diagnostiqué, par exemple, une infection.

Le terme « réaction catastrophique » englobe une diversité de comportements chez les personnes atteintes de lésions cérébrales. Celles-ci réagissent de façon exagérée à une situation qu'elles jugent menaçante (Mace et Rabins, 1999). Une perturbation de l'humeur, une intensification de l'agitation, l'entêtement ou l'errance avertissent de l'imminence d'une réaction catastrophique. La colère, l'anxiété, l'irritabilité, l'agressivité verbale ou physique, des pleurs ou des cris peuvent l'accompagner. Les soignants croient parfois qu'il s'agit d'une réaction délibérée et que la personne fait preuve d'obstination, d'hyperémotivité ou de sévérité. À certains moments, ils en connaissent l'élément déclencheur, et à d'autres, non. Ainsi, l'intervention du soignant dans l'exécution d'une tâche quotidienne, comme le bain ou un problème d'incontinence, peut provoquer une réaction catastrophique si la personne considère cette intervention comme embarrassante ou menaçante selon son interprétation altérée des événements ou des intentions de son soignant. La réaction s'évanouit si la supposée menace disparaît ou si la personne se sent de nouveau en sécurité. Selon Dolbec (2005), il est important de mentionner que cette réaction démesurée doit être vue comme prévisible et que l'intervenant ne doit pas en tenir rigueur à la personne qui a une telle réaction. Il devra plutôt demeurer très attentif aux signes d'escalade d'agitation et adapter ses interventions en fonction de l'effet qu'elles génèrent.

Les gérontologues tentent eux aussi de déchiffrer ces comportements. Johansson et ses collègues (2002) remarquent que, d'après les soignants, le fait de critiquer constamment permet à la personne atteinte de démence de réduire son anxiété, d'essayer de garder la maîtrise de la situation, de vivre normalement et de communiquer avec les autres. Les chercheurs et les praticiens se rendent compte peu à peu que les comportements sont une forme d'expression non verbale. Ils insistent sur l'emploi de termes neutres plus signifiants (Cohen-Mansfield, 2000a ; Richards et autres, 2000). Par exemple, un comportement dit *perturbateur*, *problématique* ou *agressif* l'est pour un soignant, mais non pour la personne atteinte de démence (Talerico et Evans, 2000). Il en va de même pour le terme « agressif », qui décrit couramment des comportements très dérangeants pour les soignants ; ils entraînent souvent le placement de la personne en établissement ou sont responsables des blessures infligées aux soignants (Talerico et Evans, 2000).

Les chercheurs et les praticiens comprennent depuis peu que les personnes atteintes de démence communiquent leurs besoins et leurs sentiments au moyen de comportements qui semblent perturbateurs (Talerico et autres, 2002). Le terme « agressif-protecteur » conviendrait mieux pour définir un comportement fondé sur l'autoprotection (Talerico et Evans, 2000). Selon Dolbec (2005), il faut bien comprendre que les comportements que l'on appelle perturbateurs (résister aux soins, vouloir se sauver, fouiller partout, chercher ses parents, mordre, griffer, crier, etc.) ne résultent pas du caractère de la personne, de sa mauvaise volonté ou d'une maladie psychiatrique. Ces comportements sont plutôt une résultante tout à fait logique chez une personne qui a des troubles de la mémoire, qui ne sait plus où elle est, ne reconnaît pas les gens, ne comprend plus bien les mots, ne peut réfléchir convenablement, ne peut planifier, donc chez une personne très anxieuse ou inquiète qui ne parvient plus à reconnaître son environnement ni à interpréter convenablement les intentions des personnes qui l'entourent.

En prenant en compte les éléments soulignés plus haut, tout donne à penser que les comportements dits perturbateurs seront donc considérés comme normaux pour la personne atteinte de démence et qu'il revient aux membres de l'équipe traitante, dont les facultés mentales sont intactes, de comprendre

cette situation et de s'adapter à cette nouvelle normalité. Il ne faut pas oublier que cette personne a déjà eu une vie bien remplie et qu'elle commande toujours le respect et la tolérance afin de préserver le peu de dignité qui lui reste (Dolbec, 2005).

La dépression

La dépression secondaire pouvant être une maladie concomitante chez la personne atteinte de démence ou de la maladie d'Alzheimer, on doit en évaluer minutieusement les signes et les symptômes et établir des plans thérapeutiques. Formean et ses collaborateurs (1996) distinguent la dépression du délirium et de la démence en se basant sur les signes et les symptômes suivants :

> *Il ne faut pas oublier que cette personne a déjà eu une vie bien remplie et qu'elle commande toujours le respect et la tolérance afin de préserver le peu de dignité qui lui reste (Dolbec, 2005).*

Voir évaluation, p. 220

- apparition variable de la maladie ;
- maladie brusque et réversible avec un traitement ;
- conscience claire ;
- champ de l'attention normal (mais la personne se laisse distraire facilement) ;
- déficit de la mémoire sélective ;
- pensée intacte (mais la personne manifeste à la fois détresse et désespoir).

Les personnes atteintes peuvent également connaître des changements dans leurs habitudes de sommeil et dans leur appétit, ainsi qu'éprouver une fatigue accrue. On peut avoir recours à l'échelle de dépression gériatrique à titre d'outil d'évaluation au stade léger de la maladie d'Alzheimer, lorsque l'aptitude linguistique est encore intacte et que la personne est capable d'exprimer sa tristesse, sa culpabilité et ses idées suicidaires.

Les répercussions de la démence sur les soignants

Depuis les années 1980, les publications en gérontologie traitent des questions relatives aux soignants, surtout ceux qui prennent soin d'un membre de leur famille atteint de démence. Depuis quelques années, ce sujet fait l'objet de nombreux articles en gérontologie et d'une pléthore de livres offerts dans les librairies. Ils sont les bienvenus, car plus de 80 % des soins prodigués aux personnes atteintes le sont dans la collectivité, soit à domicile par un proche aidant.

Le « fardeau de l'aidant naturel » (ou « proche aidant ») est un terme désignant généralement les problèmes financiers, physiques et psychosociaux que vivent les membres de la famille qui s'occupent de personnes âgées en perte d'autonomie. La plupart des études sur la question mettent l'accent sur le stress des aidants à domicile. Les plus récentes révèlent que le placement de la personne dans un établissement ne diminue en rien le stress de l'aidant (Larrimore, 2003 ; Pearson, 2001). Les chercheurs ont relevé les problèmes inhérents au rôle de l'aidant :

- des troubles dépressifs ;
- des perturbations du sommeil ;
- un repli sur soi ;
- des dissensions familiales ;
- une interruption de la carrière ;
- des problèmes financiers ;
- un manque de temps pour son bien-être ;
- un mauvais état de santé ;
- une faiblesse du système immunitaire ;
- une fatigue mentale, physique et émotionnelle ;
- des sentiments de colère, de culpabilité, de chagrin, d'anxiété, de désespoir et d'impuissance ;
- une fatigue chronique.

Malgré l'importance de ce fardeau, il faut également noter que les aidants naturels jugent cette expérience à la fois positive et négative. Par exemple, Narayan et ses collègues (2001) observent que les conjoints se sentent valorisés par leur rôle tout en déplorant les privations et les épreuves. Si cette situation suscite la colère, l'ambivalence et une fragilisation affective, elle favorise aussi l'épanouissement et la détermination (Acton, 2002). Les gérontologues insistent sur l'importance de mesurer la portée de ce rôle dans la vie d'un soignant et d'en cerner les avantages et les inconvénients (Suwa, 2002).

La première évaluation d'une personne aux prises avec un déficit cognitif évolutif

Sauf pour le délirium et la démence vasculaire, les déficits cognitifs évoluent lentement. Bien qu'il faille en mesurer l'étendue, ils ne nécessitent aucun soin immédiat. La détérioration s'étale sur plusieurs années. L'examen n'intervient que si le déficit nuit aux capacités fonctionnelles normales. Il se déroule sur plusieurs semaines ou mois et demande la collecte de renseignements de nature médicale et psychosociale. Sa nature évolutive complexe exige la participation de plusieurs professionnels de la santé pour obtenir et analyser toute l'information nécessaire à un diagnostic précis. Il faut donc une équipe multidisciplinaire composée de spécialistes des soins de santé, de psychiatres, d'infirmières, de travailleurs sociaux et de thérapeutes en réadaptation fonctionnelle, physiothérapeutes et ergothérapeutes. Les membres de cette équipe collaborent avec la famille et d'autres soignants pour évaluer, à l'aide des renseignements recueillis, la capacité de la personne à prendre part aux discussions et à

la préparation du plan thérapeutique infirmier. L'objectif principal consiste à jauger son état fonctionnel, à cerner les facteurs de risque qui entravent ses capacités fonctionnelles et à déterminer sa réaction devant la maladie. Le rôle de l'infirmière est celui de chef d'équipe responsable de la coordination de l'information et de la communication entre les membres de cette équipe, la personne âgée et sa famille ou d'autres soignants. L'encadré 13.2 (p. 157) présente les directives relatives à l'évaluation d'un déficit cognitif évolutif par les membres de l'équipe multidisciplinaire.

Une évaluation continue

La démence étant une maladie évolutive qui s'ajoute à d'autres états pathologiques, une évaluation continue s'impose. Il faut donc prêter attention aux manifestations suivantes :

- une altération des fonctions cognitives et psychosociales (par exemple, la détérioration des capacités cognitives, un début d'anxiété ou de dépression) ;
- une dégradation de l'état mental causée par des troubles coïncidents (par exemple, un délirium résultant d'un problème médical ou d'effets secondaires de médicaments) ;
- un affaiblissement des capacités fonctionnelles ;
- des troubles du comportement associés à des problèmes auxquels il est possible de remédier (par exemple, l'anxiété, un malaise physique, des éléments du milieu de vie).

L'un des principaux objectifs de cette évaluation continue est de détecter les facteurs qui gênent l'état fonctionnel ou la qualité de vie de la personne afin de pouvoir les atténuer. Il faut savoir que si l'évolution de la démence entraîne une dégénérescence des capacités fonctionnelles, la démence seule n'est pas responsable de tous les déficits fonctionnels. De nombreux problèmes résultent d'autres affections et de facteurs inhérents. Une évaluation continue est donc fondamentale pour les reconnaître. Un autre objectif consiste à soupeser les forces et les faiblesses de la personne pour mieux personnaliser les interventions visant à améliorer son état fonctionnel et sa qualité de vie. Les déficits cognitifs varient au gré de l'évolution de la maladie. Les forces et les faiblesses fonctionnelles de la personne aussi. C'est la raison pour laquelle il faut souvent réviser le plan thérapeutique infirmier.

13.5 Les interventions auprès de personnes atteintes de démence

Les interventions auprès de personnes atteintes de démence ne cessent de progresser. Les dernières études font état des interventions les plus pertinentes pour

ENCADRÉ 13.2
Les directives relatives à l'évaluation d'un déficit cognitif évolutif

Principes généraux

- L'évaluation se déroule au cours de plusieurs rencontres et peut comprendre une évaluation à domicile.

- La personne atteinte n'est peut-être pas la meilleure source d'information ; autant que possible, les professionnels de la santé doivent vérifier, avec les proches, l'exactitude des renseignements qu'elle fournit.

- Les professionnels de la santé doivent respecter les droits de la personne et lui demander au préalable l'autorisation d'obtenir des renseignements auprès d'autres intervenants, y compris des membres de sa famille.

- Les conclusions que la famille tire de certains événements ne doivent pas être considérées comme exactes sans autre vérification (par exemple, des membres de la famille peuvent déclarer que c'est à la suite de sa mise à la retraite que la personne affiche des signes de déficits cognitifs alors qu'elle a pris sa retraite en raison de son incapacité à s'adapter aux exigences de son travail).

Objectifs de l'évaluation

- Découvrir les causes sous-jacentes des déficits cognitifs.

- Mener une évaluation qui englobe plusieurs disciplines et qui comporte les éléments suivants : l'intégralité des antécédents médicaux, les résultats complets d'un examen médical, y compris celui du programme de traitement médicamenteux, l'examen des capacités fonctionnelles, de l'état mental, de la situation psychosociale, du milieu ambiant et des soins prodigués par les soignants ; il faut porter une attention particulière aux facteurs gênant les capacités fonctionnelles.

- Étayer l'évaluation par des rencontres avec les aidants, les membres de la famille et d'autres personnes pouvant décrire l'évolution des déficits cognitifs.

- Recueillir des renseignements sur les traits de personnalité antérieurs aux déficits ; examiner les mesures d'adaptation et la situation de la personne en fonction de ses capacités fonctionnelles actuelles.

- Poser des questions précises pour permettre aux membres de la famille de déceler les signes qu'ils n'ont pas remarqués auparavant.

Éléments dont il faut tenir compte dans l'évaluation des facteurs de risque

- Résultats du test de Folstein, du test de l'horloge et du MoCA.

- Ne pas présumer que les déficits cognitifs et les troubles du comportement résultent d'un trouble démentiel.

- Évaluer régulièrement les facteurs de risque, car ils sont soit à l'origine des déficits cognitifs, soit la cause d'autres déficits cognitifs ultérieurs.

- Évaluer, dès le début, les facteurs de risque ci-dessous et en poursuivre l'évaluation par la suite : dépression, détérioration physiologique, déficits fonctionnels, effets secondaires de médicaments et répercussions psychosociales et du milieu de vie.

- Veiller à corriger autant que possible, dès le début de l'évaluation, les déficits visuels et auditifs de la personne (par exemple, s'assurer que la personne met ses lunettes ou ses appareils auditifs, si nécessaire) et vérifier l'aménagement de la pièce où elle se trouve (par exemple, l'éclairage de la pièce doit être optimal).

- Repérer prioritairement les facteurs de risque pouvant être neutralisés avant de préparer un plan thérapeutique infirmier à long terme.

Voir évaluation, p. 210 à 217

---

traiter la maladie et en gérer les conséquences fonctionnelles. La plupart des travaux portant sur les traitements concernent la maladie d'Alzheimer, mais les autres formes de démence suscitent aussi l'intérêt. Par exemple, les premières recherches se concentraient sur la mise au point de médicaments pour traiter la maladie d'Alzheimer. Les plus récentes explorent leur emploi avec d'autres formes de démence telles la démence vasculaire ou la démence à corps de Lewy. De nombreuses interventions s'adressent plutôt directement aux personnes atteintes. Elles sont conçues pour répondre à des problèmes précis (par exemple, rassurer une personne anxieuse et confuse, modifier des comportements risqués ou inadéquats). La promotion de la santé (par exemple, au moyen d'exercices et d'une saine alimentation) participe aussi à la prévention de toutes les formes de démence.

Il est difficile de distinguer les formes de démence avant l'évolution de la maladie ou la détection de facteurs de risque. Aucun médicament ne guérit la maladie, bien que certains en retardent la progression. Par contre, peu importe la cause et le stade d'évolution de la maladie, bon nombre d'interventions peuvent soulager et améliorer l'état fonctionnel et la qualité de vie de la personne atteinte.

Le soignant qui s'occupe d'une personne atteinte de démence sait bien qu'il lui faut personnaliser ses interventions et les modifier souvent. L'efficacité des interventions fluctue selon les personnes et les jours. La recherche et les soins infirmiers ont pour principal objectif d'élaborer des interventions centrées sur la personne à partir d'une évaluation continue et complète de ses besoins particuliers et changeants. La prise en charge des soins exige une grande souplesse. C'est l'un des aspects les plus stimulants des soins infirmiers gérontologiques.

Une analyse détaillée des interventions propres à chaque forme de démence dépasse le cadre de ce chapitre. Toutefois, nous traiterons, dans ce qui suit, d'un modèle théorique et nous présenterons des exemples d'interventions les plus courantes.

Le modèle théorique d'intervention et l'approche prothétique

Hall et Buckwalter (1987) ont été les premiers à élaborer un modèle d'intervention, le *Progressively Lowered Stress Threshold* (*PLST*), auprès des personnes atteintes de démence. Ce modèle stipule que les comportements perturbateurs signalent un fléchissement du seuil de tension qui amoindrit l'état fonctionnel et empêche la personne d'interagir avec son milieu. Les interventions infirmières cherchent donc à optimiser l'état fonctionnel en réduisant les agents stressants qui amplifient le déficit. Les interventions sont choisies en fonction de l'évaluation continue du degré d'anxiété de la personne. Il s'agit de déterminer son seuil de tolérance en matière d'activités et de stimuli pendant sa maladie. Au cours d'épisodes anxieux, il faut simplifier les activités et modifier les stimuli jusqu'à ce que les signes d'anxiété disparaissent (Hall et Buckwalter, 1987). Cette démarche épouse les besoins de la personne.

L'approche prothétique pour compenser les déficits cognitifs. La programmation prothétique tire son nom du mot prothèse; ici, il s'agit d'une prothèse qui compense les pertes cognitives des personnes atteintes. Au moyen de l'approche prothétique, le milieu de vie et les intervenants compensent la difficulté qu'éprouve la personne à se repérer dans les lieux, sa perte de mémoire, ses pertes liées aux gestes appris (apraxie), et ses difficultés à reconnaître des objets et même des personnes (agnosie). De plus, le modèle de l'approche prothétique invite les divers intervenants à s'adapter aux difficultés d'expression et de communication (aphasie) vécues par la personne (Dolbec, 2005).

En valorisant le respect et la tolérance, le personnel qui travaille en milieu d'hébergement adapte les soins et les interventions aux besoins individuels de chacun des résidents d'une unité, afin de diminuer ou d'éliminer les comportements perturbateurs qu'ils présentent, de favoriser le maintien de leurs capacités résiduelles et d'accroître leur sécurité physique et affective. Des unités prothétiques spécialisées permettent ainsi de regrouper des personnes souffrant de démence irréversible avancée; ces personnes, bien qu'encore aptes à la marche, présentent trop de comportements de fouille, d'errance ou de fugue pour être traitées convenablement et en sécurité dans des unités d'hébergement qui regroupent des personnes se trouvant à un stade moins avancé de la maladie.

L'approche en unité prothétique se caractérise par:

- un contrôle environnemental et architectural sur une unité spécialement aménagée pour assurer la sécurité des personnes tout en permettant l'expression des comportements de fouille ou d'errance, pour encourager le maintien de l'autonomie et pour assurer un milieu de vie adapté, sécurisant et stimulant tout en prévenant l'hyper stimulation;

- un personnel spécialement formé à l'utilisation des approches spécifiques à ce type de résidents: la validation, l'orientation à la réalité, la réminiscence, la diversion, le contact non verbal et le toucher affectif, la stimulation sensorielle.

L'approche mise sur les moyens évitant le plus possible les contraintes physiques ou chimiques. Elle est caractérisée par le respect du rythme de chaque personne, l'individualisation des interventions, l'attitude chaleureuse, le respect et l'acceptation des différents comportements « hors normes » manifestés par les résidents qui présentent une démence irréversible (Francœur, 1997).

Selon Dolbec (2005), l'approche prothétique est une approche personnalisée qui prévoit que les activités se déroulent dans le respect du rythme des personnes atteintes, que ces activités soient adaptées à leurs capacités résiduelles et qu'elles ne soient pas contraignantes au point d'engendrer des réactions ou des gestes d'agressivité. Cela demande donc beaucoup de flexibilité et une bonne lecture des réactions non verbales des personnes atteintes. Le personnel doit donc:

- utiliser un mode de communication (une approche de base) adapté en fonction des pertes cognitives des personnes atteintes (la mémoire, les gestes appris, le langage, la reconnaissance des objets et des personnes, le jugement);

- être constamment à l'affût des indices d'anxiété et d'escalade d'agressivité chez les personnes atteintes;

- éviter les surcharges de stimuli pour ces personnes (des consignes multiples, des bruits, des attroupements, des conversations entre pairs);

- assurer la sécurité des personnes par la surveillance active ou l'application des moyens de contention prescrits et prévenir les altercations.

L'approche prothétique: une approche basée sur l'effet. Dolbec (2005) affirme que l'intervenant qui prodigue des soins devra toujours demeurer attentif aux conséquences de ses actions, car elles ne produiront pas toujours l'effet anticipé. Ce qui est bon pour une personne ne l'est pas automatiquement pour une autre. Une action pertinente pour les personnes qui ne manifestent pas de pertes cognitives pourrait susciter un sentiment d'incompétence chez les personnes démentes ou générer une grande anxiété chez elles. Pensons ici à l'orientation dans le temps ou dans un lieu, à la reconnaissance des individus, à l'argumentation sur ce que la personne voit ou dit (par exemple, répondre à une personne qui réclame sa mère que sa demande n'a pas de sens puisque celle-ci est morte depuis plusieurs années). De même, proposer des activités que la personne ne peut réaliser ou lui suggérer trop d'activités en même temps la confrontera à ses pertes et générera une anxiété à cause d'une trop forte stimulation. Le but principal des interventions sera donc de produire un effet positif chez la personne, de la rassurer et de diminuer son anxiété.

Il est possible d'essayer diverses interventions jusqu'à ce que l'équipe soignante puisse déterminer les actions ou les attitudes les plus aidantes, soit pour effectuer une activité particulière de la vie quotidienne, soit pour mieux gérer un comportement d'agitation. La réussite exige d'y consacrer le temps requis. Plusieurs intervenants soutiennent qu'il faut parfois plus d'un mois d'ajustements pour arriver à trouver la meilleure façon d'intervenir avec une personne en particulier. La stabilité du personnel est donc un facteur important de réussite en ce qui a trait à cette approche.

L'encadré 13.3 résume les principes devant guider l'intervention, que nous qualifions ici d'approche prothétique. Le succès du programme repose sur une adaptation de l'environnement et sur une approche particulière qui tient compte des pertes cognitives des personnes atteintes et de leurs besoins particuliers.

ENCADRÉ 13.3
Les principes de l'approche prothétique

- Sécuriser le milieu de vie pour contrebalancer les déficits cognitifs.
- Maîtriser les agents stressants, par exemple la fatigue, les facteurs physiques, une abondance ou un chevauchement de stimuli, des modifications à la routine, la substitution d'un soignant ou un changement de milieu de vie, des activités ou des exigences qui vont au-delà des capacités fonctionnelles.
- Planifier des tâches routinières.
- Prévoir des périodes de repos.
- Se montrer toujours positif.
- Ne pas critiquer les comportements, sauf ceux qui présentent un danger.
- Savoir reconnaître les signes de fatigue, d'anxiété et de stress croissant ; intervenir dès que possible pour diminuer les agents stressants.
- Adapter les interventions thérapeutiques telles qu'un exercice d'orientation par la réalité (décrit dans cette section) pour n'y inclure que les renseignements nécessaires au bon fonctionnement de la personne.
- Employer des formes de thérapie réconfortantes comme la musique et la réminiscence.

L'aménagement du milieu de vie

L'aménagement du milieu de vie d'une personne atteinte de démence revêt une grande importance, car ses capacités fonctionnelles en dépendent, surtout aux stades intermédiaires et avancés de la maladie. Ce genre d'intervention assure la sécurité de la personne et favorise son autonomie dans l'exécution des activités de la vie quotidienne. L'aménagement du milieu de vie peut prévenir ou résoudre les problèmes de comportement, dont l'errance. Voici quelques exemples de facteurs qui influent sur la sécurité, l'état fonctionnel et le bien-être de la personne :

- le bruit ambiant ;
- la surface des planchers ;
- les couleurs et les contrastes ;
- l'éclairage (par exemple, l'éblouissement, des ombres, une lumière vive) ;
- l'aménagement de la salle de bains et l'emplacement des sorties ;
- la présence de plantes et d'animaux domestiques ;
- le mobilier (les fauteuils, la disposition des meubles, la hauteur des tables et des chaises) ;
- l'emploi de dispositifs de sécurité (par exemple, une main courante, des barres d'appui) ;
- une disposition prévoyant des rencontres sociales et privées ;
- la présence d'objets qui améliorent le confort et rappellent le domicile (par exemple, des objets décoratifs, des objets texturés, des objets personnels familiers) ;
- l'absence d'articles présentant un éventuel danger (par exemple, des couteaux aiguisés, des produits nettoyants et d'autres produits toxiques, une accumulation d'objets, des obstacles physiques).

L'encadré 13.4 (p. 160) présente un résumé des interventions et des méthodes qui assurent la sécurité de la personne et stimulent son autonomie dans la réalisation d'activités de la vie quotidienne.

Dans les années 1960, les gérontologues insistent sur l'importance d'un aménagement du milieu de vie qui soit stimulant. Ils proposent aussi la mise en application de programmes d'orientation par la réalité, surtout dans les établissements de soins et d'hébergement. L'orientation par la réalité fait appel à la répétition verbale et non verbale de renseignements pour situer la personne dans le temps et l'espace. Les infirmières et les infirmières auxiliaires lui donnent l'heure alors que le jour, la date et la température sont affichés en gros caractères sur des tableaux. Cette intervention vise à encourager l'estime de soi et l'affirmation, en plus d'atténuer les sentiments de confusion, d'anxiété et de désorientation. Si l'orientation par la réalité, jointe à d'autres stratégies, s'avère

ENCADRÉ 13.4
L'amélioration de la sécurité et de l'état fonctionnel

Aménagement du milieu de vie

- Réaménager le milieu de vie pour mieux compenser les déficits sensoriels et fonctionnels de la personne.

- Se servir d'horloges, de calendriers, de quotidiens et de cartons aide-mémoire pour une intervention d'orientation par la réalité (par exemple, le jour, la date, les noms, les lieux et les événements).

- Utiliser des images simples, des aide-mémoire ou des codes de couleur pour indiquer les objets et les lieux (par exemple, les toilettes, la chambre à coucher).

- Expliquer au moyen d'aide-mémoire (par exemple, ouvert, fermé, des flèches directionnelles) le fonctionnement de la radio, du téléviseur, des appareils ménagers et des thermostats.

- Afficher très visiblement des photos de gens que la personne connaît ; privilégier les photos de texture mate et les vitres antireflets.

- Allumer l'éclairage peu avant ou dès que le jour tombe.

- Utiliser des veilleuses ou laisser un faible éclairage pendant la nuit.

- Procurer suffisamment de stimuli dans le milieu de vie sans tomber dans l'excès.

Sécurité

- Vérifier si la personne a avec elle ses papiers d'identité et le numéro de téléphone d'une personne-ressource.

- Sécuriser le milieu de vie de la personne (par exemple, par des dispositifs d'avertissement aux portes pour l'empêcher de sortir et d'errer).

- Tenir le milieu de vie de la personne en ordre.

- Garder hors de la portée de la personne les médicaments, les produits nettoyants et tous les produits chimiques toxiques.

- Inscrire la personne à un programme de protection comme le registre Sécu-Retour de la Société canadienne d'Alzheimer.

Autonomie pour l'exécution d'activités de la vie quotidienne

- Simplifier le plus possible les activités et respecter la routine de la personne.

- Élaborer une routine qui favorise l'autonomie de la personne et minimise ses frustrations.

- Prévoir que cette routine, scrupuleusement suivie, devra être adaptée à la détérioration de l'état de la personne.

- Disposer les vêtements dans l'ordre où la personne doit les mettre.

- Si la personne a besoin d'aide pour son hygiène personnelle, le lui rappeler d'un ton neutre, par exemple : « C'est l'heure du bain ! »

- Disposer les articles de toilette personnelle et d'hygiène dans un endroit visible, rangés dans l'ordre où la personne doit les utiliser.

- Laisser une brosse à dents déjà garnie de pâte dentifrice près du lavabo.

- Élaborer un plan d'hygiène personnalisé qui facilite l'autonomie de la personne et qui minimise les accidents d'incontinence.

- Proposer des aliments qui se mangent avec les doigts et des collations nutritives si la personne refuse de s'asseoir pour manger.

---

efficace pour certaines personnes, elle ne l'est toutefois pas pour d'autres. Dans tous les cas, elle doit répondre aux besoins de chaque personne.

Les gérontologues mettent actuellement l'accent sur l'exploitation totale du milieu de vie pour promouvoir le bien-être et les capacités fonctionnelles (Day et autres, 2000). De leur côté, les chercheurs soutiennent que l'aménagement du milieu de vie ne donnera des effets bénéfiques que s'il satisfait aux besoins des personnes à divers stades d'évolution de la démence (Teresi et autres, 2000).

Les chercheurs examinent maintenant les effets de l'éclairage et de la stimulation sensorielle. Ainsi, Ancoli-Israel et ses collègues (2003) ont noté qu'une exposition à la lumière du soleil ou un éclairage similaire améliore les mécanismes du sommeil et diminue l'agitation chez les personnes atteintes de démence. Les effets se font surtout sentir aux premiers stades de la maladie. Une analyse approfondie des travaux portant sur la stimulation multisensorielle par l'aromathérapie,

la musique douce, les aliments préférés et les effets de lumière de couleur atteste que cette forme d'intervention semble efficace et positive. Elle procure du plaisir, et son emploi est fortement suggéré (Chitsey et autres, 2002).

Les modes de communication

Les modes de communication, en particulier les modes non verbaux (par exemple, le toucher, la physionomie), sont fondamentaux pour communiquer avec une personne atteinte de démence pendant toute sa maladie (Hendryx-Bedalov, 2000). D'après les chercheurs et les praticiens, le maintien de la communication est essentiel autant pour la personne que pour les soignants, à tous les stades de la démence, même si la compétence verbale se dégrade. En effet, tous affirment que les comportements remplacent les modes de communication usuels à mesure que les compétences langagières disparaissent (Hubbard et autres, 2002). On dit souvent de la personne atteinte de démence qu'elle est confuse en raison d'un appauvrissement de son vocabulaire. Il serait plus juste de dire que c'est l'interlocuteur qui est confus parce qu'il devient incapable de comprendre ce que la personne veut dire (Mayhew et autres, 2001). Le principal défi reste l'interprétation des communications verbales et non verbales.

Pour les gérontologues, l'exploitation de stratégies de stimulation sensorielle est capitale, car celles-ci encouragent la communication en aiguillonnant la mémoire liée au processus de communication. Bourgeois (2002) en fournit des exemples :

- l'écriture en gros caractères, le surlignage, les couleurs vives et les contrastes marqués, les codes de couleur ;
- les étiquettes, porte-nom, calendriers, papillons adhésifs, babillards ;
- les dispositifs relatifs à la perception des sons (par exemple, les dispositifs d'alarme, minuteries, appareils auditifs, dispositifs techniques pour malentendants) ;
- les aide-mémoire : montres, fiches, cahiers, messages enregistrés sur bande sonore ;

- la communication par le sourire, par le regard ;
- la communication par la parole positive, sur un ton calme ; l'utilisation correcte des mots ;
- la communication par le toucher et par les objets familiers.

Le toucher, notamment le massage, stimule les sens. Les personnes vivant en établissement l'apprécient beaucoup ; en outre, le massage s'intègre bien aux soins infirmiers (Sansone et Schmitt, 2000). L'encadré 13.5 offre un résumé des méthodes qui favorisent la communication.

L'approche prothétique : en conclusion

Cette partie du chapitre avait pour but de changer la vision que l'on a de la personne souffrant de démence et de faire comprendre que ses agissements sont des réactions à un monde qui lui échappe.

Dolbec (2005) souligne qu'il faut se rappeler que la démence occasionne des pertes inexorables et progressives pour la personne qui en souffre. De plus, malgré un état d'apparente béatitude, elle est

---

ENCADRÉ 13.5
La communication avec une personne atteinte de démence

Communication verbale

- Adapter la communication aux capacités de la personne.
- S'exprimer avec des phrases simples.
- Ne présenter qu'une idée à la fois.
- Accorder à la personne le temps d'analyser l'information reçue.
- Éviter l'infantilisation (par exemple, ne pas s'adresser à elle comme à un jeune enfant, ne pas adopter un ton condescendant ou humiliant).
- Aider la personne à trouver le bon mot (par exemple, fournir le mot manquant, répéter toute la phrase prononcée par la personne en y ajoutant le mot exact).
- Éviter d'humilier la personne et ne pas souligner ses déficits.
- Paraphraser ce que la personne vient de dire et lui demander de clarifier ses propos.
- Répéter ou simplifier une phrase que la personne ne comprend pas.
- Ne pas se disputer avec la personne, à moins que sa sécurité soit en cause.
- Éviter l'humour compliqué ou sarcastique.
- Formuler des phrases à tournure positive (par exemple, éviter les tournures contenant des interdictions).
- Demander l'avis de la personne en respectant ses capacités et en lui offrant des choix simples (par exemple, *Voulez-vous manger du poulet ou du steak ?* plutôt que *Que voulez-vous manger ?*)

- Ne pas poser de questions auxquelles la personne ne peut répondre correctement.
- Ne pas vérifier la mémoire de la personne sans raison.
- Prêter attention aux sentiments que la personne veut exprimer et réagir aux sentiments plutôt qu'à leur formulation.
- En examinant avec la personne les activités de la vie quotidienne à accomplir, éviter de lui dire qu'elle a besoin de prendre son bain, par exemple. Elle pourrait s'en offusquer.

Communication non verbale

- Attirer et retenir l'attention de la personne (par exemple par des regards, une physionomie agréable).
- Adopter une attitude détendue et souriante.
- Joindre la communication verbale à la communication non verbale (par exemple, démontrer la signification de la question).
- Se servir d'images simples plutôt que d'aide-mémoire.
- Toucher la personne pour communiquer (par exemple, pour attirer son attention, lui montrer de l'empathie), sauf si elle n'aime pas le contact physique.
- Faire attention aux signaux non verbaux envoyés à la personne.
- Se rappeler que les signaux non verbaux peuvent en dire plus que les mots et ne pas être compris correctement.
- Observer avec attention les signaux non verbaux de la personne, surtout ceux qui expriment ses sentiments.
- Présumer que tous les signaux non verbaux de la personne veulent exprimer des besoins ou des sentiments.

trop souvent confrontée à sa propre incompétence et cela lui rend la vie très difficile.

Depuis plusieurs années, on a démontré qu'une approche qui compense les pertes cognitives et s'adapte aux capacités résiduelles de la personne atteinte donne des résultats positifs, car elle préserve sa dignité et évite de la confronter à ses déficits.

Les soignants et les proches de la personne obtiennent un meilleur succès dans leurs interventions lorsqu'ils cessent de se heurter à celle-ci en acceptant cette nouvelle normalité, soit celle de la personne démente. Ce courant de pensée est d'autant plus profitable qu'il est bénéfique à la fois pour la personne atteinte et pour les soignants ou ses proches.

Dolbec (2005) invite donc les membres des équipes traitantes à apprivoiser cette approche. À cause de ces pertes cognitives, la personne atteinte possède une mémoire affective; elle perçoit et comprend mieux la gestuelle des soignants et leurs attitudes que leurs consignes verbales. Il faut laisser tomber les principes et s'adapter à la réalité des personnes atteintes, qui vivent à leur façon dans leur propre monde.

Les médicaments qui ralentissent l'évolution de la maladie d'Alzheimer

Dès 1993, on autorisait l'utilisation du premier médicament pour traiter la maladie d'Alzheimer. Depuis,

l'étendue des connaissances sur les traitements et la prévention de toutes les formes de démence n'a cessé de s'accroître. Les inhibiteurs de la cholinestérase constituent actuellement le traitement de choix habituel dans les premières phases de la maladie d'Alzheimer. Les chercheurs observent que ces médicaments parviennent à retarder ou à diminuer quelque peu la dégénérescence des capacités fonctionnelles ou les troubles cognitifs et du comportement (Bonner et Peskind, 2002; Cummings, 2003; Trinh et autres, 2003). Des travaux publiés au début des années 2000 expliquent les effets des inhibiteurs de la cholinestérase sur les formes de démence autres que la maladie d'Alzheimer. Ils semblent démontrer leur efficacité sur la démence vasculaire et la démence à corps de Lewy, mais l'usage de cette catégorie de médicaments reste d'emblée indiqué uniquement pour les personnes atteintes de la maladie d'Alzheimer. L'encadré 13.6 donne les renseignements qui permettent à l'infirmière d'informer les personnes atteintes et leur famille sur les inhibiteurs de la cholinestérase.

Depuis 2003, les recherches se poursuivent sur de nombreux médicaments, mais aucun ne permet d'inverser la progression des symptômes ou d'améliorer l'état de la personne de façon permanente. Les antioxydants (par exemple, le ginkgo biloba), les anti-inflammatoires non stéroïdiens (AINS) et certains

---

ENCADRÉ 13.6
L'information sur les inhibiteurs de la cholinestérase

Inhibiteurs de la cholinestérase offerts au Canada
- Donépézil (Aricept)
- Rivastigmine (Exelon)
- Galantamine (Remynil)

Effets des inhibiteurs de la cholinestérase sur la démence
- Il faudrait, semble-t-il, commencer l'administration des inhibiteurs de la cholinestérase dès le début de la maladie d'Alzheimer et poursuivre le traitement au cours des stades initiaux et intermédiaires de la maladie.
- Ils stabilisent les fonctions cognitives et ralentissent l'apparition des symptômes; ils améliorent de façon substantielle les fonctions cognitives chez environ le tiers des personnes atteintes de démence.
- Ils stabilisent ou améliorent la mémoire, le langage, les capacités fonctionnelles (par exemple, l'exécution des activités de la vie quotidienne) et diminuent les comportements perturbateurs (par exemple, la déambulation incessante), les idées délirantes et le refus de collaborer.
- Ils auraient aussi des effets positifs sur les personnes atteintes de démence vasculaire ou de démence à corps

de Lewy, mais leur utilisation n'est autorisée que pour la maladie d'Alzheimer.
- Il faut administrer régulièrement l'inhibiteur de la cholinestérase, car son efficacité faiblit grandement s'il y arrêt puis reprise de la consommation.
- Ils présentent tous une efficacité équivalente contre la maladie d'Alzheimer. La tacrine a été supplantée en raison des effets secondaires moindres des trois autres médicaments et de leur posologie plus pratique.

Effets indésirables
- Les effets indésirables les plus fréquents sont la nausée, les vomissements, la diarrhée et une diminution de l'appétit. Toutefois, pour les prévenir, il suffit d'amorcer le traitement par une dose minimale et d'augmenter graduellement jusqu'à la dose maximale.
- Les effets indésirables les moins fréquents sont des perturbations du sommeil, des symptômes extrapyramidaux et des problèmes cardiorespiratoires.
- Plus que le donépézil ou la galantamine, la rivastigmine peut occasionner des problèmes gastro-intestinaux, mais son interaction avec d'autres médicaments est faible.

médicaments aux effets neuroprotecteurs ont retenu l'attention. La vitamine E, prise seule ou avec de la sélégiline (un médicament pour le traitement de la maladie de Parkinson), peut retarder l'évolution de la maladie d'Alzheimer. Les effets de ces médicaments reposeraient sur leurs propriétés antioxydantes, qui améliorent l'état de santé général et l'état fonctionnel. En ce qui a trait aux effets antioxydants, on recommande aux personnes atteintes de démence de prendre de la vitamine E (400 UI par jour en augmentant la dose jusqu'à 1 000 UI deux fois par jour) pour ralentir la dégénérescence (Bonner et Peskind, 2002). Enfin, la mémantine (Ebixa), qui n'est pas un inhibiteur de la cholinestérase, est un médicament aussi utilisé au Canada pour ralentir la progression de la maladie d'Alzheimer. La mémantine est un antagoniste des récepteurs NMDA du glutamate. La molécule agit sur le glutamate, un neurotransmetteur qui joue un rôle dans l'apprentissage et la mémoire. Des taux élevés de glutamate peuvent affecter la teneur en calcium des cellules du cerveau et entraîner la toxicité et la mort des cellules. Celle-ci est courante dans de nombreuses maladies neurologiques, dont la maladie d'Alzheimer. L'encadré 13.7 résume les derniers résultats publiés sur les inhibiteurs de la cholinestérase réservés au traitement de la démence.

Le processus décisionnel relatif aux soins à prodiguer à la personne atteinte de démence

La famille demande souvent à l'infirmière de les guider dans un processus décisionnel difficile sur les soins appropriés à donner à une personne atteinte de démence. Les membres de la famille se voient obligés de prendre des décisions pour une personne qui, autrefois, était parfaitement autonome. Si certaines familles s'arrogent un peu trop le droit de prendre des décisions à propos d'un membre âgé à leur charge, la plupart, par contre, ont des hésitations. La prise de décision est plus ardue si la personne âgée est en santé, mais atteinte de déficits cognitifs, ou si elle s'exprime fermement à propos d'activités inacceptables ou dangereuses. La famille doit trancher, par exemple, sur le sujet de la conduite automobile de la personne âgée atteinte de troubles cognitifs. Les décisions relatives à certaines activités, comme la conduite automobile, se prennent rapidement. Il en va autrement de celles qui portent sur les soins de longue durée ou les soins de fin de vie, auxquelles les familles devront inexorablement faire face. Aux questions médicales et de sécurité s'ajoutent celles d'ordre financier et affectif, les plus complexes. La participation de personnes aux opinions et intérêts divergents complexifie également le processus décisionnel.

Le rôle de l'infirmière dans ce processus diffère selon les situations. Ainsi, les décisions touchant les soins de longue durée en cas d'hospitalisation relèvent du médecin en raison de considérations médicales. Si la personne vit à domicile, le processus décisionnel est moins clair. La responsabilité revient d'abord à la famille. Si la personne nécessite avant tout la participation à des activités sociales, l'intervention est de nature plus psychosociale que médicale. L'infirmière est habituellement le seul professionnel

Les résultats des derniers travaux sur les médicaments associés à la démence

Inhibiteurs de la cholinestérase

- Les interactions entre la rivastigmine et d'autres médicaments (notamment ceux qui sont métabolisés dans le foie) sont faibles. Elle est donc plus sûre, et les personnes atteintes d'affections concomitantes la tolèrent mieux (Inglis, 2002).
- Les effets de la rivastigmine durent environ deux ans. Elle atténue les troubles du comportement et les troubles cognitifs liés à la maladie d'Alzheimer, à la démence vasculaire et à la démence à corps de Lewy (Farlow, 2002 ; Robert, 2002 ; Rosler, 2002 ; Wesnes, 2002).
- La galantamine diminue les troubles cognitifs et les troubles du comportement associés à la maladie d'Alzheimer et à la démence vasculaire. Dans les stades moins avancés de la maladie, elle améliore surtout les fonctions cognitives ; aux derniers stades, elle soulage surtout les troubles du comportement (Ekinjuntti, 2002).
- Le donépézil renforce les fonctions cognitives chez les personnes atteintes de démence vasculaire (Meyer, 2002).

Autres médicaments

- La consommation d'anti-inflammatoires non stéroïdiens peut réduire le risque de développer la maladie d'Alzheimer s'ils sont pris bien avant le déclenchement de la démence (Zandi et autres, 2002).
- Les statines (hypocholestérolémiants) diminuent la prévalence de la démence et freinent la dégénérescence des fonctions cognitives (Hajjar et autres, 2002).
- La nimodipine (Nimotop), un inhibiteur calcique, fait partie du traitement de la maladie cardiovasculaire depuis 1988. En Europe, ce médicament est prescrit dans le traitement de la démence et pourrait avoir des effets bénéfiques (Lopez-Arrieta, 2002).
- Prescrite en Europe depuis 10 ans, la mémantine démontre des effets bénéfiques dans le traitement de la maladie d'Alzheimer et de la démence vasculaire ; on la combine parfois avec un inhibiteur de la cholinestérase (Hartmann et Mobius, 2002 ; Orogozo et autres, 2002).

de la santé à maintenir des liens étroits et constants avec la personne âgée et ses soignants, que ce soit à domicile ou en établissement. Elle se transforme ainsi en soutien ou en gestionnaire des soins. Pour aider les familles à relever ce défi, elle peut suivre le modèle de processus décisionnel dont les six étapes sont énumérées à l'encadré 13.8. Il faut aussi désigner les soignants et les personnes qui prendront les décisions en tenant compte des réalités culturelles, car celles-ci jouent un rôle déterminant dans cette tâche.

ENCADRÉ 13.8
Le modèle de processus décisionnel sur les soins à prodiguer à une personne atteinte de démence

1re étape: Évaluation du processus décisionnel déjà en vigueur
- Quel est le processus décisionnel établi dans la famille?
- Qui influe directement ou indirectement sur le processus décisionnel?
- En quoi les rapports familiaux aident-ils le processus décisionnel ou lui nuisent-ils?
- Existe-t-il des exemples répétés d'absence de prise de décisions?
- Quelle est la perception de chaque membre de la famille de la situation actuelle?
- Les perceptions des personnes responsables du processus décisionnel sont-elles objectives?
- Qu'ont-elles à perdre ou à gagner selon les décisions prises?

2e étape: Entente sur les problèmes et les besoins
- Demander d'abord aux soignants les plus proches de décrire les problèmes.
- Demander ensuite aux personnes moins directement concernées de décrire les problèmes.
- Fournir des renseignements objectifs pour assurer la satisfaction des différents besoins de la personne.
- S'occuper des besoins des soignants et de ceux de la personne.
- Résumer les besoins de la personne et ceux des soignants.

3e étape: Exploration des ressources offertes
- Demander aux soignants de proposer des solutions et des ressources.
- Mentionner les ressources répondant aux besoins des soignants et de la personne.
- Renseigner la famille sur les ressources et les solutions.
- Discuter des conséquences positives et négatives de chaque option pour la personne et ses soignants.
- Évaluer, au cours de discussions entre les membres de la famille sur les solutions possibles, leur attitude à l'égard des divers services offerts et de l'effort financier associé à ces services.

- Informer les soignants des avantages à long terme d'avoir recours aux services.
- Faire un bilan avec les membres de la famille pour mieux cibler les problématiques présentes ou en émergence.

4e étape: Entente sur un plan thérapeutique infirmier
- Éliminer les options les moins intéressantes.
- Se mettre d'accord sur les deux ou trois options les plus appropriées.
- Souligner que ce plan thérapeutique infirmier est à l'essai et qu'il n'a rien de permanent.
- Proposer un échéancier pour le plan thérapeutique infirmier et des critères d'évaluation.
- Désigner une ou deux personnes dont la responsabilité sera d'évaluer le plan thérapeutique infirmier et de le corriger au besoin.

5e étape: Participation de la personne atteinte de démence
- Examiner avec la personne sa capacité à comprendre la décision.
- Déterminer le réel degré de participation de la personne.
- Trouver le meilleur moyen de faire participer la personne.
- Délimiter le rôle des soignants et des professionnels de la santé qui aideront la personne à comprendre la décision.

6e étape: Résumé du plan d'action et attribution des responsabilités
- Passer en revue le plan thérapeutique infirmier.
- Demander aux soignants d'expliquer précisément leurs responsabilités.
- Expliquer les responsabilités de l'infirmière et celles des autres professionnels de la santé.
- Assurer les soignants de sa disponibilité à parler de la situation ou à résoudre des problèmes. Sinon, leur donner le nom d'une personne qui acceptera cette responsabilité.

Partie 3

La gestion médicamenteuse

Chapitre 14

Les médicaments et la personne âgée

Avec la participation de Claire Ducharme, B. Pharm., M. Sc., M.A. (gérontologie), Pharmacienne au CSSS-IUGS

OBJECTIFS D'APPRENTISSAGE

Après avoir lu ce chapitre,
vous devriez être en mesure :

- de décrire les changements liés à l'âge qui ont une incidence sur l'action des médicaments dans l'organisme et sur la capacité de prendre des médicaments ;

- d'énoncer les facteurs de risque qui ont une incidence sur l'action des médicaments et sur les habitudes relatives à la prise des médicaments ;

- de décrire les interactions entre médicaments et les interactions entre les médicaments et d'autres substances ;

- de déterminer les effets indésirables médicamenteux que pourrait subir la personne âgée en raison du vieillissement et de la présence de facteurs de risque ;

- d'énumérer les observations et les questions qui font partie intégrante de l'évaluation complète du traitement médicamenteux.

Le sujet des médicaments ne fait pas partie à proprement parler des aspects physiologiques et psychosociaux de la personne âgée. Toutefois, la médication et les problématiques qui y sont associées revêtent une grande importance dans la vie quotidienne des personnes âgées. Voilà pourquoi il en est question dans cet ouvrage. Le présent chapitre examine les relations qui existent entre la prise de médicaments, les changements liés à l'âge, les facteurs de risque et leurs conséquences fonctionnelles. De plus, une attention sera portée aux effets des médicaments chez la personne âgée, ainsi qu'aux habitudes relatives à la prise de ceux-ci.

14.1 Les changements liés à l'âge et les médicaments

En pharmacologie, l'action des médicaments est envisagée sous les angles de la pharmacocinétique (c'est-à-dire l'absorption, la distribution, le métabolisme et l'excrétion des médicaments) et de la pharmacodynamie (soit les effets des médicaments sur les structures cellulaires et sur l'organe cible). Le processus de vieillissement, qui touche les fonctions rénales et hépatiques ainsi que la constitution du corps humain, agit sur la distribution, le métabolisme et l'élimination des médicaments; il modifie la demi-vie d'élimination (aussi appelée demi-vie sérique). Les changements liés à l'âge ayant une influence sur la sensibilité des récepteurs, les mécanismes homéostatiques sont aussi des paramètres qui influencent la pharmacodynamie.

Les variations observées dans les phénomènes d'absorption découlent plus probablement de facteurs de risque (par exemple, des interactions médicamenteuses et des états pathologiques) que de changements liés à l'âge.

L'absorption des médicaments

L'absorption orale se décrit comme étant le passage du médicament du tractus gastro-intestinal dans la circulation sanguine. Une baisse de la sécrétion d'acide gastrique, une élévation du pH gastrique, un ralentissement de la vidange gastrique et la présence d'autres substances (par exemple, des aliments, des nutriments, des composantes inertes des médicaments) peuvent nuire à l'absorption des médicaments administrés par voie orale chez la personne âgée. Toutefois, la plupart des médicaments sont absorbés par diffusion passive dans l'intestin grêle (un processus non tributaire du pH), ce qui évite les effets des fluctuations de l'acidité gastrique. Les propriétés chimiques particulières à chaque médicament déterminent sa sensibilité aux changements gastro-intestinaux, et ce, indépendamment de l'âge. Par exemple, les fluctuations de l'acidité gastrique ou un contact prolongé avec celle-ci en raison d'un ralentissement de la vidange gastrique chez les personnes âgées ont des conséquences sur les médicaments sensibles au pH tels la pénicilline et le sulfate ferreux.

Quelques observations semblent indiquer que ces fluctuations liées au vieillissement se répercutent sur l'absorption des médicaments administrés par voie orale. Des recherches n'ont cependant pas découvert d'effets cliniques importants chez la personne âgée en bonne santé (Cusack et Vestal, 2000; Beyth et Shorr, 2002). Les variations observées dans les phénomènes d'absorption découlent plus probablement de facteurs de risque (par exemple, des interactions médicamenteuses et des états pathologiques) que de changements liés à l'âge.

La fonction rénale et les médicaments

Une baisse du débit de filtration glomérulaire s'amorce dès l'âge adulte et se poursuit à un taux annuel de 1 % à 2 %. Cette baisse affecte la concentration du médicament ingéré dans l'organisme. À l'instar des autres composantes de la pharmacocinétique, les caractéristiques chimiques de chaque médicament mettent en évidence l'importance des changements liés à l'âge dans l'excrétion. Par exemple, un affaiblissement des fonctions rénales produit un effet direct sur les médicaments qui dépendent de la filtration glomérulaire (par exemple, la gentamicine) ou de la sécrétion tubulaire (par exemple, la pénicilline) pour leur élimination, contrairement à ceux qui sont fortement métabolisés par le foie avant leur excrétion. L'effet de ce changement physiologique lié à l'âge est également plus prononcé sur les médicaments ayant un index thérapeutique étroit (par exemple, la digoxine). L'encadré 14.1 (p. 169) présente des médicaments sur lesquels les changements dans les fonctions rénales liés à l'âge ont une incidence.

La fonction hépatique et les médicaments

Le débit sanguin hépatique fléchit d'environ 35 % entre l'âge de 40 et 65 ans. Ce changement modifie la concentration sérique et le volume de distribution de certains médicaments (Encadré 14.2, p. 169). Ainsi, une diminution du débit sanguin hépatique peut jouer sur l'action de médicaments métabolisés rapidement, donc largement tributaires de la vitesse du transport vers le foie. L'effet de ces changements sur le métabolisme n'est pas évident puisque d'autres facteurs (par exemple, le régime alimentaire, la maladie, le tabagisme

Les médicaments principalement éliminés par le système rénal

- Amantadine (antiparkinsonien)
- Amikacine (anti-infectieux)
- Chlorpropamide (hypoglycémiant)
- Ciprofloxacine (anti-infectieux)
- Digoxine (cardiotonique)
- Énalapril (antihypertenseur)
- Furosémide (diurétique)
- Hydrochlorothiazide (diurétique)
- Nitrofurantoïne (anti-infectieux)
- Quinapril (antihypertenseur)
- Ranitidine (bloqueur H_2)
- Streptomycine (anti-infectieux)

Les médicaments touchés par la baisse du débit sanguin hépatique

- Chlordiazépoxide (benzodiazépine)
- Diazépam (benzodiazépine)
- Ibuprofène (AINS)
- Imipramine (antidépresseur)
- Morphine (narcotique opiacé)
- Mépéridine (analgésique opiacé)
- Naproxen (AINS)
- Nortriptyline (antidépresseur)
- Propranolol (antihypertenseur)
- Quinidine (antiarythmique)
- Théophylline (bronchodilatateur)
- Trazodone (antidépresseur)
- Vérapamil (antiarythmique)

et les variations génétiques) peuvent simultanément jouer un rôle plus marquant.

La demi-vie et le taux de clairance des médicaments

Deux mesures de l'efficacité du métabolisme et de l'élimination sont la demi-vie d'élimination (ou demi-vie sérique) et le taux de clairance. La demi-vie d'élimination correspond au temps nécessaire pour éliminer la moitié de la concentration totale du médicament dans l'organisme. Il faut jusqu'à cinq demi-vies sériques pour atteindre les concentrations à l'état d'équilibre lorsqu'on administre un médicament ou pour éliminer complètement ce médicament de l'organisme une fois qu'on a cessé son administration. Quant à lui, le taux de clairance calcule le volume de sang complètement épuré du médicament dans un temps donné. Une augmentation de la demi-vie sérique du médicament ou une baisse du taux de clairance pourraient entraîner une accumulation du médicament dans l'organisme. Il y aurait alors une modification des effets thérapeutiques et une amplification des effets indésirables.

En vieillissant, l'organisme perd une partie de sa teneur totale en eau et gagne de la masse adipeuse par rapport à la masse musculaire. Ces changements liés à l'âge ont un effet sur l'action des médicaments que prend la personne âgée. Entre l'âge de 20 ans et de 80 ans, le corps humain subit une hausse progressive de 15 % à 20 % de la masse adipeuse, une baisse d'environ 20 % de la masse musculaire et une perte d'eau corporelle totale de 10 % à 15 %. Après l'âge de 80 ans, la réduction de la masse musculaire s'accélère, même chez les personnes âgées en santé (Kyle et autres, 2001). Ces changements auront un effet sur la distribution des médicaments dans l'organisme, selon leur degré d'hydrosolubilité ou de liposolubilité. Ainsi, les médicaments surtout distribués dans l'eau ou dans la masse musculaire pourraient atteindre des concentrations sériques plus élevées chez la personne âgée, entraînant une intensification de leurs effets. Il peut aussi se produire une baisse de la concentration sérique des médicaments très liposolubles, qui sont distribués et emmagasinés dans les tissus adipeux. Ces médicaments tendent à s'y accumuler. En conséquence, leur action se prolonge, et leurs effets thérapeutiques immédiats sont moins intenses. L'encadré 14.3 (p. 170) indique les répercussions des changements liés aux variations de la composition corporelle avec l'avancée en âge sur l'action de certains médicaments.

La distribution et le métabolisme des médicaments

Au cours de la distribution et du métabolisme des médicaments dans l'organisme, certaines molécules se fixent à l'albumine et à d'autres protéines sériques pour être transportées dans le sang. Les molécules non liées sont libres, restent actives et constituent la quantité de médicament disponible pour le métabolisme, la perfusion des tissus et l'excrétion rénale. La fixation aux protéines est un facteur important dans la détermination des effets thérapeutiques et des effets indésirables d'un médicament ; elle diffère selon les agents. La warfarine (Coumadin), par exemple, se fixe à 99 % aux protéines. Ainsi, chez la personne âgée, la liaison aux protéines dépend de son taux d'albumine dans le sang. La puissance de la fixation et le nombre de médicaments en compétition pour

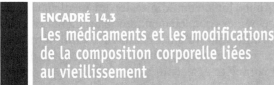

Les médicaments et les modifications de la composition corporelle liées au vieillissement

Médicaments hydrosolubles : augmentation des concentrations sériques

- Cimétidine (bloqueur H_2)
- Digoxine (cardiotonique)
- Éthanol (alcool)
- Gentamicine (anti-infectieux)
- Morphine (narcotique opiacé)
- Quinine (anti-infectieux)

Médicaments liposolubles : diminution des concentrations sériques

- Chlordiazépoxide (benzodiazépine)
- Phénobarbital (barbiturique)
- Prazosine (antagoniste adrénergique)
- Thiopental (barbiturique)
- Tolbutamide (hypoglycémiant)

envahir les sites de liaison disponibles représentent d'autres facteurs qui influent sur le taux de liaison aux protéines.

Le taux d'albumine et les médicaments

Les chercheurs ne s'entendent pas tous sur l'importance et sur la cause de la réduction du taux d'albumine, mais celle-ci pourrait atteindre jusqu'à 20 % durant le vieillissement. Elle se combine avec un ensemble de facteurs, dont la nutrition, des états pathologiques, une baisse de la mobilité et les changements hépatiques liés à l'âge. Peu importe la raison, elle entraîne une augmentation de la quantité de médicament sous forme libre, donc active. Les médicaments qui se fixent très fortement aux protéines, souvent consommés par les personnes âgées, sont particulièrement sensibles à cette réduction du taux d'albumine. Voici quelques exemples de ces médicaments :

- digoxine ;
- furosémide ;
- phénylbutazone ;
- phénytoïne ;
- acide acétylsalicylique ;
- théophylline ;
- warfarine ;
- propranolol ;
- hormone thyroïdienne.

Si une personne âgée prend plus d'un médicament de cette catégorie, l'effet découlant de la réduction du taux d'albumine s'en trouve amplifié. Même si le taux d'albumine est acceptable, les médicaments fortement liés aux protéines rivalisent tous pour se lier aux mêmes sites. Une réduction du taux d'albumine augmente la compétition entre les médicaments et peut amener un changement dans leurs effets. L'encadré 14.4 présente des combinaisons de médicaments sensibles à la baisse du taux d'albumine et susceptibles d'être en compétition.

La sensibilité des récepteurs et les médicaments

Indépendamment des changements touchant la pharmacocinétique, la modification de la sensibilité des récepteurs causée par le vieillissement influe sur la pharmacodynamie et rend la personne âgée plus ou moins vulnérable aux effets de certains médicaments. Ainsi, la sensibilité accrue du cerveau âgé aux psychotropes peut potentialiser à la fois les effets thérapeutiques et les effets indésirables de ces médicaments. Cela est particulièrement vrai des benzodiazépines, dont les propriétés sédatives sont plus marquées chez la personne âgée. L'encadré 14.5 (p. 171) dresse une liste de médicaments associés à une hausse ou à une baisse de la sensibilité des récepteurs d'une personne âgée. Par ailleurs, le déclin de l'efficacité des mécanismes d'homéostasie tels que la thermorégulation, la régulation des fluides et l'action des barorécepteurs sur la pression sanguine représente un autre changement lié à l'âge qui influe sur la pharmacodynamie. Par exemple, un déséquilibre hydrique peut modifier l'action d'un médicament comme le lithium, très sensible à l'équilibre hydroélectrolytique.

Les changements ayant une incidence sur la capacité de prendre des médicaments

Il est connu que la prise de médicaments par la personne âgée peut devenir problématique. Plusieurs

Les médicaments en compétition pour les sites de liaison des protéines

- Salicylés et hypoglycémiants oraux
- Sulfamides (antibactériens) et hypoglycémiants oraux
- Warfarine (anticoagulant) et hydrate de chloral (anxiolytique)
- Warfarine et clofibrate (hypoglycémiant)
- Warfarine et acide nalidixique (antibactérien)
- Warfarine et phénylbutazone (anti-inflammatoire)
- Warfarine et sertraline (antidépresseur)

Les médicaments dont la sensibilité des récepteurs est modifiée chez la personne âgée

Hausse de la sensibilité (puissance accrue)

- Inhibiteurs de l'enzyme de conversion de l'angiotensine
- Diazépam (benzodiazépine)
- Digoxine (cardiotonique)
- Diltiazem (antiarythmique)
- Énalapril (antihypertenseur)
- Félodipine (vasodilatateur)
- Lévodopa (antiparkinsonien)
- Lithium (antimaniaque)
- Midazolam (benzodiazépine)
- Morphine (narcotique opiacé)
- Témazépam (benzodiazépine)
- Vérapamil (antiangineux)
- Warfarine (anticoagulant)

Baisse de la sensibilité (signes de toxicité retardés)

- Dopamine (cardiogénique)
- Furosémide (diurétique)
- Isoprotérénol (antagoniste adrénergique)
- Propranolol (antiangineux)
- Tolbutamide (hypoglycémiant)

facteurs, dont il faut tenir compte, peuvent entrer en jeu et affecter l'efficacité de la prise des médicaments.

Les facteurs suivants jouent un rôle important dans la consommation adéquate des médicaments:

- la motivation;
- la compréhension de l'utilité du médicament;
- la capacité de reconnaître le bon contenant, de lire l'étiquette et de prendre la quantité exacte;
- la capacité de comprendre les directives et de se les rappeler;
- l'aptitude à respecter la posologie et le moment optimal de la prise d'un médicament;
- la motricité fine et la coordination nécessaires pour retirer la dose de médicament du contenant et la prendre.

Si la personne âgée doit prendre un médicament par voie orale, elle doit pouvoir l'avaler. D'autres habiletés associées à la coordination, à la dextérité manuelle et à l'acuité visuelle sont nécessaires si les médicaments sont administrés par voie nasale, topique, sous-cutanée, transdermique ou par toute autre méthode. Par exemple, une déficience auditive ou visuelle liée à l'âge peut empêcher la personne d'entendre correctement les directives et de lire l'ordonnance, particulièrement sur les étiquettes placées sur les contenants. L'altération de la motricité fine peut entraver sa capacité à retirer le couvercle d'un contenant, surtout s'il s'agit d'un contenant dit sécuritaire.

Si les changements liés au vieillissement influent parfois sur la capacité de prendre des médicaments, ce sont surtout les facteurs de risque, plus courants chez la personne âgée, qui peuvent lui nuire davantage.

14.2 Les facteurs de risque et les médicaments

Ce ne sont pas tant les changements liés à l'âge que les facteurs de risque qui influent considérablement sur la capacité de prendre des médicaments et, par conséquent, sur l'action de ceux-ci. La consommation de plus d'un médicament multiplie les possibilités de réactions indésirables et modifie l'effet thérapeutique. La personne âgée consomme un nombre beaucoup plus élevé de médicaments que le jeune adulte. Elle est donc plus exposée à des effets indésirables. Des connaissances erronées se rapportant aux habitudes de consommation et l'influence de certaines publicités ajoutent des risques supplémentaires. Enfin, le poids, le sexe et le tabagisme s'associent aux changements liés à l'âge et à d'autres facteurs de risque, augmentant davantage les possibilités d'effets indésirables.

> La consommation de plus d'un médicament multiplie les possibilités de réactions indésirables et modifie l'effet thérapeutique.

La taille et la masse corporelle

La taille de la personne et sa masse corporelle ont une incidence sur le volume de distribution des médicaments et, donc, sur les effets thérapeutiques et les effets indésirables. Ainsi, la personne âgée de petite taille ou qui a perdu (ou qui perd) du poids court un risque réel de subir des effets indésirables. Malgré la relation entre la taille et le volume de distribution des médicaments, la masse corporelle n'est pas toujours prise en considération lorsqu'il s'agit d'établir la dose d'un médicament. De plus, les femmes sont généralement plus à risque de souffrir d'un effet indésirable médicamenteux. Selon Cupack et Vestal (2000), les raisons expliquant cette observation ne font pas encore l'unanimité. Toutefois, les facteurs de risque suivants, plus fréquents chez les femmes, sont souvent proposés: taille plus petite, influences hormonales, masse adipeuse plus importante et consommation plus grande de médicaments.

Les états pathologiques et les incapacités fonctionnelles

Le soulagement ou la maîtrise des symptômes d'états pathologiques constitue l'utilité première d'un médicament. Les personnes qui prennent des médicaments présentent donc au moins un symptôme. L'état pathologique se répercute non seulement sur l'action du médicament, mais aussi sur la capacité de prendre des médicaments, surtout si les états pathologiques se conjuguent à des incapacités fonctionnelles. Ainsi, les états pathologiques peuvent interagir avec les médicaments selon les trois modalités suivantes.

- L'état pathologique exacerbe des changements liés à l'âge qui, autrement, auraient peu d'effet, ou aucun, sur le médicament. Par exemple, la malnutrition diminue davantage le taux d'albumine sérique. Cette situation intensifie les effets thérapeutiques et les effets indésirables des médicaments fortement liés aux protéines.

- L'état pathologique augmente les effets thérapeutiques et les effets indésirables des médicaments. Par exemple, l'insuffisance cardiaque réduit le métabolisme et l'excrétion de la plupart des médicaments.

- Les effets indésirables médicamenteux ont une incidence sur l'état pathologique. Par exemple, les anticholinergiques peuvent aggraver l'hypertrophie de la prostate, ce qui risque d'entraîner une rétention urinaire aiguë.

Enfin, si la personne âgée présente un déficit cognitif qui gêne sa capacité à prendre des médicaments, elle pourra difficilement respecter son régime thérapeutique (Akishita et autres, 2002). La prise de médicaments par voie orale devient aussi difficile en cas de dysphagie et d'autres troubles de la mastication et de la déglutition.

Les comportements fondés sur les mythes et les fausses croyances

Les personnes âgées entretiennent des mythes et de fausses croyances sur la prise de médicaments. L'un d'entre eux, qui peut se révéler dangereux, consiste à croire que les médicaments offerts en vente libre constituent la solution rapide à tout malaise. Par exemple, les publicités qui se vantent de soulager les problèmes de constipation renforcent les fausses croyances

au sujet de l'évacuation intestinale et encouragent l'utilisation abusive de laxatifs. Tous les adultes sont influencés par ces messages, mais la personne âgée est plus vulnérable aux conséquences négatives d'effets indésirables et d'interactions médicamenteuses.

Une autre attitude néfaste est fondée sur la croyance que les médicaments offerts en vente libre sont toujours inoffensifs, même à très fortes doses. Par exemple, bon nombre de ces produits, notamment des médicaments contre le rhume et des remèdes contre l'insomnie, renferment des médicaments anticholinergiques qui entraînent des effets indésirables chez la personne âgée. L'ajout d'un produit apparemment bénin à un ensemble complexe de médicaments obtenus sur ordonnance peut alors occasionner un effet indésirable sérieux comme le délire.

Les mentalités et les attentes au sujet des médicaments se traduisent aussi dans les habitudes de prescription des médecins. Si les produits offerts en vente libre se révèlent inefficaces, les gens s'attendent à ce que leur médecin leur prescrive un médicament qui les soulage. Il arrive parfois qu'un traitement non médicamenteux soit aussi efficace et plus sûr qu'un médicament d'ordonnance. Toutefois, le médecin doit alors consacrer plus de temps à la personne qui le consulte et lui transmettre l'information pertinente. Bien souvent, les médecins sont réticents à proposer ce genre de traitement non médicamenteux, car rares sont les produits qui ont fait l'objet d'essais cliniques, contrairement aux médicaments. L'insomnie et l'anxiété constituent des exemples de problèmes que l'on peut soulager au moyen d'approches non médicamenteuses. Cependant, dans de nombreux cas, l'attitude de la personne ou du médecin incitera plutôt à traiter ces problèmes avec des médicaments d'ordonnance.

> *Si la personne âgée présente un déficit cognitif qui gêne sa capacité à prendre des médicaments, elle pourra difficilement respecter son régime thérapeutique (Akishita et autres, 2002).*

Les obstacles à la communication

La réticence d'une personne âgée à questionner son médecin ou le diagnostic qu'elle obtient incitent à une consommation accrue de médicaments. La nature même de la science médicale a longtemps conféré au médecin, détenteur de ce savoir, une autorité que plusieurs hésitaient à remettre en question. Cette image s'estompe peu à peu à la faveur d'une plus grande diffusion de l'information médicale, mais certaines personnes âgées ont encore tendance à accepter l'opinion du médecin sans discuter.

Un manque d'assurance et des obstacles à la communication (l'aphasie de compréhension) peuvent entraver une discussion sur les médicaments ou sur les traitements prescrits. La médecine a réalisé des progrès spectaculaires ces dernières années. Les décisions portant sur le traitement de maladies se complexifient. La population, y compris les personnes âgées, hésite parfois à poser des questions à ce sujet pour éviter d'avoir l'air ignorant. Par ailleurs, des troubles auditifs ou d'autres déficits sensoriels, fréquents chez la personne âgée, peuvent l'empêcher de participer aux discussions relatives à un plan de traitement médicamenteux. D'autres obstacles à la communication, comme l'impatience parfois manifestée par le médecin, sont susceptibles de mener au même résultat.

Le manque d'information

Bien que les personnes âgées soient les plus importants consommateurs de médicaments sur ordonnance et offerts en vente libre, les connaissances des effets qu'ils produisent sur ce segment de la population sont insuffisantes. Les recherches à ce sujet ont débuté depuis peu. Avant les années 1980, il n'existait presque aucune étude spécifique sur l'interaction entre l'âge et les médicaments. Les sociétés pharmaceutiques établissaient la posologie d'un médicament à partir d'essais cliniques menés sur des hommes adultes en santé d'un poids moyen de 70 kg. Quelques rares études transversales, portant sur l'influence de l'âge sur l'action des médicaments, ont toutefois tenu compte des différences d'âge, mais non des changements liés à l'âge et de leurs effets sur la prise de médicaments. De plus, les personnes âgées qui participent maintenant à des essais cliniques sont pour la plupart en bonne santé. Les aînés à la santé fragile en sont exclus. Il devient alors difficile de généraliser les résultats des études. L'information relative aux interactions médicamenteuses fait aussi défaut, en particulier pour les médicaments nouvellement commercialisés. Les organismes qui autorisent la mise en marché des médicaments, comme la Food and Drug Administration (FDA) aux États-Unis et la Direction générale de protection de la santé (DGPS) au Canada, n'exigent pas le dépôt d'essais évaluant les interactions des médicaments pour l'analyse du dossier en vue de la commercialisation. Par conséquent, les interactions médicamenteuses ne sont pas toujours établies avant la mise en marché des produits. Les médicaments nouvellement offerts doivent donc être utilisés avec prudence par les personnes âgées qui consomment plus d'un médicament à cause d'interactions médicamenteuses imprévisibles et non documentées.

À la fin des années 1980, deux tendances se dessinent dans l'industrie pharmaceutique : des essais cliniques réalisés avec des personnes âgées ainsi qu'une orientation des recherches vers les effets indésirables médicamenteux et les interactions médicamenteuses. Les sociétés pharmaceutiques ne recommandent pas encore systématiquement une posologie spécifique aux personnes âgées, mais on note des progrès en ce sens. Certaines sociétés conseillent parfois des ajustements posologiques dans le cas de nouveaux médicaments. Elles fournissent aussi de l'information sur les interactions médicamenteuses quand elles commercialisent de nouveaux médicaments et continuent d'en diffuser si elles mettent au jour des interactions médicamenteuses pour un médicament déjà offert sur le marché. L'importance accordée aux effets indésirables a stimulé le développement et la mise au point de nouveaux médicaments qui doivent être à la fois efficaces et exempts d'effets indésirables.

Les médicaments inappropriés

Au cours des années 1980, les gériatres et les gérontologues s'intéressent aux problèmes causés par les médicaments chez la personne âgée. La quantité considérable de médicaments prescrits et les classes thérapeutiques dont ils sont issus inquiètent énormément les spécialistes (Giron et autres, 2001). L'expression *médicaments inappropriés* décrit alors les agents qui ne conviennent pas aux personnes âgées (Sloane et autres, 2002). En 1991, un groupe de spécialistes en gériatrie et en pharmacologie publie des critères précis sur les médicaments inappropriés utilisés dans les centres d'hébergement (Beers et autres, 1991). Ils déclarent inappropriés les médicaments peu sûrs, inefficaces ou que l'on peut remplacer par des médicaments de nouvelles générations, plus efficaces (Dhalla et autres, 2002). Par exemple, le diazépam (Valium) n'est pas jugé approprié parce qu'il augmente le risque de chutes et donc de fractures. Les benzodiazépines à courte durée d'action offrent les mêmes effets thérapeutiques et un meilleur profil d'innocuité, mais elles doivent être réévaluées après plusieurs jours d'utilisation. Des études publiées au cours des années 1990 confirment que, dans les CHSLD, les services de consultation externes et les hôpitaux, on prescrit souvent des médicaments inappropriés aux personnes âgées, notamment ceux de la classe des psychotropes (Hanlon et autres, 2002 ; Mort et Aparasu, 2000 ; Pitkala et autres, 2002 ; Sloane et autres, 2002). D'autres études prouvent que le nombre de médicaments prescrits constitue l'indice prédictif le plus significatif de ce problème. Ces études soulignent que l'amitriptyline, les benzodiazépines à longue durée d'action et les anti-inflammatoires non stéroïdiens sont les catégories de médicaments inappropriés les plus prescrites (Dhalla et autres, 2002 ; Hanlon et autres, 2002). Bien que les médecins prescrivent encore des médicaments inappropriés, des recherches récentes signalent des améliorations substantielles depuis 1987 en ce qui a trait à la qualité et à la quantité des médicaments prescrits aux personnes âgées (Gurwitz et Rochon, 2002). Les neuroleptiques et les anxiolytiques sont maintenant prescrits de façon plus adéquate aux résidents de centres d'hébergement et de soins (Hughes et autres, 2000).

Au début des années 2000, les gériatres et les gérontologues ont commencé à s'intéresser à un autre problème, tout aussi important : celui de la sous-utilisation de médicaments bénéfiques aux personnes âgées (Gurwitz et Rochon, 2002). Entre autres, citons les médicaments qui servent au traitement de l'accident vasculaire cérébral, de l'ostéoporose, de l'hypertension artérielle, de la dépression, de l'hyperlipidémie, de la douleur et de la maladie cardiovasculaire (Knight et Avorn, 2001 ; Rochon et Gurwitz, 1999). La sous-utilisation de médicaments nécessaires à un traitement ou au soulagement de la douleur est tout aussi dangereuse que la surutilisation ou l'utilisation inappropriée de médicaments chez la personne âgée.

La polypharmacologie et la surveillance déficiente de la pharmacothérapie

La polypharmacologie désigne le recours à plusieurs médicaments provenant de sources différentes. En Amérique du Nord, une personne âgée type consomme simultanément quatre ou cinq médicaments sur ordonnance et deux médicaments offerts en vente libre. Selon Cusack et Vestal (2000), cette personne reçoit aussi annuellement 12 à 17 ordonnances. Cette consommation s'explique en partie par la hausse des maladies chroniques. La médication correspond aux besoins de la personne et lui apporte des bienfaits thérapeutiques. Cependant, la polypharmacologie donne également lieu à une augmentation importante des interactions médicamenteuses et des effets indésirables qui en découlent. La multiplication du nombre de médicaments prescrits et de leurs sources nécessite une surveillance accrue, de l'ordonnance initiale à la fin du traitement. Les facteurs de risque énumérés ci-dessous peuvent entraver cette surveillance.

> *La multiplication du nombre de médicaments prescrits et de leurs sources nécessite une surveillance accrue, de l'ordonnance initiale à la fin du traitement.*

- Les consultations auprès de plusieurs professionnels de la santé qui ne s'échangent pas les renseignements sur la personne.
- Le manque d'information qu'ont les médecins sur des médicaments que la personne a obtenus d'autres sources (par exemple, les médicaments sur ordonnance donnés par des amis et des parents, ou des produits vendus sans ordonnance comme des plantes médicinales, des suppléments nutritionnels,

des médicaments offerts en vente libre et des produits homéopathiques).
- L'absence d'information du médecin sur la non-observance thérapeutique de la personne.
- La crainte de la personne de dévoiler qu'elle prend des remèdes maison ou des médicaments provenant d'autres sources qu'un médecin.
- La crainte de la personne de révéler les modifications qu'elle a apportées à son régime thérapeutique.
- La croyance, de la part de la personne ou du médecin traitant, que la prise de médicaments doit se poursuivre de façon prolongée.
- La croyance, de la part de la personne ou du médecin traitant, que la posologie appropriée est définitive.
- La croyance, de la part de la personne ou du médecin traitant, que l'absence d'effets indésirables au début du traitement signifie qu'il n'y en aura jamais par la suite.
- Une fluctuation de poids chez la personne, surtout une perte de poids, qui peut modifier la pharmacocinétique.
- Des changements dans les habitudes quotidiennes de la personne qui peuvent influer sur la pharmacocinétique (par exemple, le tabagisme, l'activité physique, l'absorption de nutriments ou de liquides, la consommation d'alcool).
- Des changements dans l'état mental et affectif de la personne qui peuvent modifier sa prise de médicaments.
- Une détérioration de l'état de santé de la personne qui peut modifier l'effet des médicaments et augmenter les possibilités d'effets indésirables.

La non-observance médicamenteuse

La non-observance médicamenteuse est définie comme le fait de ne pas adhérer au régime thérapeutique établi, c'est-à-dire d'omettre de prendre des doses, de les diminuer ou de les multiplier, de ne pas faire remplir l'ordonnance et de prendre le médicament plus fréquemment ou au mauvais moment. Environ la moitié des adultes devant suivre un traitement médicamenteux prolongé ne respecte pas les directives. D'après certaines études, un mode de vie très actif peut perturber la prise régulière de médicaments. La population âgée serait plus encline à l'observance thérapeutique que les adultes d'âge moyen (Park et autres, 1999 ; Renteln-Kruse, 2000). D'autres raisons expliquent la non-observance médicamenteuse : la solitude, la fragilité de la situation financière, le type de maladie, des effets indésirables désagréables, un traitement médicamenteux compliqué, une mauvaise compréhension de son utilité et du nombre de doses quotidiennes, des déficits cognitifs et sensoriels et, enfin, des rapports plus ou moins constructifs entre la personne et son médecin.

Les médicaments coûtent de plus en plus cher. La facture associée aux médicaments peut être élevée pour des personnes âgées tenues d'en consommer plusieurs. Le coût élevé des médicaments peut ainsi devenir un motif de non-observance médicamenteuse pour des personnes âgées à faible revenu.

La reconnaissance insuffisante des effets indésirables des médicaments

Les effets indésirables des médicaments passent souvent inaperçus ou sont mal diagnostiqués, car ils s'apparentent à des changements ou à des états pathologiques liés à l'âge. Des études montrent que les infirmières et les médecins qui travaillent dans les centres de soins aigus n'en détectent que de 5 % à 15 % (Hohl et autres, 2001). Deux ou trois raisons possibles, autres que l'effet du médicament lui-même, peuvent parfois expliquer la manifestation de réactions indésirables chez une personne âgée. Ainsi, la dépression peut résulter d'un facteur psychosocial tels le décès du conjoint, le transfert dans un autre centre d'hébergement ou la perte du permis de conduire. Deux gériatres (Knight et Avorn, 2001) ont déclaré qu'en ce qui concerne la médication des personnes âgées, la personne elle-même, les soignants ou même le médecin peuvent en confondre les effets indésirables avec le déclenchement d'une nouvelle maladie ou, pis encore, avec le vieillissement (Knight et Avorn, 2001). Cette erreur entraînerait l'ajout d'un traitement médicamenteux plutôt qu'une exploration de la source du problème. Les effets indésirables des médicaments se multiplient avec le vieillissement. On les attribue à des états pathologiques, à des changements ou à des situations associés au vieillissement. Le tableau 14.1 résume les

TABLEAU 14.1	Les effets indésirables médicamenteux souvent non détectés chez la personne âgée	
Manifestations	**Classes de médicaments**	**Exemples de médicaments**
Altérations des fonctions cognitives	Antidépresseurs, neuroleptiques, anxiolytiques, anticholinergiques, hypoglycémiants, sirops contre le rhume et la toux, médicaments contre l'insomnie offerts en vente libre	Perphénazine, amitriptyline, chlorpromazine, diazépam, chlordiazépoxide, benztropine, trihexyphénidyle, cimétidine, digoxine, barbituriques, tolbutamide, chlorphéniramine, diphenhydramine
Dépression	Antihypertenseurs, antiarthritiques, médicaments contre les troubles anxieux, neuroleptiques	Clonidine, propranolol, indométhacine, halopéridol, barbituriques
Incontinence urinaire	Diurétiques, anticholinergiques	Furosémide, doxépine, thioridazine, lorazépam
Constipation	Narcotiques, antiacides, neuroleptiques, antidépresseurs	Codéine, halopéridol, carbonate de calcium, hydroxyde d'aluminium
Déficience visuelle	Digoxine, antiarthritiques, phénothiazines	Digoxine, indométhacine, ibuprofène
Déficience auditive	Antibiotiques, salicylés, diurétiques	Gentamicine, acide acétylsalicylique, furosémide
Hypotension orthostatique	Antihypertenseurs, diurétiques, neuroleptiques, antidépresseurs	Furosémide, propranolol, halopéridol, imipramine, clonidine
Hypothermie	Neuroleptiques, alcool, salicylés	Halopéridol, acide acétylsalicylique, alcool, fluphénazine
Dysfonction sexuelle	Antihypertenseurs, neuroleptiques, antidépresseurs, alcool	Timolol, clonidine, thiazidiques, halopéridol, amitriptyline, alcool, cimétidine, propranolol, méthyldopa
Problèmes de mobilité	Sédatifs, médicaments contre les troubles anxieux, neuroleptiques, médicaments ototoxiques	Hydrate de chloral, diazépam, furosémide, gentamicine
Xérostomie (bouche sèche)	Anticholinergiques, corticostéroïdes, broncho-dilatateurs, antihypertenseurs, neuroleptiques	Rispéridone, halopéridol, prednisone, furosémide, sertraline, théophylline
Anorexie	Digitale, bronchodilatateurs, antihistaminiques	Digoxine, théophylline, diphenhydramine
Somnolence	Antidépresseurs, neuroleptiques, sirops contre le rhume offerts en vente libre, alcool, barbituriques	Amitriptyline, halopéridol, chlorphéniramine, sécobarbital
Œdème	Antiarthritiques, corticostéroïdes, antihypertenseurs	Ibuprofène, indométhacine, prednisone, méthyldopa
Tremblements	Neuroleptiques	Halopéridol, thioridazine

effets indésirables des médicaments qui peuvent passer inaperçus en raison de leurs ressemblances avec des changements liés à l'âge.

14.3 Les interactions entre les médicaments et d'autres substances

Les médicaments peuvent interagir négativement avec de nombreuses substances, dont les plantes médicinales, la caféine, les vitamines et les minéraux, l'alcool, la nicotine et d'autres médicaments. L'interaction ne s'arrête pas aux médicaments prescrits sur ordonnance ; elle peut aussi survenir avec les produits offerts en vente libre, par exemple les analgésiques et les antihistaminiques. Il en résulte une altération ou une modification des effets thérapeutiques, une potentialité accrue des effets indésirables et, rarement, la diminution de ces effets.

Les interactions entre médicaments

Selon le nombre de médicaments consommés, le risque d'effets indésirables issus de l'interaction entre deux ou plusieurs médicaments augmente de façon exponentielle. Il a été signalé plus haut que les personnes âgées sont susceptibles de prendre simultanément plus de deux médicaments. Par conséquent, il en résulte un risque accru d'interactions entre ces médicaments. L'action compétitive des constituants chimiques ou l'altération des propriétés d'absorption, de distribution, de métabolisme ou d'élimination de l'un des médicaments sont la cause des interactions entre médicaments. Les interactions peuvent entraîner la baisse ou la hausse des taux sériques d'un des médicaments ou des deux, qui s'accompagnera alors d'une modification des effets thérapeutiques et d'un risque plus élevé d'effets indésirables ou toxiques. Le tableau 14.2 décrit des interactions entre certains médicaments et leurs effets.

TABLEAU 14.2	Des catégories et des exemples d'interactions entre médicaments	
	Exemples	
Catégories d'interactions	**Interactions**	**Effets**
Fixation (par exemple, un médicament pris par voie orale diminue l'absorption d'un autre médicament dans l'estomac)	Des antiacides renfermant du magnésium ou de l'aluminium peuvent se lier à la tétracycline dans l'estomac.	Diminution des effets de la tétracycline
Inhibition du métabolisme (par exemple, un médicament entrave le métabolisme d'un autre médicament dans le foie)	La ciprofloxacine et d'autres antibiotiques inhibent le métabolisme de la warfarine.	Augmentation des effets de la warfarine
Induction du métabolisme (par exemple, un médicament stimule les enzymes métabolisant ce médicament dans le foie)	Le phénobarbital amplifie le métabolisme de la warfarine.	Réduction des effets de la warfarine
Interférence avec l'élimination (par exemple, un médicament nuit à l'élimination d'un autre médicament)	Le furosémide entrave l'élimination des salicylés.	Augmentation des effets des salicylés
Amélioration de l'élimination (par exemple, une fluctuation du pH de l'urine empêche la réabsorption rénale d'un médicament)	Le bicarbonate de sodium stimule l'excrétion du lithium, de la tétracycline et des salicylés.	Diminution des effets du lithium, de la tétracycline ou des salicylés
Compétition (par exemple, deux médicaments rivalisent pour se fixer aux sites récepteurs)	La diphenhydramine peut nuire aux médicaments cholinergiques (par exemple, le donépézil).	Réduction des effets du donépézil
Potentialisation (par exemple, deux médicaments produisent un plus grand effet s'ils sont pris ensemble, même s'ils agissent différemment)	L'acétaminophène en combinaison avec la codéine produit un effet analgésique plus grand que leur action distincte.	Augmentation de l'effet analgésique
Effet additif (par exemple, deux médicaments produisent un plus grand effet par l'addition de leurs actions similaires)	Le vérapamil ou le diltiazem peuvent avoir un effet additif lorsqu'ils sont combinés avec un bêtabloquant.	Augmentation de l'effet sur la tension artérielle

Les interactions entre médicaments et nutriments

L'interaction entre un médicament et un nutriment ou un supplément nutritionnel peut modifier la disponibilité de l'un ou de l'autre. Dans le présent contexte, les nutriments regroupent les aliments, les boissons et l'alimentation entérale. Parmi les nutriments ayant des répercussions sur l'action de médicaments, mentionnons le cacao, le café, les fibres, l'alcool, les protéines, le chou, le thé non décaféiné et les choux de Bruxelles. Ces interactions ne concernent pas seulement les personnes âgées, mais dans leur cas, les conséquences sont plus graves. Les nutriments influent sur l'absorption des médicaments pris par voie orale; ils agissent selon les mécanismes suivants:

- un temps de transit retardé ou un ralentissement de la vidange gastrique;
- une compétition dans la fixation des molécules au site d'absorption;
- une réduction des sécrétions gastriques.

Dans de nombreux cas, le nutriment diminue l'absorption du médicament, ce qui en abaisse les taux sériques. Dans d'autres circonstances, il la ralentit. Cela a pour effet d'augmenter le temps nécessaire pour atteindre la concentration sérique maximale sans nécessairement changer la quantité totale absorbée. Parfois, l'augmentation de la quantité de médicament absorbée avant son passage dans l'intestin grêle découle du ralentissement de la vidange gastrique. Le tableau 14.3 résume les interactions les plus connues entre les médicaments et les nutriments.

Les interactions entre médicaments et alcool

Les interactions entre l'alcool et les médicaments ressemblent à celles qui sont observées avec d'autres psychotropes comme ceux de la famille des benzodiazépines. Même si les médecins interrogent les personnes qu'ils traitent sur leur consommation d'alcool, ces dernières ne leur disent pas toujours toute la vérité. L'association médicaments-alcool peut modifier l'action thérapeutique des médicaments et augmenter la possibilité d'effets indésirables. Les interactions entre l'alcool et les médicaments ont plus d'effet sur les personnes âgées que sur les jeunes adultes consommant une quantité équivalente d'alcool. En effet, les changements de la composition corporelle liés au vieillissement ainsi que la diminution des enzymes responsables du métabolisme de l'alcool entraînent une hausse sérique de l'alcool chez les aînés (Fingerhood, 2000). Comme pour les médicaments entre eux, les interactions peuvent modifier le métabolisme de l'alcool et des médicaments. Le tableau 14.4 (p. 178) indique quelques-unes de ces interactions.

TABLEAU 14.3 — Les interactions entre les médicaments et les nutriments

Répercussions sur les médicaments	Exemples
Ralentissement de la vitesse d'absorption, sans répercussion sur la quantité absorbée	L'ingestion d'aliments peut ralentir l'absorption de la cimétidine, de la digoxine et de l'ibuprofène.
Réduction de la vitesse d'absorption et de la quantité absorbée	Le calcium réduit l'absorption de la tétracycline. Un repas riche en protéines ou en fibres peut diminuer l'absorption de la lévodopa.
Réduction de l'absorption en raison de certains éléments non nutritifs	Le thé non décaféiné et les fibres nuisent à l'absorption du fer.
Augmentation de l'absorption	Les aliments riches en gras accroissent les taux de griséofulvine.
Diminution des effets thérapeutiques	La vitamine K diminue l'efficacité de la warfarine. Les grillades sur charbon de bois réduisent l'efficacité de l'aminophylline ou de la théophylline.
Hausse du métabolisme	Un régime alimentaire riche en protéines stimule le métabolisme de la théophylline.

Les interactions entre médicaments et caféine et entre médicaments et nicotine

Ces interactions ne soulèvent pas le même intérêt que celui concernant les effets de l'alcool combiné avec certains médicaments, mais l'association de la caféine ou de la nicotine à certains médicaments peut provoquer des effets indésirables chez la personne âgée. On retrouve la caféine non seulement dans la nourriture ou les boissons, mais également dans plusieurs médicaments offerts en vente libre, notamment des analgésiques et des produits contre le rhume. La plupart de ces interactions modifient l'action du médicament. Le tableau 14.5 (p. 178) en donne des exemples.

L'usage du tabac est à la source des interactions entre les médicaments et la molécule nicotine, lesquelles fluctuent au gré des habitudes du fumeur. La nicotine peut influer sur les médicaments, car elle produit les effets suivants:

- la vasoconstriction;
- la stimulation du système nerveux central;

TABLEAU 14.4 — Les interactions entre les médicaments et l'alcool

Effets de l'alcool	Exemples
Modification du métabolisme des benzodiazépines	Amplification du déficit psychomoteur et augmentation des effets indésirables
Modification du métabolisme des barbituriques et du méprobamate	Dépression du système nerveux central
Compétition avec l'hydrate de chloral pour les sites métaboliques du foie	Hausse des taux sériques de l'alcool et de l'hydrate de chloral
Modification du métabolisme de l'alcool lorsqu'il est associé à la chlorpromazine	Hausse des taux sériques de l'alcool; amplification du déficit psychomoteur
Augmentation de la vasodilatation lorsqu'il y a association avec les nitrates	Hypotension artérielle grave, céphalées et augmentation de l'absorption de la nitroglycérine
Modification de la gluconéogénèse hépatique influant sur l'action des hypoglycémiants oraux	Potentialisation de l'effet des hypoglycémiants oraux

TABLEAU 14.5 — Les interactions entre les médicaments et la caféine

Effets de la caféine	Exemples
Augmentation de la sécrétion d'acide gastrique	Baisse d'absorption du fer
Irritation gastro-intestinale	Baisse de l'efficacité de la cimétidine; intensification de l'irritation gastro-intestinale par les corticostéroïdes, l'alcool et les analgésiques
Modification du métabolisme de la caféine	Prolongation de l'effet de la caféine lorsqu'elle est associée à la ciprofloxacine, à l'œstrogène ou à la cimétidine
Effet arythmique	Baisse de l'efficacité des antiarythmiques
Hypokaliémie	Exacerbation de l'effet hypokaliémique des diurétiques
Stimulation du système nerveux central	Augmentation des effets stimulants de l'amantadine, des décongestionnants, de la fluoxétine et de la théophylline
Hausse de l'excrétion du lithium	Baisse de l'efficacité du lithium

- l'augmentation de la sécrétion d'acide gastrique;
- la modification du métabolisme des enzymes hépatiques.

Dans la plupart des cas, ces interactions nuisent à l'action thérapeutique du médicament. Les fumeurs peuvent nécessiter des doses plus élevées pour bénéficier des mêmes effets thérapeutiques. Par exemple, ils doivent prendre des doses plus fortes d'insuline, d'anticoagulants, d'antihypertenseurs et d'analgésiques que les non-fumeurs (Lee et D'Alonzo, 1993). Le tableau 14.6 (p. 179) présente des exemples d'interactions entre médicaments et nicotine.

Les interactions entre médicaments et plantes médicinales

Aux États-Unis comme au Canada, l'augmentation spectaculaire de l'utilisation de plantes médicinales exige un examen attentif des interactions possibles entre celles-ci et les médicaments. Cette popularité a d'ailleurs encouragé l'exploration des interactions avec les médicaments. Les plantes médicinales sont maintenant mentionnées dans les ouvrages de référence en pharmacologie. Les plantes dont les propriétés bioactives ressemblent à celles des médicaments offerts en vente libre et prescrits sur ordonnance peuvent

potentialiser l'action de ces agents. Elles peuvent aussi accroître le risque d'effets indésirables et d'interactions. Le tableau 14.7 (p. 179) dresse une liste des plantes médicinales et des médicaments aux propriétés similaires. Le tableau 14.8 (p. 180), pour sa part, énumère des interactions susceptibles de se produire chez les personnes âgées qui consomment à la fois des médicaments et des plantes médicinales.

14.4 Les conséquences fonctionnelles des changements liés à l'âge et les médicaments

L'augmentation de la probabilité d'effets indésirables médicamenteux et la modification de l'action thérapeutique des médicaments constituent les principales conséquences fonctionnelles, même chez les aînés en santé, des changements liés à l'âge. Ces derniers influent sur l'efficacité et l'utilisation des médicaments. La polypharmacologie et la présence de facteurs de risque ne font qu'aggraver la possibilité de conséquences négatives. Les interactions entre les

TABLEAU 14.6 — Les interactions entre les médicaments et la nicotine	
Effets de la nicotine	**Exemples**
Modification du métabolisme	Baisse de l'efficacité des analgésiques, du lorazépam, de la théophylline, de l'aminophylline, des bêtabloquants, des bloqueurs des canaux calciques
Vasoconstriction	Augmentation de l'effet ischémique périphérique des bêtabloquants
Stimulation du système nerveux central	Baisse de la somnolence résultant de la prise des benzodiazépines et des phénothiazines
Stimulation de la sécrétion de l'hormone antidiurétique	Rétention liquidienne, diminution de l'efficacité des diurétiques
Augmentation de l'activité plaquettaire	Baisse de l'efficacité des anticoagulants (héparine, warfarine); augmentation du risque d'une thrombose en association avec l'œstrogène
Augmentation de l'acide gastrique	Diminution ou suppression de l'action des agonistes des récepteurs H_2 de l'histamine (cimétidine, famotidine, nizatidine, ranitidine)

TABLEAU 14.7 — Les médicaments et les plantes médicinales aux propriétés bioactives similaires	
Médicaments	**Plantes médicinales**
Acide acétylsalicylique	Écorce de bouleau
	Saule (écorce de saule blanc)
	Gaulthérie (thé des bois)
	Spirée blanche (reine-des-prés)
Anticoagulants	Grande camomille
	Ail
	Ginkgo biloba
Caféine	Guarana
	Noix de kola
Éphédrine	Éphédra
Œstrogène	Actée à grappes noires
	Fenouil
	Trèfle rouge
	Ortie brûlante
Lithium	Thym
	Pourpier
Inhibiteurs de la monoamine-oxydase	Ginseng
	Millepertuis
	Yohimbine
Nicotine	Lobélie
Bloqueurs des canaux calciques	Angélique

médicaments et d'autres substances s'y ajoutent. Les changements liés à l'âge et les facteurs de risque agissent également sur la capacité de prendre des médicaments. Non seulement ils compromettent la fidélité au traitement médicamenteux, mais ils génèrent aussi un risque d'effets indésirables et la possibilité d'un amoindrissement des effets thérapeutiques. Il faut donc surveiller plus étroitement la prise de médicaments chez les personnes âgées, surtout au moment où le traitement débute et s'il survient un changement dans leur condition médicale ou leur régime médicamenteux.

L'augmentation du risque d'effets indésirables

Les effets indésirables réfèrent aux résultats inattendus et non recherchés d'un médicament. Tous les utilisateurs de médicaments y sont exposés. Cependant, les changements liés à l'âge, les maladies ou les interactions entre des médicaments et d'autres

substances se conjuguent pour en accroître la probabilité. Comparativement aux jeunes adultes, les personnes âgées sont deux fois plus souvent victimes d'effets indésirables médicamenteux (Beyth et Shorr, 2002). Une étude américaine, menée en 2003 par Gurwitz et ses collègues auprès de 30 000 bénéficiaires en consultation externe, révélait que 28 % d'entre eux ont éprouvé des effets indésirables qui auraient pu être évités. Un bon nombre, soit 38 % de ces personnes, ont présenté des effets jugés graves et dangereux, voire fatals. Les résultats d'autres recherches révèlent ceci : 35 % de toute la population des personnes âgées et de 67 % à 74 % des résidents en CHSLD subissent des effets indésirables médicamenteux. Ce risque croît considérablement avec le nombre de médicaments consommés (Giron et autres, 2001 ; Sloane et autres, 2002). À la polypharmacologie s'ajoutent, comme facteurs de risque, la maladie, les classes de médicaments consommés, la durée de la consommation et les antécédents en matière d'effets

TABLEAU 14.8 Les interactions entre les médicaments et les plantes médicinales

Plantes médicinales	Interactions
Dong quai	Amplification de l'action des anticoagulants (par exemple, la warfarine sodique)
Huile de primevère	Baisse de l'efficacité des anticonvulsivants et des phénothiazines
Ginkgo biloba	Amplification de l'action des anticoagulants (par exemple, la warfarine sodique)
Ginseng (américain et coréen)	Baisse de l'efficacité du furosémide
Verge d'or	Augmentation de la puissance des diurétiques
Kava	Augmentation de la puissance des anxiolytiques (par exemple, les benzodiazépines)
Réglisse	Possibilité d'hypokaliémie et augmentation de la puissance de la digoxine
Guimauve	Interférence avec les hypoglycémiants oraux
Mélatonine	Baisse de l'efficacité des antidépresseurs
Gui	Interférence avec les médicaments contre la dépression, l'hypertension et les maladies cardiaques
Psyllium	Diminution de l'absorption de la digoxine
Millepertuis	Diminution de la concentration de digoxine ; interaction avec les antidépresseurs et les agents de cardiothérapie
Gaulthérie (thé des bois)	Amplification de l'action des anticoagulants

ENCADRÉ 14.6 Les facteurs favorisant l'apparition d'effets indésirables

- Un régime médicamenteux comportant plusieurs médicaments
- Un état de santé fragile ou vulnérable
- Une malnutrition ou une déshydratation ; une faible masse corporelle
- Des maladies multiples
- Une maladie affectant la fonction cardiaque, rénale ou hépatique
- Un trouble cognitif
- Une allergie médicamenteuse
- Des antécédents d'effets indésirables aux médicaments
- Une exposition à des produits chimiques dans l'environnement (par exemple, à des solvants volatils)
- Une hyperthermie (peut modifier l'action de certains médicaments)
- Un changement récent dans l'état de santé ou la capacité fonctionnelle (par exemple, un accident, une chirurgie, une maladie)

indésirables. Field et ses collègues (2001) ont cerné les facteurs qui les favorisent dans les centres d'hébergement : la polypharmacologie, l'admission récente dans un centre et la prise d'opiacés, de psychotropes ou d'anti-infectieux. L'encadré 14.6 énumère les facteurs entraînant un risque élevé d'effets indésirables chez certaines personnes âgées.

Au moment de l'évaluation de l'état de santé d'une personne âgée, l'infirmière doit envisager la possibilité que tout symptôme relevé puisse être le résultat des effets indésirables d'un médicament, jusqu'à preuve du contraire (Avorn et Gurwitz, 1997). Les conséquences négatives d'effets indésirables médicamenteux sont un déclin de la capacité fonctionnelle et de l'autonomie, une augmentation du nombre de consultations pour des soins de santé, l'admission dans un centre hospitalier ou la prolongation du séjour à l'hôpital et le décès.

De plus, il devient impératif de prendre en compte les effets indésirables associés aux plantes médicinales et aux suppléments nutritionnels, en raison de leur popularité. Bien que la plupart soient inoffensifs, quelques-uns présentent des risques à ne pas négliger, même chez l'adulte en santé. Ils peuvent léser le foie ou modifier la pression sanguine, l'équilibre hydro-électrolytique, la coagulation sanguine ainsi que le rythme et la fréquence cardiaques. Le tableau 14.9 (p. 181) signale des effets indésirables associés aux plantes médicinales qui peuvent se révéler plus graves chez la personne âgée.

L'augmentation du risque d'effets indésirables de nature neurologique

Les effets indésirables de nature neurologique, notamment la dyskinésie tardive et les symptômes extra-pyramidaux, sont étroitement liés à la prise de neuroleptiques classiques (par exemple, la chlorpromazine, l'halopéridol, la thioridazine), qui bloquent les récepteurs de la dopamine dans le cerveau. L'inquiétude que soulèvent leurs effets souvent irréversibles et graves a encouragé la mise au point et l'utilisation

TABLEAU 14.9	Les effets indésirables possibles de plantes médicinales

Plantes médicinales	Effets indésirables
Actée à grappes noires	Bradycardie, hypotension, arthralgie
Sanguinaire	Bradycardie, arythmie, étourdissements, troubles de la vision, soif intense
Eupatoire perfoliée	Toxicité hépatique, troubles cognitifs, difficultés respiratoires
Tussilage	Fièvre, toxicité hépatique
Éphédra	Anxiété, étourdissements, insomnie, tachycardie, hypertension
Matricaire (grande camomille)	Interférence avec la coagulation sanguine
Ail	Hypotension, inhibition de la coagulation sanguine
Ginseng	Anxiété, insomnie, hypertension, tachycardie, asthme, saignements postménopausiques
Ginkgo biloba	Diminution de la coagulation sanguine
Hydraste du Canada	Vasoconstriction
Gomme de guar	Hypoglycémie
Aubépine	Hypotension
Houblon, scutellaire, valériane	Somnolence, potentialisation des effets des anxiolytiques et des sédatifs
Kava	Dommages aux yeux, à la peau, au foie et à la moelle épinière suivant une consommation prolongée
Réglisse	Hypokaliémie, hypernatrémie
Lobélie	Troubles auditifs et visuels
Ortie	Hypokaliémie
Séné	Potentialisation des effets de la digoxine
Yohimbine	Anxiété, tachycardie, hypertension, troubles cognitifs

de médicaments innovateurs et différents, soit les neuroleptiques dits « atypiques » (par exemple, l'olanzapine, la quétiapine, le rispéridone), dont les effets indésirables neurologiques sont moins importants (Glazer, 2000 ; Goldberg, 2000 ; Jeste et autres, 1999).

On observe aussi les effets indésirables neurologiques décrits plus haut chez les personnes âgées ayant consommé des antidépresseurs tricycliques et des inhibiteurs sélectifs du recaptage de la sérotonine.

On reconnaît le syndrome pseudo-parkinsonien (l'hypokinésie, la rigidité et les tremblements) et l'akathisie (l'impossibilité de rester immobile, l'impatience motrice) qui les caractérisent (Mamo et autres, 2000). L'administration concomitante d'inhibiteurs sélectifs du recaptage de la sérotonine et d'autres antidépresseurs peut générer le syndrome de la sérotonine, qui se reconnaît à l'agitation motrice, au déficit cognitif et au trouble du système nerveux autonome (Lantz, 2001).

L'augmentation du risque de troubles cognitifs

Si les médicaments provoquent parfois des troubles cognitifs (le délirium, la dépression) chez tout individu qui les consomme, la personne âgée y est particulièrement vulnérable en raison du vieillissement et des facteurs de risque. Lorsqu'ils surviennent, ces troubles cognitifs sont habituellement associés à la démence ou à un autre état pathologique plutôt qu'à un effet indésirable. Les infirmières doivent être informées qu'un simple produit offert en vente libre, comme la diphenhydramine (un antihistaminique), peut être responsable de troubles psychiques chez la personne âgée.

Le délirium est un état confusionnel aigu pouvant découler de la prise d'un médicament ou d'une interaction entre médicaments. Chez la personne âgée, il peut être attribuable à une perturbation de l'activité neurochimique du cerveau. Certains états pathologiques, par exemple la démence, la déshydratation, la malnutrition, un traumatisme crânien ou une infection du système nerveux central, en augmentent le risque. Les médicaments entraînent parfois des troubles cognitifs même s'ils sont consommés à des doses jugées normales ou à des taux sériques non toxiques.

Les personnes âgées sont particulièrement exposées à souffrir de troubles cognitifs et à subir d'autres effets indésirables causés par les médicaments ayant une activité anticholinergique (par exemple, de nombreux psychotropes, des produits offerts en vente libre tels des sirops contre la toux et le rhume et des médicaments contre l'insomnie). Plusieurs médicaments consommés couramment par la population n'entrent pas dans la catégorie des anticholinergiques, mais ils en produisent les effets (la digoxine, la cimétidine, la ranitidine, la nifédipine, le prednisolone, la théophylline, la warfarine et le mononitrate d'isosorbide) (Tune, 2001).

Les troubles cognitifs sont parfois provoqués par l'usage concomitant de plusieurs de ces agents qui, utilisés seuls, ne produiraient pas nécessairement ces effets. La notion de charge ou de fardeau anticholinergique total réfère à l'effet cumulatif de tous les médicaments ayant des propriétés anticholinergiques, qu'ils soient prescrits ou non, qui sont consommés par une même personne (Aizenberg et autres, 2002). Le tableau 14.10 présente une liste de médicaments aux effets anticholinergiques perceptibles, responsables de troubles cognitifs chez la personne âgée.

Les médicaments anticholinergiques menacent doublement les personnes âgées atteintes de démence en raison des faibles taux d'acétylcholine dans leur cerveau. D'une part, l'incidence de déficits cognitifs liés à ces médicaments est plus élevée dans cette population (Roe et les autres, 2002). D'autre part, les inhibiteurs de la cholinestérase traitent la démence

en élevant les taux d'acétylcholine dans le cerveau. Toutefois, les anticholinergiques peuvent en neutraliser les effets thérapeutiques. C'est un aspect à considérer lorsqu'une personne âgée démente doit prendre des antidépresseurs, des neuroleptiques, des antispasmodiques ou des médicaments antiparkinsoniens. Même les antihistaminiques offerts en vente libre, comme la diphenhydramine, peuvent en altérer les effets thérapeutiques. Le tableau 14.11 énumère les médicaments dont les effets indésirables produisent des troubles cognitifs chez les personnes âgées.

TABLEAU 14.10	Les médicaments aux effets anticholinergiques
Classes de médicaments	**Exemples de médicaments**
Antidépresseurs	Amitriptyline
	Doxépine
	Trazodone
	Chlorphéniramine
Antihistaminiques	Diphenhydramine
	Hydroxyzine
	Méclizine
	Prométhazine
Neuroleptiques	Chlorpromazine
	Clozapine
	Fluphénazine
	Prochlorpérazine
	Prométhazine
	Thioridazine
Médicaments contre les troubles gastro-intestinaux	Cimétidine
	Clinidium
	Dicyclomine
	Diphénoxylate
	Hyoscyamine
	Ranitidine
Antispasmodiques urinaires	Oxybutynine
Médicaments antiparkinsoniens	Benztropine
	Trihexyphénidyle
Médicaments contre les troubles cardiovasculaires	Digoxine
	Dinitrate d'isosorbide
	Disopyramide
	Nifédipine
Médicaments divers	Furosémide
	Prednisolone
	Théophylline
	Warfarine

TABLEAU 14.11	Les mécanismes d'action responsables des troubles cognitifs d'origine médicamenteuse
Mécanismes d'action	**Exemples de médicaments**
Effets anticholinergiques	Antidépresseurs
	Antihistaminiques
	Antiparkinsoniens
	Antispasmodiques
	Atropine
	Neuroleptiques
	Scopolamine
Baisse du débit sanguin cérébral	Antihypertenseurs
	Neuroleptiques
Dépression respiratoire	Neurodépresseurs
Déséquilibres hydroélectrolytiques	Alcool
	Diurétiques
	Laxatifs
Perturbation de la thermorégulation	Alcool
	Narcotiques
	Psychotropes
Acidose	Acide nicotinique
	Alcool
	Diurétiques
Hypoglycémie	Alcool
	Hypoglycémiants
	Propranolol
Dérèglements hormonaux	Corticostéroïdes
	Extraits de la thyroïde
Troubles dépressifs	Barbituriques
	Corticostéroïdes
	Fluphénazine
	Halopéridol
	Indométhacine
	Méthyldopa
	Réserpine

Les conséquences psychosociales

Les personnes âgées ressentent durement les conséquences psychosociales des effets indésirables des médicaments sur le plan cognitif, surtout si la cause de leurs troubles n'est pas détectée. La dépression, le délirium et la démence sont des effets indésirables fréquents. Ils dégradent la capacité fonctionnelle et la qualité de vie et, sans interventions, ils peuvent persister longtemps ou devenir irréversibles. Il faut noter que les troubles cognitifs d'origine médicamenteuse ne disparaissent pas immédiatement après la modification de la posologie ou la suppression du médicament. Il faut parfois plusieurs semaines avant le rétablissement des fonctions mentales antérieures à la prise du médicament.

D'autres effets indésirables médicamenteux entraînent des conséquences psychosociales négatives durables et graves touchant la capacité fonctionnelle et l'autonomie. Ainsi, l'hypotension orthostatique causée par les médicaments est reconnue comme un facteur de risque important dans les chutes et les fractures de la hanche.

La figure 14.1 résume les relations qui existent entre les changements liés à l'âge, les facteurs de risque, les conséquences fonctionnelles négatives et les médicaments chez la personne âgée.

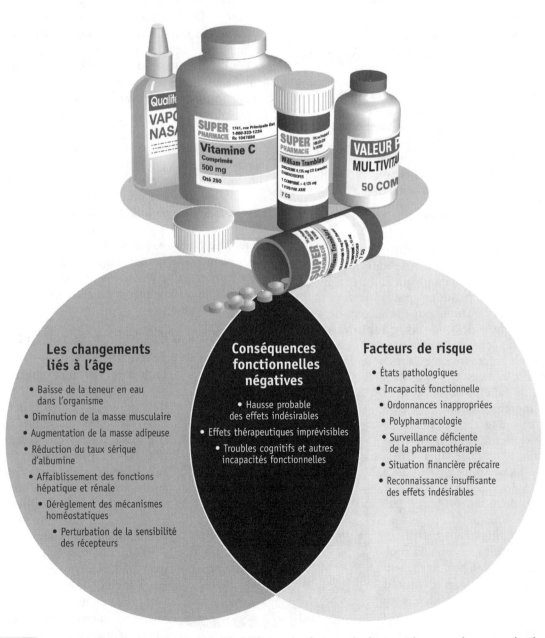

Les changements liés à l'âge

- Baisse de la teneur en eau dans l'organisme
- Diminution de la masse musculaire
- Augmentation de la masse adipeuse
- Réduction du taux sérique d'albumine
- Affaiblissement des fonctions hépatique et rénale
- Dérèglement des mécanismes homéostatiques
- Perturbation de la sensibilité des récepteurs

Conséquences fonctionnelles négatives

- Hausse probable des effets indésirables
- Effets thérapeutiques imprévisibles
- Troubles cognitifs et autres incapacités fonctionnelles

Facteurs de risque

- États pathologiques
- Incapacité fonctionnelle
- Ordonnances inappropriées
- Polypharmacologie
- Surveillance déficiente de la pharmacothérapie
- Situation financière précaire
- Reconnaissance insuffisante des effets indésirables

FIGURE 14.1   Le recoupement des changements liés à l'âge et des facteurs de risque, et leurs conséquences négatives sur l'effet des médicaments et l'observance thérapeutique.

14.5 L'évaluation infirmière des médicaments et de leurs effets

L'infirmière évalue la quantité et la pertinence des médicaments consommés par la personne âgée, ainsi que leurs effets, pour être en mesure :

- d'établir l'efficacité du régime médicamenteux ;
- de repérer les facteurs qui nuisent au traitement médicamenteux ;
- de vérifier les risques d'effets indésirables ou de modification des effets thérapeutiques (en portant une attention soutenue à la personne âgée vulnérable) ;
- de déceler les effets indésirables ;
- de repérer les besoins d'information en matière de santé.

Au cours de cette évaluation, l'infirmière examine les médicaments prescrits et les habitudes de la personne âgée relatives à la prise de médicaments. Elle obtient les renseignements désirés en posant des questions à la personne et aux membres de l'équipe traitante, puis en explorant les habitudes d'utilisation de médicaments de la personne âgée.

La collecte des données

L'infirmière qui procède à la collecte des données nécessaires à une évaluation pertinente de la consommation de médicaments se heurte souvent à de nombreux obstacles. Il y a notamment la durée limitée de la rencontre avec la personne âgée et l'absence de lien de confiance. L'évaluation exige beaucoup de temps. La personne âgée peut ne pas se rappeler certains renseignements lors de la première entrevue. Quelques rencontres peuvent être nécessaires pour compléter la collecte des données. Les entrevues peuvent être faites en collaboration avec les membres de la famille ou avec l'aidant naturel de la personne âgée. Cette dernière peut aussi ne pas vouloir dévoiler certains renseignements. La personne âgée hésite à répondre à des questions relatives à la prise des médicaments parce que, souvent, elle les juge trop personnelles, particulièrement celles qui touchent à sa consommation d'alcool.

La personne âgée peut également craindre d'être mal jugée, surtout si elle ne respecte pas fidèlement le traitement médicamenteux ou si elle a recours à des remèdes maison, aux médecines parallèles ou à des produits offerts en vente libre. Les gens hésitent à admettre qu'ils ne se conforment pas aux recommandations du médecin. Ils préfèrent décrire leur traitement médicamenteux plutôt que de révéler la vérité. Ils se sentiront plus à l'aise s'ils considèrent l'infirmière comme une personne susceptible de les aider à régler leurs problèmes plutôt que comme un symbole d'autorité prêt à les juger ou à critiquer leurs habitudes en matière de santé. L'infirmière pourra éviter les questions trop précises afin que la personne âgée comprenne qu'elle ne porte pas de jugement. Ces questions vont lui permettre de compléter plus facilement la collecte des données sur l'utilisation de remèdes maison et de médicaments offerts en vente libre (par exemple, les décongestionnants, les analgésiques, les laxatifs).

En se fondant sur ses observations, l'infirmière formule des questions appropriées sur la capacité de la personne âgée de prendre ses médicaments. Par exemple, elle peut lui demander si elle a de la difficulté à avaler ses comprimés et ses gélules. De même, si elle sait que la personne ne jouit pas d'une grande force physique, elle peut s'enquérir de sa difficulté à ouvrir les flacons.

Elle complétera cette information au moyen de ses propres observations et des renseignements que lui fourniront les membres de l'équipe traitante ou les aidants naturels de la personne âgée. Une autre méthode efficace consiste à demander des explications sur l'organisation des médicaments. En effet, la personne qui consomme des médicaments élabore souvent un système à l'aide de dosettes, de tableaux ou d'horaires. Elle n'hésite généralement pas à le présenter et en discute même avec fierté avec l'infirmière pendant l'évaluation.

L'observation des habitudes relatives à la prise des médicaments

L'infirmière doit non seulement obtenir de l'information par l'entremise de questions et d'entretiens, mais aussi faire l'inventaire de l'ensemble des médicaments que consomme la personne. L'examen des contenants lui donnera des renseignements utiles sur les instructions de la prescription et les dates de renouvellement des ordonnances. Elle doit se montrer prudente, car le contenu des flacons peut être différent de ce qui est indiqué sur l'étiquette. Si elle s'informe sur les écarts entre ce que révèle l'étiquette et le contenu du flacon, elle se rendra souvent compte que le flacon d'origine a été changé parce qu'il était trop difficile à ouvrir. Les comprimés ont alors été transférés dans un autre contenant dont

> *L'infirmière doit se montrer prudente au moment de l'examen des contenants de médicaments, car le contenu des flacons peut être différent de ce qui est indiqué sur l'étiquette.*

l'étiquette ne correspond pas toujours au contenu, et ce, avec de graves risques d'erreur.

L'examen des contenants permet également de savoir qui sont les médecins traitants et s'il y a duplication de médicaments. Les gens qui consultent plus d'un médecin n'avoueront pas la multiplication des ordonnances, mais l'infirmière le découvre en lisant les étiquettes. Elle peut aussi y constater qu'un ou plusieurs médecins ont prescrit le même médicament, de marque différente, ou un médicament semblable. L'utilisation de médicaments génériques et la prolifération des marques déposées et des agents à l'action identique amènent les gens à les prendre en double par méconnaissance, le nom sur l'étiquette étant différent.

Les dates inscrites sur les étiquettes représentent une autre source utile de renseignements et de questions. Par exemple, si l'infirmière trouve trois types d'antihypertenseurs prescrits à trois dates différentes, elle demandera si le deuxième ou le troisième remplace ou complète le premier. Enfin, la vérification du contenant fournit de bons indices sur la fidélité au traitement. L'infirmière peut ainsi évaluer approximativement la consommation en prenant connaissance de la date sur l'étiquette, de la quantité de médicaments servie lors du renouvellement de l'ordonnance et de la quantité restante lors de l'évaluation.

L'un des buts de l'entrevue est de déterminer si la personne âgée comprend l'utilité de ses médicaments. Ces renseignements indiquent si elle saisit le principe du régime médicamenteux et connaît donc bien son état de santé. Un manque d'information ou des renseignements erronés peuvent signaler un problème de communication entre la personne, le médecin et le pharmacien. Ils peuvent également révéler le peu d'intérêt ou le manque de compréhension de la personne à l'égard de son état de santé. Ici aussi, l'infirmière doit formuler des questions ouvertes d'un ton neutre. Si elle demande à la personne, d'un ton simple et détaché, la raison pour laquelle celle-ci prend tel ou tel comprimé, elle obtiendra plus facilement une réponse que si elle lui demande le nom exact du médicament qu'elle prend pour soigner son trouble cardiaque ou pourquoi elle consomme de la digoxine. L'infirmière ne peut pas présumer que la personne âgée connaît l'utilité du médicament ou a saisi l'explication qui lui en a été donnée. Les explications que fournit elle-même la personne sur la prise de ses médicaments peuvent constituer le canevas sur lequel s'organisera le plan thérapeutique infirmier.

Il est également important d'obtenir des renseignements sur les allergies de la personne et sur les effets indésirables des médicaments qu'elle a pu observer. La vigilance s'impose si une personne a déjà réagi à des médicaments et si ceux qu'elle prend ressemblent aux médicaments qui ont causé le problème. Les gens déclarent parfois être allergiques à un médicament, mais les symptômes qu'ils décrivent s'apparentent plutôt à un effet indésirable ou à une intolérance. L'infirmière ne doit pas se contenter de noter l'allergie au médicament dont souffre la personne. Elle doit aussi obtenir une description précise de la réaction, si la personne peut la lui fournir.

L'encadré 14.7 (p. 186) résume l'information à obtenir pour la collecte de données portant sur les médicaments et sur les habitudes relatives à leur consommation.

Les relations entre l'évaluation des médicaments et l'évaluation de l'état de santé

Premièrement, l'infirmière se sert de l'information recueillie pendant l'entrevue avec la personne âgée et de l'évaluation de son état de santé pour connaître ses habitudes antérieures et actuelles dans la prise de ses médicaments. Elle peut ainsi mieux détecter les problèmes que vit cette personne et comprendre ses doléances.

Deuxièmement, l'information sur l'état de santé permet aussi d'évaluer les effets thérapeutiques du régime médicamenteux. L'infirmière doit établir la pertinence des résultats escomptés et obtenus et discuter de la posologie avec le médecin et le pharmacien, s'il y a lieu. Une évaluation des résultats escomptés repose sur des renseignements subjectifs et objectifs. Par exemple, l'efficacité d'un analgésique se mesure au soulagement de la douleur ressenti par la personne, et l'efficacité d'un antihypertenseur se caractérise par une baisse mesurable de la pression artérielle.

Troisièmement, les renseignements sur l'état de santé aident à répondre à cette question: « La personne âgée peut-elle prendre ou ses soignants peuvent-ils lui administrer ses médicaments correctement et en toute sécurité? » Cette question complexe englobe les aspects suivants: la capacité cognitive de comprendre le traitement médicamenteux et de prendre les médicaments, la motivation de suivre ce régime thérapeutique et les habiletés physiques pour se procurer et pour prendre les médicaments. Les habiletés physiques incluent l'acuité visuelle, la dextérité manuelle et la capacité d'avaler. Il s'agit également d'évaluer l'environnement de la personne en fonction de certains besoins comme l'accès à l'eau, si de l'eau doit être consommée avec les médicaments, et à un réfrigérateur (pour la conservation de certains médicaments, s'il y a lieu). Ces éléments jouent sur la capacité de prendre des médicaments. L'évaluation générale de l'état de santé de la personne âgée révèle aussi sa situation financière ou ses difficultés en matière de mobilité ou de transport qui interviennent dans l'obtention des médicaments.

Quatrièmement, s'il lui est possible d'observer l'environnement immédiat de la personne pendant

ENCADRÉ 14.7
Des pistes pour l'évaluation de la gestion médicamenteuse

Renseignements sur les substances thérapeutiques

- Comprimés, liquides, injections, gouttes pour les yeux et les oreilles, vaporisateurs nasaux, timbres transdermiques et préparations topiques sur ordonnance
- Médicaments offerts en vente libre (énumérés par marque) utilisés de manière régulière ou occasionnelle
- Vitamines, minéraux et suppléments nutritionnels
- Alcool, caféine ou tabac
- Plantes médicinales et préparations médicinales à base de plantes
- Remèdes homéopathiques
- Remèdes maison

Questions relatives à la consommation de médicaments

- Comment décririez-vous votre routine quotidienne dans la prise de vos médicaments ?
- Utilisez-vous d'autres substances pour traiter votre maladie ou pour demeurer en santé, telles que des plantes médicinales, des onguents, des remèdes maison ou des suppléments nutritionnels ?
- Prenez-vous un médicament qui a été prescrit à une autre personne ?
- Que faites-vous lorsque vous oubliez une dose ?
- Que prenez-vous pour vos problèmes de constipation, au besoin ? Que faites-vous pour vous aider à dormir (ou pour soulager un autre problème) ?
- Comment faites-vous remplir votre ordonnance ? (Où obtenez-vous vos médicaments ?)
- Avez-vous de la difficulté à prendre vos comprimés ?
- Comment vous organisez-vous avec vos médicaments et vos remèdes pour ne pas oublier de les prendre ?
- Que faites-vous pour vous rappeler de prendre vos médicaments ou vos remèdes ?
- Avez-vous observé des améliorations ou des changements désagréables depuis que vous prenez ce médicament, ce produit ?

Questions relatives à la compréhension de l'utilité des médicaments

- Quelle est l'utilité de ce médicament (de cette plante médicinale ou autre) ?
- Pour les médicaments ou les remèdes à prendre au besoin (PRN) : Comment décidez-vous du moment opportun ?
- Que vous a dit le médecin ou le pharmacien au sujet de ce médicament (ou de cette plante médicinale) ?
- Pour quel problème le professionnel de la santé vous a-t-il prescrit ce médicament (ou suggéré l'emploi de ce remède) ?

Questions relatives à la collecte de renseignements supplémentaires

- Avez-vous déjà eu une réaction allergique ou une autre mauvaise réaction à un médicament ou à un remède ? Si c'est le cas, décrivez-la-moi.
- Y a-t-il des médicaments ou des remèdes que vous avez déjà consommés, mais que vous ne prenez plus ?
- Où rangez-vous vos médicaments et vos remèdes ?
- Selon votre budget, réussissez-vous facilement à payer vos médicaments ?

Questions et observations suscitées par la lecture des étiquettes de produits

- Qui est le médecin qui prescrit vos ordonnances ?
- Y en a-t-il plus d'un ? Sont-ils au courant de tous les médicaments que vous prenez ?
- Ont-ils prescrit chacun le même médicament ou un médicament similaire ?
- Si les dates des ordonnances diffèrent : Les plus récents médicaments s'ajoutent-ils à votre traitement ou remplacent-ils les précédents ?
- La date du dernier renouvellement d'ordonnance et la quantité de comprimés dans le contenant correspondent-elles au régime thérapeutique prescrit ?
- Avec quelle pharmacie faites-vous affaire ?

l'évaluation générale, l'infirmière recueille des données cliniques sur ses ennuis de santé et sur la consommation de médicaments. Par exemple, si elle remarque la présence de la nitroglycérine sur le rebord de la fenêtre, elle comprend mieux la raison pour laquelle le médicament ne parvient pas à soulager les crises d'angine, car il est exposé à la lumière alors qu'il est photosensible. Ces observations lui permettent de se renseigner, entre autres, sur les médicaments offerts en vente libre et les remèdes maison aperçus sur le comptoir de la cuisine, par exemple.

Enfin, l'évaluation de l'état de santé lui permet de cerner les facteurs qui poussent la personne à la non-observance thérapeutique, qui diminuent les effets thérapeutiques des médicaments et qui provoquent des effets indésirables. Ainsi, dans son évaluation des capacités cognitive et fonctionnelle de la personne à accomplir ses activités quotidiennes, l'infirmière discerne mieux les facteurs qui influent sur sa capacité de prendre des médicaments. De même, l'évaluation qu'elle fait des troubles dépressifs et d'autres éléments psychosociaux l'informe sur la motivation et les facteurs comportementaux qui influent sur les habitudes de consommation de médicaments.

Les effets indésirables

La première étape de cette évaluation, la plus difficile, consiste à déceler la présence d'effets indésirables. Plusieurs d'entre eux sont subtils et se confondent avec un ou plusieurs symptômes de maladie. On croit souvent qu'ils sont les raisons plutôt que les conséquences du traitement. L'infirmière est souvent la première à les détecter, car elle consacre plus de temps à la personne. Elle surveille de plus près les changements au quotidien, alors que le médecin se préoccupe des maladies aiguës ou du suivi des maladies chroniques. Dans les centres de soins de longue durée et en milieu familial, l'infirmière est la professionnelle de la santé qui remarquera la moindre détérioration fonctionnelle causée par des effets indésirables. Au CLSC, elle est celle que les personnes âgées jugent la plus disponible pour s'entretenir de leur médication et de possibles effets indésirables.

Par ailleurs, l'infirmière doit être vigilante au moment de l'introduction d'un nouveau médicament dans le régime d'une personne âgée. Elle devrait être capable de noter tout changement dans le comportement de la personne et de déceler toute aggravation de symptômes liée à des effets indésirables. Notamment, il faut qu'elle porte une attention particulière au moment de la distribution des médicaments.

Les médecins sont parfois réticents à discuter des effets indésirables avec les personnes qu'ils voient en consultation pour les raisons suivantes : ils ne les connaissent pas vraiment, surtout dans le cas des nouveaux médicaments qu'ils prescrivent ; ils croient que d'en parler à la personne peut contribuer à lui en suggérer ; ou ils craignent que la personne refuse de prendre le médicament. L'infirmière joue un rôle important d'intermédiaire entre la personne et le médecin. Elle peut, entre autres, indiquer divers moyens susceptibles d'éviter les effets indésirables. Par exemple, si un médicament irrite l'estomac, elle peut suggérer de le prendre après les repas ou avec du lait. Elle n'informe pas automatiquement la personne de tous les effets indésirables possibles. Cependant, si elle constate une altération de son état de santé, elle en fera mention si elle soupçonne qu'il s'agit d'effets indésirables.

Une altération des fonctions cognitives représente un effet indésirable grave qui, lorsqu'il se produit, est souvent négligé, surtout si la personne souffre déjà de démence. D'autres effets indésirables rattachés à la consommation de médicaments sont la confusion mentale, la léthargie, la dépression ou l'agitation. Ces problèmes peuvent surgir brusquement ou s'installer graduellement et subtilement. Le délirium ou les hallucinations sont des signes évidents associés aussi par erreur à des états pathologiques. Une évaluation de la médication s'impose dans tous ces cas, avec une attention particulière portée aux médicaments offerts en vente libre et à la consommation d'alcool. Il s'agit de repérer les interactions possibles. Voici des exemples de questions qu'il convient de se poser.

- Peut-on supprimer un médicament (fait en association avec le médecin ou le pharmacien) ?
- Peut-on en modifier la posologie (fait en association avec le médecin ou le pharmacien) ?
- La perturbation des fonctions cognitives entrave-t-elle la consommation de médicaments et entraîne-t-elle d'autres problèmes ? (Par exemple, si la personne âgée présente des troubles de la mémoire en raison d'effets indésirables, prend-elle des surdoses de médicaments qui perturbent davantage ses facultés mentales ?)

Au moment de l'évaluation de telles altérations, il faut savoir qu'elles ne disparaîtront pas immédiatement après la suppression du médicament ou la modification de la posologie. Le retour à la situation antérieure à la prise du médicament peut prendre des jours, voire des semaines, selon la classe de médicaments, la durée de la consommation et l'état de santé général de la personne âgée.

L'encadré 14.8 (p. 188) offre des conseils relatifs à la consommation sécuritaire des médicaments. Ils peuvent être utiles tant pour les personnes âgées que pour les adultes plus jeunes.

> *L'infirmière joue un rôle important d'intermédiaire entre la personne et le médecin. Elle peut, entre autres, indiquer divers moyens susceptibles d'éviter les effets indésirables.*

- Tenir une liste à jour de tous les médicaments consommés, y compris les produits de santé naturels et les médicaments offerts en vente libre, et la présenter à tous les professionnels de la santé concernés.

- Demander au médecin qui propose un médicament si le problème peut se traiter par des mesures non pharmacologiques.

- Poser au médecin les questions suivantes sur tout nouveau médicament à prendre régulièrement.

  - Quelle est l'utilité de ce médicament ?

  - Comment saurai-je s'il donne les résultats escomptés ?

  - Combien de temps se passera-t-il avant que j'en ressente les effets thérapeutiques ?

  - Que se passera-t-il si je ne le prends pas ?

  - À quelle fréquence dois-je le prendre ?

  - Pendant combien de temps dois-je le prendre ?

  - Que dois-je faire si j'oublie de prendre une dose ?

  - Quand dois-je vous revoir et que voudrez-vous savoir pour évaluer l'efficacité de ce médicament ?

  - Y a-t-il des effets indésirables importants à surveiller ?

- Poser au médecin les questions suivantes au moment des suivis.

  - Dois-je encore prendre ce médicament ?

  - Peut-on en diminuer la posologie ?

- Poser au médecin les questions suivantes sur chaque médicament prescrit PRN (au besoin).

  - Quelle est l'utilité de ce médicament et comment puis-je savoir si j'en ai besoin ?

  - À quelle fréquence dois-je le prendre ? Existe-t-il un intervalle posologique ?

  - Quelle est la dose maximale à prendre en 24 heures ?

  - Que dois-je faire si le médicament ne soulage pas les symptômes (par exemple, si les douleurs thoraciques persistent après plusieurs vaporisations sublinguales de nitroglycérine) ?

- Poser les questions suivantes au pharmacien.

  - Quel est le nom générique et le nom commercial de ce médicament ?

  - Peut-il interagir avec les autres médicaments que je prends ?

  - Existe-t-il des possibilités d'interactions avec des plantes médicinales, la cigarette, l'alcool ou un nutriment ?

  - Quel est le meilleur moment de la journée pour le prendre ?

  - Est-ce important de le prendre avant ou après les repas ?

  - Quels sont les effets indésirables à surveiller ?

  - Que puis-je faire pour diminuer le risque d'effets indésirables (par exemple, le prendre avec du lait ou les repas pour réduire l'irritation gastrique) ?

  - Que dois-je éviter de consommer ou de faire pendant que je prends ce médicament (par exemple, boire du lait, manger certains aliments, conduire une automobile) ?

  - Quelles sont les recommandations pour la conservation de ce médicament ?

Partie 4

L'approche de soins en fin de vie

Chapitre 15
Les soins de confort en fin de vie dans les maladies neuro-dégénératives

Texte original de Marcel Arcand, M.D., M. Sc.
CSSS – Institut universitaire de gériatrie de Sherbrooke
Professeur titulaire, Département de médecine de famille
de la Faculté de médecine et des sciences de la santé
de l'Université de Sherbrooke

Chantal Caron, inf., Ph. D.
Chercheuse au Centre de recherche sur le vieillissement
Professeure adjointe, École des sciences infirmières, Faculté de
médecine et des sciences de la santé de l'Université de Sherbrooke

Ivan L. Simoneau, inf., Ph. D.
Professeur en soins infirmiers, Cégep de Sherbrooke

OBJECTIFS D'APPRENTISSAGE

**Après avoir lu ce chapitre,
vous devriez être en mesure :**

- **de reconnaître les principaux problèmes
de santé éprouvés en fin de vie ;**

- **de préciser les enjeux éthiques et
les décisions entourant les conditions
des personnes malades en fin de vie ;**

- **de détailler les principales interventions
associées aux soins de confort en fin de vie ;**

- **d'expliquer le déroulement des derniers
instants de la vie d'une personne dans
un contexte de soins de confort et des
moments suivant son décès.**

Ce chapitre explique au personnel soignant la manière dont s'applique l'approche des soins de confort en fin de vie chez les personnes qui ont atteint un stade avancé de démence ou d'autres problèmes neurologiques tels que les séquelles d'accident vasculaire cérébral, la maladie de Parkinson et certaines formes de sclérose en plaques. La matière abordée fournit aux infirmières qui travaillent dans un CHSLD l'information susceptible de faciliter la compréhension des événements et des enjeux qui sont le propre de la fin de vie. Y sont aussi traitées les principales interventions médicales et infirmières qui visent avant tout à assurer une fin de vie confortable aux personnes âgées.

Toutes ces personnes ont en commun des difficultés croissantes à comprendre la réalité et à s'exprimer par la parole ; il leur est donc difficile de participer aux décisions médicales qui les concernent. Par conséquent, si une complication ou un nouveau problème de santé survient, c'est son conjoint, un enfant ou un autre proche qui doit alors représenter cette personne au cours des discussions avec l'équipe soignante pour déterminer l'intensité des mesures à prendre et des soins à lui apporter. Parce qu'il connaît souvent la personne malade depuis longtemps, le personnel infirmier peut être appelé à jouer un rôle majeur dans les décisions médicales de fin de vie à son sujet. Il s'agit d'une tâche délicate à laquelle les infirmières, membres de l'équipe traitante, doivent être formées afin d'optimiser leurs interventions de soins.

> *Parce qu'il connaît souvent la personne malade depuis longtemps, le personnel infirmier peut être appelé à jouer un rôle majeur dans les décisions médicales de fin de vie à son sujet.*

15.1 Les principaux problèmes de santé en fin de vie

Les deux principaux problèmes médicaux qui caractérisent la fin de vie chez les personnes atteintes de maladies dégénératives et en perte d'autonomie sont les difficultés à s'alimenter et les infections à répétition.

La pneumonie est la cause la plus fréquente de décès. Elle découle du fait que la plupart de ces personnes éprouvent des difficultés croissantes à s'alimenter. Elles s'étouffent souvent au cours des repas parce qu'elles font de fausses routes alimentaires. En effet, la salive ou même une partie des aliments peut se diriger vers les poumons et non vers l'estomac, ce qui entraîne une quinte de toux et des difficultés respiratoires. Certaines personnes, parmi les plus malades, n'ont même plus la force d'expectorer ; elles présentent alors une respiration embarrassée et laborieuse. Éventuellement, la majorité de ces malades

vont développer une pneumonie d'aspiration. Même si la pneumonie est traitée, elle récidive souvent après quelques semaines, car la difficulté à avaler persiste.

Par ailleurs, puisque la personne éprouve de la difficulté à s'alimenter, elle perd graduellement du poids et risque de se déshydrater. Une telle situation contribuera à l'affaiblir et à diminuer ses mécanismes de défense ; elle sera alors plus vulnérable aux infections, comme les infections des voies urinaires et la pneumonie.

Les principales interventions infirmières en alimentation et en hydratation

Dans le cas où la personne n'arrive plus à s'alimenter et à boire, le personnel soignant recherche d'abord la cause de ces difficultés et tente de la supprimer ou de corriger le problème. Parfois, il peut s'agir de facteurs réversibles, comme une infection de la bouche. Cependant, en fin de vie, il arrive souvent que les personnes refusent d'avaler la nourriture pour plusieurs raisons : elles n'ont pas faim, elles trouvent que les aliments ont un mauvais goût, elles ont peur de s'étouffer, elles ne sont plus capables d'ouvrir la bouche ou elles ont perdu le réflexe d'avaler.

Le personnel soignant intervient de plusieurs façons pour surmonter les difficultés de déglutition. La plus fréquente est d'offrir des aliments en purée et des liquides épaissis, plus faciles à avaler. Pour combler les carences nutritionnelles et même simplement apaiser la faim, ils peuvent aussi offrir des substituts de repas (par exemple, Ensure, Ressource), souvent bien acceptés par les personnes malades.

Mais, à mesure que la maladie progresse, ces interventions peuvent s'avérer inefficaces. La question d'alimenter et d'hydrater la personne âgée non plus par la bouche, mais par une sonde gastrique placée directement dans l'estomac (gastrostomie) se pose alors. Cette intervention est pratiquée avec succès chez certaines personnes lucides qui profitent encore de la vie ou qui espèrent un retour à une fonction de déglutition normale après une période de réadaptation. Mais elle n'est pas recommandée chez les personnes qui se trouvent à un stade avancé d'une maladie dégénérative. Les raisons sont les suivantes.

- La pose d'une sonde gastrique peut causer un inconfort et provoquer de l'agitation chez la personne malade.

- Les gavages peuvent entraîner des diarrhées irritantes.

- Le tube peut se boucher et devoir être changé assez fréquemment.

- Certaines personnes confuses cherchent à arracher le tube.

- Le gavage prive habituellement la personne du plaisir de goûter aux aliments même s'il ne s'agit que d'une petite quantité de nourriture; il les prive également du contact social avec un soignant qui l'aide à s'alimenter.

- Les gavages ne prolongent pas ou prolongent très peu la vie des personnes arrivées à un stade avancé de démence, car les pneumonies sont fréquentes (aspiration de salive, régurgitations, etc.).

Pour toutes ces raisons, la plupart des experts considèrent que l'installation d'une sonde gastrique dans ce contexte n'est pas recommandée, car cette technique risque plus de causer de l'inconfort chez la personne que d'améliorer sa condition.

La pertinence de traiter la pneumonie avec des antibiotiques

Lorsqu'une personne développe des difficultés respiratoires à la suite d'une aspiration de nourriture ou de salive, il faut d'abord essayer de désencombrer l'arrière de la gorge et les bronches pour faciliter la respiration. De plus, un apport accru d'oxygène favorise son confort. Si la personne malade devient fiévreuse (en hyperthermie) ou présente une modification de son état général et un tableau clinique de pneumonie, le médecin peut prescrire un antibiotique. Cependant, dans les stades avancés de maladies dégénératives, les chances de guérir la pneumonie sont moins bonnes, et la probabilité d'une récidive à court terme demeure très élevée. Dans ces cas, la prescription d'antibiotiques tend de plus en plus à être remplacée par des soins de confort. Selon William Osler, un médecin renommé du siècle dernier, la pneumonie s'avérerait le meilleur ami de la personne âgée et malade, car elle met un terme à ses souffrances. C'est pourquoi plusieurs médecins préfèrent s'abstenir d'utiliser un traitement antibiotique pour la pneumonie en fin de vie et choisissent plutôt un traitement à visée palliative. Cette approche sera décrite un peu plus loin. Chaque cas étant unique, le choix d'un traitement à visée curative ou palliative doit être fait par le médecin avec le représentant de la personne malade dans le but de lui offrir la meilleure solution.

La pertinence de transférer la personne à l'hôpital

Le transfert en milieu hospitalier d'une personne demeurant dans un CHSLD et se trouvant en phase tardive de maladie dégénérative peut comporter de nombreux inconvénients. Si la personne est agitée et qu'elle se retrouve dans un environnement de soins inadapté (par exemple, une salle d'urgence), il est probable qu'on doive lui donner des médicaments tranquillisants et, parfois, de l'immobiliser avec des moyens de contention. De plus, certaines personnes malades refusent toute nourriture; elles reviennent même de l'hôpital avec des plaies et des contractures parce que le personnel, qui ne les connaît pas vraiment, n'a pu s'occuper d'elles en raison de leurs déficits sur les plans cognitif et de l'autonomie. Pour ces raisons, il ne faut envisager un transfert hospitalier qu'en cas d'absolue nécessité et pour la plus courte période possible. Certaines situations, comme une fracture douloureuse pouvant être stabilisée par chirurgie, pourraient, par exemple, justifier une courte hospitalisation principalement pour contrôler la douleur. Néanmoins, si le problème peut être traité sur place, en CHSLD, par une approche de soins palliatifs qui maîtrise les symptômes, il est généralement préférable de ne pas transférer la personne malade.

La pertinence de la réanimation cardiorespiratoire

De façon générale, les CHSLD ne disposent pas de l'équipement nécessaire pour appliquer des mesures liées à la réanimation cardiorespiratoire. Par conséquent, la question de la réanimation dans ces établissements ne se pose que rarement, la personne étant immédiatement dirigée vers un centre hospitalier, le cas échéant. Toutefois, la réanimation serait-elle indiquée dans un centre d'hébergement qui disposerait de l'équipement nécessaire? La plupart des médecins répondent par la négative parce qu'ils considèrent, là encore, que les manœuvres de réanimation risquent de causer plus de tort que de bien à la personne. D'abord, les chances de parvenir à réanimer une personne âgée très malade sont minimes. De plus, les risques de la blesser (par exemple, de lui fracturer des côtes) sont élevés. Enfin, si l'on ignore la durée de l'état d'inconscience de la personne et qu'on la réanime, les probabilités sont grandes qu'elle demeure dans un état comateux jusqu'à sa mort. Pour toutes ces considérations, il n'est pas recommandé de tenter la réanimation cardiorespiratoire à des stades avancés de maladies dégénératives.

15.2 Les décisions et les soins de fin de vie

Lorsqu'elle traite des personnes en fin de vie, l'équipe soignante affronte souvent le dilemme suivant: préserver la vie (traitement à visée curative) ou assurer une fin de vie confortable (traitement à visée palliative). Il est recommandé que les soignants prennent le temps d'en discuter ouvertement avec les membres de la famille de la personne malade ou avec son répondant, le cas échéant. La question centrale est la suivante : qu'est-il approprié de faire pour cette personne à ce moment-ci de sa vie ? L'idéal est que toutes les personnes concernées par cette question en arrivent à un consensus sur l'approche qui semble dans l'intérêt de la personne malade. La famille ou le répondant ne doit pas supporter seul le fardeau d'une décision aussi complexe et difficile. Idéalement, les relations positives entre la famille et l'équipe soignante se sont bâties bien avant l'étape finale de la maladie. Généralement, la famille se sent en confiance si, au cours des épisodes aigus précédents, on l'a bien informée et qu'on a tenu compte de son point de vue.

Le rôle du mandataire

D'entrée de jeu, il est important de souligner que le médecin est le responsable des décisions de nature médicale. Le rôle du mandataire ou du représentant de la personne malade est essentiellement de donner son consentement ou de refuser ce que lui propose le médecin. Le mandataire doit agir selon ce qu'il croit être dans l'intérêt de la personne. Ce consentement doit être libre et éclairé, c'est-à-dire que le mandataire doit être bien informé des options de traitement ; en aucun cas il ne doit sentir qu'on lui en impose une en particulier. L'infirmière se doit d'inviter le mandataire ou le représentant de la personne malade et les membres de la famille à poser toutes les questions qui concernent l'état de santé de l'aîné et les options de soins de fin de vie. Souvent, des questions demeurées sans réponse peuvent créer de l'angoisse inutile chez les proches.

Le doute, le dilemme éthique et les conflits

Dans le cas de situations controversées, les médecins et les membres de l'équipe soignante n'ont pas le pouvoir d'imposer leurs solutions à la famille. Il arrive que certains membres d'une famille s'opposent aux avis médicaux ou qu'il y ait de la dissension familiale dans le choix de l'approche la plus appropriée. De la même manière, les décisions du représentant de la personne malade peuvent aussi être contestées si les choix qu'il défend ne semblent pas dans l'intérêt fondamental de celle-ci. Dans de telles situations conflictuelles, il faut dénouer l'impasse en faisant des compromis ; par exemple, essayer un traitement, puis en évaluer l'effet, obtenir l'opinion d'un autre médecin ou d'un comité regroupant non seulement les membres de l'équipe soignante, mais aussi des experts en éthique, des juristes et des représentants du public. Dans des conditions usuelles, il est très rare que des visions opposées entre les membres de l'équipe traitante et la famille doivent être débattues devant les tribunaux. Il va sans dire que cette solution est à éviter le plus possible.

Le soutien et non l'abandon

Dans le passé, il arrivait souvent que les médecins annoncent à la famille d'une personne en stade de phase terminale de la maladie : « Il n'y a plus rien à faire. » Beaucoup de proches percevaient alors que l'on abandonnait la personne à son sort, ce qui, malgré les bons soins infirmiers, pouvait signifier une fin de vie très inconfortable. Cette attitude est totalement dépassée aujourd'hui. En effet, les soignants considèrent qu'ils ont un rôle important à jouer pour assurer à la personne mourante et à sa famille le maximum de confort physique et de soutien psychologique. Les soignants d'aujourd'hui, inspirés par la recherche et les succès des équipes de soins palliatifs travaillant auprès de personnes aux prises avec des formes de cancer, connaissent mieux les moyens qui facilitent l'étape de la fin de vie, tant pour les personnes malades que pour leurs proches.

La perspective religieuse

La plupart des instances religieuses qui se sont clairement prononcées sur les questions ayant trait à la fin de vie considèrent qu'il est moralement acceptable de ne pas prolonger indûment une vie par des moyens techniques disproportionnés dans les cas où il n'y a pas un net espoir d'amélioration de la qualité de vie de la personne malade. En cas de questionnement à ce sujet, l'infirmière peut inviter les proches à prendre le temps d'en discuter avec un représentant de leur foi ou de leur religion. La majorité des CHSLD et des hôpitaux offre le soutien de prêtres, de pasteurs ou de guides spirituels qui connaissent bien la réalité de ces personnes malades ainsi que les préoccupations de l'équipe soignante eu égard aux soins à leur prodiguer.

La question de l'euthanasie

La problématique qui oppose l'euthanasie et les soins de confort en fin de vie mérite d'être examinée. En effet, mettre délibérément fin aux souffrances d'une personne en fin de vie, soit l'euthanasie, peut sembler une solution acceptable pour plusieurs d'entre nous. De nombreux moralistes et éthiciens seraient prêts à approuver l'euthanasie pourvu que l'on respecte certaines conditions pour prévenir des abus. Cependant, dans la plupart des pays occidentaux, dont le Canada, on craint que la légalisation de l'euthanasie entraîne plus de conséquences néfastes que de bénéfices. C'est pourquoi, à l'heure actuelle, la loi interdit cette pratique. Par contre, le refus ou la cessation d'un traitement jugé scientifiquement futile, c'est-à-dire qui n'atteint pas le but recherché, ou encore l'abstention thérapeutique, car aucun gain pour la personne malade n'est attendu, sont parfaitement acceptés dans notre cadre légal canadien. Enfin, rappelons que les soins de confort en fin de vie ne constituent pas une forme d'euthanasie ni un arrêt de traitement non approprié.

15.3 Le soulagement des symptômes en soins de confort de fin de vie

La personne qui atteint l'étape de fin de vie peut présenter de nombreux symptômes désagréables, inconfortables, voire insupportables. Les plus fréquents sont la dyspnée et la douleur. La personne peut aussi présenter de l'anxiété, de l'agitation et être aux prises avec des nausées et des vomissements.

Les symptômes respiratoires et l'usage de l'oxygène

Les difficultés respiratoires peuvent avoir plusieurs causes. La dyspnée est le plus souvent la conséquence des infections pulmonaires, de l'insuffisance cardiaque et d'une aspiration d'aliments, de salive ou de sécrétions gastriques (reflux) dans les bronches. Le traitement mis en œuvre dans une telle situation peut varier selon la cause. De façon générale, la morphine demeure le médicament de choix pour diminuer la détresse respiratoire chez la personne. Par ailleurs, certains bronchodilatateurs en inhalation (pompe ou traitement par masque) peuvent réduire les spasmes bronchiques liés à l'inflammation. De plus, le traitement médical peut inclure l'usage de diurétiques pour diminuer la surcharge vasculaire et l'œdème au poumon, en cas d'insuffisance cardiaque.

Dans le cas d'une pneumonie, l'usage d'antibiotiques peut constituer une mesure de confort si la personne présente une forte hyperthermie et si les sécrétions pulmonaires sont purulentes et nettement trop embarrassantes. Le dilemme repose sur le choix de tenter de guérir la pneumonie et de prolonger les souffrances de la personne ou d'offrir uniquement des soins de confort, sans antibiothérapie, car son succès n'est pas assuré, et le risque de récidive demeure élevé. Le personnel soignant devrait chercher à respecter les volontés de la personne malade ; c'est souvent à ce moment que s'amorcent les discussions avec la famille pour décider de l'approche appropriée à la situation. En cas de doute, ou si les proches sont difficiles à joindre, il n'est pas rare que certains médecins choisissent d'amorcer un traitement, quitte à l'interrompre par la suite s'il se révèle inefficace ou non désiré. Toutefois, les antibiotiques sont indiqués pour d'autres types d'infections causant de l'inconfort, et toujours dans le but de soulager la personne, par exemple, dans le cas d'une infection de la vessie.

La personne en fin de vie ne possède plus les mécanismes lui permettant de libérer efficacement les sécrétions de ses bronches ; ces sécrétions s'accumulent et rendent la respiration laborieuse, inconfortable et bruyante. De plus, il arrive couramment que cet état entraîne une augmentation de l'anxiété chez la personne. Se trouvant dans un état de semi-conscience, elle peut littéralement éprouver la sensation de se noyer, ce qui est très anxiogène. Ainsi, en cas de sécrétions abondantes dans l'arrière-gorge et dans les bronches, il est recommandé de favoriser un bon positionnement de la personne et de lui administrer des médicaments visant à diminuer la formation de sécrétions. Le plus souvent, un anticholinergique, comme la scopolamine, est ajouté au profil pharmacologique dans le but d'assécher les voies respiratoires. La scopolamine possède aussi un effet sédatif (calmant) ainsi qu'un effet antiémétique qui peut contrer en partie les nausées et vomissements. Toutefois, malgré l'administration régulière de scopolamine, il arrive que les sécrétions demeurent trop abondantes ou trop épaisses et que la personne continue de présenter une respiration bruyante (râles). Ce type de respiration peut sembler très inconfortable, mais si la personne malade est comateuse ou si elle a reçu des médicaments en quantité suffisante pour la rendre confortable, elle n'en a probablement pas conscience. Lorsque les sécrétions sont très abondantes, il est indiqué d'utiliser un appareil à succion pour enlever des sécrétions dans la bouche et la trachée. Notons qu'à cette étape du processus de fin de vie, il est préférable de réduire les techniques invasives et agressives qui entraînent beaucoup d'inconfort.

> *Le personnel soignant devrait chercher à respecter les volontés de la personne malade ; c'est souvent à ce moment que s'amorcent les discussions avec la famille pour décider de l'approche appropriée à la situation.*

Lorsque la personne éprouve des difficultés respiratoires, l'oxygène contribue probablement à diminuer certaines douleurs musculaires et la détresse respiratoire. Cependant, lorsque le décès est imminent et que la personne est comateuse, il semble raisonnable d'enlever l'oxygène pour ne pas prolonger indûment la vie par des moyens techniques qui n'apportent vraisemblablement pas de soulagement.

L'évaluation de la douleur

La douleur est souvent difficile à évaluer chez les personnes qui éprouvent des difficultés à s'exprimer, qui présentent une forme avancée de démence ou qui se trouvent dans un état semi-comateux ou comateux. Les membres de l'équipe soignante doivent être attentifs aux expressions faciales, aux vocalisations et à la posture corporelle de ces personnes. Il existe de nombreux outils conçus pour l'évaluation de la douleur (chez le client qui ne communique pas), dont l'échelle Doloplus pour monitorer la douleur, et que peut utiliser l'infirmière. Si des symptômes de douleur se manifestent, le personnel médical pourra procéder aux ajustements nécessaires du profil pharmacologique de la personne afin d'améliorer son confort. Le personnel infirmier doit aussi être attentif aux requêtes de la famille si elle croit que leur proche n'est pas soulagé adéquatement.

Voir évaluation, p. 229

Le soulagement de la douleur

Comme la douleur peut avoir plusieurs sources, il faut tenter de les identifier correctement. D'abord, un bon positionnement de la personne malade dans un lit confortable est primordial. De plus, plusieurs médicaments peuvent se révéler utiles en agissant sur différents types de douleur. Une combinaison de médicaments est parfois nécessaire pour atténuer les douleurs et rendre le patient confortable et paisible. La morphine, un puissant analgésique de la famille des opioïdes, demeure le médicament le plus efficace pour contrer et soulager les douleurs modérées ou graves. D'autres opioïdes, comme l'hydromorphone (Dilaudid) et le Fentanyl, peuvent être utilisés selon le choix du médecin traitant. La morphine doit être administrée de façon régulière pour optimiser le contrôle de la douleur. En prenant en compte les données relatives à l'évaluation du confort de la personne et de la douleur par l'infirmière, les médecins prescrivent habituellement des doses pouvant être administrées entre les doses régulières pour éviter que la personne malade souffre indûment si elle n'est pas suffisamment soulagée par des doses données à heures fixes. Parce que le corps s'habitue à la morphine et peut-être aussi parce que le soulagement de la douleur n'est que partiel, le médecin doit souvent augmenter progressivement les doses prescrites d'opioïdes.

L'usage de la morphine et les croyances populaires. Beaucoup de personnes croient que c'est la dernière dose de morphine (surtout si le dosage vient d'être augmenté) qui cause l'arrêt respiratoire en fin de vie. Cela est faux, car les patients peuvent tolérer de fortes quantités du médicament si son dosage est ajusté progressivement. Il est possible que des doses élevées puissent parfois accélérer le moment du décès; les éthiciens et les moralistes parlent alors de la loi du double effet : un effet bénéfique (soulagement des inconforts) et un effet indésirable (dépression respiratoire) pouvant contribuer au décès. Dans cette situation, tous s'entendent sur le fait que, si l'intention consiste à soulager et non à mettre fin à la vie, il est moralement permis de donner les doses nécessaires au soulagement de la douleur. En fait, ne pas soulager adéquatement le patient serait immoral dans cette situation.

Le soulagement de l'anxiété ou de l'agitation. Il n'est pas toujours facile de distinguer la douleur de l'anxiété lorsqu'une personne devient agitée et n'arrive pas à trouver le repos. C'est pourquoi de plus en plus d'experts en soins palliatifs prescrivent des médicaments contre l'anxiété (par exemple, le lorazépam) ou contre les hallucinations (par exemple, la quétiapine et l'halopéridol) en plus de la morphine. Ces médicaments sont souvent prescrits à intervalle régulier ; il n'y a pas de doute qu'ils contribuent à rendre la fin de vie nettement plus confortable.

La médication usuelle et le monitorage des paramètres physiologiques. L'équipe soignante a aussi des décisions à prendre en ce qui concerne les autres soins et traitements de la personne malade. Vers la fin de la vie, quand les difficultés de déglutition sont importantes, il est souvent plus sage et même nécessaire de cesser les médicaments administrés oralement. On donnera alors les traitements nécessaires par injections ou à l'aide de suppositoires. Pour diminuer l'inconfort des injections répétées, le personnel en soins infirmiers installe des cathéters sous-cutanés (papillon), en général très bien tolérés.

Par ailleurs, plus la fin de vie approche, plus il semble inutile de prendre la température, de vérifier la glycémie des diabétiques et de mesurer la pression artérielle régulièrement, surtout si ces interventions dérangent une personne qui sommeille paisiblement. Par contre, les soins infirmiers comme l'hygiène, les soins de la peau et les mesures pour éviter les plaies de pression sont à poursuivre presque jusqu'à la fin, car elles contribuent au confort et à la dignité de la personne mourante.

L'hydratation et l'alimentation

Si l'on se fie à l'expérience de personnes lucides atteintes de cancer ou de maladies neurologiques dégénératives qui n'affectent pas la lucidité, la sensation de faim et de soif est brève durant les derniers jours de vie. La plupart des personnes malades refusent en tout ou en partie la nourriture qu'on leur offre, et elles disent généralement que la sensation de soif est surtout causée par la sécheresse de la bouche. C'est pourquoi les experts en soins palliatifs ont développé des produits efficaces pour combattre la sécheresse des lèvres, de la bouche et de la gorge. Le personnel en soins infirmiers accorde généralement une grande importance au contrôle de ce symptôme.

Notons que la déshydratation du corps n'est pas douloureuse. Elle amène lentement des changements dans le sang, qui devient plus concentré. Les reins cessent par la suite de fonctionner. Il est connu que ces changements physiologiques diminuent la perception de la douleur. La déshydratation progressive contribue à réduire les sécrétions bronchiques, ce qui améliore le confort respiratoire.

Nombreux sont ceux qui croient que la personne malade serait plus confortable avec un soluté. L'expérience clinique fait plutôt penser le contraire, car l'hydratation par un soluté contribue à augmenter les sécrétions respiratoires, ce qui retarde le coma et prolonge indûment l'intensité et la durée de l'inconfort.

L'alimentation par un tube nasogastrique ou par gastrostomie. Même si cela peut être psychologiquement plus difficile à vivre pour les soignants et les membres de la famille, les experts en éthique sont d'avis que la décision de cesser une nutrition par sonde équivaut à celle de ne pas poser de sonde. Il est donc en tout temps possible, après une discussion entre le représentant d'une personne malade inapte et l'équipe soignante, de cesser une alimentation artificielle préalablement installée si l'on juge que c'est dans l'intérêt de la personne. Concrètement, il n'est pas nécessaire d'enlever la sonde, mais simplement de ne plus l'utiliser pour nourrir la personne. Cela peut sembler inhumain, mais comme le soulignent les experts en éthique, pourquoi les personnes malades aujourd'hui devraient-elles souffrir plus longtemps que celles qui n'ont pas connu les progrès technologiques ?

Une personne qui ne mange plus et ne boit plus ne vit en général que quelques jours. Il arrive à l'occasion, chez des personnes physiquement plus résistantes et qui absorbent encore quelques liquides au moment des soins de bouche, que la mort survienne une à deux semaines plus tard. Chaque cas est unique, et les soignants peuvent avoir de la difficulté à se prononcer sur cette question durant les premiers jours de la phase terminale de la maladie.

15.4 Les derniers moments de la vie

Dans les derniers moments de la vie, les interventions qui semblent aider la personne mourante sont relativement simples. La toucher, l'embrasser ou lui parler doucement, faire jouer un peu de musique qu'elle aime constituent autant de façon de la réconforter et de la sécuriser. Quand cela est possible, les proches devraient s'organiser pour ne pas laisser la personne seule durant ces derniers jours. Les établissements prévoient de plus en plus de mesures pour que la famille puisse passer la journée et la nuit sur place. Quand les proches sont âgés, malades ou peu nombreux, il peut être nécessaire d'offrir un service privé ou de faire appel à des réseaux de bénévoles qui pourront veiller sur la personne mourante et aviser les soignants si elle devient moins confortable.

Lorsqu'une personne mourante reçoit des soins de confort comme ceux décrits dans ce chapitre, le décès est habituellement paisible. La respiration devient peu à peu superficielle et irrégulière. Les pauses respiratoires se prolongent. Puis, la personne inconsciente a un ou deux derniers sursauts de courte durée avant de laisser échapper son dernier souffle. Plusieurs parents et amis qui ont assisté à cette scène ont confié que cela avait été moins pénible que ce qu'ils anticipaient et les avait rassurés sur leur propre mort. La plupart d'entre eux étaient contents d'avoir pu accompagner ainsi l'être cher jusqu'à son dernier repos.

> *Lorsqu'une personne mourante reçoit des soins de confort comme ceux décrits dans ce chapitre, le décès est habituellement paisible.*

15.5 Les suites du décès

Après la mort de la personne, un médecin établira le constat de décès, puis le personnel infirmier procédera, selon l'établissement, à la toilette de la personne avant qu'un représentant d'une maison funéraire vienne recueillir la dépouille. Il est possible que le médecin demande au représentant de la personne décédée l'autorisation de faire une autopsie. Cela est rarement nécessaire, mais il est parfois utile de procéder à une autopsie du cerveau si la personne décédée souffrait d'une maladie de cause incertaine. Les résultats de l'autopsie pourraient revêtir une importance particulière s'il s'agit d'une maladie ayant une incidence familiale, surtout dans le cas où un traitement deviendrait possible. Par ailleurs, certaines universités constituent des « banques de cerveaux » pour pouvoir effectuer des recherches fondamentales dans le but de cerner les causes de ces maladies. Idéalement, la possibilité d'un don à une banque aura été abordée au cours de discussions antérieures avec le représentant ou la famille du défunt. Dans le cas d'une autopsie ou d'un don de cerveau, le corps restera ou sera d'abord envoyé à l'hôpital avant d'être remis à la maison funéraire.

Ce chapitre avait pour objectif de répondre aux questions délicates qui entourent la fin de vie et les soins de confort qui y sont associés. Pour que cette étape se déroule sereinement, il est important que les familles des personnes malades comprennent le mieux possible les situations que vivent leur proche et les membres de l'équipe traitante. Il est aussi fondamental que le médecin et le personnel infirmier soient disponibles pour fournir l'information nécessaire, et qu'ils prennent le temps d'en venir à un consensus quant à l'option thérapeutique qui semble être dans l'intérêt de la personne et qui respecte ses volontés.

Comme celles-ci ne sont pas toujours exprimées clairement par écrit ou verbalement, nous avons recommandé, en cas de doute, une approche de type soins palliatifs axée sur la recherche du confort physique et psychologique.

L'expertise d'ici

En participant à ce chapitre, le Dr Marcel Arcand, professeur titulaire et chercheur au Département de médecine de famille de la Faculté de médecine et des sciences de la santé de l'Université de Sherbrooke, et Mme Chantal Caron, infirmière et professeure adjointe à l'École des sciences infirmières de la même université, proposent un rappel de leurs travaux en recherche qualitative eu égard à la vision des aidants naturels quant au processus décisionnel touchant les personnes en fin de vie, comme celles atteintes de démence[1]. Dans le cadre de ce chapitre, les auteurs cherchent à mettre en valeur le besoin d'informer les familles sur le sujet des soins en fin de vie et à offrir des pistes de solutions pour répondre aux besoins de soutien émotionnel des membres des familles affligées[2, 3, 4].

Les auteurs ont tenu compte des dernières publications en la matière et des plus récentes opinions des experts[5, 6, 7, 8, 9]. Ils font aussi valoir des éléments de solutions proposés par des membres de famille en deuil, des cliniciens et des spécialistes en communication. Un comité d'éthique a aussi contribué à guider leur réflexion. Ce chapitre tente notamment de répondre aux questions souvent posées par les familles sur la progression de la maladie, les problèmes cliniques, la prise de décision, la prise en charge des symptômes, et la situation de la personne en fin de vie.

Ce chapitre explique les risques et les bénéfices associés à différentes interventions et encourage la participation «éclairée» du représentant de la personne malade aux décisions de soins. Compte tenu du fait que la cessation ou l'abstention de thérapies à visée curative peuvent susciter de la culpabilité et de l'anxiété, il fournit des arguments pour conforter dans leur décision les membres de la famille qui préfèrent une prise en charge palliative. On peut ainsi les rassurer sur le fait qu'il s'agit d'une option fort valable tant d'un point de vue clinique[5, 7, 9] que d'un point de vue éthique[10, 11].

Enfin, tout en respectant les opinions et les convictions personnelles de chacun, ce chapitre rappelle l'importance d'assurer avant tout le confort de la personne au stade avancé de la maladie et souligne que l'acharnement thérapeutique peut se révéler inutile tout en prolongeant la souffrance. C'est pourquoi une approche axée sur des soins infirmiers attentifs est préférée aux solutions techniques[12] en ce qui a trait aux problèmes de déshydratation, de dénutrition[13, 14] et de pneumonies à répétition[15] qui caractérisent la plupart du temps la fin de vie de ces personnes.

Un guide intitulé *Les soins de confort en fin de vie dans la maladie d'Alzheimer et les autres maladies dégénératives du cerveau* et destiné à l'intention des proches d'une personne dont l'état s'est considérablement détérioré est offert au Centre d'expertise en santé de Sherbrooke (CESS). Les coordonnées pour obtenir un exemplaire du guide se trouvent à l'annexe Références et centres d'aide.

1. CARON, C. D., J. GRIFFITH et M. ARCAND. «End-of-life decision-making in dementia: The perspective of family caregivers», *Dementia: the international Journal of social research and practice*, vol. 4, n° 1, 2005, p. 113 à 136.

2. FORBES, S., M. BERN-KLUG et C. GESSERT. «End of life decision making for nursing home residents with dementia», *Journal of Nursing Scholarship*, vol. 32, n° 3, 2000, p. 251 à 258.

3. SNYDER, L. «Care of patients with Alzheimer's disease and their families», *Clinics in Geriatric Medicine*, vol. 17, n° 2, 2001, p. 319 à 335.

4. TENO, J. M. et autres. «Family perspectives on End-of-Life Care at the last place of care», *JAMA*, 291(1), 2004, p. 88 à 93.

5. VOLICER, L. et A. HURLEY. *Hospice care for patients with advanced progressive dementia*, New York, Springer, 1998.

6. HANRAHAN, P. D., J. LUCHINS et K. MURPHY. «Chapter 9: Palliative care for patients with dementia in Addington-Hall», dans J. M. et I. J. Higginson, éditeurs, *Palliative Care for non-cancer patients*, Oxford, Oxford University Press, 2002.

7. OLSON, E. «Chapter 13: Dementia and neurodegenerative diseases in Morrison», dans R. S. et D. E. Meier, éditeurs, *Geriatric Palliative Care*, New York, Oxford University Press, 2003.

8. LYNESS, J. M. «End-of-life care: issues relevant to the geriatric psychiatrist», *American Journal of Geriatric Psychiatry*, vol. 12, n° 5, 2004, p. 457 à 472.

9. PINDERHUGHES, S. T., et R. S. MORRISON. «Evidence-based approach to management of fever in patients with end-stage dementia», *Journal of Palliative Medicine*, vol. 6, n° 3, 2003, p. 351 à 354.

10. CALLAHAN, D. «Treating people with dementia: when is it Okay to stop?», dans E. Olson, E. R. Chichin et L. S. Libow, éditeurs, *Controversies in ethics in long-term care*, New York, Springer, 1995, p. 109 à 125.

11. HERTOGH, C. M. P. M., et M. W. RIBBE. «Ethical aspects of medical decision-making in demented patients: a report from the Netherlands», *Alzheimer diseases and associated disorders*, vol. 10, n° 1, 1996, p. 11 à 19.

12. HURLEY, A. C., M. MAHONEY et L. VOLICER. «Comfort care in end-stage dementia, what to do after deciding to do no more?», dans E. Olson, E. R. Chichin et L. S. Libow, éditeurs, *Controversies in ethics in long-term care*, New York, Springer, 1995, p. 73 à 87.

13. GILLICK, M. R. «Rethinking the role of tube feeding in patients with advanced dementia», *New England Journal of Medicine*, 342, 2000, p. 206 à 210.

14. PASMAN, H. R. et autres. «Discomfort in Nursing Home patients with severe dementia in whom artificial nutrition and hydration is forgone», *Archives of Internal Medicine*, 165, 2005, p. 1729 à 1735.

15. VAN DER STEEN, J. T. et autres. «Pneumonia: the demented patient's best friend? Discomfort after starting or withholding antibiotic treatment», *JAGS*, vol. 50, n° 10, p. 1681.

La trousse d'outils d'évaluation clinique

La cinquième partie de cet ouvrage propose une trousse d'outils d'évaluation clinique liés aux soins destinés aux personnes âgées. La présentation de chaque outil, incluant son mode d'utilisation et l'interprétation des résultats, constitue une approche unique et originale dans le domaine des soins aux aînés. La modification de l'exercice infirmier oblige maintenant l'infirmière à procéder à l'évaluation des personnes. Cet aspect fait partie intégrante de son travail. En effet, il est désormais essentiel pour l'infirmière travaillant en CHSLD ou en centre hospitalier de comprendre la complexité de la clientèle âgée et de procéder à une évaluation globale de celle-ci, afin de l'orienter dans le système de santé. Pour ce faire, durant sa formation, l'infirmière se familiarise avec les différentes mesures d'évaluation et apprend à les utiliser. Cette partie permet donc à la future infirmière d'approfondir la notion d'évaluation de la personne âgée en santé ou en perte d'autonomie et de mettre en perspective les notions explicitées dans les chapitres précédents.

Nous verrons d'abord le système de mesure de l'autonomie fonctionnelle (SMAF). Cette mesure d'évaluation, largement utilisée au Québec, est maintenant intégrée dans l'outil multiclientèle ; il s'agit d'un document essentiel qu'a choisi le ministère de la Santé et des Services sociaux et qui permet de cerner les besoins de la personne âgée. Le SMAF offre un portrait global de l'autonomie fonctionnelle de la personne âgée et facilite le repérage des ressources dans son milieu. Il s'agit donc d'un portrait de la situation de la personne. Par la suite, nous présentons trois outils d'évaluation fréquemment utilisés pour évaluer l'état mental de la personne âgée, soit le mini-test de l'état mental (Folstein), le test de l'horloge et le test Montreal Cognitive Assessment (MoCA). Enfin, nous examinons quelques outils d'évaluation complémentaires au SMAF (tous ces outils sont en lien avec les notions expliquées au chapitre 13) ou spécifiques à certains besoins des personnes âgées, comme le délirium, la dépression, l'état nutritionnel, le sommeil, le risque de chutes, l'état de la peau, la douleur, l'acuité auditive et la dégénérescence maculaire.

Le système de mesure de l'autonomie fonctionnelle (SMAF)

Comme son nom l'indique, le système de mesure de l'autonomie fonctionnelle a été conçu pour évaluer l'autonomie fonctionnelle des personnes âgées. Cet instrument a été mis au point en 1984 par une équipe du Département de santé communautaire de l'Hôtel-Dieu de Lévis ; il a été révisé en 1993 et 2002 par des chercheurs et cliniciens du Centre de santé et de services sociaux – Institut universitaire de gériatrie de Sherbrooke (CSSS-IUGS).

La conception du SMAF s'appuie sur les définitions d'incapacités et de handicaps telles que décrites en 1980 par l'Organisation mondiale de la santé (OMS) au moyen de la Classification des déficiences, incapacités et handicaps. Cette classification se penche sur le concept fonctionnel de la maladie, et elle comprend trois niveaux : la déficience, l'incapacité et le handicap. L'incapacité résulte d'une déficience qui limite le fonctionnement de l'individu ou qui le restreint dans ses activités. Le handicap se rapporte plutôt au désavantage social entraîné par l'incapacité, compte tenu des exigences imposées à l'individu et des ressources matérielles et sociales dont il dispose pour pallier cette incapacité. Le handicap représente en quelque sorte l'écart entre les incapacités et les ressources (Isaacs et Neville, 1976). Ainsi, en ayant comme objectif d'obtenir une mesure des handicaps, le SMAF fournit à la fois une évaluation quantitative et qualitative des incapacités de l'individu, de même qu'une appréciation clinique du degré de ses besoins sur le plan des ressources matérielles et sociales en place pour compenser ces incapacités (Hébert, 1982).

L'autonomie fonctionnelle d'une personne se définit comme étant sa capacité à effectuer ses activités de la vie quotidienne (AVQ) et ses activités de la vie domestique (AVD) d'une manière autonome. La perte d'autonomie constitue le syndrome le plus fréquemment observé chez les personnes âgées.

Le SMAF a été conçu pour une utilisation clinique dans le cadre d'un programme de maintien à domicile ou pour l'admission et le suivi de clientèles dans les services gériatriques et les établissements de soins de longue durée. Il complète l'information médicale, médicamenteuse, infirmière et sociale pour cibler les besoins précis de soins et de services.

Objectif visé   Le SMAF est un instrument qui a été conçu pour mesurer l'autonomie fonctionnelle des personnes âgées. Cet outil aide à déterminer et à optimiser les interventions en matière de soins de santé auprès des personnes âgées en perte d'autonomie. Pour cela, il faut connaître leur état général, au-delà des diagnostics symptomatiques, étiologiques et physiopathologiques usuels. Il est possible d'arriver à ce portrait de la personne en appliquant un diagnostic de type fonctionnel, qui permet de connaître les conséquences de la maladie sur le fonctionnement de la personne. Le SMAF est l'outil approprié pour y arriver.

Mode d'emploi

- Le SMAF est simple et facile à utiliser par les différents professionnels ayant une formation de base dans des domaines liés à la santé et aux services sociaux. Ceux-ci peuvent s'en servir pour l'attribution de services à domicile, l'allocation de ressources d'hébergement, l'élaboration du plan d'intervention quotidien pour les membres de l'équipe traitante en établissement et, enfin, pour la gestion des services communautaires et institutionnels.

- La mesure des incapacités se fait au moyen d'une grille constituée de 29 paramètres qui couvrent 5 dimensions fondamentales d'aptitude fonctionnelle : les activités de la vie quotidienne (AVQ), la mobilité, la communication, les fonctions mentales et les activités de la vie domestique (AVD) ou activités dites « instrumentales ».

- De façon plus précise, les critères de cotation de chacun des paramètres ont été standardisés dans des échelles à quatre niveaux (codes numériques 0, –1, –2 et –3) pour classifier la personne en suivant la règle générale suivante : Niveau 0 : autonome ; Niveau –1 : requiert une surveillance ou une stimulation ; Niveau –2 : nécessite de l'aide ; Niveau –3 : dépendante. De plus, il existe un code intermédiaire (0,5) pour la majorité des paramètres afin d'objectiver une fonction réalisée de façon autonome, mais avec difficulté. Cette précision est utile pour l'intervention clinique et pour dépister une clientèle plus vulnérable.

- Pour chacun des paramètres, la règle générale de chaque niveau (0 à –3) est libellée de façon précise et spécifique pour faciliter la cotation, éviter des erreurs d'interprétation et pour tenir compte de certaines situations particulières. Il est à noter que l'intervenant doit coter la performance réelle de l'individu (ce qu'il fait) et non son potentiel (ce qu'il pourrait ou devrait pouvoir faire). Pour y arriver, l'intervenant doit utiliser toute l'information disponible : les informations obtenues lors de l'entrevue avec la personne elle-même ou encore de ses proches, l'observation de la personne et de son environnement et même la mise à l'épreuve de la personne (on lui demande d'exécuter des tâches).

○ Afin d'assurer un suivi de l'autonomie fonctionnelle d'une personne, il est indiqué de faire passer le SMAF au moins une fois tous les trois mois.

Interprétation des données

Pour ce qui est des résultats obtenus au moyen du SMAF, un score de 0 indique que la personne est parfaitement autonome pour toutes les dimensions et, par opposition, un score négatif de –87 représente une personne totalement dépendante.

Références

Hébert, R., (1982). « L'évaluation de l'autonomie fonctionnelle des personnes âgées », *Can Fam Physician*, 28 : 754-762.

Isaacs, B., Neville, Y. (1976). "The needs of old people: the interval as a method of measurement", *Br J Prev Soc med*, 30: 79-85.

Complément d'information pratique

_____
_____
_____
_____
_____
_____
_____
_____
_____
_____
_____
_____
_____
_____
_____
_____
_____
_____
_____
_____
_____
_____
_____
_____
_____
_____

Grille d'évaluation de l'autonomie

SYSTÈME DE
MESURE DE L'
AUTONOMIE
FONCTIONNELLE

© HÉBERT, CARRIER, BILODEAU 1983 ;
CEGG inc., Révisé 2002 • Reproduction interdite

Nom : _____

Dossier : _____

Date : _____ Évaluation n° : _____

INCAPACITÉS	RESSOURCES		HANDICAP	STABILITÉ*
	0. sujet lui-même 2. voisin 4. aux. fam. 6. bénévole 1. famille 3. employé 5. infirmière 7. autre			

A. ACTIVITÉS DE LA VIE QUOTIDIENNE (AVQ)

1. SE NOURRIR

[0] Se nourrit seul ─────────────────────────────

   -0,5 Avec difficulté

[-1] Se nourrit seul mais requiert de la stimulation ou de la surveillance
     OU on doit couper ou mettre en purée sa nourriture au préalable

[-2] A besoin d'une aide partielle pour se nourrir
     OU qu'on lui présente les plats un à un

[-3] Doit être nourri entièrement par une autre personne
     OU porte une sonde naso-gastrique ou une gastrostomie

     ☐ sonde naso-gastrique   ☐ gastrostomie

Actuellement, le sujet a les ressources humaines
(aide ou surveillance) pour combler cette incapacité.   [0]

     ☐ Oui ──────────────────────

     ☐ Non ────────────── [-1] [-2] [-3]

Ressources : ☐ ☐ ☐

☐ −   ☐ +   ☐ •

2. SE LAVER

[0] Se lave seul (incluant entrer ou sortir de la baignoire ou de la douche) ─

   -0,5 Avec difficulté

[-1] Se lave seul mais doit être stimulé
     OU nécessite une surveillance pour le faire
     OU qu'on lui prépare le nécessaire
     OU a besoin d'aide pour un bain complet hebdomadaire
     seulement (incluant pieds et lavage de cheveux)

[-2] A besoin d'aide pour se laver (toilette quotidienne)
     mais participe activement

[-3] Nécessite d'être lavé par une autre personne

Actuellement, le sujet a les ressources humaines
(aide ou surveillance) pour combler cette incapacité.   [0]

     ☐ Oui ──────────────────────

     ☐ Non ────────────── [-1] [-2] [-3]

Ressources : ☐ ☐ ☐

☐ −   ☐ +   ☐ •

3. S'HABILLER (toutes saisons)

[0] S'habille seul ────────────────────────────

   -0,5 Avec difficulté

[-1] S'habille seul mais doit être stimulé
     OU a besoin d'une surveillance pour le faire
     OU on doit lui sortir et lui présenter ses vêtements
     OU on doit apporter certaines touches finales (boutons, lacets)

[-2] Nécessite de l'aide pour s'habiller

[-3] Doit être habillé par une autre personne

     ☐ bas de soutien

Actuellement, le sujet a les ressources humaines
(aide ou surveillance) pour combler cette incapacité.   [0]

     ☐ Oui ──────────────────────

     ☐ Non ────────────── [-1] [-2] [-3]

Ressources : ☐ ☐ ☐

☐ −   ☐ +   ☐ •

* **STABILITÉ** : dans les 3 à 4 semaines qui viennent, il est prévisible que ces ressources : ☐− diminuent, ☐+ augmentent, ☐• restent stables ou ne s'applique pas.

INCAPACITÉS	RESSOURCES	HANDICAP	STABILITÉ*
	0. sujet lui-même 2. voisin 4. aux. fam. 6. bénévole 1. famille 3. employé 5. infirmière 7. autre		

4. ENTRETENIR SA PERSONNE (se brosser les dents ou se peigner ou se faire la barbe ou couper ses ongles ou se maquiller)

| 0 | Entretient sa personne seul
| -0,5 | Avec difficulté |

| -1 | A besoin de stimulation
OU nécessite de la surveillance pour entretenir sa personne

| -2 | A besoin d'aide partielle pour entretenir sa personne

| -3 | Ne participe pas à l'entretien de sa personne

Actuellement, le sujet a les ressources humaines (aide ou surveillance) pour combler cette incapacité. | 0 |

☐ Oui

☐ Non | -1 | | -2 | | -3 |

Ressources : ☐ ☐ ☐

STABILITÉ : | — | | + | | • |

---

5. FONCTION VÉSICALE

| 0 | Miction normale

| -1 | Incontinence occasionnelle
OU en goutte à goutte
OU une autre personne doit lui faire penser souvent d'uriner pour éviter les incontinences

| -2 | Incontinence urinaire fréquente

| -3 | Incontinence urinaire totale et habituelle
OU porte une culotte d'incontinence ou une sonde à demeure ou un condom urinaire

☐ culotte d'incontinence ☐ sonde à demeure ☐ condom urinaire

◯ incontinence diurne ◯ incontinence nocturne

Actuellement, le sujet a les ressources humaines (aide ou surveillance) pour combler cette incapacité. | 0 |

☐ Oui

☐ Non | -1 | | -2 | | -3 |

Ressources : ☐ ☐ ☐

STABILITÉ : | — | | + | | • |

---

6. FONCTION INTESTINALE

| 0 | Défécation normale

| -1 | Incontinence fécale occasionnelle
OU nécessite un lavement évacuant occasionnel

| -2 | Incontinence fécale fréquente
OU nécessite un lavement évacuant régulier

| -3 | Incontinence fécale totale et habituelle
OU porte une culotte d'incontinence ou une stomie

☐ culotte d'incontinence ☐ stomie

◯ incontinence diurne ◯ incontinence nocturne

Actuellement, le sujet a les ressources humaines (aide ou surveillance) pour combler cette incapacité. | 0 |

☐ Oui

☐ Non | -1 | | -2 | | -3 |

Ressources : ☐ ☐ ☐

STABILITÉ : | — | | + | | • |

---

7. UTILISER LES TOILETTES

| 0 | Utilise seul les toilettes (incluant s'asseoir, s'essuyer, s'habiller et se relever)
| -0,5 | Avec difficulté |

| -1 | Nécessite de la surveillance pour utiliser les toilettes
OU utilise seul une chaise d'aisance, un urinal ou une bassine

| -2 | A besoin de l'aide d'une autre personne pour aller aux toilettes ou utiliser la chaise d'aisance, la bassine ou l'urinal

| -3 | N'utilise pas les toilettes, la chaise d'aisance, la bassine ou l'urinal

☐ chaise d'aisance ☐ bassine ☐ urinal

Actuellement, le sujet a les ressources humaines (aide ou surveillance) pour combler cette incapacité. | 0 |

☐ Oui

☐ Non | -1 | | -2 | | -3 |

Ressources : ☐ ☐ ☐

STABILITÉ : | — | | + | | • |

---

* **STABILITÉ** : dans les 3 à 4 semaines qui viennent, il est prévisible que ces ressources : ☐ diminuent, ☐ augmentent, ☐ restent stables ou ne s'applique pas.

INCAPACITÉS	RESSOURCES		HANDICAP	STABILITÉ*
	0. sujet lui-même　　2. voisin　　4. aux. fam.　　6. bénévole 1. famille　　　　　　3. employé　　5. infirmière　　7. autre			

B. MOBILITÉ

1. TRANSFERTS (du lit vers le fauteuil et la position debout et vice versa)

0 Se lève, s'assoit et se couche seul ——————————

-0,5 Avec difficulté

-1 Se lève, s'assoit et se couche seul mais doit être stimulé ou surveillé ou guidé dans ses mouvements
préciser : _____

-2 A besoin d'aide pour se lever, s'asseoir et se coucher
préciser : _____

-3 Grabataire (doit être levé et couché en bloc)
☐ positionnement particulier :
☐ lève-personne　　☐ planche de transfert

Actuellement, le sujet a les ressources humaines (aide ou surveillance) pour combler cette incapacité.　　0

☐ Oui ——————————

☐ Non ——————————　-1
-2
-3

Ressources : ☐ ☐ ☐

☐ –
☐ +
☐ •

2. MARCHER À L'INTÉRIEUR (incluant dans l'immeuble et se rendre à l'ascenseur)*

0 Circule seul (avec ou sans canne, prothèse, orthèse, marchette) ——

-0,5 Avec difficulté

-1 Circule seul mais nécessite qu'on le guide, stimule ou surveille dans certaines circonstances
OU démarche non sécuritaire

-2 A besoin d'aide d'une autre personne

-3 Ne marche pas

☐ canne simple　☐ tripode　☐ quadripode　☐ marchette

* Distance d'au moins 10 mètres

Actuellement, le sujet a les ressources humaines (aide ou surveillance) pour combler cette incapacité.　　0

☐ Oui ——————————

☐ Non ——————————　-1
-2
-3

Ressources : ☐ ☐ ☐

☐ –
☐ +
☐ •

3. INSTALLER PROTHÈSE OU ORTHÈSE

0 Ne porte pas de prothèse ou d'orthèse ——————————

-1 Installe seul sa prothèse ou son orthèse
-1,5 Avec difficulté

-2 A besoin qu'on vérifie l'installation de sa prothèse ou de son orthèse
OU a besoin d'une aide partielle

-3 La prothèse ou l'orthèse doit être installée
par une autre personne
Type de prothèse ou d'orthèse :
....

Actuellement, le sujet a les ressources humaines (aide ou surveillance) pour combler cette incapacité.　　0

☐ Oui ——————————

☐ Non ——————————　-1
-2
-3

Ressources : ☐ ☐ ☐

☐ –
☐ +
☐ •

4. SE DÉPLACER EN FAUTEUIL ROULANT À L'INTÉRIEUR

0 N'a pas besoin de F.R. pour se déplacer ——————————

-1 Se déplace seul en F.R.
-1,5 Avec difficulté

-2 Nécessite qu'une personne pousse le F.R.

-3 Ne peut utiliser un F.R. (doit être transporté en civière)
☐ F.R. Simple
☐ F.R. à conduite unilatérale
☐ F.R. motorisé
☐ triporteur
☐ quadriporteur

• Le logement où habite le sujet permet la circulation en F.R.
☐ Oui ——————————→　0
☐ Non ——

• Actuellement, le sujet a les ressources humaines (aide ou surveillance) pour combler cette incapacité.

☐ Oui ——————————

☐ Non ——————————　-1
-2
-3

Ressources : ☐ ☐ ☐

☐ –
☐ +
☐ •

* **STABILITÉ** : dans les 3 à 4 semaines qui viennent, il est prévisible que ces ressources : ☐ diminuent, ☐ augmentent, ☐ restent stables ou ne s'applique pas.

INCAPACITÉS	RESSOURCES		HANDICAP	STABILITÉ*
	0. sujet lui-même 2. voisin 4. aux. fam. 6. bénévole 1. famille 3. employé 5. infirmière 7. autre			

5. UTILISER LES ESCALIERS

| 0 | Monte et descend les escaliers seul
| -0,5 | Avec difficulté

| -1 | Monte et descend les escaliers mais nécessite qu'on le guide, stimule ou surveille
OU monte et descend les escaliers de façon non sécuritaire

| -2 | Monte et descend les escaliers avec l'aide d'une autre personne

| -3 | N'utilise pas les escaliers

Le sujet doit utiliser un escalier.

☐ Non ⟶ 0

☐ Oui

Actuellement, le sujet a les ressources humaines (aide ou surveillance) pour combler cette incapacité.

☐ Oui

☐ Non   -1
            -2
            -3

Ressources : ☐ ☐ ☐

Stabilité : ☐ − ☐ + ☐ •

6. CIRCULER À L'EXTÉRIEUR

| 0 | Circule seul en marchant (avec ou sans canne, prothèse, orthèse, marchette)[1]
| -0,5 | Avec difficulté

| -1 | Utilise seul un fauteuil roulant ou un triporteur/quadriporteur*
| -1,5 | F.R. avec difficulté
OU circule seul en marchant mais nécessite qu'on le guide, stimule ou surveille dans certaines circonstances
OU démarche non sécuritaire[1]

| -2 | A besoin de l'aide d'une autre personne pour marcher[1]
OU utiliser un F.R.*

| -3 | Ne peut circuler à l'extérieur (doit être transporté sur civière)

[1] Distance d'au moins 20 mètres

* L'environnement extérieur où habite le sujet permet l'accès et la circulation en F.R. ou triporteur/quadriporteur.

☐ Oui ⟶ 0

☐ Non

Actuellement, le sujet a les ressources humaines (aide ou surveillance) pour combler cette incapacité.

☐ Oui

☐ Non   -1
            -2
            -3

Ressources : ☐ ☐ ☐

Stabilité : ☐ − ☐ + ☐ •

C. COMMUNICATION

1. VOIR

| 0 | Voit de façon adéquate avec ou sans verres correcteurs

| -1 | Troubles de vision mais voit suffisamment pour accomplir les activités quotidiennes

| -2 | Ne voit que le contour des objets et nécessite d'être guidé dans les activités quotidiennes

| -3 | Aveugle
☐ verres correcteurs   ☐ loupe

Actuellement, le sujet a les ressources humaines (aide ou surveillance) pour combler cette incapacité.   0

☐ Oui

☐ Non   -1
            -2
            -3

Ressources : ☐ ☐ ☐

Stabilité : ☐ − ☐ + ☐ •

2. ENTENDRE

| 0 | Entend convenablement avec ou sans appareil auditif

| -1 | Entend ce qu'on lui dit à la condition de parler fort
OU nécessite qu'on lui installe son appareil auditif

| -2 | N'entend que les cris ou que certains mots
OU lit sur les lèvres
OU comprend par gestes

| -3 | Surdité complète et incapacité de comprendre ce qu'on veut lui communiquer
☐ appareil auditif

Actuellement, le sujet a les ressources humaines (aide ou surveillance) pour combler cette incapacité.   0

☐ Oui

☐ Non   -1
            -2
            -3

Ressources : ☐ ☐ ☐

Stabilité : ☐ − ☐ + ☐ •

* STABILITÉ : dans les 3 à 4 semaines qui viennent, il est prévisible que ces ressources : ☐ − diminuent, ☐ + augmentent, ☐ • restent stables ou ne s'applique pas.

INCAPACITÉS	RESSOURCES		HANDICAP	STABILITÉ*
	0. sujet lui-même 2. voisin 4. aux. fam. 6. bénévole 1. famille 3. employé 5. infirmière 7. autre			

3. PARLER

`0` Parle normalement

`-1` A une difficulté de langage mais réussit à exprimer sa pensée

`-2` A une difficulté grave de langage mais peut communiquer certains besoins primaires
OU répond à des questions simples (oui, non)
OU utilise le langage gestuel

`-3` Ne communique pas
Aide technique :
☐ ordinateur
☐ tableau de communication

Actuellement, le sujet a les ressources humaines (aide ou surveillance) pour combler cette incapacité. `0`
☐ Oui
☐ Non `-1` `-2` `-3`

Ressources : ☐ ☐ ☐

STABILITÉ* : ☐ −   ☐ +   ☐ •

D. FONCTIONS MENTALES

1. MÉMOIRE

`0` Mémoire normale

`-1` Oublie des faits récents (noms de personnes, rendez-vous, etc.) mais se souvient des faits importants

`-2` Oublie régulièrement des choses de la vie courante (fermer cuisinière, avoir pris ses médicaments, rangement des effets personnels, avoir pris un repas, ses visiteurs…)

`-3` Amnésie quasi totale

Actuellement, le sujet a les ressources humaines (aide ou surveillance) pour combler cette incapacité. `0`
☐ Oui
☐ Non `-1` `-2` `-3`

Ressources : ☐ ☐ ☐

STABILITÉ* : ☐ −   ☐ +   ☐ •

2. ORIENTATION

`0` Bien orienté par rapport au temps, à l'espace et aux personnes

`-1` Est quelquefois désorienté par rapport au temps, à l'espace et aux personnes

`-2` Est orienté seulement dans la courte durée (temps de la journée), le petit espace (environnement immédiat habituel) et par rapport aux personnes familières

`-3` Désorientation complète

Actuellement, le sujet a les ressources humaines (aide ou surveillance) pour combler cette incapacité. `0`
☐ Oui
☐ Non `-1` `-2` `-3`

Ressources : ☐ ☐ ☐

STABILITÉ* : ☐ −   ☐ +   ☐ •

3. COMPRÉHENSION

`0` Comprend bien ce qu'on lui explique ou lui demande

`-1` Est lent à saisir des explications ou des demandes

`-2` Ne comprend que partiellement, même après des explications répétées
OU est incapable de faire des apprentissages

`-3` Ne comprend pas ce qui se passe autour de lui

Actuellement, le sujet a les ressources humaines (aide ou surveillance) pour combler cette incapacité. `0`
☐ Oui
☐ Non `-1` `-2` `-3`

Ressources : ☐ ☐ ☐

STABILITÉ* : ☐ −   ☐ +   ☐ •

* **STABILITÉ** : dans les 3 à 4 semaines qui viennent, il est prévisible que ces ressources : ☐ − diminuent, ☐ + augmentent, ☐ • restent stables ou ne s'applique pas.

INCAPACITÉS	RESSOURCES		HANDICAP	STABILITÉ*
	0. sujet lui-même 2. voisin 4. aux. fam. 6. bénévole 1. famille 3. employé 5. infirmière 7. autre			

4. JUGEMENT

- [0] Évalue les situations et prend des décisions sensées
- [-1] Évalue les situations et nécessite des conseils pour prendre des décisions sensées
- [-2] Évalue mal les situations et ne prend des décisions sensées que si une autre personne les lui suggère
- [-3] N'évalue pas les situations et on doit prendre les décisions à sa place

Actuellement, le sujet a les ressources humaines (aide ou surveillance) pour combler cette incapacité.

☐ Oui

☐ Non

[0]

[-1]
[-2]
[-3]

Ressources : ☐ ☐ ☐

Stabilité : [−] [+] [•]

5. COMPORTEMENT

- [0] Comportement adéquat
- [-1] Troubles de comportement mineurs (jérémiades, labilité émotive, entêtement, apathie) qui nécessitent une surveillance occasionnelle OU un rappel à l'ordre OU une stimulation
- [-2] Troubles de comportement qui nécessitent une surveillance plus soutenue (agressivité envers lui-même ou les autres, dérange les autres, errance, cris constants)
- [-3] Dangereux, nécessite des contentions
OU essaie de blesser les autres ou de se blesser
OU tente de se sauver

Actuellement, le sujet a les ressources humaines (aide ou surveillance) pour combler cette incapacité.

☐ Oui

☐ Non

[0]

[-1]
[-2]
[-3]

Ressources : ☐ ☐ ☐

Stabilité : [−] [+] [•]

E. TÂCHES DOMESTIQUES (Activités de la vie domestique)

1. ENTRETENIR LA MAISON

- [0] Entretient seul la maison (incluant entretien quotidien et travaux occasionnels)
  - [-0,5] Avec difficulté
- [-1] Entretient la maison (incluant laver la vaisselle) mais requiert surveillance ou stimulation pour maintenir un niveau de propreté convenable
OU nécessite de l'aide pour des travaux occasionnels (laver les planchers, doubles fenêtres, peinture, gazon, déneigement, etc.)
- [-2] A besoin d'aide pour l'entretien quotidien de la maison
- [-3] N'entretient pas la maison

Actuellement, le sujet a les ressources humaines (aide ou surveillance) pour combler cette incapacité.

☐ Oui

☐ Non

[0]

[-1]
[-2]
[-3]

Ressources : ☐ ☐ ☐

Stabilité : [−] [+] [•]

2. PRÉPARER LES REPAS

- [0] Prépare seul ses repas
  - [-0,5] Avec difficulté
- [-1] Prépare ses repas mais nécessite qu'on le stimule pour maintenir une alimentation convenable
- [-2] Ne prépare que des repas légers
OU réchauffe des repas déjà préparés (incluant la manutention des plats)
- [-3] Ne prépare pas ses repas

Actuellement, le sujet a les ressources humaines (aide ou surveillance) pour combler cette incapacité.

☐ Oui

☐ Non

[0]

[-1]
[-2]
[-3]

Ressources : ☐ ☐ ☐

Stabilité : [−] [+] [•]

* STABILITÉ : dans les 3 à 4 semaines qui viennent, il est prévisible que ces ressources : [−] diminuent, [+] augmentent, [•] restent stables ou ne s'applique pas.

INCAPACITÉS	RESSOURCES		HANDICAP	STABILITÉ*
	0. sujet lui-même 2. voisin 4. aux. fam. 6. bénévole 1. famille 3. employé 5. infirmière 7. autre			

3. FAIRE LES COURSES

0	Planifie et fait seul les courses (nourriture, vêtements, etc.)
-0,5	Avec difficulté
-1	Planifie et fait seul les courses mais nécessite qu'on lui livre
-2	A besoin d'aide pour planifier ou faire les courses
-3	Ne fait pas les courses

Actuellement, le sujet a les ressources humaines
(aide ou surveillance) pour combler cette incapacité. 0

☐ Oui

☐ Non   -1 / -2 / -3

Ressources : ☐ ☐ ☐

HANDICAP : 0

STABILITÉ : ☐− ☐+ ☐•

4. FAIRE LA LESSIVE

0	Fait toute la lessive seul
-0,5	Avec difficulté
-1	Fait la lessive seul mais nécessite une stimulation ou une surveillance pour maintenir un niveau de propreté convenable
-2	A besoin d'aide pour faire la lessive
-3	Ne fait pas la lessive

Actuellement, le sujet a les ressources humaines
(aide ou surveillance) pour combler cette incapacité. 0

☐ Oui

☐ Non   -1 / -2 / -3

Ressources : ☐ ☐ ☐

HANDICAP : 0

STABILITÉ : ☐− ☐+ ☐•

5. UTILISER LE TÉLÉPHONE

0	Se sert seul du téléphone (incluant la recherche d'un numéro dans le bottin)
-0,5	Avec difficulté
-1	Répond au téléphone mais ne compose que quelques numéros qu'il a mémorisés ou des numéros en cas d'urgence
-2	Parle au téléphone mais ne compose pas de numéros ou ne décroche pas le récepteur
-3	Ne se sert pas du téléphone

Actuellement, le sujet a les ressources humaines
(aide ou surveillance) pour combler cette incapacité. 0

☐ Oui

☐ Non   -1 / -2 / -3

Ressources : ☐ ☐ ☐

HANDICAP : 0

STABILITÉ : ☐− ☐+ ☐•

6. UTILISER LES MOYENS DE TRANSPORT

0	Utilise seul un moyen de transport (automobile, véhicule adapté, taxi, autobus, etc.)
-0,5	Avec difficulté
-1	Doit être accompagné pour utiliser un moyen de transport OU utilise seul le transport adapté
-2	N'utilise que l'automobile ou le transport adapté à la condition d'être accompagné et aidé pour monter et descendre
-3	Doit être transporté sur civière

Actuellement, le sujet a les ressources humaines
(aide ou surveillance) pour combler cette incapacité. 0

☐ Oui

☐ Non   -1 / -2 / -3

Ressources : ☐ ☐ ☐

HANDICAP : 0

STABILITÉ : ☐− ☐+ ☐•

 * **STABILITÉ** : dans les 3 à 4 semaines qui viennent, il est prévisible que ces ressources : ☐− diminuent, ☐+ augmentent, ☐• restent stables ou ne s'applique pas.

INCAPACITÉS	RESSOURCES		HANDICAP	STABILITÉ*
	0. sujet lui-même 2. voisin 4. aux. fam. 6. bénévole 1. famille 3. employé 5. infirmière 7. autre			

7. PRENDRE SES MÉDICAMENTS

0   Prend seul ses médicaments de façon adéquate
OU ne prend pas de médicaments ─────────────

-0,5 Avec difficulté

-1   A besoin de surveillance (incluant surveillance à distance)
pour prendre convenablement ses médicaments
OU utilise un pilulier hebdomadaire (préparé par une
autre personne)

-2   Prend ses médicaments s'ils sont préparés quotidiennement

-3   On doit lui apporter ses médicaments en temps opportun

☐ pilulier

Actuellement, le sujet a les ressources humaines
(aide ou surveillance) pour combler cette incapacité.

☐ Oui ───────────────

☐ Non ───────────────

Ressources : ☐ ☐ ☐

HANDICAP: 0 / -1 / -2 / -3

STABILITÉ: ☐ −   ☐ +   ☐ •

8. GÉRER SON BUDGET

0   Gère seul son budget (incluant gestion bancaire) ─────

-0,5 Avec difficulté

-1   A besoin d'aide pour effectuer certaines transactions
complexes

-2   A besoin d'aide pour effectuer des transactions simples
(encaisser un chèque, payer des comptes) mais utilise
à bon escient l'argent de poche qu'on lui remet

-3   Ne gère pas son budget

Actuellement, le sujet a les ressources humaines
(aide ou surveillance) pour combler cette incapacité.

☐ Oui ───────────────

☐ Non ───────────────

Ressources : ☐ ☐ ☐

HANDICAP: 0 / -1 / -2 / -3

STABILITÉ: ☐ −   ☐ +   ☐ •

* **STABILITÉ** : dans les 3 à 4 semaines qui viennent, il est prévisible que ces ressources : ☐ − diminuent, ☐ + augmentent, ☐ • restent stables ou ne s'applique pas.

Le **SMAF** a été conçu et validé grâce à l'appui du Conseil québécois de la recherche sociale et du Département de santé communautaire de l'Hôtel-Dieu de Lévis.

Pour obtenir des exemplaires de cette grille, écrire à :

Centre d'expertise en santé de Sherbrooke
Système de Mesure de l'Autonomie Fonctionnelle
CSSS – Institut universitaire de gériatrie de Sherbrooke
375, rue Argyll
Sherbrooke (Québec) Canada J1J 3H5
Tél. : 819 821-1170, poste 3332
Télécopieur : 819 821-5202
Courriel : smaf.iugs@ssss.gouv.qc.ca

Le mini-examen de l'état mental (Folstein)

Il est essentiel que l'infirmière procède à l'évaluation précoce de l'état mental de la personne âgée, car cette évaluation permet de la prendre en charge rapidement et d'amorcer un traitement médical. Le mini-examen de l'état mental, aussi appelé *Mini Mental State Examination* (MMSE), a été élaboré par Marshal F. Folstein en 1975. Il s'agit d'un test simple et standardisé qui permet de vérifier la performance des fonctions cognitives des personnes âgées afin de quantifier leur déficit. Il comporte 30 questions qui explorent les troubles de l'orientation dans le temps et l'espace, la mémoire, l'attention, le langage et l'exécution d'actes moteurs. Il est important de mentionner que ce test ne permet pas de diagnostiquer des causes, mais qu'il explore plutôt les fonctions cognitives. Ce questionnaire tient compte de l'âge, du degré de scolarité et de la culture des personnes évaluées (Beuzeron, 2002). Il est complémentaire à l'histoire de santé et à l'évaluation physique de la personne.

Théorie, chapitre 13, p. 141

Objectif   Le mini-examen de l'état mental permet de vérifier la performance des fonctions cognitives de la personne âgée afin de quantifier ses déficits.

Mode d'emploi

ÉTAPE PRÉLIMINAIRE
- Pour obtenir un test concluant, il est essentiel de trouver un endroit calme et de prendre suffisamment de temps pour permettre à la personne de répondre aux questions.
- Afin de diminuer le stress occasionné par l'évaluation, présentez le test comme un ensemble de questions permettant d'évaluer la mémoire.
- Il ne faut pas hésiter à renforcer positivement les bonnes réponses et à minimiser les erreurs. Il est important de ne jamais mettre en doute les réponses de la personne âgée.
- Pour ce qui est de la cotation, comptez 1 point pour chaque réponse exacte.
- Accordez 10 secondes à la personne pour répondre à chacune des questions.

SECTION A: ORIENTATION DANS LE TEMPS ET L'ESPACE

Posez les questions suivantes à la personne:
- Quelle est la date d'aujourd'hui?
- En quelle année sommes-nous?
- En quelle saison sommes-nous?
- Quel mois sommes-nous?
- Quel jour du mois sommes-nous?
- Quel jour de la semaine sommes-nous?
- Ensuite, avisez la personne que vous allez poser quelques questions au sujet de l'endroit où elle se trouve.

SECTION B: APPRENTISSAGE ET ENREGISTREMENT
- Dans cette section, vous allez indiquer trois mots à la personne en lui mentionnant qu'elle doit les retenir, car vous allez les lui demander plus tard.
- Vous devez vous tenir face à la personne et indiquer les trois mots en respectant un délai d'une seconde entre chaque mot.
- Accordez 20 secondes à la personne pour qu'elle réponde (soit redire le mot) et notez le nombre d'essais qui ont été nécessaires pour donner la réponse.

SECTION C: ATTENTION ET CALCUL
- Demandez à la personne d'effectuer la soustraction de 7 à partir de 100.
- Vous pouvez résoudre la première soustraction, c'est-à-dire « 100 – 7 donne 93 », et dire « continuez ».
- Si, au cours du calcul, la personne pose une question sur la consigne, il faut la répéter.

❿ Si la personne est dans l'impossibilité de compléter le calcul, vous devez lui demander d'épeler le mot « monde » à l'envers.

❿ Si la personne présente des difficultés dans l'épellation à rebours, il est suggéré de lui demander d'épeler le mot « monde » à l'endroit afin de la remettre en confiance.

SECTION D : RAPPEL MNÉSIQUE

❿ Demandez à la personne de répéter les trois mots déjà mentionnés.

❿ Accordez-lui 10 secondes pour la réponse.

SECTION E : LANGAGE

❿ Dans cette section, vous évaluez d'abord la dénomination. Montrez à la personne un crayon et une montre et demandez-lui de nommer l'objet. Accordez-lui 10 secondes pour répondre aux deux questions.

❿ Ensuite, vous évaluerez la capacité de répétition. Demandez à la personne de répéter la phrase suivante : « Pas de MAIS, de SI ni de ET. » La phrase doit être prononcée lentement, à haute voix, alors que vous êtes face à la personne.

❿ Puis, demandez à la personne d'obéir à un ordre en trois temps. Posez une feuille de papier blanc sur une table et montrez-la à la personne en lui disant : « Écoutez bien et faites ce que je vais vous dire : prenez cette feuille de papier avec la main droite, pliez-la en deux et jetez-la par terre. »

❿ Afin d'évaluer sa compréhension du langage écrit, demandez ensuite à la personne de lire et de suivre l'instruction suivante : « Fermez les yeux. » Vous devez lui allouer cinq secondes pour qu'elle exécute la consigne.

❿ Enfin, demandez à la personne d'écrire une phrase complète pour évaluer l'écriture. Vous devez lui allouer 30 secondes pour l'exécution de cette tâche.

SECTION F : PRAXIE DE CONSTRUCTION

❿ Demandez à la personne de reproduire un dessin. Vous pouvez autoriser plusieurs essais et accorder un temps d'une minute par dessin.

Interprétation des données

On reconnaît qu'un score inférieur à 24 est considéré comme anormal. Cependant, même s'il se situe près de la normale, le résultat ne permet pas d'éliminer automatiquement une démence, particulièrement chez un individu hautement scolarisé, alors qu'un score de 24 ne permet pas de conclure nécessairement à de la démence. Il faut alors procéder à l'histoire de santé et de scolarité de la personne. En général, un score inférieur à 27 chez un individu présentant une histoire positive suggère un réel problème.

Références

Beuzeron-Mangina, J. H. (2002). « Les troubles de la mémoire », *Le clinicien*, mai 2002.

Bouchard, R. (1999). « Maladie d'Alzheimer : de la recherche clinique et fondamentale à l'espoir thérapeutique », Bulletin AMLFQ.

Crum, R. M., Anthony, J. C., Bassett, S. S., and Folstein, M. F. (1993). "Population-based norms for the mini-mental state examination by age and educational level", *JAMA*, 269 : 2386-91.

Derouesné, C., Poitreneau, J., Hugonot, L., Kalafat, M., Dubois, B., et Laurent, B. (1999). « Le Mini-Mental State Examination (MMSE) : un outil pratique pour l'évaluation de l'état cognitif des patients par le clinicien », *Presse Méd*, 28 : 1141-8.

Folstein, M. F., Folstein, S, and McHugh, P. R. (1975). "Mini-mental state: A Practical Method for Grading the Cognitive State of Patients for the Clinician", *Journal of Psychiatric Research*, 12 : 189-198.

www.minimental.com

Complément d'information pratique

_____

_____

TEST DE FOLSTEIN SUR L'ÉTAT MENTAL

Nom _____ Âge _____ Date de naissance _____ Date _____

DEMANDEZ AU SUJET DE DIRE:

Son nom _____ Sa date de naissance _____ Sa profession _____

	Cote maximale	Cote du sujet

ORIENTATION

1) Demandez au sujet le jour de la semaine ( ),
   la date ( ), le mois ( ), l'année ( ), la saison ( ). — 5 — ⌐⌐
2) Demandez-lui ensuite d'identifier où il est:
   province ( ), ville ( ), rue ( ), immeuble ( ), étage ( ). — 5 — ⌐⌐

ENREGISTREMENT

3) Mentionnez trois objets (MAISON, ARBRE, VOITURE). — 3 — ⌐⌐
   Prenez une seconde pour prononcer chaque mot.
   Par la suite, demandez au sujet de répéter les trois mots.
   Donnez un point par bonne réponse.
   Répétez la démarche jusqu'à ce que le sujet apprenne tous les mots.
   Comptez le nombre d'essais et notez-le.

       Nombre d'essais: _____

ATTENTION ET CALCUL

4) Demandez au sujet de faire la soustraction — 5 — ⌐⌐
   par intervalles de 7 à partir de 100:
       100 − 7 = ( ), 93 − 7 = ( ), 86 − 7 = ( ), 79 − 7 = ( ), 72 − 7 = ( ).
   Donnez un point par bonne réponse.
   (Une autre épreuve serait de demander au sujet d'épeler le mont « MONDE » à l'envers.)

ÉVOCATION

5) Demandez au sujet de nommer les trois objets déjà mentionnés: — 3 — ⌐⌐
   MAISON ( ), ARBRE ( ), VOITURE ( ).

LANGAGE

6) Montrez au sujet un crayon et une montre — 9 — ⌐⌐
   et demandez-lui de les nommer (2 points).
   Demander au sujet de répéter la phrase suivante: « Pas de MAIS, de SI ni de ET. » (1 point)
   Demandez au sujet d'obéir à un ordre en trois temps (3 points):
   « Prenez cette feuille de papier avec la main droite, pliez-la en deux et jetez-la par terre. »
   Demandez au sujet de lire cette phrase tout en suivant l'instruction suivante (1 point): « Fermez les yeux. »
   Demandez au sujet de copier le dessin ci-dessous (1 point).

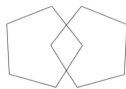

Source: Lalonde, P., Grundberg, F. et al., *Psychiatrie clinique approche bio-psycho-sociale*, Montréal, Gaëtan Morin éditeur, 1988, p. 143.

Le test de l'horloge

Théorie, chapitre 13, p. 157

Le test de l'horloge est une épreuve visuographique simple utilisée depuis les années 1980 comme moyen efficace, lorsqu'elle est combinée avec le Folstein, de repérer les personnes atteintes de troubles cognitifs et neurologiques. Ce test mobilise le fonctionnement des aires corticales frontales et temporo-pariétales.

Objectif

Le test de l'horloge permet de dépister rapidement certains troubles des fonctions cognitives, tels que les problèmes de praxie, l'attention, l'orientation dans le temps et l'espace, et des fonctions exécutives.

Mode d'emploi

- Présentez à la personne âgée une feuille sur laquelle un cercle d'environ 10 cm est dessiné. Vous pouvez aussi lui demander de dessiner elle-même le cercle.

- Précisez à la personne que ce cercle représente une horloge et demandez-lui de placer les chiffres dans le cadran de manière qu'il ressemble à celui d'une horloge. Ensuite, précisez à la personne qu'elle doit indiquer l'heure « 11 h 10 » par des aiguilles (un test utile pour dépister subtilement un déficit cognitif, en particulier un trouble du champ visuel).

Dans l'évaluation du dessin, vous devez vérifier les quatre critères suivants :

- L'emplacement des nombres correspondant à chaque heure.

- L'ordonnancement des heures.

- La bonne représentation des deux aiguilles (petite et grande).

- L'emplacement des deux aiguilles correspondant à l'heure demandée.

Nous présentons ici le score à 4 points :

- 1 point si le cercle est bien tracé.

- 1 point si les chiffres sont placés correctement.

- 1 point si les 12 chiffres sont présents.

- 1 point si les aiguilles sont placées correctement.

Exemple

Figure 1
Horloge normale : la personne obtient un résultat de 4/4.

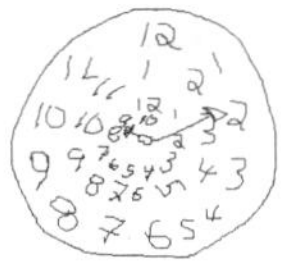

Figure 2
Horloge anormale : la personne obtient un résultat de 1/4. Dans cette situation, la personne présente des signes de persévération.

Figure 3
Horloge anormale : la personne obtient un résultat de 1/4.

On note fréquemment que les personnes qui présentent une démence de type Alzheimer ont tendance à placer les aiguilles du même côté du cadran.

Lorsque la personne âgée inscrit des chiffres dans le cadran tant qu'il y a de l'espace, elle présente de la persévération, signe présent chez les personnes atteintes de troubles cognitifs (voir la figure 2).

On peut aussi observer, dans les cas de démence, que les personnes omettent un ou plusieurs chiffres, qu'elles présentent une mauvaise disposition des aiguilles, un espacement inégal entre les chiffres et une désorganisation spatiale dans l'horloge (voir la figure 3).

Si la personne réussit le test, la probabilité qu'elle soit atteinte d'une démence est très faible.

Par contre, une ou plusieurs erreurs indiquent la présence de troubles cognitifs ou d'une démence. Un faible score justifie une évaluation complémentaire.

Références

Manos, P. (1998). "10-Point Clock Test Screens for Cognitive Impairment in Clinic and Hospital Settings", *Psychiatric Times*, 15(10).

Tuokko, H., Hadjistavropoulos, T., Miller, J. A., and Beattie, B. L. (1992). "The clock test: a sensitive measure to differenciate normal elderly from those with Alzheimer's disease", *Journal of the American Geriatrics Society*, 40: 579-584.

Complément d'information pratique

_____

_____

_____

_____

_____

_____

_____

_____

_____

_____

_____

_____

_____

_____

_____

_____

_____

_____

_____

_____

_____

_____

_____

_____

_____

_____

_____

_____

_____

_____

_____

Le test Montreal Cognitive Assessment (MoCA)

Théorie, chapitre 13, p. 157

Le test Montreal Cognitive Assessment (MoCA) a été conçu pour l'évaluation des dysfonctions cognitives légères. Cet outil est particulièrement adapté pour les individus hautement scolarisés.

Objectif

Le test MoCA évalue les fonctions suivantes : l'attention, la concentration, les fonctions exécutives, la mémoire, le langage, les capacités visuoconstructives, les capacités d'abstraction, le calcul et l'orientation.

Mode d'emploi

- Comme pour le Folstein, vous devez présenter chacune des sections du test à la personne âgée et compléter l'évaluation avec elle. Le temps d'exécution est d'environ 10 minutes.

- Pour obtenir un test concluant, il est essentiel de trouver un endroit calme et de prendre suffisamment de temps pour permettre à la personne de répondre aux questions.

- Pour diminuer le stress occasionné par l'évaluation, présentez le test comme un ensemble de questions permettant d'évaluer la mémoire.

- Il ne faut pas hésiter à renforcer positivement les bonnes réponses et à minimiser les erreurs. Il est important de ne jamais mettre en doute les réponses de la personne.

SECTION ÉVALUATION VISUOSPATIALE

- Expliquez à la personne qu'elle doit tracer une ligne qui relie des chiffres et des lettres, en alternance. Montrez-lui le début et la fin de la séquence.

- Ensuite, demandez à la personne de dessiner un cube le plus précisément possible. Vous allouez un point lorsque le cube est tridimensionnel, que toutes les arêtes sont présentes et qu'elles sont de même longueur et parallèles.

- Demandez à la personne de dessiner une horloge et d'indiquer l'heure « 11 h 10 ». Voyez le test de l'horloge présenté aux pages 213 et 214.

SECTION DÉNOMINATION

- Demandez à la personne de nommer chacun des animaux qu'elle voit, de la gauche vers la droite.

SECTION MÉMOIRE

- Vous devez lire à la personne les cinq mots indiqués au rythme d'un mot par seconde. Demandez-lui ensuite de répéter les mots mentionnés.

- Relisez une seconde fois les cinq mots et demandez à la personne d'énoncer les mots entendus. À la fin de cette section, avisez-la qu'elle devra redire les cinq mots plus tard au cours du test.

SECTION ATTENTION

- Lisez à la personne la première série de chiffres à un rythme d'un chiffre par seconde et demandez-lui de les répéter dans le même ordre.

- Ensuite, demandez à la personne de répéter à l'envers la séquence de chiffres mentionnés au rythme d'un chiffre par seconde.

- Vous devez maintenant lire la série de lettres à la personne (au même rythme) et lui demander de taper de la main gauche chaque fois qu'elle entend la lettre A.

- Demandez à la personne de soustraire 7 de 100, puis de poursuivre la soustraction à partir des résultats précédents. Si elle effectue une soustraction exacte, même à partir d'un premier résultat erroné, allouez le point.

SECTION LANGAGE

○ Récitez les deux phrases à la personne et demandez-lui de les répéter.

○ La personne doit réciter le plus de mots possible débutant par la lettre F. Avisez-la qu'elle ne doit pas mentionner de noms propres, de chiffres, de verbes et de mots d'une même famille.

SECTION ABSTRACTION

○ Demandez à la personne d'indiquer le point commun entre deux éléments mentionnés.

SECTION RAPPEL

○ La personne doit maintenant réciter les mots mentionnés plus tôt dans le test.

SECTION ORIENTATION

○ Demandez à la personne la date du jour. Si la réponse est incorrecte, demandez-lui l'année, le mois et l'endroit où elle se trouve.

Interprétation des données

Le nombre maximum de points à obtenir est de 30 ; un score de 26 et moins est considéré comme anormal et demande une évaluation supplémentaire de la personne. Vous devez ajouter 1 point si sa scolarité est inférieure à 12 ans.

Référence

www.mocatest.org

Complément d'information pratique

_____
_____
_____
_____
_____
_____
_____
_____
_____
_____
_____
_____
_____
_____
_____
_____
_____
_____
_____
_____
_____
_____
_____

MONTREAL COGNITIVE ASSESSMENT (MOCA)
FRANÇAIS

NOM :
Scolarité :   Date de naissance :
Sexe :   DATE :

VISUOSPATIAL / ÉXÉCUTIF

Copier le cube

Dessiner HORLOGE (onze heure dix) (3 points)

POINTS

(E) Fin   (A)
(5)
(1) Début   (B)   (2)
(D)   (4)   (3)
(C)

[ ]   [ ]   [ ]   [ ]   [ ]
                    Contour   Chiffres   Aiguilles

___/5

DÉNOMINATION

[ ]   [ ]   [ ]   ___/3

MÉMOIRE

	Lire la liste de mots, le patient doit la répéter. Faire 2 essais. Faire un rappel 5 min. après.		VISAGE	VELOURS	ÉGLISE	MARGUERITE	ROUGE	Pas de point
		1er essai						
		2e essai						

ATTENTION

Lire la série de chiffres (1 chiffre/s).   Le patient doit la répéter. [ ] 2 1 8 5 4
Le patient doit la répéter à l'envers. [ ] 7 4 2   ___/2

Lire la série de lettres. Le patient doit taper de la main à chaque lettre A. Pas de point si ≥ 2 erreurs
[ ] F B A C M N A A J K L B A F A K D E A A A J A M O F A A B   ___/1

Soustraire série de 7 à partir de 100.   [ ] 93   [ ] 86   [ ] 79   [ ] 72   [ ] 65
4 ou 5 soustractions correctes : **3 pts**, 2 ou 3 correctes : **2 pts**, 1 correcte : **1 pt**, 0 correcte : **0 pt**   ___/3

LANGAGE

Répéter : Le colibri a déposé ses œufs sur le sable. [ ]   L'argument de l'avocat les a convaincus. [ ]   ___/2

Fluidité de langage. Nommer un maximum de mots commençant par la lettre « F » en 1 min.   [ ] _____ (N ≥ 11 mots)   ___/1

ABSTRACTION

Similitude entre ex. banane – orange = fruit [ ] train – bicyclette [ ] montre – règle   ___/2

RAPPEL

Doit se souvenir des mots SANS INDICES	VISAGE [ ]	VELOURS [ ]	ÉGLISE [ ]	MARGUERITE [ ]	ROUGE [ ]	Points pour rappel SANS INDICES seulement	___/5
Optionnel — Indice de catégorie							
Indice choix multiples							

ORIENTATION

[ ] Date   [ ] Mois   [ ] Année   [ ] Jour   [ ] Endroit   [ ] Ville   ___/6

© Z.Nasreddine MD   Version 07 novembre 2004
www.mocatest.org

Normal ≥ 26 / 30

TOTAL   ___/30
Ajouter 1 point si edu ≤ 12 ans

Le CAM (Confusion Assessment Method)

Théorie, chapitre 13, p. 142

Le délirium est une source importante de mortalité et de morbidité chez les personnes âgées hospitalisées (Inouye, 2003). Elle se caractérise par une apparition soudaine, une modification de l'état de conscience, des troubles de mémoire et une désorientation spatiotemporelle ; ces manifestations ont été expliquées au chapitre 13. Des données laissent entendre que 32 % à 67 % des personnes présentant un état confusionnel aigu ne sont pas diagnostiquées, et ce, tant par le médecin que par les infirmières (Inouye, 1994) Pour évaluer le délirium, la communauté francophone bénéficie maintenant d'une version française validée du *Confusion Assessment Method* (CAM) mise au point en 1990 par Inouye et ses collaborateurs. Comme le Folstein n'est pas adapté au dépistage du délirium, c'est le CAM que l'on privilégie dans ce cas (Inouye, 1994).

Objectif
Le CAM est un outil privilégié de détection précoce et de suivi des symptômes associés au délirium.

Mode d'emploi
Par sa simplicité d'utilisation et le nombre restreint de questions spécifiques pouvant être posées en 5 à 10 minutes, et ne nécessitant pas une formation spécialisée en psychiatrie, cette méthode devient un outil privilégié de détection précoce et de suivi des symptômes associés au délirium, grâce aux notes au dossier et à l'observation des comportements de la personne.

Interprétation des données
Le diagnostic de délirium peut être posé en présence des caractéristiques 1 et 2 et de la caractéristique 3 **ou** 4.

Références
Freter, S., et Rockwood, K. (2004). « Le diagnostic et la prévention du délirium chez les personnes âgées », *La revue canadienne de la maladie d'Alzheimer*, janvier.

Inouye, S. K. (2003). *The confusion assessment method, training manuel and coding guide*.

Laplante, J., Cole, M., McCusker, J., Singh, S., et Ouimet, M. A. (2005). Validation d'une version française (Confusion Assessment Method), *Perspective infirmière,* septembre/ octobre.

Complément d'information pratique

_____
_____
_____
_____
_____
_____
_____
_____
_____
_____
_____
_____
_____
_____
_____
_____
_____
_____

Recherche

Le CAM (*Confusion Assessment Method*)

Début soudain
1) Y a-t-il évidence d'un changement soudain de l'état mental du patient par rapport à son état habituel?

Inattention*
2) A. Est-ce que le patient avait de la difficulté à focaliser son attention, par exemple être facilement distrait ou avoir de la difficulté à retenir ce qui a été dit?
- Présent à aucun moment lors de l'entrevue.
- Présent à un moment donné lors de l'entrevue, mais de façon légère.
- Présent à un moment donné lors de l'entrevue, de façon marquée.
- Incertain.

B. (Si présent ou anormal) Est-ce que ce comportement a fluctué lors de l'entrevue, c'est-à-dire qu'il a eu tendance à être présent ou absent, ou à augmenter ou diminuer en intensité?
- Oui.
- Non.
- Incertain.
- Ne s'applique pas.

C. (Si présent ou anormal) Prière de décrire ce comportement:

Désorganisation de la pensée
3) Est-ce que la pensée du patient était désorganisée ou incohérente, par exemple, une conversation décousue ou non pertinente, une suite vague ou illogique d'idées, ou passer d'un sujet à un autre de façon imprévisible?

Altération de l'état de conscience
4) En général, comment évalueriez-vous l'état de conscience de ce patient?
- Alerte (normal).
- Vigilant (hyper alerte, excessivement sensible aux stimuli de l'environnement, sursaute très facilement).
- Léthargique (somnolent, se réveille facilement).
- Stupeur (difficile à réveiller).
- Coma (impossible à réveiller).
- Incertain.

Désorientation
5) Est-ce que le patient a été désorienté à un certain moment lors de l'entrevue, tel que penser qu'il ou qu'elle était ailleurs qu'à l'hôpital, utiliser le mauvais lit, ou se tromper concernant le moment de la journée?

Troubles mnésiques
6) Est-ce que le patient a démontré des problèmes de mémoire lors de l'entrevue, tels qu'être incapable de se souvenir des événements à l'hôpital ou une difficulté à se rappeler les consignes?

Anomalies de perception
7) Est-ce qu'il y avait évidence de troubles perceptuels chez le patient, par exemple hallucinations, illusions, ou erreurs d'interprétation (tels que penser que quelque chose avait bougé alors que ce n'était pas le cas)?

Agitation psychomotrice
8) Partie 1.
À un moment donné lors de l'entrevue, est-ce que le patient a eu une augmentation inhabituelle de son activité motrice, telle que ne pas tenir en place, se tortiller ou gratter les draps, taper des doigts, ou changer fréquemment et soudainement de position?

Retard psychomoteur
8) Partie 2.
À un moment donné lors de l'entrevue, est-ce que le patient a eu une diminution inhabituelle de son activité motrice, telle qu'une lenteur, un regard fixe, rester dans la même position pendant un long moment, ou se déplacer très lentement?

Perturbation du rythme veille-sommeil
9) Est-ce qu'il y a eu évidence de changement de rythme veille-sommeil chez le patient, telle que somnolence excessive le jour et insomnie la nuit?

* Les questions sous ce symptôme ont été répétées pour chaque symptôme où ce fut applicable.

L'algorithme diagnostique du CAM*

Critère 1   *Début soudain et fluctuation des symptômes*
Ce critère est habituellement obtenu d'un membre de la famille ou d'une infirmière et est illustré par une réponse positive aux questions suivantes: Y a-t-il évidence d'un changement soudain de l'état mental du patient par rapport à son état habituel? Est-ce que ce comportement (anormal) a fluctué durant la journée, c'est-à-dire qu'il a eu tendance à être présent ou absent, ou à augmenter ou diminuer en intensité?

Critère 2   *Inattention*
Ce critère est illustré par une réponse positive à la question suivante: Est-ce que le patient avait de la difficulté à focaliser son attention, par exemple être facilement distrait ou avoir de la difficulté à retenir ce qui a été dit?

Critère 3   *Désorganisation de la pensée*
Ce critère est illustré par une réponse positive à la question suivante: Est-ce que la pensée du patient était désorganisée ou incohérente, par exemple, une conversation décousue ou non pertinente, une suite vague ou illogique d'idées, ou passer d'un sujet à un autre de façon imprévisible?

Critère 4   *Altération de l'état de conscience*
Ce critère est illustré par n'importe quelle réponse autre que «alerte» à la question suivante: En général, comment évalueriez-vous l'état de conscience de ce patient? (alerte [normal], vigilant [hyper alerte], léthargique [somnolent, se réveille facilement], stupeur [difficile à réveiller], ou coma [impossible à réveiller])

* Le diagnostic de l'état confusionnel aigu à l'aide du CAM requiert la présence des critères 1, 2 et 3 ou 4.
Traduit de INOUYE, S. K., et autres (1990). "Clarifying confusion: the Confusion Assessment Method", *Annals of Internal Medecine*, vol. 113, n° 12.

L'échelle de dépression gériatrique

Théorie, chapitre 13, p. 155

La dépression peut toucher chaque groupe d'âge. Chez la personne âgée, on l'ignore parfois ou on la confond avec les signes du vieillissement. Malheureusement, l'ignorance des symptômes et l'absence de traitement peuvent mener à des troubles cognitifs. Il est plutôt rare que la personne âgée consulte de sa propre initiative un professionnel de la santé pour des symptômes dépressifs. Différentes étiologies peuvent engendrer la dépression : médicale, pharmacologique et situationnelle (par exemple, le deuil). L'échelle de dépression gériatrique, que peut utiliser l'infirmière dans ses interventions auprès des personnes âgées, comprend 30 questions qui évoquent un affect émotif reconnaissable chez la personne dépressive.

Objectif — L'échelle de dépression permet d'évaluer un état dépressif possible. Il s'agit d'un instrument spécifique à la clientèle âgée.

Mode d'emploi
- Expliquez le questionnaire à la personne et remplissez-le avec elle.
- Il est aussi possible de remettre le questionnaire à la personne afin de lui permettre de réfléchir seule à chacun des éléments énoncés.
- La personne doit répondre par oui ou par non à chacune des questions, selon ce qui exprime le mieux comment elle s'est sentie au cours de la dernière semaine. Il faut ensuite calculer le nombre de réponses « oui ».

Interprétation des données — Un score inférieur à 11 indique que la personne âgée ne manifeste pas de symptômes de dépression. Un résultat de 11 à 13 signale que la personne peut présenter des signes de dépression possible et qu'une investigation plus globale serait recommandée. Quant à un score supérieur à 14, il permet de conclure que la personne présente une forte tendance à la dépression.

Référence — Yesavage, J. A., Brink, T. L., Rose, T. L., Lum, O., Huang, V., Adey, M., and Leirer, O. (1983). "Development and validation of a geriatric depression screening scale: a preliminary report", *Journal of Psychiatric Research*, 17 : 37 – 79.

Complément d'information pratique — _____
_____
_____
_____
_____
_____
_____
_____
_____
_____
_____
_____
_____
_____
_____
_____
_____

Questionnnaire d'évaluation de la dépression gériatrique

	Oui	Non
• Êtes-vous fondamentalement satisfait(e) de la vie que vous menez ?	☐	☐
• Avez-vous abandonné un grand nombre d'activités et d'intérêts ?	☐	☐
• Est-ce que vous ressentez un vide dans votre vie ?	☐	☐
• Vous ennuyez-vous souvent ?	☐	☐
• Voyez-vous l'avenir avec optimisme ?	☐	☐
• Êtes-vous préoccupé(e) par des pensées dont vous n'arrivez pas à vous défaire ?	☐	☐
• Avez-vous la plupart du temps un bon moral ?	☐	☐
• Craignez-vous qu'il vous arrive quelque chose de grave ?	☐	☐
• Êtes-vous heureux/heureuse la plupart du temps ?	☐	☐
• Éprouvez-vous souvent un sentiment d'impuissance ?	☐	☐
• Vous arrive-t-il souvent de ne pas tenir en place, de vous impatienter ?	☐	☐
• Préférez-vous rester chez vous au lieu de sortir pour entreprendre de nouvelles activités ?	☐	☐
• Êtes-vous souvent préoccupé(e) par l'avenir ?	☐	☐
• Avez-vous l'impression d'avoir plus de problèmes de mémoire que la majorité des gens ?	☐	☐
• Pensez-vous qu'il est merveilleux de vivre à l'époque actuelle ?	☐	☐
• Vous sentez-vous souvent triste, abattu(e) ?	☐	☐

	Oui	Non
• Vous sentez-vous plutôt inutile dans votre état actuel ?	☐	☐
• Le passé vous préoccupe-t-il beaucoup ?	☐	☐
• Trouvez-vous la vie passionnante ?	☐	☐
• Avez-vous de la difficulté à entreprendre de nouveaux projets ?	☐	☐
• Vous sentez-vous plein(e) d'énergie ?	☐	☐
• Avez-vous l'impression que votre situation est désespérée ?	☐	☐
• Pensez-vous que la plupart des gens vivent mieux que vous ?	☐	☐
• Vous mettez-vous souvent en colère pour des riens ?	☐	☐
• Avez-vous souvent envie de pleurer ?	☐	☐
• Avez-vous de la difficulté à vous concentrer ?	☐	☐
• Êtes-vous heureux/heureuse de vous lever le matin ?	☐	☐
• Préférez-vous éviter les rencontres sociales ?	☐	☐
• Avez-vous de la facilité à prendre des décisions ?	☐	☐
• Vos pensées sont-elles aussi claires que par le passé ?	☐	☐
Total	—	—

Source : Paul Bourque, Université de Moncton, et Jean Vezina, Université Laval (1988).

L'évaluation de l'état nutritionnel

Théorie, chapitre 7, p. 72

Les problèmes digestifs et nutritionnels sont très nombreux chez les personnes âgées. La dysphagie, la constipation et l'altération du goût en sont quelques-uns. Nous les avons évoqués au chapitre 7.

Pour évaluer l'état nutritionnel des personnes âgées, le Mini Nutritional Assessment (MNA) s'avère un outil approprié et simple à utiliser. Il a été conçu par des gériatres et par le groupe Nestlé. Il comprend 18 questions et inclut les mesures anthropologiques, l'évaluation globale, les indices diététiques et une évaluation globale.

Objectif Le MNA permet de repérer les personnes âgées à risque de développer des complications liées à la malnutrition.

Mode d'emploi Expliquez le questionnaire à la personne et remplissez-le avec elle. Calculez ensuite le nombre de points obtenus pour chacune des sections.

Interprétation des données Si le résultat se situe entre 24 et 30, l'état nutritionnel de la personne âgée est satisfaisant. Si le résultat se situe entre 17 et 24, la personne est à risque de souffrir de malnutrition. Si le résultat est inférieur à 17, la personne présente un état nutritionnel insatisfaisant.

Référence www.nestle.ca

Complément d'information pratique

_____
_____
_____
_____
_____
_____
_____
_____
_____
_____
_____
_____
_____
_____
_____
_____
_____
_____
_____
_____
_____
_____
_____

Évaluation de l'état nutritionnel
Mini Nutritional Assessment MNA™

Nom :   Prénom :   Sexe :   Date :

Âge :   Poids, kg :   Taille en cm :   Hauteur du genou, cm :

Répondez à la première partie du questionnaire en indiquant le score approprié pour chaque question. Additionnez les points de la partie.
Dépistage. Si le résultat est égal à 11 ou inférieur, complétez le questionnaire pour obtenir l'appréciation précise de l'état nutritionnel.

Dépistage

A   Le patient présente-t-il une perte d'appétit?
A-t-il mangé moins ces 3 derniers mois par manque d'appétit,
problèmes digestifs, difficultés de mastication ou de déglutition ?
0   =   anorexie sévère
1   =   anorexie modérée
2   =   pas d'anorexie   ☐

B   Perte récente de poids (< 3 mois)
0   =   perte de poids > 3 kg
1   =   ne sait pas
2   =   perte de poids entre 1 et 3 kg
3   =   pas de perte de poids   ☐

C   Motricité
0   =   du lit au fauteuil
1   =   autonome à l'intérieur
2   =   sort du domicile   ☐

D   Maladie aiguë ou stress psychologique
lors des 3 derniers mois ?
0   =   oui   2   =   non   ☐

E   Problèmes neuropsychologiques
0   =   démence ou dépression sévère
1   =   démence ou dépression modérée
2   =   pas de problème psychologique   ☐

F   Indice de masse corporelle (IMC = poids (kg) / (taille)² (cm))
0   =   IMC < 19
1   =   19 ≤ IMC < 21
2   =   21 ≤ IMC < 23
3   =   IMC ≥ 23   ☐

Score de dépistage (sous-total max. 14 points)   ☐ ☐

12 points ou plus   normal – pas besoin de continuer l'évaluation
11 points ou moins   possibilité de malnutrition –
                         continuez l'évaluation

Évaluation globale

G   Le patient vit-il de façon indépendante à domicile ?
0   =   non   1   =   oui   ☐

H   Prend plus de 3 médicaments
0   =   oui   1   =   non   ☐

I   Escarres ou plaies cutanées ?
0   =   oui   1   =   non   ☐

J   Combien de véritables repas le patient prend-il par jour ?
0   =   1 repas
1   =   2 repas
2   =   3 repas   ☐

K   Consomme-t-il :
• Une fois par jour au moins
   des produits laitiers ?   oui ☐   non ☐
• Une ou deux fois par semaine
   des œufs ou des légumineuses ?   oui ☐   non ☐
• Chaque jour de la viande,
   du poisson ou de la volaille ?   oui ☐   non ☐
0,0 =   si 0 ou 1 oui
0,5 =   si 2 oui
1,0 =   si 3 oui   ☐ , ☐

L   Consomme-t-il deux fois par jour au moins
des fruits ou des légumes ?
0   =   non   1   =   oui   ☐

M   Combien de verres de boissons consomme-t-il par jour ?
(eau, jus, café, thé, lait, vin, bière…)
0,0 =   moins de 3 verres
0,5 =   de 3 à 5 verres
1,0 =   plus de 5 verres   ☐ , ☐

N   Manière de se nourrir
0   =   nécessite une assistance
1   =   se nourrit seul avec difficulté
2   =   se nourrit seul sans difficulté   ☐

O   Le patient se considère-t-il comme bien nourri ?
(problèmes nutritionnels)
0   =   malnutrition sévère
1   =   ne sait pas ou malnutrition modérée
2   =   pas de problème de nutrition   ☐

P   Le patient se sent-il en meilleure ou en moins bonne santé
que la plupart des personnes de son âge ?
0,0 =   moins bonne
0,5 =   ne sait pas
1,0 =   aussi bonne
2,0 =   meilleure   ☐ , ☐

Q   Circonférence brachiale (CB en cm)
0,0 =   CB < 21
0,5 =   CB ≤ 21 ≤ 22
1,0 =   CB > 22   ☐ , ☐

R   Circonférence du mollet (CM en cm)
0   =   CM < 31   1   =   CM ≥ 31   ☐

Évaluation globale (max. 16 points)   ☐ ☐ , ☐
Score de dépistage   ☐ ☐
Score total (max. 30 points)   ☐ ☐ , ☐

Appréciation de l'état nutritionnel

de 17 à 23,5 points   risque de malnutrition   ☐
moins de 17 points   mauvais état nutritionnel   ☐

Ref.   Guigoz, Y. (2006). "The Mini-Nutritional Assessment (MNA™) Review of the Literature – What does it
tell us?", *Journal of Nutrition, Health and Aging*, 10: 466-487.
Rubenstein, L. Z., Harker, J. O., Salva, A., Guigoz, Y., and Vellas B. (2001). «Screening for Undernutrition
in Geriatric Practice : Developing the Short-Form Mini Nutritional Assessment (MNA-SF) », *Journal
of Gerontology*, 56A : M366-377
Vellas, B., Villars, H., Abellan, G., et al. (2006). « Overview of the MNAtm – Its History and Challenges »,
Journal of Nutrition, Health and Aging, 10: 456-465.

08.98 F

L'évaluation du sommeil (PSQI)

Théorie, chapitre 12, p. 130

Environ une personne sur trois présente, au cours de sa vie, des problèmes de sommeil. L'incidence augmente avec l'âge. Chez la personne âgée, on observe une difficulté à s'endormir ainsi que des réveils fréquents et matinaux provoqués par une modification de l'architecture du sommeil. Le chapitre 12 a présenté les différentes modifications des phases du sommeil de la personne âgée.

Un outil comme le *Pittsburgh Sleep Quality Index* (PSQI) propose un ensemble de questions et un système de cotation permettant d'attribuer un score global à la qualité du sommeil; cet instrument d'évaluation aide les professionnels de la santé à bien cerner les troubles du sommeil.

Objectif Le PSQI s'avère un outil adéquat et validé pour évaluer le sommeil chez la personne âgée.

Mode d'emploi

- Le questionnaire est utilisé pour évaluer les habitudes de sommeil durant le dernier mois seulement.
- Avisez la personne âgée qu'elle doit indiquer la situation la plus précise pour la majorité des jours et des nuits du dernier mois.
- Vous pouvez remplir le questionnaire avec la personne ou le lui remettre.

Interprétation des données

Pour effectuer le calcul des résultats, vous devez:

- Inscrire le résultat de la question 9. _____
- Inscrire le résultat de la question 2 (si moins de 15 minutes = 0; entre 16 et 30 minutes = 1; entre 31 et 60 minutes = 2; plus de 60 minutes = 3) et additionner le résultat de la question 5a (si le résultat donne 0, inscrire 0; entre 1 et 2, inscrire 1; entre 3 et 4, inscrire 2; entre 5 et 6, inscrire 3). _____
- Inscrire le résultat de la question 4 (si plus de 7, inscrire 0; entre 6 et 7, inscrire 1; entre 5 et 6, inscrire, 2; si moins de 5, inscrire 3). _____
- Inscrire: total du nombre d'heures passées éveillé ÷ nombre d'heures passées au lit × 100 (si plus grand que 85 % = 0; entre 75 % et 84 % = 1; entre 65 % et 74 % = 2; plus petit que 65 % = 3). _____
- Inscrire la somme des résultats des questions 5b à 5j (si le résultat est 0, inscrire 0; entre 1 et 9, inscrire 1; entre 10 et 18, inscrire 2; entre 19 et 27, inscrire 3). _____
- Inscrire le résultat de la question 6. _____
- Inscrire la somme des résultats des questions 7 et 8 (si le résultat est 0, inscrire 0; entre 1 et 2, inscrire 1; entre 3 et 4, inscrire 2; entre 5 et 6, inscrire 3). _____
- Inscrire la somme de tous les résultats _____

Si le résultat final est supérieur à 5, la personne présente des troubles du sommeil importants.

Références
Buysse, D. J., Renynolds III, C. F., Monk, T. H., Berman, S. R., and Kupfer, D. J. (1989). "The Pittsburgh Sleep Quality Index: A new instrument for psychiatric practice and research", *Psychiatric Research*, 28(2), 193-213.

Hottin, P. (2001). *L'insomnie chez la personne âgée*, 36(8), août.

Morin, C. M., et Guay, B. (2002). « Comment évaluer un problème d'insomnie », *Le médecin du Québec*, 37(9), septembre.

Complément d'information pratique _____
_____

Évaluation de la qualité du sommeil de Pittsburgh (PSQI)

1. Durant le dernier mois, à quelle heure vous êtes-vous habituellement couché ? _____

2. Durant le dernier mois, combien de temps cela vous a-t-il généralement pris pour vous endormir ? _____

3. Durant le dernier mois, à quelle heure vous êtes-vous généralement levé le matin ? _____

4. Durant le dernier mois, environ combien d'heures de sommeil par nuit avez-vous eues en moyenne (cela peut être différent du nombre d'heures passées au lit) ? _____

5. Durant le dernier mois, combien de fois avez-vous eu de la difficulté à dormir parce que :	Aucune fois durant le dernier mois (0)	Moins d'une fois par semaine (1)	Une ou deux fois par semaine (2)	Trois fois ou plus par semaine (3)
a. Vous ne pouviez vous endormir avant 30 minutes.				
b. Vous vous réveilliez durant la nuit ou tôt le matin.				
c. Vous deviez vous lever pour aller aux toilettes.				
d. Vous aviez de la difficulté à respirer.				
e. Vous toussiez ou ronfliez beaucoup.				
f. Vous aviez froid.				
g. Vous aviez chaud.				
h. Vous aviez fait de mauvais rêves.				
i. Vous aviez de la douleur.				
j. Autres raisons :				
6. Durant le dernier mois, combien de fois avez-vous pris des médicaments (prescrits ou non) pour vous aider à dormir ?				
7. Durant le dernier mois, combien de fois avez-vous eu de la difficulté à rester éveillé pendant que vous conduisiez votre voiture, pendant les repas ou pendant une activité sociale ?				
8. Durant le dernier mois, jusqu'à quel point le fait de ne pas avoir d'enthousiasme pour faire ce que vous aviez à faire vous a-t-il posé un problème ?				
9. Comment qualifiez-vous la qualité de votre sommeil durant le dernier mois ?	Très bonne (0)	Passablement bonne (1)	Passablement mauvaise (2)	Très mauvaise (3)

L'évaluation des risques de chutes

Théorie, chapitre 9, p. 98

La fréquence des blessures causées par les chutes chez les personnes âgées augmente avec l'âge (Agence de santé publique du Canada, 2002). En effet, 58% des personnes âgées examinées à l'urgence ont fait une chute. Plusieurs facteurs qui affectent la mobilité, examinés au chapitre 9, peuvent accroître les risques de chutes chez la personne âgée : les changements liés à l'âge, les affections et les incapacités fonctionnelles, la médication et les interactions médicamenteuses ainsi que les facteurs propres au milieu de vie. Mentionnons qu'une chute survenue dans les deux dernières années augmente jusqu'à trois fois les risques d'en refaire une. Il est donc essentiel de procéder à une évaluation pour cibler les personnes âgées à risque.

Objectif L'outil d'évaluation du risque de chutes est utilisé pour reconnaître les personnes âgées à risque de faire des chutes. Cet outil est utilisé dans le cadre de plusieurs programmes de prévention.

Mode d'emploi
- ⦿ Remplir le tableau ci-dessous avec la personne, en lui posant les questions liées aux éléments mentionnés. Cet outil assigne une valeur numérique à chacun des facteurs.
- ⦿ Une réponse négative donne un résultat de 0 tandis qu'une réponse positive donne un résultat de 5, sauf pour la présence de chute dans la dernière année, qui donne un résultat de 15.

Interprétation des données Un score supérieur à 15 indique que la personne âgée est à risque de faire une chute.

Références Hoollinger, L., and Patterson, R. (1992). « A fall prevention program for the acute care setting » in Funk, S. G., Tomquist, E. M., Champagne, M. T., and Wiese, R. A. (Eds.), *Key aspects of elder care: Managing falls, incontinence, and cognitive impairment*, New York, Springer.

 ## Évaluation des risques de chutes

Facteurs de risques	Valeur	Date de l'évaluation	Date de l'évaluation
Chute survenue dans la dernière année	15		
Confusion	5		
Âge (plus de 65 ans)	5		
Jugement altéré	5		
Présence de déficit sensoriel (vision, audition)	5		
Incapacité à se déplacer seul	5		
Diminution du degré de coopération	5		
Anxiété/peur de tomber	5		
Incontinence	5		
Problème cardiaque ou respiratoire	5		
Prise de médicament affectant la pression artérielle et le niveau de conscience	5		
Présence d'hypotension orthostatique	5		
Facilité d'accès à des services	5		
Présence d'équipement sur la personne (intraveineuse, oxygène)	5		
Total			

L'évaluation de l'état de la peau (échelle de Braden)

Théorie, chapitre 11, p. 120

La combinaison des changements physiologiques liés à l'âge avec plusieurs facteurs de risque tels que l'hérédité, la maladie et les effets indésirables des médicaments prédispose la personne âgée à développer des problèmes de peau. Dans le cadre de son travail, l'infirmière est entre autres responsable de l'évaluation du risque d'ulcère de pression. L'échelle de Braden est un outil clinique utilisé pour évaluer le risque de développer des ulcères de pression.

Objectif L'échelle de Braden permet de déceler les principaux facteurs de risque qui contribuent au développement des plaies de pression (Denis et St-Cyr, 2006). On y met en relation l'intensité, la durée de la pression ainsi que la tolérance des tissus (Denis et St-Cyr, 2006).

Mode d'emploi
- La fréquence d'évaluation dépend de la condition de la personne âgée. En général, plusieurs ulcères de pression se développent dans les trois premières semaines qui suivent l'admission en CHSLD. Il est suggéré d'évaluer la personne vivant en CHSLD toutes les quatre semaines ; les personnes alitées en permanence en soins de courte ou longue durée devraient être évaluées toutes les 48 heures.
- Vous devez évaluer, pour chacun des paramètres, le risque de développer des plaies de pression. Le score se calcule en additionnant la valeur numérique de chacun des paramètres.

Interprétation des données Un score inférieur à 18 représente un risque de plaie de pression.

Références Braden, B., and Bergstrom, N. (1987). « A Conceptual schema for the study of the etiology of pressure sores » *Reabilitation nursing*, 12(1) : 8-12.

Denis, N., et St Cyr, D. (2006). « Processus de validation d'une traduction française du Braden scale for predicting pressure sore risk », *Wound Care Canada*, 4(3).

Complément d'information pratique

_____

_____

_____

_____

_____

_____

_____

_____

_____

_____

_____

_____

_____

_____

_____

_____

Échelle de Braden : évaluation des risques d'escarres de décubitus

Nom du client _____ Nom de l'évaluateur _____ Date de l'évaluation _____

Perception sensorielle
- Capacité de réagir de façon significative à l'inconfort lié à la pression

1. Entièrement restreinte
- Ne réagit pas (ne se plaint pas, ne bronche pas et n'a pas de préhension) à des stimuli douloureux en raison d'un niveau de conscience réduit ou de la sédation.

  OU
- Capacité limitée de ressentir de la douleur sur la plupart des surfaces corporelles

2. Très restreinte
- Réagit seulement à des stimuli douloureux.
- Incapable de faire part de son inconfort, sauf par des gémissements ou par son agitation

  OU
- A une déficience sensorielle qui limite sa capacité de ressentir de la douleur ou de l'inconfort sur la moitié du corps.

3. Légèrement restreinte
- Réagit aux commandements verbaux, mais ne peut pas toujours exprimer son inconfort ou son besoin d'être tourné.

  OU
- Souffre d'une altération sensorielle qui limite la capacité de ressentir de la douleur ou de l'inconfort dans une ou deux extrémités.

4. Aucune altération
- Réagit aux commandements verbaux. N'a pas de déficit sensoriel qui limite sa capacité de ressentir ou d'exprimer une douleur ou de l'inconfort.

Humidité
- Degré d'exposition de la peau à l'humidité

1. Constamment humide
- La peau est pratiquement toujours humide en raison de la transpiration, de l'urine, etc. L'humidité est détectée chaque fois que le patient est déplacé ou tourné.

2. Très humide
- La peau est souvent, mais pas toujours, humide. Les draps doivent être changés au moins une fois par quart de travail.

3. Occasionnellement humide
- La peau est occasionnellement humide, ce qui nécessite plus ou moins un changement de drap supplémentaire environ une fois par jour.

4. Rarement humide
- La peau est habituellement sèche et les draps ont seulement besoin d'être changés aux intervalles habituels.

Activité
- Degré d'activité physique

1. Alité
- Confiné au lit

2. Confiné à une chaise
- La capacité de marcher est très limitée ou non existante. Incapable de supporter son propre poids ou doit être aidé pour s'asseoir sur une chaise ou dans le fauteuil roulant.

3. Marche à l'occasion
- Marche à l'occasion pendant le jour, mais sur de très courtes distances, avec ou sans aide. Passe la plus grande partie de chaque quart de travail au lit ou dans une chaise.

4. Marche souvent
- Marche à l'extérieur de la chambre au moins deux fois par jour et à l'intérieur de la chambre au moins une fois toutes les deux heures pendant les heures de veille.

Mobilité
- Capacité de changer et de maîtriser la position du corps

1. Complètement immobile
- Ne fait aucun changement dans la position du corps ou d'une extrémité sans aide.

2. Très restreinte
- Change parfois légèrement la position du corps ou d'une extrémité, mais est incapable d'apporter des changements fréquents et importants seul.

3. Légèrement restreinte
- Change seul de position du corps ou d'une extrémité, souvent mais légèrement.

4. Aucune restriction
- Change souvent de position sans aide.

Nutrition
- Mode habituel d'apport alimentaire.

1. Très mauvaise
- Ne prend jamais un repas complet. Mange rarement plus du tiers de tout aliment offert. Consomme moins de deux portions de protéines (de viande ou de produits laitiers) par jour. Prend mal les liquides. Ne prend pas de suppléments alimentaires.

  OU
- Ne prend rien par voie orale ou a une diète liquide claire ou sur perfusion intraveineuse pendant plus de cinq jours.

2. Probablement insuffisante
- Prend rarement un repas complet et ne mange généralement qu'environ la moitié de tout aliment offert.
- L'apport protéinique comprend seulement trois portions de viande ou de produits laitiers par jour. Prend occasionnellement un supplément alimentaire.

  OU
- Reçoit moins que la quantité optimale d'alimentation liquide ou d'alimentation par cathéter.

3. Suffisante
- Mange plus de la moitié de la plupart des repas. Prend en tout quatre portions de protéines (viande, produits laitiers) chaque jour. Refusera parfois un repas, mais prendra habituellement un supplément si on le lui offre.

  OU
- Est alimenté par sonde ou par alimentation parentérale totale qui répond probablement à la plupart des besoins nutritifs.

4. Excellente
- Mange la plupart des aliments offerts aux repas. Ne refuse jamais un repas.
- Consomme habituellement quatre portions ou plus de viande et de produits laitiers.
- Mange parfois entre les repas.
- N'a pas besoin de suppléments alimentaires.

Frottement et cisaillement

1. Problème
- Requiert une aide moyenne à maximale pour bouger.
- Le soulèvement complet sans glissement contre les draps est impossible.
- Glisse souvent vers le bas dans le lit ou dans sa chaise, ce qui nécessite un repositionnement constant avec une aide maximale.
- La paralysie spasmodique, les contractures ou l'agitation entraînent un frottement presque constant.

2. Problème potentiel
- Bouge faiblement ou nécessite une aide minimale. Pendant un mouvement, la peau glisse probablement jusqu'à un certain point contre les draps, la chaise, les dispositifs de retenue ou tout autre appareil.
- Maintient une position relativement bonne dans la chaise ou le lit la plupart du temps, mais glisse à l'occasion.

3. Aucun problème apparent
- Bouge seul dans le lit et dans la chaise et a suffisamment de résistance musculaire pour se soulever complètement pendant le mouvement.
- Maintient une bonne position dans le lit ou dans la chaise en tout temps.

Document offert par Barbara Braden et Nancy Bergstrom.

Pointage total _____

L'évaluation de la douleur (échelle Doloplus)

Souvent, les personnes âgées considèrent comme normale la présence d'une douleur qui augmente avec l'âge. Il semble que le tiers des aînés éprouve de la douleur, et cette proportion augmente après l'âge de 75 ans (Santé Canada, 2004). L'évaluation de la douleur nécessite une approche globale et continue (Leclair, 2004). En plus de l'examen clinique, l'infirmière doit procéder à l'évaluation de la douleur qu'éprouve la personne âgée. Il existe plusieurs outils conçus à cet effet, comme l'échelle analogue de la douleur qui permet à la personne de s'autoévaluer. Mais il semble que cette échelle ne puisse être utilisée chez près de la moitié des personnes âgées (Wary, 2003). Ainsi, lorsque l'autoévaluation est impossible, l'infirmière procède à l'évaluation de la douleur par l'observation des comportements, notamment à l'aide de l'échelle Doloplus, comme mentionné dans le chapitre 15. Cette échelle, plus connue en France, a été validée en 1999 auprès des personnes âgées.

Théorie, chapitre 15, p. 196

Objectif

L'échelle Doloplus comporte 10 éléments répartis en 3 sous-groupes et cotés de 0 à 3. Elle permet d'évaluer la douleur chez les personnes âgées qui présentent des troubles de la communication verbale, selon les changements comportementaux qu'elles manifestent dans trois sphères : physiologique, psychologique et sociale.

Mode d'emploi

- Procédez à une évaluation quotidienne par observation de la personne âgée, particulièrement lorsqu'elle manifeste un changement de comportement.
- Cet outil peut être utilisé par tous les intervenants.
- Chaque élément est coté de 0 à 3 ; il s'agit d'une cotation à quatre niveaux exclusifs et progressifs.

Interprétation des données

La douleur est présente lorsque le score est supérieur ou égal à 3.

Références

Leclair, S. (2004). « Soins palliatifs et patient âgé non communiquant », *Le médecin du Québec*, 39(8) 51- 55.

Santé Canada : www.hc-sc.gc.ca

Wary, B. et collectif Doloplus (2003). *À propos des échelles d'évaluation de la douleur chez les personnes âgées ayant des troubles de la communication verbale.*

www.doloplus.com

Complément d'information pratique

Échelle Doloplus
Évaluation comportementale de la douleur chez la personne âgée

Nom : _____ Prénom : _____

Service : _____

Observation comportementale

			Dates			

RETENTISSEMENT SOMATIQUE

1 • Plaintes somatiques	• pas de plainte	0	0	0	0
	• plaintes uniquement à la sollicitation	1	1	1	1
	• plaintes spontanées occasionnelles	2	2	2	2
	• plaintes spontanées continues	3	3	3	3
2 • Positions antalgiques au repos	• pas de position antalgique	0	0	0	0
	• le sujet évite certaines positions de façon occasionnelle	1	1	1	1
	• position antalgique permanente et efficace	2	2	2	2
	• position antalgique permanente inefficace	3	3	3	3
3 • Protection de zones dangereuses	• pas de protection	0	0	0	0
	• protection à la sollicitation n'empêchant pas la poursuite de l'examen ou des soins	1	1	1	1
	• protection à la sollicitation empêchant tout examen ou tous soins	2	2	2	2
	• protection au repos, en l'absence de toute sollicitation	3	3	3	3
4 • Mimique	• mimique habituelle	0	0	0	0
	• mimique semblant exprimer la douleur à la sollicitation	1	1	1	1
	• mimique semblant exprimer la douleur en l'absence de toute sollicitation	2	2	2	2
	• mimique inexpressive en permanence et de manière inhabituelle (atone, figée, regard vide)	3	3	3	3
5 • Sommeil	• sommeil habituel	0	0	0	0
	• difficultés d'endormissement	1	1	1	1
	• réveils fréquents (agitation motrice)	2	2	2	2
	• insomnie avec retentissement sur les phases d'éveil	3	3	3	3

RETENTISSEMENT PSYCHOMOTEUR

6 • Toilette et/ou habillage	• possibilités habituelles inchangées	0	0	0	0
	• possibilités habituelles peu diminuées (précautionneux mais complet)	1	1	1	1
	• possibilités habituelles très diminuées, toilette et/ou habillage étant difficiles et partiels	2	2	2	2
	• toilette et/ou habillage impossibles, la personne exprimant son opposition à toute tentative	3	3	3	3
7 • Mouvements	• possibilités habituelles inchangées	0	0	0	0
	• possibilités habituelles actives limitées (la personne évite certains mouvements, diminue son périmètre de marche)	1	1	1	1
	• possibilités habituelles actives et passives limitées (même aidée, la personne diminue ses mouvements)	2	2	2	2
	• mouvement impossible, toute mobilisation entraînant une opposition	3	3	3	3

RETENTISSEMENT PSYCHOSOCIAL

8 • Communication	• inchangée	0	0	0	0
	• intensifiée (la personne attire l'attention de manière inhabituelle)	1	1	1	1
	• diminuée (la personne s'isole)	2	2	2	2
	• absence ou refus de toute communication	3	3	3	3
9 • Vie sociale	• participation habituelle aux différentes activités (repas, animations, ateliers thérapeutiques...)	0	0	0	0
	• participation aux différentes activités uniquement à la sollicitation	1	1	1	1
	• refus partiel de participation aux différentes activités	2	2	2	2
	• refus de toute vie sociale	3	3	3	3
10 • Troubles du comportement	• comportement habituel	0	0	0	0
	• troubles du comportement à la sollicitation et itératif	1	1	1	1
	• troubles du comportement à la sollicitation et permanent	2	2	2	2
	• troubles du comportement permanent (en dehors de toute sollicitation)	3	3	3	3
	Score				

L'évaluation de l'acuité auditive (HHIES)

Théorie, chapitre 3, p. 22 La perte de l'audition est un état couramment observé chez la personne âgée. Elle entraîne entre autres l'isolement et des conséquences psychologiques. Le test de dépistage d'un problème auditif (Hearing Handicap Inventory for the Elderly [HHIES]) est un outil essentiel, combiné avec les autres tests d'audiologie, pour dépister les troubles auditifs.

Objectif   Ce questionnaire permet de façon sommaire de circonscrire les troubles auditifs et de mesurer l'efficacité des mesures prises pour compenser ce handicap.

Mode d'emploi
- Remplissez le questionnaire avec la personne âgée.
- Placez-vous à côté de la personne ou même derrière elle pour lui poser les questions.

Interprétation des données   Le score minimum est de 10.

Pour un score de :

0 à 8 : probabilité d'un trouble de l'audition de 13 % (aucun handicap/pas de demande de consultation).

10 à 24 : probabilité d'un trouble de l'audition de 50 % (handicap léger à modéré/demande de consultation).

26 à 40 : probabilité d'un trouble de l'audition de 84 % (handicap majeur/demande de consultation).

Références   Abyad, A. *Screening for Hearing Loss in the Elderly?*

Ventry, I., and Weinstein, B. (1983). "Identification of elderly people with hearing problems", ASHA, 25 : 37-42.

Test de dépistage d'un problème auditif (HHIES)

	Oui 4 points	Parfois 2 points	Non 0 point
Vous sentez-vous mal à l'aise à cause d'un problème auditif lorsque vous rencontrez des gens que vous ne connaissez pas ?			
Ressentez-vous de la frustration causée par un problème auditif lorsque vous conversez avec des membres de votre famille ?			
Avez-vous de la difficulté à entendre quelqu'un qui chuchote ?			
Vous sentez-vous handicapé par un problème auditif ?			
Éprouvez-vous des difficultés causées par un problème auditif lorsque vous rendez visite à des amis, à des parents ou à des voisins ?			
Est-ce qu'un problème auditif vous empêche d'assister aux services religieux aussi souvent que vous le souhaiteriez ?			
Avez-vous des disputes avec des membres de votre famille à cause d'un problème auditif ?			
Avez-vous de la difficulté à écouter des émissions de télévision ou de radio à cause d'un problème auditif ?			
Avez-vous l'impression qu'un problème auditif quelconque limite ou complique votre vie personnelle ou sociale ?			
Éprouvez-vous des difficultés causées par un problème auditif lorsque vous êtes au restaurant avec des parents ou des amis ?			
Score total			

L'évaluation de la dégénérescence maculaire (grille d'Amsler)

Théorie, chapitre 4, p. 33

Plusieurs personnes âgées souffrent de problèmes visuels multiples. Le glaucome, les cataractes et la dégénérescence maculaire font partie des problèmes courants qui peuvent entraîner des troubles de vision et même la cécité, comme expliqué au chapitre 4. La dégénérescence maculaire en est la principale cause. Elle est présente chez 47 % des personnes âgées de plus de 85 ans. Il s'agit d'une perte modérée à grave de la vision centrale. Une distorsion de la vision de près et une vision embrouillée causée par l'apparition d'une membrane néovasculaire la caractérisent. La grille d'Amsler est un outil spécifique pour évaluer la dégénérescence maculaire.

Objectif

L'utilisation de cette grille de 10 cm × 10 cm, délimitée par des lignes blanches sur fond noir, permet de détecter une métamorphie indiquant un décollement précoce de la rétine.

Mode d'emploi

- Remettez et expliquez la grille à la personne âgée afin qu'elle puisse procéder à l'évaluation chaque jour à la maison.
- Procédez au test dans des conditions d'éclairage uniforme en évitant les reflets éblouissants.
- Demandez à la personne de porter ses lunettes, le cas échéant, et de se couvrir un œil lorsqu'elle effectue le test.
- Précisez à la personne de fixer la grille à une distance de 30 cm à 35 cm et de regarder le centre de la grille.
- Questionnez la personne sur l'aspect des lignes verticales et horizontales et sur la proportion de chacun des petits carrés.

Faites le test pour chaque œil et suggérez à la personne de refaire le test à la maison.

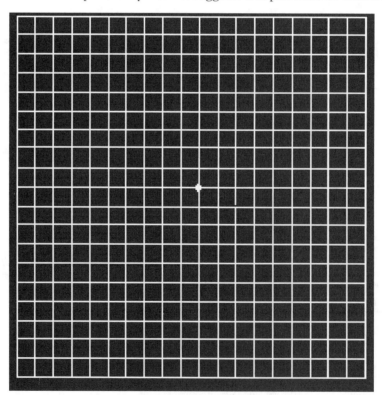

Interprétation des données Il est important de diriger la personne vers un spécialiste si elle observe les éléments suivants :

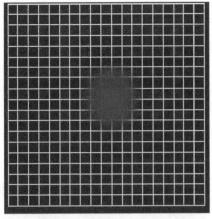

a. Une couleur anormale
   Une zone embrouillée ou grise

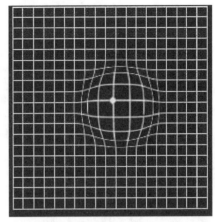

b. Des lignes distordues ou en vagues

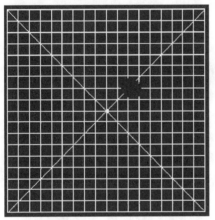

c. La présence d'un trou dans la grille
   La perte du point central de la grille
   (scotoma positif)

Référence American Macular Degeneration Foundation

Complément d'information pratique
_____
_____
_____
_____
_____
_____
_____
_____
_____
_____
_____
_____

Agence de santé publique du Canada

⌐ www.phac-aspc.gc.ca/sh-sa_f.html

Mission : donner de l'information sur la santé des aînés, incluant la promotion et la prévention.

Association canadienne de gérontologie

⌐ www.cagacg.ca

Mission : améliorer les conditions de vie des personnes âgées au Canada par la création et la diffusion de connaissances sur les politiques, les pratiques, la recherche et l'éducation en matière de gérontologie.

Association des établissements privés conventionnés

⌐ www.aepc.qc.ca

Mission :

- promouvoir l'amélioration continue de la qualité des soins et des services aux usagers au sein des établissements privés conventionnés membres ;
- protéger et promouvoir l'entreprise privée conventionnée dans le domaine de la santé et des services sociaux québécois.

204, rue Notre-Dame Ouest, bureau 200
Montréal (QC) H2Y 1T3
☎ 514 499-3630
🖨 514 873-7063

Association des grands-parents du Québec

⌐ www.grands-parents.qc.ca

Mission :

- promouvoir le droit des petits-enfants à maintenir des liens significatifs avec leurs grands-parents ;
- défendre les droits des grands-parents.

2900, boul. du Loiret, bureau 101
Québec (QC) G1C 3X3
☎🖨 dans la région de Montréal : 514 745-6110
☎🖨 dans la région de Québec : 418 529-2355
☎🖨 sans frais ailleurs au Québec : 1 888 624-7227

Association québécoise de la dégénérescence maculaire

⌐ www.degenerescencemaculaire.ca/vx/indexx.htm

Mission :

- encourager l'autonomie des personnes atteintes de dégénérescence maculaire et faciliter l'entraide entre ces personnes ;
- diriger les personnes atteintes vers les ressources médicales, technologiques et socioculturelles existantes ;
- informer les personnes atteintes de la prévention possible, des traitements et des recherches menées dans le monde, et sensibiliser les professionnels de la santé ainsi que le grand public à cette maladie.

1111, rue Saint-Charles Ouest
Tour Ouest, 2e étage
Longueuil (QC) J4K 5G4
☎ 450 651-5747

Centre d'expertise en santé de Sherbrooke

⌐ www.expertise-sante.com

Mission :

- soutenir le développement du savoir en santé ;
- optimiser la capacité d'exporter ce savoir ;
- proposer des stratégies d'amélioration au réseau de la santé et des services sociaux par la mise en application concrète des connaissances en santé ;
- contribuer au partage du savoir en gériatrie et au rayonnement de l'Institut universitaire de gériatrie de Sherbrooke (IUGS).

375, rue Argyll
Sherbrooke (QC) J1J 3H5
☎ 819 821-5122
🖨 819 821-5202

Centre québécois de consultation sur l'abus envers les aînés

Mission :

- regrouper une gamme de services pour une approche stratégique contre la violence ;
- offrir une ligne téléphonique de consultation professionnelle, une équipe de consultation et la ligne Info-Abus pour le grand public.

CLSC René-Cassin et Institut de gérontologie sociale du Québec
☎ 514 488-9163

Ligne Info-Abus
☎ 514 489-2287

☎ 1 888 489-2287 (sans frais)

Conseil des aînés
⌐ www.conseil-des-aines.qc.ca
Mission : promouvoir les droits des aînés, leurs
intérêts et leur participation à la vie collective
ainsi que conseiller le ou la ministre de la Famille,
des Aînés et de la Condition féminine sur toute
question concernant les personnes âgées.
900, boul. René-Lévesque Est
8e étage, bureau 810
Québec (QC) G1R 2B5
☎ 418 643-6720
☎ 1 877 657-2463 (sans frais)

CSSS – Institut universitaire de gériatrie de Sherbrooke
⌐ www.iugs.ca (site en reconstruction ; nouveau
site : www.csss.iugs.ca, au cours de 2007)
Mission :
• coordonner l'ensemble des soins et des services
  généraux de même que des soins et des services
  spécialisés pour les personnes âgées dans le but
  d'améliorer la santé et le bien-être de toute la
  population dont il a la responsabilité ;
• enseigner et faire de la recherche et du
  développement des connaissances en soins de
  première ligne et en soins géronto-gériatriques.

Siège social
1036, rue Belvédère Sud
Sherbrooke (QC) J1H 4C4
☎ 819 821-1150
🖨 819 829-7149

Centre d'hébergement Argyll
CHSGS 40 lits de gériatrie
CHSGS Consultations externes
CHSLD 112 lits d'hébergement permanent
CHSLD 2 lits d'hébergement temporaire
375, rue Argyll
Sherbrooke (QC) J1J 3H5
☎ 819 821-1150

Centre d'hébergement d'Youville
CHSGS 24 lits de gériatrie
CHSGS Consultations externes
CHSLD Hôpital de jour
CHSLD 273 lits d'hébergement permanent
CHSLD 3 lits d'hébergement temporaire
1036, rue Belvédère Sud
Sherbrooke (QC) J1H 4C4
☎ 819 821-5105

Centre d'hébergement Saint-Joseph
CHSLD 187 lits d'hébergement permanent
CHSLD 3 lits d'hébergement temporaire
611, boul. Queen-Victoria
Sherbrooke (QC) J1H 3R6
☎ 819 569-5131

Centre d'hébergement Saint-Vincent
CHSLD Centre de jour
CHSLD 211 lits d'hébergement permanent
CHSLD 1 lit d'hébergement temporaire
300, rue King Est
Sherbrooke (QC) J1G 1B1
☎ 819 569-5131

Deuil-secours
Mission : offrir soutien et compréhension
aux endeuillés.
☎ 514 389-1784

Diabète Québec
⌐ www.diabete.qc.ca
Mission :
• fournir de l'enseignement aux personnes
  diabétiques ;
• assurer des services à la clientèle par des brochures, une ligne téléphonique et des affiliations
  avec les associations partout au Québec ;
• favoriser la recherche dans le domaine
  du diabète ;
• défendre les droits des personnes diabétiques.
8550, boul. Pie-IX, bureau 300
Montréal (QC) H1Z 4G2
☎ 514 259-3422
☎ 1 800 361-3504 (sans frais)
🖨 514 259-9286

Doloplus
⌐ www.doloplus.com/index.htm
Mission : expliquer l'évaluation de la douleur chez
les personnes âgées ayant des troubles de communication verbale.

Groupe de recherche Solidage (Groupe de recherche Université de Montréal-Université McGill sur les services intégrés pour les personnes âgées)
⌐ www.solidage.ca
Mission :
• faire de la recherche, étudier les orientations
  et élaborer des pratiques en matière de services
  aux personnes âgées ;
• fournir de la formation à des fins d'organisation
  et de gestion des soins aux personnes âgées.
Hôpital général juif – Sir Mortimer B. Davis
3755, chemin de la Côte-Ste-Catherine
Montréal (QC) H3T 1E2
☎ 514 340-8222, poste 2182

Info-aînés Canada
⌐ www.aines.gc.ca
Mission : founir de l'information relative aux
aînés, à leurs familles, aux aidants naturels
et aux fournisseurs de services.

Institut universitaire de gériatrie de Montréal
⌂ www.iugm.qc.ca
Mission :
- fournir des soins et des services aux personnes âgées ;
- enseigner, faire de la recherche ;
- évaluer les technologies de la santé ;
- promouvoir la santé et diffuser l'expertise.

Siège social
Pavillon Côte-des-Neiges
4565, chemin Queen-Mary
Montréal (QC) H3W 1W5
☎ 514 340-2800
🖷 514 340-2802

Pavillon Alfred-DesRochers
5325, avenue Victoria
Montréal (QC) H3W 2P2
☎ 514 340-2800
🖷 514 731-2136

Le portail canadien sur la santé
⌂ www.chp-pcs.gc.ca/index.jsp
Mission : présenter des ressources sur les questions et préoccupations touchant les aînés.

Ministère de la Santé et des Services sociaux du Québec
⌂ www.msss.gouv.qc.ca (Cliquer sur Plan du site, Sujets, Groupes de population, Personnes âgées.)
Mission : fournir de l'information sur les orientations ministérielles et les services offerts aux personnes âgées.

Mouvement des aînés du Québec (FADOQ)
⌂ www.fadoq.ca
Mission :
- regrouper les personnes âgées de 50 ans et plus ;
- représenter les aînés devant toutes les instances nécessitant la reconnaissance de leurs droits et de leurs besoins ;
- organiser des activités et offrir des programmes et des services répondant à leurs besoins, afin de favoriser leur qualité de vie et leur épanouissement.
4545, av. Pierre-De Coubertin
C. P. 1000, Succ. M
Montréal (QC) H1V 3R2
☎ 514 252-3017
🖷 514 252-3154

Nestlé nutrition
⌂ www.mna-elderly.com/clinical-practice.htm (site en anglais)
Mission : fournir de l'information sur la nutrition chez la personne âgée et sur l'évaluation de ses habitudes alimentaires.

Réseau canadien pour la prévention des mauvais traitements envers les aîné(e)s
⌂ www.mun.ca/elderabuse
Mission : exposer le fait que des aînés sont l'objet de négligence et d'abus et faire en sorte qu'ils soient traités comme des citoyens à part entière dans la société canadienne.

Réseau québécois pour contrer les abus envers les aînés (RQCAA)
⌂ www.rqcaa.org
Mission : rassembler les personnes et les regroupements de personnes qui se préoccupent de la prévention, du dépistage ou de l'intervention en matière d'abus envers les aînés.
7484, rue St-Denis
Montréal (QC) H2R 2E4
☎ 514 270-2777
🖷 514 270-2787

Réseau québécois de recherche sur le vieillissement
⌂ www.rqrv.com
Mission : soutenir la recherche interdisciplinaire sur le vieillissement.
L'Institut Lady Davis de recherche médicale
3755, chemin de la Côte-Ste-Catherine
Montréal (QC) H3T 1E2
☎ 514 340-8222, poste 4352
🖷 514 340-8617

Société Alzheimer du Canada
⌂ www.alzheimer.ca
Mission :
- établir, élaborer et soutenir les priorités nationales qui permettent à ses membres d'alléger efficacement les conséquences personnelles et sociales de la maladie d'Alzheimer et des affections connexes ;
- favoriser la recherche et jouer un rôle de premier plan pour trouver des moyens de guérison.

Bureau national
Société Alzheimer du Canada
20, av. Eglinton Ouest, bureau 1200
Toronto (ON) M4R 1K8
☎ 416 488-8772
☎ 1 800 616-8816 (sans frais)
🖷 416 488-3778

Bureau provincial

La Fédération québécoise des sociétés Alzheimer

🖱 www.alzheimerquebec.ca

5165, rue Sherbrooke Ouest, bureau 211

Montréal (QC) H4A 1T6

☎ 514 369-7891

☎ 1 888 636-6473 (sans frais)

🖳 514 369-7900

📠 info-fqsa@alzheimerquebec.ca

Bureaux régionaux

BAS-SAINT-LAURENT

🖱 www.alzheimer-bsl.com

114, avenue Saint-Jérôme (Légion canadienne)

Matane (QC) G4W 3A2

☎ 418 562-2144

☎ 1 877 446-2144 (sans frais)

🖳 418 562-7449

📠 sabsl@globetrotter.net

MRC La Matapédia

6, rue Turbide, local 194

Lac-au-Saumon (QC) G0J 1M0

☎ 418 778-5816, poste 263

🖳 418 778-3391

Maison J. Arthur Desjardins

11, rue d'Amours

Matane (QC) G4W 2X3

☎ 418 562-2110

🖳 418 562-7449

CENTRE-DU-QUÉBEC

115, rue Notre-Dame

Drummondville (QC) J2C 2L2

☎ 819 474-3666

🖳 819 474-3133

Maison MYOSOTIS

☎ 819 474-1160

📠 myosotis@aide-internet.org

CHAUDIÈRE-APPALACHES

302, av. du Collège

Ste-Marie (QC) G6E 3B4

Poster les colis au :

C. P. 1, Ste-Marie (QC) G6E 3B4

☎ 418 387-1230

☎ 1 888 387-1230 (sans frais)

🖳 418 387-1360

📠 sachap@globetrotter.net

CÔTE-NORD

106, rue Napoléon, bureau 206

Sept-Îles (QC) G4R 3L7

☎ 418 968-4673

☎ 1 866 366-4673 (sans frais)

🖳 418 962-4161

📠 sacotenord@globetrotter.net

ESTRIE

🖱 www.alzheimerestrie.com

Édifice Norton

375, rue Argyll, bureau 0725

Sherbrooke (QC) J1J 3H5

☎ 819 821-5127

🖳 819 829-7158

📠 info@alzheimerestrie.com

GASPÉSIE-LES ÎLES

549, boul. Perron

Maria (QC) G0C 1Y0

☎ 418 759-3131

🖳 418 759-5077

📠 centredebenevolatregis@globetrotter.net

GRANBY ET RÉGIONS

66, rue Court, bureau 201

Granby (QC) J2G 4Y5

☎ 450 777-3363

🖳 450 777-8677

📠 alzheimergranby@bellnet.ca

HAUT-RICHELIEU

C. P. 485

Saint-Jean-sur-Richelieu (QC) J3B 6Z8

Poster les colis au :

125, rue Jacques-Cartier Nord, bureau 2

Saint-Jean-sur-Richelieu (QC) J3B 8C9

☎ 450 347-5500

☎ 514 990-8262

🖳 450 347-7370

📠 alzheimer@qc.aira.com

LANAUDIÈRE

144, rue St-Joseph, local 315

Joliette (QC) J6E 5C4

☎ 450 759-3057

☎ 1 877 759-3077 (sans frais)

🖳 450 760-3586

📠 salanaudiere@yahoo.fr

LAURENTIDES

37, rue Principale Est, 2e étage

C. P. 276

Sainte-Agathe-des-Monts (QC) J8C 3A3

☎ 819 326-7136

☎ 1 800 978-7881 (sans frais)

🖳 819 326-7136

📠 salaurentides@bellnet.ca

LAVAL

🖱 www.alzheimerlaval.org

3744, boul. Lévesque Ouest

Laval (QC) H7V 1E8

☎ 450 978-0966

🖳 450 978-9517

📠 info@alzheimerlaval.org

MASKOUTAINS-VALLÉE DES PATRIOTES
2650, rue Morin
Sainte-Hyacinthe (QC) J2S 8H1
☎ 450 778-2572, poste 2018
🖷 450 778-1899
✉ suzannegirouard@hotmail.com

Belœil-CLSC VDP
347, rue Duvernay
Belœil (QC) J3G 5S8
☎ 450 536-2572
✉ suzannegirouard@hotmail.com

MAURICIE
🖰 www.alzmauricie.org
Maison Carpe Diem
1765, boul. St-Louis
Trois-Rivières (QC) G8Z 2N7
Poster les colis au :
1775, boul. St-Louis
Trois-Rivières (QC) G8Z 2N7
☎ 819 376-7063
🖷 819 376-3538
✉ carpediem@alzmauricie.org

MONTRÉAL
🖰 www.alzheimermontreal.ca
5165, rue Sherbrooke Ouest, bureau 410
Montréal (QC) H4A 1T6
☎ 514 369-0800
🖷 514 369-4103
✉ info@alzheimermontreal.ca

OUTAOUAIS QUÉBÉCOIS
🖰 www.saoq.org
Maison Fleur-Ange
380, boul. St-Raymond
Gatineau (QC) J9A 1V9
☎ 819 777-4232
☎ 1 877 777-0888 (sans frais)
🖷 819 777-0728
✉ saoq@saoq.org

QUÉBEC
1040, av. Belvédère, bureau 312
Sillery (QC) G1S 3G3
☎ 418 527-4294
☎ 1 866 350-4294 (sans frais)
🖷 418 527-9966
✉ info@societealzheimerdequebec.com

RIVE-SUD
1160, boul. Nobert
Longueuil (QC) J4K 2P1
☎ 450 442-3333
🖷 450 442-9271
✉ info@sarsmc.qc.ca

ROUYN-NORANDA
58, rue Monseigneur-Tessier Est
C. P. 336
Rouyn-Noranda (QC) J9X 5C3
☎ 819 764-3554
🖷 819 764-3534
✉ sarn@cablevision.qc.ca

SAGAMIE–SAGUENAY–LAC-ST-JEAN
🖰 www.alzheimersagamie.com
Société Alzheimer de la Sagamie
Bureau régional
1657, av. du Pont Nord
Alma (QC) G8B 5G2
☎ 418 668-0161
☎ 1 877 668-0161 (sans frais)
🖷 418 668-2639
✉ alzheimersag@bellnet.ca

Point de services Chibougamau-Chapais
C.R.S.S.S. de la Baie-James
32, 3e Avenue, C. P. 1300
Chapais (QC) G0W 1H0
☎ 418 745-2591, poste 234
🖷 418 745-3038
✉ melissa.fortin@alzheimersagamie.com

Point de services Domaine-du-Roy
et Maria-Chapdelaine
CLSC des Prés-Bleus
1228, boul. Sacré-Cœur
Saint-Félicien (QC) G8H 2R2
☎ 418 679-5270, poste 133
🖷 418 679-1748

Point de services La Baie-Bas-Saguenay
Foyer Bagotville
562, rue Victoria
La Baie (QC) G7B 3M6
☎ 418 544-4964
🖷 418 544-0052

Point de services Saguenay
3240, rue des Pensées
Jonquière (QC) G7S 5T9
☎ 418 695-7794
🖷 418 695-7795
✉ alzheimerchicoutimi@cybernaute.com

SUROÎT
340, boul. du Havre, bureau 101
Salaberry-de-Valleyfield (QC) J6S 1S6
☎ 450 373-0303
☎ 1 877 773-0303 (sans frais)
🖷 450 373-0388
✉ info@alzheimersuroit.com

VALLÉE DE L'OR
734, 4ᵉ Avenue
Val d'Or (QC) J9P 2C9
☎ 819 825-7444
🖷 819 825-7893
✉ sco.alz.valdor@sympatico.ca

Société Parkinson du Québec
🖰 www.infoparkinson.org
Mission :
- favoriser le mieux-être des personnes atteintes de la maladie de Parkinson ;
- leur offrir soutien et information, défendre leurs intérêts et appuyer la recherche sur la maladie de Parkinson.

550, Sherbrooke Ouest
Bureau 1470 (Tour Ouest)
Montréal (QC) H3A 1B9
☎ 514 861-4422
☎ 1 800 720-1307 (sans frais)
🖷 514 861-4510

Société québécoise de gériatrie
🖰 www.sqgeriatrie.org
Mission :
- promouvoir l'étude de tous les aspects du vieillissement ;
- promouvoir le progrès dans le domaine du bien-être des personnes âgées.

375, rue Argyll
Sherbrooke (QC) J1J 3H5
☎ 819 346-9196
🖷 819 829-7145

Tel-Aînés
Mission : offrir un service d'écoute téléphonique, de référence et de prévention du suicide, gratuit, anonyme et confidentiel, totalement dédié aux personnes de 60 ans et plus et à leurs aidants naturels.
☎ 514 353-2463

Vieillir en liberté
🖰 www.fep.umontreal.ca/violence
Mission :
- fournir de la documentation favorisant la promotion des valeurs du réseau : respect de la dignité et des droits ;
- contribuer à l'échange d'expertise dans les communautés et entre les pays francophones sur la protection des personnes âgées vulnérables ;
- mettre en valeur les initiatives, les recherches et les réflexions se rapportant aux domaines concernés.

Bibliographie

Chapitre 1

Bhalotra, S. M., & Mutschler, P. H. (2001). Primary prevention for older adults: No longer a paradox. *Journal of Aging and Social Policy,* 12(2), 5–22.

Bloom, H. G. (2001). Preventive medicine: When to screen for disease in older patients. *Geriatrics,* 56(4), 41–45.

Frank, L. K. (1946). Gerontology. *Journal of Gerontology,* 1(1), 1–11.

Fraser, G. E., & Shavlik, D. J. (2001). Ten years of life: Is it a matter of choice? *Archives of Internal Medicine,* 161, 1645–1652.

Hubert, H. B., Bloch, D. A., Oehlert, J. W., & Fries, J. F. (2002). Lifestyle habits and compression of morbidity. *Journal of Gerontology: Medical Sciences,* 57A, M347-M351.

Keating, N., J. Fast, J. Frederick, K. Cranswick et C. Perrier (1999). *Soins aux personnes âgées au Canada: contexte, contenu et conséquences,* Ottawa, Statistique Canada.

Mehr, D. R., & Tatum, P. E. (2002). Primary prevention of disease in old age. *Clinics in Geriatric Medicine,* 18, 407–430.

Ordre des infirmières et infirmiers du Québec (2000). *L'exercice infirmier en soins de longue durée. Au carrefour du milieu de soins et du milieu de vie,* Montréal, OIIQ.

Santé Canada (2002). *Vieillir au Canada,* [En ligne], [http://www.phac-aspc.gc.ca/seniors-aines/pubs/fed_paper/fedreport1_01_f.htm] (6 décembre 2006).

Touhy, E. L. (1946). Geriatrics: The general setting. *Geriatrics: Official Journal of the American Geriatrics Society,* 1(1), 17-20.

Chapitre 2

Meleis, A. I. (1997). *Theoretical nursing: Development and progress* (3rd ed.), Philadelphia, J.B. Lippincott.

Wells, T. J. (1987) Nursing model and research compatibility: Concerns and possibilities. *Journal of Gerontological Nursing,* 13(9), 20–23.

Chapitre 3

Beckett, W. S., Chamberlain, D., Hallman, E., May, J., Hwang, S. A., Gomez, M., Eberly, S., Cox, C., & Stark, A. (2000). Hearing conservation for farmers: Source apportionment of occupational and environmental factors contributing to hearing loss. *Journal of Occupational and Environmental Medicine,* 42(8), 806–813.

Casano, R. A., Johnson, D. F., Bykhovskaya, Y., Torricelli, F., Bigozzi, M., & Fischel-Ghodsian, N. (1999). Inherited susceptibility to aminoglycoside ototoxicity: Genetic heterogeneity and clinical implications. *American Journal of Otolaryngology,* 20(3), 151–156.

Fozard, J., & Gordon-Salant, S. (2001). In J. E. Birren & K. W. Schaie (Eds.), *The psychology of aging* (5th ed., pp. 241–266), San Diego, Academic Press.

Garstecki, D., & Erler, S. F. (1999). Older adult performance on the Communication Profile for the Hearing Impaired: Gender difference. *Journal of Speech, Language, and Hearing Research,* 42, 735–796.

Hwang, S. A., Gomez, M. I., Sobotova, L., Stark, A. D., May, J. J., & Hallman, E. M. (2001). Predictors of hearing loss in New York farmers. *American Journal of Industrial Medicine,* 40(1), 23–31.

Karev, M., & Bartz, S. N. (2001). Hearing aids. In M. D. Mezey (Ed.), *The encyclopedia of elder care* (pp. 334–336), New York, Springer.

Kramer, S. E., Kapteyn, T. S., Kuik, D. J., & Deeg, D. J. H. (2002). The association of hearing impairment and chronic diseases with psychosocial health status in older age. *Journal of Aging and Health,* 14, 122–137.

Mahoney, D. F. (1996). Cerumen impaction and hearing impairment among nursing home residents: Nursing implications. In V. Burggraf & R. Barry (Eds.), *Gerontological nursing: Current practice and research* (pp. 159–168), Thorofare, NJ, SLACK.

Morata, R. C., Johnson, A-C, Nylen, P., Svensson, E. B., Cheng, J., Krieg, E. F., Lindblad, A-C., Emstgard, L., & Franks, J. (2002). Audiometric findings in workers exposed to low levels of styrene and noise. *Journal of Occupational and Environmental Medicine,* 44, 806–814.

Nakanishi, N., Okamoto, M., Nakamura, K., Suzuki, K., Tatara, K. (2000). Cigarette smoking and risk for hearing impairment: A longitudinal study in Japanese male office workers. *Journal of Occupational and Environmental Medicine,* 42(11), 1045–1049.

National Academy on an Aging Society (NAAS) (1999). *Hearing loss: A growing problem that affects quality of life,* Washington, DC, Author.

Resnick, H. E., Fries, B. E., & Verbrugge, L. M. (1997). Windows to their world: The effect of sensory impairments on social engagement and activity time in nursing home residents. *Journal of Gerontology: Social Sciences,* 52B(3), S135–S144.

Schneider, B. A., Daneman, M., & Murphy, D. R. (2000). Listening to discourse in distracting settings: The effects of aging. *Psychology and Aging,* 15(1), 110–125.

Tomei, F., Fantini, S., Tomao, E., Baccolo, T. P., & Rosati, M. V. (2000). Hypertension and chronic exposure to noise. *Archives of Environmental Health,* 55(5), 319–325.

Wallhagen, M. I., Strawbridge, W. J., Shema, S. J., Kurata, J., & Kaplan, G. A. (2001). Comparative impact of hearing and vision impairment on subsequent functioning. *Journal of the American Geriatrics Society,* 49, 1086–1092.

Chapitre 4

Carter, T. L. (2001). Vision changes and care. In M. D. Mezey (Ed.), *The encyclopedia of elder care* (pp. 673–676), New York, Springer.

Desai, M., Pratt, L. A., Lentzner, H., & Robinson, K. N. (2001). Trends in vision and hearing among older Americans. *Aging Trends,* No. 2, Hyattsville, MD, National Center for Health Statistics.

Horowitz, A. (1997). The relationship between vision impairment and the assessment of disruptive behaviors among nursing home residents. *Gerontologist,* 37(5), 620–628.

National Eye Institute, National Institutes of Health. National Institute on Aging. (2001). *Action plan for aging research: Strategic plan for fiscal years 2001-2005.* Washington, DC: U.S. Department of Health and Human Services. HIH Publication No. 01-4961

Lord, S. R., & Dayhew, J. (2001). Visual risk factors for falls in older people. *Journal of American Geriatrics Society,* 49, 508–515.

Resnick, H. E., Fries, B. E., & Verbrugge, L. M. (1997). Windows to their world: The effect of sensory impairments on social engagement and activity time in nursing home residents. *Journal of Gerontology: Social Sciences,* 52B, S135–S144.

Rovner, B. W., & Casten, R. J. (2002). Activity loss and depression in age-related macular degeneration. *American Journal of Geriatric Psychiatry*, 10, 305–310.

Schlienger, R. G., Haefelia, W. E., Jick, H., & Meier, C. R. (2001). Risk of cataract in patients treated with statins. *Archives of Internal Medicine*, 161, 2021–2026.

West, C. G., Gildengorin, G., Haegerstrom-Portnoy, G., Schenck, M. E., Lott, L., & Brabyn, J. A. (2002). Is visual function related to physical functional ability in older adults? *Journal of the American Geriatrics Society*, 50, 136–145.

Chapitre 5

Aronow, W. S. (2002). What is the appropriate treatment of hypertension in elders? *Journal of Gerontology*, 57A, M483–M486.

Aronow, W. S. (2003). Silent MI: Prevalence and prognosis in older patients diagnosed by routine electrocardiograms. *Geriatrics*, 58(1), 24–40.

Aviv, A. (2001). Salt and hypertension: The debate that begs the bigger question. *Archives of Internal Medicine*, 161, 507–510.

Benetos, A., Thomas, F., Bean, K., Gautier, S., Smulyan, H., & Guize, L. (2002). Prognostic value of systolic and diastolic pressure in treated hypertensive men. *Archives of Internal Medicine*, 162, 577–581.

Blacher, J., Staessen, J. A., Girerd, X., Gasowski, J., Thijs, L., Liu, L., et al. (2000). Pulse pressure not mean pressure determines cardiovascular risk in older hypertensive patients. *Archives of Internal Medicine*, 160, 1085–1089.

Canto, J. G., Fincher, C., Kiefe, C. L. Allison, J. J., Li, Q, Funkhouser, E., et al. (2002). Atypical presentation among Medicare beneficiaries with unstable angina pectoris. *American Journal of Cardiology*, 90, 248–253.

Chaput, L. A., Adams, S. H., Simon, J. A., Blumenthal, R. S., Vittinghoff, E., Lin, F., et al. (2002). Hostility predicts recurrent events among postmenopausal women with coronary heart disease. *American Journal of Epidemiology*, 156, 1092–1099.

Eaton, C. B., & Anthony, D. (2002). Cardiovascular disease and the maturing woman. *Clinics in Family Practice*, 4(1), 71–88.

Frazier, L. (2002). Resting and reactive blood pressure: Predictors of ambulatory blood pressure in adults with hypertension. *Journal of Gerontological Nursing*, 28(9), 6–13.

Gibbons, L. W., & Clark, S. M. (2001). Exercise in the reduction of cardiovascular events: Lessons for epidemiologic trails. *Cardiology Clinics*, 19(3), 347–355.

Hajjar, I. M., Grim, C. E., George, V., & Kotchen, T. A. (2001). Impact of diet on blood pressure and age-related changes in blood pressure in the US population. *Archives of Internal Medicine*, 161, 589–593.

Hajjar, I., Miller, K., & Hirth, V. (2002). Age-related bias in the management of hypertension: A national survey of physicians' opinions on hypertension in elderly adults. *Journal of Gerontology: Medical Sciences*, 57A, M487–M491.

Hak, A. E., Pols, H. A. P., Visser, T. J., Drexhage, H. A., Hofman, A., & Witteman, J. C. M. (2000). Subclinical hypothyroidism is an independent risk factor for atherosclerosis and myocardial infarction in elderly women: The Rotterdam Study. *Annals of Internal Medicine*, 132, 270–278.

Hinderliter, A., Sherwood, A., Gullette, E. C. D., Babyak, M., Waugh, R., Georgiades, A., & Blumenthal, J. A. (2002). Reduction of left ventricular hypertrophy after exercise and weight loss in overweight patients with mild hypertension. *Archives of Internal Medicine*, 162, 1333–1339.

Humphrey, L. L., Chan, B. K. S., & Sox, H. C. (2002). Postmenopausal hormone replacement therapy and the primary prevention of cardiovascular disease. *Annals of Internal Medicine*, 137, 273–284.

Joint National Committee on Prevention, Detection, Evaluation, and Treatment of High Blood Pressure (JNC) (2003). The seventh report of the Joint National Committee on Prevention, Detection, Evaluation, and Treatment of High Blood Pressure (JNC IV). *Journal of the American Medical Association*, 289, 2560–2577.

Keevil, J. G., Stein, J. H., & McBride, P. E. (2002). Cardiovascular disease prevention. *Primary Care: Clinics in Office Practice*, 29(3), 667–777.

Klungel, O. H., Heckbert, S. R., Longstreth, W. T., Furberg, C. D., Kaplan, R. C., Smith, N. L., et al. (2001). Antihypertensive drug therapies and the risk of ischemic stroke. *Archives of Internal Medicine*, 161, 37–43.

Kudzma, E. C. (2001). Cultural competence: Cardiovascular medicine. *Progress in Cardiovascular Nursing*, 16(4), 152–160, 169.

Laine, C. (2002). Postmenopausal hormone replacement therapy: How can we be so wrong? *Annals of Internal Medicine*, 137, 290.

Lakatta, E. G. (2000). Cardiovascular aging in health. *Clinics in Geriatric Medicine*, 16(3), 419–444.

Mancia, G., Bombelli, M., Lanzarotti, A., Grassi, G., Ceasana, G., Zanchetti, A., & Sega, R. (2002). Systolic vs diastolic blood pressure control in the hypertensive patients of the PAMELA population. *Archives of Internal Medicine*, 162, 582–586.

Maurer, M. S., Karmally, W., Rivadeneira, H., Parides, M. K., & Bloomfield, D. M. (2000). Upright posture and postprandial hypotension in elderly. *Annals of Internal Medicine*, 133, 533–536.

Mehagnoul-Schipper, D. J., Boerman, R. H., Hoefnagels, W. H. L., & Jansen, R. W. M. M. (2001). Effects of levodopa on orthostatic and postprandial hypotension in elderly parkinsonian patients. *Journal of Gerontology: Medical Sciences*, 56A, M749–M755.

Messinger-Rapport, B. J., & Sprecher, D. (2002). Prevention of cardiovascular disease: Coronary artery disease. *Clinics in Geriatric Medicine*, 18(3), 463–484.

Morley, J. E. (2001). Postprandial hypotension: The ultimate Big Mac attack. *Journal of Gerontology: Medical Sciences*, 56A, M741–M743.

Moser, M. (2001). Is it time for a new approach to the initial treatment of hypertension? *Archives of Internal Medicine*, 161, 1140–1144.

Mukai, S., & Lipsitz, L. A. (2002). Orthostatic hypotension. *Clinics in Geriatric Medicine*, 18, 253–268.

Mya, M. M., & Aronow, W. S. (2002). Subclinical hypothyroidism is associated with coronary artery disease in older persons. *Journal of Gerontology: Medical Sciences*, 57A, M658–M659.

Obermen, A. S., Gagnon, M. M., Kiely, D. K., & Lipsitz, L. A. (2000). Autonomic and neurohumoral control of postprandial blood pressure in healthy aging. *Journal of Gerontology: Medical Sciences*, 55A, M477–M483.

O'Mara, G. O., & Lyons, D. (2002). Postprandial hypotension. *Clinics in Geriatric Medicine*, 18, 307–321.

Pearson, T. A., Blair, S. N., Daniels, S. R., Eckel, R. H., Fair, J. M., Fortmann, S. P., et al. (2002). AHA Guidelines for primary prevention of cardiovascular disease and stroke: 2002 update. *Circulation*, 106, 388–391.

Piccirillo, G., Di Giuseppe, V., Nocco, M., Lionetti, M., Moise, A., Naso, C., Tallarico, D., Marigliano, V., & Cacciafesta, M. (2001). Influence of aging and other cardiovascular risk factors on baroreflex sensitivity. *Journal of the American Geriatrics Society*, 49, 1059–1065.

Poirier, P., Giles, T. D., Bray, G., Yuling, H., Stern, J. S., Pi-Sunger, F. X., & Ecke, R. H. (2006). Obesity and cardiovascular disease: Pathophysiology, evaluation and effect of weight loss. *Journal of the American heart association*, January, 17 898-918.

Prospective Studies Collaboration (2002). Age-specific relevance of usual blood pressure to vascular mortality: A meta-analysis of individual data for one million adults in 61 prospective studies. *Lancet*, 360, 1903–1913.

Puisieux, F., Bulckaen, H., Fauchais, A. L., Drumez, S., Salomez-Granier, F., & Dewailly, P. (2000). Ambulatory blood pressure monitoring and postprandial hypotension in elderly persons with falls or syncopes. *Journal of Gerontology: Medical Sciences*, 55A, M535–M540.

Ross, R., & Glomset, J. (1976). The pathogenesis of atherosclerosis. *New England Journal of Medicine*, 295, 369, 420.

Sheifer et autres (2001) Unrecognized myocardial infaction. *Annals of Internal Medicine*, 135, 801-811.

U.S. Preventive Services Task Force (October 2002). *Hormone replacement therapy for primary prevention of chronic conditions: Recommendations and rationale*, Rockville, MD, Agency for Healthcare Research and Quality. [www.ahrq.gov/clinic/3rduspstf/hrt/hrtr.htm]

Vasan, R. S., Larson, M. G., Leip, E. P., Evans, J. C., O'Donnell, C. J., Kannel, W. B., & Levy, D. (2001). Impact of high-normal blood pressure on the risk of cardiovascular disease. *New England Journal of Medicine*, 345, 1291–1297.

Vloet, L. C. M., Mehagnoul-Schipper, J., Hoefnagels, W. H. L., & Jansen, R. W. M. M. (2001). The influence of low-, normal-, and high-carbohydrate meals on blood pressure in elderly patients with postprandial hypotension. *Journal of Gerontology*, 56A(12), M744–M748.

Vokonos, P. S. (2000). Atherosclerosis. In M. H. Beers & R. Berkow, *The Merck manual of geriatrics* (pp. 849–853), Whitehouse Station, NJ, Merck Research Laboratories.

Vollmer, W. M., Sacks, F. M., Ard, J., Appel, L. J., Bray, G. A., Simons-Morton, D. G., Conlin, P. R., Svetkey, L. P., Erlinger, T. P., Moore, T. J., & Karanja, N. (2001). Effects of diet and sodium intake on blood pressure: Subgroup analysis of the DASH-sodium trial. *Annals of Internal Medicine*, 135, 1019–1028.

Weiss, A., Grossman, E., Beloosesky, Y., & Grinblat, J. (2002). Orthostatic hypotension in acute geriatric ward. Is it a consistent finding? *Archives of Internal Medicine*, 162, 2369–2374.

Williams. M. A., Fleg, J. L., Ades, P. A., Chairman, B. R., Miller, N. H., Mohiuddin, S. M., *et al.* (2002). Secondary prevention of coronary heart disease in the elderly (with emphasis on patients over 75 years of age). *Circulation*, 105, 1735–1743.

Women's Health Initiative Investigators (WHI) (2002). Risks and benefits of estrogen plus progestin in healthy postmenopausal women: Principal results from the Women's Health Initiative randomized controlled trial. *Journal of the American Medical Association*, 288(3), 321–333.

Yarows, S. A., Steva, J., & Pickering, T. G. (2000). Home blood pressure monitoring. *Archives of Internal Medicine*, 160, 1251–1257.

Chapitre 6

Barker, W. H., Borisute, H., & Cox, C. (1998). A study of the impact of influenza on the functional status of frail older people. *Archives of Internal Medicine*, 158, 645–650.

Brownson, R. C., Jackson-Thompson, J., Wilkerson, J. C., Davis, J. R., Owens, N. W., & Fisher, E. B. (1992). Demographic and socioeconomic differences in beliefs about the health effects of smoking. *American Journal of Public Health*, 82, 99–103.

Callahan, C. M., & Wolinsky, F. D. (1996). Hospitalization for pneumonia among older adults. *Journal of Gerontology: Medical Sciences*, 51A, M276–282.

Feldman, C. (2001). Pneumonia in the elderly. *Medical Clinics of North America*, 85(6), 1441–1459.

Johnson, J. C., Jayadevappa, R., Baccash, P. D., & Taylor, L. (2000). Nonspecific presentation of pneumonia in hospitalized older people: Age effect of dementia? *Journal of the American Geriatrics Society*, 48, 1316–1320.

Kuper, H. (2002). Tobacco use and cancer causation: Association by tumour type. *Journal of Internal Medicine*, 252, 206–224.

Morgan, W. K. C., & Reger, R. B. (2000). Rise and fall of the FEV1. *Chest*, 118, 1639–1644.

National Institute on Aging (NIA) (2001). *Action plan for aging research: Strategic plan for fiscal years 2001–2005*, Washington, DC, U.S. Department of Health and Human Services, NIH Publication No. 01-4961.

Nurminen, M. M., & Jaakkola, M. S. (2001). Mortality from occupational exposure to environmental tobacco smoke in Finland. *Journal of Occupational and Environmental Medicine*, 43(8), 687–693.

Taylor, D. H., Hasselblad, V., Henley, S. J., Thun, M. J., & Sloan, F. A. (2002). Benefits of smoking cessation for longevity. *American Journal of Public Health*, 92, 990–996.

Terry, P. B. (2000). Chronic obstructive pulmonary disease. In M. H. Beers & R. Berkow (Eds.), *The Merck manual of geriatrics* (3rd ed.), Whitehouse Station, NJ, Merck & Co., Inc.

Wolfsen, C., Barker, J. C., & Mitteness, L. S. (2001). Smoking and health: Views of elderly nursing home residents. *Journal of Gerontological Nursing*, 27(8), 6–12.

Chapitre 7

Bromley, S. M. (2000). Smell and taste disorders: A primary care approach. *American Family Physician*, 61(2), 427–436.

Coleman, P. (2002). Improving oral health care for the frail elderly: A review of widespread problems and best practices. *Geriatric Nursing*, 23, 189–197.

Covinsky, K.E., Covinsky, M. H., Palmer, R. M., & Sehgal, A.R. (2002). Seru, albumin concentration and clinical assessments of nutritional status in hospitalized older people: Different sides of different coins? *Journal of the American Geriatrics Society*, 50, 631-637.

Crogan, N. L., Shultz, J. A., Adams, C. E., & Massey, L. K. (2001). Barriers to nutrition care for nursing home residents. *Journal of Gerontological Nursing*, 27(12), 25–31.

Crogan, N. L., & Corbett, C. F. (2002). Predicting malnutrition in nursing home residents using the minimum data set. *Geriatric Nursing*, 23, 224–226.

Finkel, D., Pedersen, N. L., & Larsson, M. (2001). Olfactory functioning and cognitive abilities: A twin study. *Journal of Gerontology: Psychological Sciences*, 56B, P226–P233.

Frank, L., Flynn, J., & Rothman, M. (2001). Use of a self-report constipation questionnaire with older adults in long-term care. *Gerontologist*, 41, 778–786.

Ghezzi, E. M., Wagner-Lange, L. A., Schork, M. A., Meter, E. J., Baum, B. J., Streckfus, C. F., & Ship, J. A. (2000). Longitudinal influence of age, menopause, hormone replacement therapy, and other medications on parotid flow rates in healthy women. *Journal of Gerontology: Medical Sciences*, 55A, M34–M42.

Hinrichs, M., Huseboe, J., Tang, J., & Titler, M. G. (2001). Research-based protocol: Management of constipation. *Journal of Gerontological Nursing*, 27(2), 17–28.

Horowitz, M. (2000). Aging and the gastrointestinal tract. In M. H. Beers & R. Berkow (Eds.), *The Merck manual of geriatrics* (3rd ed., pp. 1000–1006), Whitehouse Station, NJ, Merck Research Laboratories.

Jensen, G. L., McGee, M., & Brinkley, J. B. (2001). Gastrointestinal disorders in the elderly. Nutrition in the elderly. *Gastroenterology Clinics, 30,* 313–334.

Lewis, M. M. (2001). Long-term care in geriatrics. Nutrition in long term care. *Clinics in Family Practice, 3,* 627–651.

Linder, J. D., & Wilcox, C. M. (2001). Gastrointestinal disorders in the elderly. Acid peptic disease in the elderly. *Gastroenterology Clinics, 30,* 363–376.

Meyyazhagan, S., & Palmer, R. M. (2002). Nutritional requirements with aging. *Clinics in Geriatric Medicine, 18*(3), 557–576.

Morley, J. E. (2002). Pathophysiology of anorexia. *Clinics in Geriatric Medicine, 18,* 661–674.

Nicosia, M. A., Hind, J. A., Roecker, E. B., Carnes, M., Doyle, J., Dengel, G. A., & Robbins, J. (2000). Age effects on the temporal evolution of isometric and swallowing pressure. *Journals of Gerontology: Medical Sciences, 55A,* M634–M640.

Omran, M. L., & Salem, P. (2002). Diagnosing undernutrition. *Clinics in Geriatric Medicine, 18,* 719–737.

Patterson, A. J. (2002). Relationship between nutrition screening checklist and the health and well-being of older Australian women. *Public Health Nutrition, 5*(1), 65–71.

Prather, C. M. (2000). Constipation, diarrhea, and fecal incontinence. In M. H. Beers & R. Berkow (Eds.), *The Merck manual of geriatrics* (3rd ed., pp. 1080–1095), Whitehouse Station, NJ, Merck Research Laboratories.

Ritchie, C. S. (2002). Oral health, taste, and olfaction. *Clinics in Geriatric Medicine, 18*(4), 709–718.

Ross, S. O., & Forsmark, C. E. (2001). Gastrointestinal disorders in the elderly. *Gastroenterology Clinics, 30,* 531–545.

Russell, C. (2001). Caloric intake. In M. D. Mezey (Ed.), *The encyclopedia of elder care* (pp. 105–108), New York, Springer.

Shaker, R., & Staff, D. (2001). Gastrointestinal disorders in the elderly: Esophageal disorders in the elderly. *Gastroenterology Clinics, 30,* 335–361.

Sharkey, J. R. (2002). The interrelationship of nutritional risk factors, indicators of nutritional risk, and severity of disability among home-delivered meal participants. *Gerontologist, 42,* 373–380.

Ship, J. A., Pillemer, S. R., & Baum, B. J. (2002). Xerostomia and the geriatric patient. *Journal of the American Geriatrics Society, 50,* 535–543.

Simmons, S. F., Osterseil, D., & Schnelle, J. F. (2001). Improving food intake in nursing home residents with feeding assistance: A staffing analysis. *Journals of Gerontology: Medical Sciences, 56A,* M790–M794.

Wakimoto, P., & Block, G. (2001). Dietary intake, dietary patterns, and changes with age: An epidemiological perspective. *Journal of Gerontology, 56A*(Special Issue II): 65–80.

Wald, A. (2000). Advances in gastroenterology. *Medical Clinics of North America, 84,* 1231–1246.

Chapitre 8

Bogner, H. R., Gallo, J. J., Sammel, M. D., Ford, D. E., Armenian, H. K., & Eaton, W. W. (2002). Urinary incontinence and psychological distress in community-dwelling older adults. *Journal of the American Geriatrics Society, 50,* 489–495.

Bottomley, J. M. (2000). Complementary nutrition in treating urinary incontinence. *Topics in Geriatric Rehabilitation, 16*(1), 61–77.

Dugan, E., Roberts, C. P., Cohen, S. J., Preisser, J. S., Davis, C. C., Bland, D. R., & Albertson, E. (2001). Why older community dwelling adults do not discuss urinary incontinence with their primary care physicians. *Journal of the American Geriatrics Society, 49,* 462–465.

Engberg, S., Sereika, S., Weber, E., Engberg, R., McDowell, J., & Reynolds, C. F. (2001). Prevalence and recognition of depressive symptoms among homebound older adults with incontinence. *Journal of Geriatric Psychiatry and Neurology, 14,* 130–139.

Johnson, T. M., Kincade, J. E., Bernard, S. L., Busby-Whitehead, J., & Defriese, G. H. (2000). Self-care used by older men and women to manage urinary incontinence: Results for the national follow-up survey on self-care and aging. *Journal of the American Geriatrics Society, 48,* 894–902.

Langa, K. M., Fultz, N. H., Saint, S., Kabeto, M. U., & Herzog, R. (2002). Informal caregiving time and cost for urinary incontinence in older individuals in the United States. *Journal of the American Geriatrics Society, 50,* 733–737.

Lindeman, R. H. (2000). Aging and the kidney. In M. H. Beers & R. Berkow, *The Merck manual of geriatrics* (pp. 9951–9954), Whitehouse Station, NJ, Merck Research Laboratories.

Locher, J. L., Burgio, K. L., Goode, P. S., Roth, D. L., & Rodriguez, E. (2002). Effects of age and causal attribution to aging on health related behaviors associated with urinary incontinence in older women. *Gerontologist, 42,* 515–521.

Lose, G., Alling-Moller, L., & Jennum, P. (2001). Nocturia in women. *American Journal of Obstetrics and Gynecology, 185*(2), 514–521.

Mather, K. F., & Bakas, T. (2002). Nursing assistants' perceptions of their ability to provide continence care. *Geriatric Nursing, 23,* 76–82.

Miller, M. (2000). Nocturnal polyurias in older people: Pathophysiology and clinical implications. *Journal of the American Geriatrics Society, 48,* 1321–1329.

Resnick, N. M., & Yalla, S. V. (2002). Geriatric incontinence and voiding dysfunction. In W. C. Walsh (Ed-in-Chief), *Campbell's urology* (pp. 1218–1223), St Louis, WB Saunders.

Schnelle, J. C., & Smith, R. L. (2001). Quality indicators for the management of urinary incontinence in vulnerable community-dwelling elders. *Annals of Internal Medicine, 135,* 752–758.

Yoshikawa, T. T. (2000). Urinary tract infections. In M. H. Beers & R. Berkow, *The Merck manual of geriatrics* (pp. 980–987), Whitehouse Station, NJ, Merck Research Laboratories.

Chapitre 9

Baron, J. A., Farahmand, B. Y., Weiderpass, E., Michaëlsson, K., Alberts, A., Persson, I., & Ljunghall, S. (2001). Cigarette smoking, alcohol consumption, and risk of hip fracture in women. *Archives of Internal Medicine, 161,* 983–988.

Basante, J., Bentz, E., Heck-Hakley, J., Kenion, B., Young, D., & Holm, M. B. (2001). Fall risks among older adults in long-term care facilities: A focused literature review. *Physical and Occupational Therapy in Geriatrics, 19*(2) 63–85.

Brassington, G. S., King, A. C., & Bliwise, D. L. (2000). Sleep problems as a risk factor for falls in a sample of community-dwelling adults aged 64–99 years. *Journal of the American Geriatrics Society, 48,* 1234–1240.

Campbell, W. W., Trappe, T. A., Wolfe, R. R., & Evans. W. J. (2001). The recommended dietary allowance for protein may not be adequate for older people to maintain skeletal muscle. *Journal of Gerontology: Medical Sciences, 56A,* M373–M380.

Christmas, C., O'Connor, K. G., Harman, S. M., Tobin, J. D., Münzer, T., Bellantoni, M. F., St. Clair, C., Pabst, K. M., Sorkin, J. D., & Blackman, M. R. (2002). Growth hormone and sex steroid effects on bone metabolism and bone mineral density in healthy aged women and men. *Journal of Gerontology: Medical Sciences, 57A,* M12–M18.

Cumming, R. G., Salkeld, G., Thomas, M., & Szonyi, G. (2000). Prospective study of the impact of fear of falling on activities of daily living, SF-36 scores, and nursing home admission. *Journal of Gerontology: Medical Sciences, 55A,* M299–M305.

Cumming, R. G. (2002). Intervention strategies and risk-factor modification for falls prevention: A review of recent intervention studies. *Clinics in Geriatric Medicine, 18,* 175–189.

Drozdick, L. W., & Edelstein, B. A. (2001). Correlates of fear of falling in older adults who have experienced a fall. *Journal of Clinical Geropsychology, 7*(1), 1–13.

Ellis, A. A., & Trent, R. B. (2001). Do the risks and consequences of hospitalized fall injuries among older adults in California vary by type of fall? *Journal of Gerontology: Medical Sciences, 56A,* M686–M692.

Evans, W. J. (2000). Exercise strategies should be designed to increase muscle power. *Journal of Gerontology: Medical Sciences, 55A,* M309–M310.

Grossman, J. M., & MacLean, C. H. (2001). Quality indicators for the management of osteoporosis in vulnerable elders. *Annals of Internal Medicine, 135,* 722–730.

Haguenauer, D., Welch, V., Shea, B., & Tugwell, P. (2001). Anabolic agents to treat osteoporosis in older people: Is there still a place for fluoride? *Journal of the American Geriatrics Society, 49,* 1387–1389. (Reprinted: Cochrane review in The Cochrane Library, 2000, issue 4, Oxford.)

Harrison, B., Booth, D., & Algase, D. (2001). Studying fall risk factors among nursing home residents who fell. *Journal of Gerontological Nursing, 27*(10), 26–34.

Jensen, J., Lundin-Olsson, L., Nyberg, L., & Gustafson, Y. (2002). Falls and injury prevention in older people living in residential care facilities. *Annals of Internal Medicine, 136,* 733–741.

Kay, G. G. (2000). The effects of antihistamines on cognition and performance. *Journal of Allergy and Clinical Immunology, 105,* 622–627.

Kenny, A. M., & Prestwood, K. M. (2000). Osteoporosis: Pathogenesis, diagnosis, and treatment in older adults. *Rheumatic Diseases Clinics of North America, 26,* 569–591.

Kenny, A. M., Prestwood, K. M., Gruman, C. A., Marcello, K. M., & Raisz, L. G. (2001). Effects of transdermal testosterone on bone and muscle in older men with low bioavailable testosterone levels. *Journal of Gerontology: Medical Sciences, 56A,* M266–M272.

Loeser, R. F., Jr. (2000). Aging and the etiopathogenesis and treatment of osteoarthritis. *Rheumatic Diseases Clinics of North America, 26,* 547–567.

Lord, S. R., & Dayhew, J. (2001). Visual risk factors for falls in older people. *Journal of the American Geriatrics Society, 49,* 508–515.

Magaziner, J., Hawkes, W., Hebel, J. R., Zimmerman, S. I., Fox, K. M., Dolan, M., Felsenthal, G., & Kenzora, J. (2000). Recovery from hip fracture in eight areas of function. *Journal of Gerontology: Medical Sciences, 55A,* M498–M507.

Maki, B. E. (1997). Gait changes in older adults: Predictors of falls or indicators of fears? *Journal of the American Geriatrics Society, 45,* 313–320.

Matsumoto, A. M. (2002). Andropause: Clinical implications of the decline in serum testosterone levels with aging in men. *Journal of Gerontology: Medical Sciences, 57A,* M76–M99.

Morgan, S. L. (2001). Calcium and vitamin D in osteoporosis. *Rheumatic Diseases Clinics of North America, 27*(1), 101–130.

Morley, J. E. (2002). A fall is a major event in the life of an older person. *Journal of Gerontology: Medical Sciences, 57A,* M492–M495.

Murphy, J., & Isaacs, B. (1982). The post-fall syndrome. *Gerontology, 28,* 265–270.

Murphy, S. L., Williams, C. S., & Gill, T. M. (2002). Characteristics associated with fear of falling and activity restriction in community-living older persons. *Journal of American Geriatrics Society, 50,* 516–520.

National Institutes of Health (NIH) (2001). *National Institutes of Health consensus development conference statement* (March 27–29, 2000), Washington, DC, U.S. Department of Health and Human Services.

Patrick, L., & Blodgett, A. (2001). Selecting patients for falls-prevention protocols: An evidence-based approach on a geriatric rehabilitation unit. *Journal of Gerontological Nursing, 27*(10), 19–25.

Ray, W. A., Thapa, P. B., & Gideon, P. (2000). Benzodiazepines and the risk of falls in nursing home residents. *Journal of the American Geriatrics Society, 48,* 682–685.

Rose, D. J. (2002). Promoting functional independence among "at risk" and physically frail older adults through community-based fall-risk-reduction programs. *Journal of Aging and Physical Activity, 10,* 207–225.

Rubenstein, L. Z., Powers, C. M., & MacLean, C. H. (2001). Quality indicators for the management and prevention of falls and mobility problems in vulnerable elders. *Annals of Internal Medicine, 135,* 686–693.

Rubenstein, L. Z., & Josephson, K. R. (2002). The epidemiology of falls and syncope. *Clinics in Geriatric Medicine, 18,* 141–158.

Sato, Y., Kondo, I., Ishida, S., Motooka, H., Takayama, K., Tomita, Y., Maeda, H., & Satoh, K. (2001). Decreased bone mass and increased bone turnover with valproate therapy in adults with epilepsy. *Neurology, 57,* 445–449.

Shaw, F. E. (2002). Falls in cognitive impairment and dementia. *Clinics in Geriatric Medicine, 18,* 159–173.

Sheldon, J. H. (1960). On the natural history of falls in old age. *British Medical Journal, 2,* 1685–1690.

Shreyasee, A., & Felson, D. T. (2001). Osteoporosis in men. *Rheumatic Diseases Clinics of North America, 27,* 19–47.

Tideiksaar, R., & Kay, A. D. (1986). What causes falls? A logical diagnostic procedure. *Geriatrics, 41*(12), 32–50.

Tideiksaar, R. (1997). *Falling in old age: Prevention and management* (2nd ed.), New York, Springer.

Walker-Bone, K., Dennison, E., & Cooper, C. (2001). Epidemiology of osteoporosis. *Rheumatic Diseases Clinics of North America, 27,* 1–18.

Westerterp, K. R., & Meijer, E. P. (2001). Physical activity and parameters of aging: A physiological perspective. *Journal of Gerontology: Series A, 56A*(Special Issue II), 7–12.

Wu, F., Mason, B., Horne, A., Ames, R., Clearwater, J., Liu, M., Evans, M. C., Gamble, G. D., & Reid, I. R. (2002). Fractures between the ages of 20 and 50 years increase women's risk of subsequent fractures. *Archives of Internal Medicine, 162,* 33–36.

Yardly, L., & Smith, H. (2002). A prospective study of the relationship between feared consequences of falling and avoidance of activity in community-living older people. *Gerontologist, 42,* 17–23.

Chapitre 10

Castle, S. C., Yeh, M., Toledo, S., Yoshikawa, T. T., & Norman, D.C. (1993). Lowering the temperature criterion improves detection of infections in nursing home residents. *Aging: Immunology and Infectious Disease,* 4(2), 67-76.

Hirsch, C. H. (1998). Hypothermia and hyperthermia. In E. Duthie (Ed.), *Practice of geriatrics* (3rd ed., pp. 244–255), Philadelphia, WB Saunders.

Smitz, S., Giagoultsis, T., Dewé, W., & Albert, A. (2000). Comparison of rectal and infrared ear temperatures in older hospital inpatients. *Journal of the American Geriatrics Society,* 48, 63–66.

Chapitre 11

Amlung, S. R., Miller,W. L., & Bosley, L. M. (2001). The 1999 national pressure ulcer prevalence survey: A benchmarking approach. *Advances in Skin and Wound Care,* 14, 297–301.

Antell, D. E., & Taczanowski, E. M. (1999). How environment and lifestyle choices influence the aging process. *Annals of Plastic Surgery,* 43, 585–588.

Berlowitz, D. R., Bezerra, H. Q., Brandeis, G. H, Kader, B., & Anderson, J. J. (2000). Are we improving the quality of nursing home care? The case of pressure ulcers. *Journal of the American Geriatrics Society,* 48, 59–62.

Frantz, R. A. (2001). Impaired skin integrity: Pressure ulcer. In M. L. Maas, K. C. Buckwalter, M. D. Hardy, T. Tripp-Reimer, M. G. Titler, & J. P. Specht (Eds.), *Nursing care of older adults: Diagnoses, outcomes, and interventions* (pp. 121–136), St. Louis, Mosby.

Houston, S., Haggard, J., Williford, J., Meserve, L., & Shewokis, P. (2001). Adverse effects of large-dose zinc supplementation in an institutionalized older population with pressure ulcers. *Journal of the American Geriatrics Society,* 49, 1130–1131.

Kang, S., Fisher, G. J., & Voorhees, J. J. (2001). Photoaging: Pathogenesis, prevention, and treatment. *Clinics in Geriatric Medicine,* 17, 643–660.

Leveque, J. L. (2001). Quantitative assessment of skin aging. *Clinics in Geriatric Medicine,* 17, 673–690.

Lewis, M. M. (2001). Nutrition in long-term care. *Clinics in Family Practice,* 3, 627–651.

Meraviglia, M., Becker, H., Grobe, S. J., & King, M. (2002). Maintenance of skin integrity as a clinical indicator of nursing care. *Advances in Skin and Wound Care,* 15, 24–29.

Sheppard, C. M., & Brenner, P. S. (2000). The effects of bathing and skin care practices on skin quality and satisfaction with an innovative product. *Journal of Gerontological Nursing,* 26(10), 36–45.

Siegler, E. L., & Ayello, E. A. (2001). Pressure ulcer prevention and treatment. In M. D. Mezey (Ed.), *The encyclopedia of elder care* (pp. 521–523), New York, Springer.

Thomas, D. R. (2001). Issues and dilemmas in the prevention and treatment of pressure ulcers: A review. *Journal of Gerontology: Medical Sciences,* 12(56A), M328–M340.

Yaar, M., & Gilchrest, B. A. (2001). Skin aging: Postulated mechanisms and consequent changes in structure and function. *Clinics in Geriatric Medicine,* 17, 617–630.

Chapitre 12

Blazer, D. G. (1998). *Emotional problems in later life: Intervention strategies for professional caregivers* (2nd ed.), New York, Springer.

Blazer, D. G. (2002). *Depression in late life* (3rd ed.), New York, Springer.

Cruise, P. A., Schnelle, J. F., Alessi, C. A., Simmons, S. F., & Ouslander, J. G. (1998). The nighttime environment and incontinence care practices in nursing homes. *Journal of the American Geriatrics Society,* 46, 181–186.

Floyd, J. A., Medler, S. M., Ager, J. W., & Janisse, J. J. (2000). Age-related changes in initiation and maintenance of sleep: A meta-analysis. *Research in Nursing and Health,* 23(2), 106–117.

Giron, M. S. T., Forsell, Y., Bersten, C., Thorslund, M., Winblad, B., & Fastbom, J. (2002). Sleep problems in a very old population: Drug use and clinical correlates. *Journal of Gerontology: Medical Sciences,* 57A, M236–M240.

Holbrook, A. M., Crowther, R., Lotter, A., *et al.* (2001). The role of benzodiazepines in the treatment of insomnia. *Journal of the American Geriatrics Society,* 49, 824–926.

Jelicic, M., Bosma, H., Ponds, R. W., Van Boxtel, M. P., Houx, P. J., & Jolles, J. (2002). Subjective sleep problems in later life as predictors of cognitive decline. *International Journal of Geriatric Psychiatry,* 17, 73–77.

Klerman, E. B., Dijk, D. J., & Czeisler, C. A. (2001). Circadian phase resetting in older people by ocular bright light exposure. *Journal of Investigative Medicine,* 49(1), 30–40.

Libman, E., Creti, L., Amsel, R., Brender, W., & Fichten, C. S. (1997). What do older good and poor sleepers do during periods of nocturnal wakefulness? The Sleep Behaviors Scale: 60+. *Psychology and Aging,* 12(1), 170–182.

Maggi, S., Langlois, J. A., Minicuci, N., Grigoletto, F., Pavan, M., Foley, D. J., & Enzi, G. (1998). Sleep complaints in community-dwelling older persons: Prevalence, associated factors, and reported causes. *Journal of the American Geriatrics Society,* 46, 161–168.

Mishima, K., Okawa, M., Shimizu, T., & Hishikawa, Y. (2001). Diminished melatonin secretion in the elderly caused by insufficient environmental illumination. *Journal of Clinical Endocrinology and Metabolism,* 86(1), 129–133.

National Institutes of Health Consensus Development Conference (NIH). (1990, March 26-28), *Treatment of sleep disorders of older people.* NIH Consensus Statement, 8(3). Washington, DC: NIH.Ohayon, M. M., Zulley, J., Guilleminault, C., Smirne, S., & Priest, R. G. (2001). How age and daytime activities are related to insomnia in the general population: Consequences for older people. *Journal of the American Geriatrics Society,* 49, 360–366.

Roth, T., & Roehrs, T. (2000). Sleep organization and regulation. *Neurology,* 54(5 Suppl. 1), 2–7.

Ruby, C. M., & Kennedy, D. H. (2001). Psychopharmacologic medication use in nursing-home care: Indicators for surveyor assessment of the performance of drug-regimen reviews, recommendations for monitoring, and non-pharmacologic alternatives. *Clinics in Family Practice,* 3, 577–598.

Shochat, T., Martin, J., Marler, M., & Ancoli-Israel, S. (2000). Illumination levels in nursing home patients: Effects on sleep and activity rhythms. *Journal of Sleep Research,* 9, 373–379.

Tamaki, M., Shirota, A., Hayashi, M., & Hori, T. (2000). Restorative effects of a short afternoon nap (>30 min) in the elderly on subjective mood, performance and EEG activity. *Sleep Research Online,* 3(3), 131–139. Retrieved from [http://www.sro.org/2000/_Tamaki/131/].

Umlauf, M. G., & Weaver, T. E. (2001). Daytime sleepiness. In M. D. Mezey (Ed.), *The encyclopedia of elder care* (pp. 182–184), New York, Springer.

Zhdanova, I. V., Wurtman, R. J., Regan, M. M., Taylor, J. A., Shi, J. P., & Leclair, O. U. (2001). Endocrine care: Of special interest to the practice of endocrinology. *Journal of Clinical Endocrinology and Metabolism,* 86, 4727–4730.

Zizi, F., Jean-Louis, G., Magai, C., Greenidge, K. C., Wolintz, A. H., & Health-Phillip, O. (2002). Sleep complaints and visual impairment among older Americans: A community-based study. *Journal of Gerontology: Medical Sciences,* 57A, M691–M694.

Chapitre 13

Acton, G. J. (2002). Self-transcendent views and behaviors: Exploring growth in caregivers of adults with dementia. *Journal of Gerontological Nursing*, 28(12), 22–30.

Aguero-Torres, H., Qiu, C., Winblad, B., & Fratiglioni, L. (2002). Dementing disorders in the elderly: Evolution of disease severity over 7 years. *Alzheimer Disease and Associated Disorders*, 16, 221–227.

Alzheimer, A. (1907). Uber eine eigenartige Erkrankung der Hirnrinde. *Assgemeine Zeitschrift Fur Psychiatrie und Psychisch-GerichtlicheMedicin*, 64, 146–148.

Ancoli-Israel, S., Martin, J. L., Gehrman, P., Sochat, T., Corey-Bloom, J., Marler, M., et al. (2003). Effect of light on agitation in institutionalized patients with severe Alzheimer disease. *American Journal of Geriatric Psychiatry*, 11, 194–203.

Andersen-Ranberg, K., Vasegaard, L., & Jeune, B. (2001). Dementia is not inevitable: A population-based study of Danish centenarians. *Journal of Gerontology: Psychological Sciences*, 56B, P152–P159.

Arcand, M., Hébert, R. (1997). *Précis pratique de gériatrie*, 2e édition, St-Hyacinthe, Edisem.

Arkin, S., & Mahendra, N. (2001). Insights in Alzheimer's patients: Results of a longitudinal study using three assessments methods. *American Journal of Alzheimer's Disease and Other Dementias*, 16, 211–224.

Auer, S., & Reisberg, B. (1997). The GDS/FAST Staging System. *International Psychogeriatrics*, 9(Suppl. 1), 167–171.

Bennett, D. A., Wilson, R. S., Schneider, J. A., Evans, D. A., Beckett, L. A., Aggarwal, N. T., et al. (2002). Natural history of mild cognitive impairment in older adults. *Neurology*, 59, 198–295.

Birkenhager, W. H., Forette, F., Seux, M. L., Wang, J. G., Staessen, J. A. (2001). Blood pressure, cognitive functions, and prevention of dementias in older patients with hypertension. *Archives of Internal Medicine*, 161, 152–156.

Boeve, B., McCormick, J., Smith, G., Ferman, T., Rummans, T., Carpenter, T., et al. (2003). Mild cognitive impairment in the oldest old. *Neurology*, 60, 477–480.

Bonner, L. T., & Peskind, E. R. (2002). Pharmaceutical treatments of dementia. *Medical Clinics of North America*, 86, 657–674.

Bourgeois, M. S. (2002). The challenge of communicating with persons with dementia. *Alzheimer's Care Quarterly*, 3(2), 132–144.

Brandt, J. (2001). Mild cognitive impairments in the elderly. *American Family Physician*, 63, 625–626.

Carlson, M. C., Brandt, J., Steele, C., Baker, A., Stern, Y., & Lyketsos, C. G. (2001). Predictor index of mortality in dementia patients upon entry into long-term care. *Journal of Gerontology: Medical Sciences*, 56A, M567–M570.

Chan, D. K. Y. (2002). A new hypothesis (concept) of diagnosing Alzheimer's disease. *Journal of Gerontology: Medical Sciences*, 57A, M645–M647.

Chitsey, A. M., Haight, B. K., & Jones, M. M. (2002). A multisensory intervention. *Journal of Gerontological Nursing*, 28(3), 41–49.

Choi, Y-H., Kim, J-H., Kim, D. K., Kim, J-W., Kim, D-K., Lee, M. S., et al. (2003). Distributions of ACE and APOE Polymorphisms and their relations with dementia status in Korean centenarians. *Journal of Gerontology: Medical Sciences*, 58A, 227–231.

Chui, H. (2000). Vascular dementia, a new beginning: Shifting focus from clinical phenotype to ischemic brain injury. *Neurologic Clinics*, 18, 951–978

Chung, J. A., & Cummings, J. L. (2000). Neurobehavioral and neuropsychiatric symptoms in Alzheimer's Disease. *Neurologic Clinics*, 18, 829–846.

Clare, L. (2002a). Developing awareness about awareness in early-stage dementia. *Dementia*, 1, 295–312.

Clare, L. (2002b). We'll fight it as long as we can: Coping with the onset of Alzheimer's disease. *Aging & Mental Health*, 6(2), 139–148.

Cohen, D., Kennedy, G., & Eisdorfer, C. (1984). Phases of change in the patient with Alzheimer's dementia. *Journal of the American Geriatrics Society*, 32(1), 11–15.

Cohen-Mansfield, J. (2000). Nonpharmacologic management of behavioral problems in persons with dementia: A TREA model. *Alzheimer's Care Quarterly*, 1(4), 22–34.

Conway, K. A., Baxter, E. W., Felsenstein, K. M., & Reitz, A. B. (2003). Emerging beta-amyloid therapies for the treatment of Alzheimer's disease. *Current Pharmaceutical Design*, 9, 427–447.

Crisby, M., Carlson, L. A., & Winblad, B. (2002). Statins in the prevention and treatment of Alzheimer disease. *Alzheimer Disease and Associated Disorders*, 16, 131–136.

Cummings, J. L. (2003). Use of cholinesterase inhibitors in clinical practice: Evidence-based recommendations. *American Journal of Geriatric Psychiatry*, 11, 131–145.

Day, K., Carreon, D., & Stump, C. (2000). The therapeutic design of environments for people with dementia: A review of the empirical research. *Gerontologist*, 40, 397–416.

Desmond, D. W., Moroney, J. T., Paik, M. C., Sano, M., Mohr, J. P., Aboumatar, S., Tseng, C-L., et al. (2000). Frequency and clinical determinants of dementia after ischemic stroke. *Neurology*, 54, 1124–1131.

Erkinjuntti, T., Kurz, A., Gauthier, S., Bullock, R., Lilienfield, S., & Damaraju, C. V. (2002). Efficacy of galantamine in probable vascular dementia and Alzheimer's disease combined with cerebrovascular disease: A randomized trial. *Lancet*, 359(9314), 1283–1290.

Farlow, M. R. (2002). Do cholinesterase inhibitors slow progression of Alzheimer's disease? *International Journal of Clinical Practice*, Supplement, 127, 37–44.

Fick, D., & Foreman, M. (2000). Delirium superimposed on dementia. *Journal of Gerontological Nursing*, 26(1), 30–40.

Fick, D. M., Agostini, J. V., & Inouye, S. K. (2002). Delirium superimposed on dementia: A systematic review. *Journal of the American Geriatrics Society*, 50, 1723–1732.

Foley, D. J., Brock, D. B., & Lanska, D. J. (2003). Trends in dementia mortality from two National Mortality Follow-back Surveys. *Neurology*, 60(4), 709–711.

Foreman, M. D., Wakefield, B., Culp, K., & Milisen, K. (2001). Delirium in elderly patients. *Journal of Gerontological Nursing*, 27(4), 12–20.

Forette, F., Seux, M. L., Staessen, J. A., Thijs, L., Babarskiene, M. R., Babeanu, S., et al. (2002). The prevention of dementia with antihypertensive treatment. *Archives of Internal Medicine*, 162, 2046–2052.

Francoeur (1997). *Environnement prothétique*, Sherbrooke. Institut universitaire gériatrique de Sherbrooke, Sherbrooke.

Gates, G. A., Beiser, A. Rees, T. S., D'Agostino, R. B., & Wolf, P. A. (2002). Central auditory dysfunction may precede the onset of clinical dementia in people with probable Alzheimer's disease. *Journal of the American Geriatrics Society*, 50, 482–488.

Gregg, E. W., Yaffe, K., Cauley, J. A., Rolka, D. B., Blackwell, T. L., Narayan, K. M. V., et al. (2000). Is diabetes associated with cognitive impairment and cognitive decline among older women? *Archives of Internal Medicine*, 160, 174–180.

Griffith, H. R., Belue, K., Sicola, A., Krzywanski, S., Zamrini, E., Harrell, L., & Marson, D. C. (2003). Impaired financial abilities in mild cognitive impairment. *Neurology*, 60, 449–457.

Hachinski, V. C., Lassen, N. A., & Marshall, J. (1974). Multi-infarct dementia: A cause of mental deterioration in the elderly. *Lancet*, 2, 207–209.

Hajjar, I., Schumpert, J., Hirth, V., Wieland, D., & Eleazer, G. P. (2002). The impact of the use of statins on the prevalence of dementia and the progression of cognitive impairment. *Journal of Gerontology: Medical Sciences*, 57A, M414–M418.

Hall, G. R., & Buckwalter, K. C. (1987). Progressively lowered stress threshold: A conceptual model for care of adults with Alzheimer's disease. *Archives of Psychiatric Nursing*, 1, 399–406.

Han, L., McCusker, J., Cole. M., Abrahamowicz, M., Primeau, F., Flie, M., *et al.* (2001). Use of medications with anticholinergic effect predicts clinical severity of delirium symptoms in older medical inpatients. *Archives of Internal Medicine*, 161, 1099–1105.

Hartmann, S., & Mobius, H. J. (2003). Tolerability of memantine in combination with cholinesterase inhibitors in dementia therapy. *International Clinical Psychopharmacology*, 18, 81–85.

Hendryx-Bedalov, P. M. (2000). Alzheimer's dementia. *Journal of Gerontological Nursing*, 26(8), 20–24.

Hogstel, M. O. (1988). Forget these three words. *Journal of Gerontological Nursing*, 14(12), 7.

Hubbard, G., Cook, A., Tester, S., & Downs, M. (2002). Beyond words older people with dementia using and interpreting nonverbal behaviour. *Journal of Aging Studies*, 16, 155–167.

Inglis, F. (2002). The tolerability and safety of cholinesterase inhibitors in the treatment of dementia. *International Journal of Clinical Practice*, 127(Suppl.), 45–63.

Inouye, S. K., Foreman, M. D., Mion, L. C., Katz, K. H., & Cooney, L. M. (2001). Nurses' recognition of delirium and its symptoms: Comparison of nurse and researcher ratings. *Archives of Internal Medicine*, 161, 2467–2473.

Johansson, K., Norberg, A., & Lundman, B. (2002). Family members' and care providers interpretations of picking behavior. *Geriatric Nursing*, 23, 258–261.

Kivipelto, M., Helkala, E. L., Laakso, M. P., Hanninen, T., Hallikinen, M., Alhinen, K., *et al.* (2002). Apolipoprotein E 4 allele, elevated midlife total cholesterol level, and high midlife systolic blood pressure are independent risk factors for late-life Alzheimer disease. *Annals of Internal Medicine*, 137, 149–155.

Knopman, D. S., Rocca, W. A., Cha, R. H., Edland, S. D., & Kokmen, E. (2003). Survival study of vascular dementia in Rochester, Minnesota. *Archives of Neurology*, 60, 85–90.

Kukull, W. A., & Bowen, J. D. (2002). Dementia epidemiology. *Medical Clinics of North America*, 86, 573–590.

Landes, A. M., Sperry, S. D., Strauss, M. E., & Geldmacher, D. S. (2001). Apathy in Alzheimer's disease. *Journal of the American Geriatric Society*, 49, 1700–1707.

Landi, F., Cesari, M., Onder, G., Russo, A., Torre, S., & Bernabei, R. (2003). Non-steroidal anti-inflammatory drugs (NSAID) use and Alzheimer Disease in community-dwelling elderly patients. *American Journal of Geriatric Psychiatry*, 11, 179–185.

Laplante, J., & Cole, M. G. (2001). Detection of delirium using the Confusion Assessment Method. *Journal of Gerontological Nursing*, 27(9), 16–23.

Larrimore, K. L. (2003). Alzheimer disease support group characteristics: A comparison of caregivers. *Geriatric Nursing*, 24, 32–35, 49.

Lopez, O. L., Hamilton, R. L., Becker, J. T., Wisniewski, S., Kaufer, D. I., DeKosky, S. T., *et al.* (2000). Severity of cognitive impairment and the clinical diagnosis of AD with Lewy bodies. *Neurology*, 54, 1780–1787.

Lopez-Arrieta, J. M. (2002). Nimodipine for primary degenerative, mixed and vascular dementia. *Cochrane Database Systems Review*, 3, CD000147.

Mace, N. L., & Rabins, P. V., (1999). *The 36-hour day*. (3rd ed.), Baltimore, The Johns Hopkins University Press.

Marcantonio, E. R., Simon, S. E., Bergmann, M. A., Jones, R. N., Murphy, K. M., Morris, J. N., *et al.* (2003). Delirium symptoms in post acute care: Prevalent, persistent, and associated with poor functional recovery. *Journal of the American Geriatrics Society*, 51, 4–9.

Masaki, K. H., Losonczy, K. G., Izmirlian, G., Foley, D. J., Ross, G. W., Petrovitch, H., *et al.* (2000). Association of vitamin E and C supplement use with cognitive function and dementia in elderly men. *Neurology*, 54, 1265–1272.

Massoud, F., Devi, G., Moroney, J. T., Stern, Y., Lawton, A., Bell, K., *et al.* (2000). The role of routine laboratory studies and neuroimaging in the diagnosis of dementia: A clinicopathological study. *Journal of the American Geriatrics Society*, 48, 1204–1210.

Mayhew, P. A., Acton, G. J., Yauk, S., & Hopkins, B. A. (2001). Communication from individuals with advanced DAT: Can it provide clues to their sense of self-awareness and well-being? *Geriatric Nursing*, 22, 106–110.

McCusker, J., Cole, M., Abrahammowicz, M., Han, L., Podoba, J. E., Ramman-Haddad, L., *et al.* (2001). Environmental risk factors for delirium in hospitalized older people. *Journal of the American Geriatrics Society*, 49, 1327–1334.

McKeith, I. G., Burn, D. J., Ballard, C. G., Collerton, D., Jaros, E., Morris, C. M., *et al.* (2003). Dementia with Lewy bodies. *Seminars in Clinical Neuropsychiatry*, 8, 46–57.

McKhann, G. M., Albert, M. S., Grossman, M., Miller, B., Dickson, D., Trojanowski, J. Q., & Work Group on Frontotemporal Dementia and Pick's Disease (2001). Clinical and pathological diagnosis of frontotemporal dementia: Report of the Work Group on Frontotemporal Dementia and Pick's Disease. *Archives of Neurology*, 58(11), 1803–1809.

Meyer, J. S. (2002). Donepezil treatment of vascular dementia. *Annals of the New York Academy of Sciences*, 977, 482–486.

Miech, R. A., Breitner, J. C., Zandi, P. P., Khachaturian, A. S., Anthony, J. C., Mayer, L., *et al.* (2002). Incidence of AD may decline in the early 90s for men, later for women: The Cache County study. *Neurology*, 58, 209–218.

Millisen, K., Foreman, M. D., Wouters, B., Driesen, R., Godderis, J., Abraham, I. L., & Broos, P. L. O. (2002). Documentation of delirium in elderly patients with hip fracture. *Journal of Gerontological Nursing*, 28(11), 23–29.

Morris, J. C. (2000). The nosology of dementia. *Neurologic Clinics*, 18, 773–788.

Morrison, R. S., Magaziner, J., Gilbert, M., Koval, K. J., MaLaughlin, M. A., Orosz, G., *et al.* (2003). Relationship between pain and opioid analgesics on the development of delirium following hip fracture. *Journal of Gerontology: Medical Sciences*, 58A, 76–81.

Murray, M. D., Lane, K. A., Gao, S., Evans, R. M., Unverzagt, F. W., Hall, K. S., *et al.* (2002). Preservation of cognitive function with antihypertensive medications. *Archives of Internal Medicine*, 162, 2090–2096.

Narayan, S., Lewis, M., Tornatore, J., Hepburn, K., & Corcoron-Perry, S. (2001). Subjective responses to caregiving for a spouse with dementia. *Journal of Gerontological Nursing*, 27(2), 19–28.

Orogozo, J. M., Rigaud, A. S., Stoffler, A., Mobius, H. J., & Forette, F. (2002). Efficacy and safety of memantine in patients with mild to moderate vascular dementia: A randomized, placebo-controlled trial. *Stroke*, 33, 1834–1839.

Panisset, M. Gauthier, S., Moessler, H., Windisch, M., & The Cerebrolysin Study Group. (2002). Cerebrolysin in

Alzheimer's disease: A randomized, double-blind, placebo-controlled trial with a neurotropic agent. *Journal of Neural Transmission*, 109, 1089–1104.

Pearson, A. (2001). Nursing home admission. In M. D. Mezey (Ed.), *The encyclopedia of elder care* (pp. 450–452), New York, Springer.

Perl, D. P. (2000). Neuropathology of Alzheimer's disease and related disorders. *Neurologic Clinics*, 18, 847–864.

Pijnenburg, Y. A., Sampson, E. L., Harvey, R. J., Foc, N. C., & Rossor, M. N. (2003). Vulnerability to neuroleptic side effects in frontotemporal lobar degeneration. *International Journal of Geriatric Psychiatry*, 18, 67–72.

Purandare, *et al.* N., Bloom, C., Page, S., Morris, J., & Burns, A. (2002). The effects of anticholinesterases on personality changes in Alzheimer's disease. *Aging & Mental Health*, 6(4), 350-354.

Rapp, C. G., & Iowa Veterans Affairs Nursing Research Consortium (2001). Acute confusion/delirium protocol. *Journal of Gerontological Nursing*, 27(4), 21–33.

Ratnavalli, E., Brayne, C., Dawson, K., & Hodges, J. R. (2002). The prevalence of frontotemporal dementia. *Neurology*, 58, 1615–1621.

Reifler, B. V. (2000). A case of mistaken identity: Pseudo-dementia is really predementia. *Journal of the American Geriatrics Society*, 48, 593–594.

Reisberg, B. (1986). Dementia: A systematic approach to identifying reversible causes. *Geriatrics*, 41(4), 30–46.

Reisberg, B., Franssed, E. H., Souren, L. E., Auer, S. R., Akram, I., & Kenowsky, S. (2002). Evidence and mechanisms of retrogenesis in Alzheimer's and other dementias: Management and treatment import. *American Journal of Alzheimer's Disease and Other Dementias*, 17, 169–174.

Reynish, W., Andrieu, S., Nourhashemi, F., & Vellas, B. (2001). Nutritional factors and Alzheimer's disease. *Journal of Gerontology: Medical Sciences*, 56A, M675–M680.

Richards, K., Lambert, C., & Beck, C. (2000). Deriving interventions for challenging behaviors from the need driven, dementia-compromised behavior model. *Alzheimer's Care Quarterly*, 1(4), 62–76.

Ritchie, K., Artero, S., & Touchon, J. (2001). Classification criteria for mild cognitive impairment a population-based validation study. *Neurology*, 56, 37–42.

Robert, P. (2002). Understanding and managing behavioural symptoms in Alzheimer's disease and related dementias: Focus on rivastigmine. *Current Medical Research and Opinion*, 18, 156–171.

Rogan, S., & Lippa, C. F. (2002). Alzheimer's disease and other dementias: A review. *American Journal of Alzheimer's Disease and Other Dementias*, 17, 11–17.

Roman, G. C. (2002). Vascular dementia revisited: Diagnosis, pathogenesis, treatment, and prevention. *Medical Clinics of North America*, 86, 477–499.

Roses, A. D. (1995). Apolipoprotein E and Alzheimer's disease. *Science and Medicine*, 2(5), 16–25.

Rosler, M. (2002). The efficacy of cholinesterase inhibitors in treating the behavioral symptoms of dementia. *International Journal of Clinical Practice*, 127(Suppl.), 20–36.

Ross, G. W., & Bowen, J. D. (2002). The diagnosis and differential diagnosis of dementia. *Medical Clinics of North America*, 86, 455–476.

Sabatini, T., Frisoni, G., Barbisoni, P., Bellelli, G., Rozzini, R., & Trabucchi, M. (2000). Atrial fibrillation and cognitive disorders in older people. *Journal of the American Geriatrics Society*, 48, 387–390.

Sansone, P., & Schmitt, L. (2000). Providing tender touch massage to elderly nursing home residents: A demonstration project. *Geriatric Nursing*, 21, 303–308.

Santillan, C. E., Fritsch, T., & Geldmacher, D. S. (2003). Development of a scale to predict decline in patients with mild Alzheimer's disease. *Journal of the American Geriatrics Society*, 51, 91–95.

Serby, M., & Samuels, S. C. (2001). Diagnostic criteria for dementia with Lewy bodies reconsidered. *American Journal of Geriatric Psychiatry*, 9, 212–216.

Shuster, J. L. (2000). Palliative care for advanced dementia. *Clinics in Geriatric Medicine*, 16, 373–386.

Silver, M. H., Jilinskaia, E., & Perls, T. T. (2001). Cognitive functional status of age-confirmed centenarians in a population-based study. *Journal of Gerontology: Psychological Sciences*, 56B, P134–P140.

Snowden, D. A. (1997). Aging and Alzheimer's disease: Lessons for the Nun Study. *Gerontologist*, 37, 150–156.

Storandt, M., Grant, E. A., Miller, J. P., & Morris, J. C. (2002). Rates of progression in mild cognitive impairment and early Alzheimer's disease. *Neurology*, 59, 1034–1041.

Suwa, S. (2002). Assessment scale for caregiver experience with dementia. *Journal of Gerontological Nursing*, 28(12), 2–12.

Talerico, K. A., & Evans, L. K. (2000). Making sense of aggressive/protective behaviors in person with dementia. *Alzheimer's Care Quarterly*, 1(4), 77–88.

Teresi, J. A., Holmes, D., & Ory, M. G. (2000). The therapeutic design of environments for people with dementia: Further reflections and recent finding from the National Institute on Aging Collaborative Studies of Dementia Special Care Units. *Gerontologist*, 40, 417–421.

Tomlinson, B. E., Blessed, G., & Roth, M. (1968). Observations on the brains of non-demented old people. *Journal of Neurological Science*, 7, 331–356.

Tomlinson, B. E., Blessed, G., & Roth, M. (1970). Observation on the brains of demented old people. *Journal of Neurological Science*, 11, 205–242.

Trinh, N. H., Hoblyn, J., Mohanty, S., & Yaffe, K. (2003). Efficacy of cholinesterase inhibitors in the treatment of neuropsychiatric symptoms and functional impairment in Alzheimer disease: A meta-analysis. *Journal of the American Medical Society*, 289, 210–216.

Tsuang, D. W., & Bird, T. D. (2002). Genetics of dementia. *Medical Clinics of North America*, 86(3), 591–614.

Wakefield, B., Mentes, J. Mobily, P., Tripp-Reimer, T., Culp, K. R., Rapp, C. G., *et al.* (2001). Acute confusion. In M. L. Maas, K. C. Buckwalter, M. D. Hardy, T. Tripp-Reimer, M. G. Titler, & J. P. Specht (Eds.), *Nursing care of older adults: Diagnoses, outcomes, and interventions* (pp. 442–454), St. Louis, Mosby.

Walker, M. P., Ayre, G. A., Cummings, J. L., Wesnes, K., McKeith, I. G., O'Brien, J. T., *et al.* (2000). Quantifying fluctuation in dementia with Lewy bodies, Alzheimer's disease, and vascular dementia. *Neurology*, 54, 1616–1625.

Wentzel, C., Rockwood, K., MacKnight, C., Hachinski, V., Hogan, D. B., Feldman, H., *et al.* (2001). Progression of impairment in patients with vascular cognitive impairment without dementia. *Neurology*, 57, 414–416.

Wesnes, K. A. (2002). Effects of rivastigmine on cognitive function in dementia with Lewy bodies: A randomized placebo-controlled international study using the cognitive drug research computerized assessment system. *Dementia and Geriatric Cognitive Disorders*, 13, 183–192.

Whyte, E. M., Mulsant, B. H., Butters, M. A., Qayyum, M., Towers, A., Sweet, R. A., *et al.* (2002). Cognitive and behavioral correlates of low vitamin B12 levels in elderly patients with progressive dementia. *American Journal of Geriatric Psychiatry*, 10, 321–327.

Wu, C., Zhou, D., Wen, C., Zhang, L., Como, P., Qiao, Y. (2003). Relationship between blood pressure and Alzheimer's disease in Linxian County, China. *Life Sciences, 72*, 1125–1133.

Zandi, P. P., Anthony, J. C., Hayden, K. M., Mehta, K., Mayer, L., & Breitner, J. C. S. (2002). Reduced incidence of AD with NSAID not H2 receptor antagonists. *Neurology, 59*, 880–886.

Zekry, D., Duyckaerts, C., Moulias, R., Belmin, J., Geoffre, C., Herrmann, F., & Hauw, J. J. (2002a). Degenerative and vascular lesions of the brain have synergistic effects in dementia of the elderly. *Acta Neuropathologica, 103*, 481–487.

Zekry, D., Hauw, J. J., & Gold, G. (2002b). Mixed dementia: Epidemiology, diagnosis and treatment. *Journal of the American Geriatrics Society, 50*, 1431–1438.

Zeleznik, J. (2001). Delirium: Still searching for risk factors and effective preventive measures. *Journal of the American Geriatrics Society, 49*, 1729–1732.

Chapitre 14

Aizenberg, D., Sigler, M., Weizman, A., & Barak, Y. (2002). Anticholinergic burden and the risk of falls among elderly psychiatric inpatients: A 4-year case-control study. *International Psychogeriatrics, 14*, 307–310.

Akishita, M., Toba, K., Nagano, K., & Ouchi, Y. (2002). Adverse drug reactions in older people with dementia. *Journal of the American Geriatrics Society, 50*, 400–401.

Avorn, J., & Gurwitz, J. H. (1997). Principles of pharmacology. In C. K. Cassel, E. B. Larson, D. E. Meier, N. M. Resnick, L. Z. Rebenstein, & L. B. Sorenson (Eds.), *Geriatric medicine* (3rd ed., pp. 55–70), New York, Springer.

Beers, M. H., Oslander, J. G., Rollingher, J., Brooks, J., Reuben, D., & Beck, J. C. (1991). Explicit criteria for determining potentially inappropriate medication use by the elderly. *Archives of Internal Medicine, 151*, 1825–1832.

Beyth, R. J., & Shorr, R. I. (2002). Principles of drug therapy in older patients: Rational drug prescribing [Review]. *Clinics in Geriatric Medicine, 18*(3), 577–592.

Cusack, B. J., & Vestal, R. E. (2000). Clinical pharmacology. In M. H. Beers & R. Berkow. *The Merck manual of geriatrics*, pp. 54–74, Whitehouse Station, NJ, Merck Research Laboratories.

Dhalla, I. A., Anderson, G. M., Mamdani, M. M., Bronskill, S. E., Sykora, K., & Rochon, P. A. (2002). Inappropriate prescribing before and after nursing home admission. *Journal of the American Geriatrics Society, 50*, 995–1000.

Families USA (2002). *Bitter pill: The rising prices of prescription drugs for older Americans*, Washington, DC, Families USA.

Field, T. S., Gurwitz, J. H., Avorn, J., McCormich, D., Jain, S., Eckler, M., et al. (2001). Risk factors for adverse drug events among nursing home residents. *Archives of Internal Medicine, 161*, 1629–1634.

Fingerhood, M. (2000). Substance abuse in older people. *Journal of the American Geriatrics Society, 48*, 985–995.

Giron, M. S., Wang, H-X., Bernsten, C., Thorslund, M., Winblad, B., & Fastbom, J. (2001). The appropriateness of drug use in an older nondemented and demented population. *Journal of the American Geriatrics Society, 49*, 277–283.

Glazer, W. M. (2000). Extrapyramidal side effects, tardive dyskinesia, and the concept of atypicality. *Journal of Clinical Psychiatry, 61*(Suppl. 3), 16–21.

Goldberg, J. F. (2000). New drugs in psychiatry. *Emergency Medicine Clinics of North America, 18*(2), 211–231.

Gurwitz, J. H., & Rochon, P. (2002). Improving the quality of medication use in elderly patients: A not-so-simple prescription. *Archives of Internal Medicine, 162*, 1670–1672.

Gurwitz, J. H., Field, T. S., Harrold, L. R., Rothschild, J., Debellis, K., Seger, A. C., et al. (2003). Incidence and preventability of adverse drug events among older persons in the ambulatory setting. *Journal of the American Medical Association, 289*(9), 1107–1116.

Hanlon, J. T., Schmader, K. E., Boult, C., Artz, M. B., Gross, C. R., Fillenbaum, G. G., et al. (2002). Use of inappropriate prescription drugs by older people. *Journal of the American Geriatrics Society, 50*, 26–34.

Hohl, C., Dankoff, J., Colacone, A., & Afilalo, M. (2001). Polypharmacy, adverse drug-related events, and potential adverse drug interactions in elderly patients present to an emergency department. *Annals of Emergency Medicine, 36*(6), 666–671.

Jeste, D. V., Rockwell, E., Harris, J. B., & Larco, J. (1999). Conventional vs. newer antipsychotics in elderly patients. *American Journal of Geriatric Psychiatry, 7*(1), 70–76.

Knight, E. L., & Avorn, J. (2001). Quality indicators for appropriate medication use in vulnerable elders. *Archives of Internal Medicine, 135*, 703–710.

Kyle, U. G., Genton, L., Hans, D., Karsegard, V. L., Michel, J P., Slosman, D. O., et al. (2001). Total body mass, fat mass, fat-free mass, and skeletal muscle in older people: Cross-sectional differences in 60-year-old persons. *Journal of the American Geriatrics Society, 49*, 1633–1640.

Lantz, M. S. (2001). Serotonin syndrome: A common but often unrecognized psychiatric condition. *Geriatrics, 56*(1), 52–53.

Mamo, D. C., Sweet, R. A., Mulsant, B. H., Pollock, B. G., Miller, M. D., Stack, J. A., et al. (2000). Effect of nortriptyline and paroxetine on extrapyramidal signs and symptoms: A prospective double-blind study in depressed elderly patients. *American Journal of Geriatric Psychiatry, 8*(3), 226–231.

Mort, J. R., & Aparasu, R. R. (2000). Prescribing potentially inappropriate psychotropic medications to the ambulatory elderly. *Archives of Internal Medicine, 160*, 2825–2831.

Neafsey, P. J., Strickler, Z., Shellman, J., & Padula, A. T. (2001). Delivering health information about self-medication to older adults. *Journal of Gerontological Nursing, 27*(11), 19–27.

Park, D. C., Hertzog, C., Leventhal, H., Morrell, R. W., Leventhal, E., Birchmore, D., et al. (1999). Medication adherence in rheumatoid arthritis patients: Older is wiser. *Journal of the American Geriatrics Society, 47*, 172–183.

Pitkala, K. H., Strandberg, T. E., & Tilvis, R. S. (2002). Inappropriate drug prescribing in home-dwelling, elderly patients. *Archives of Internal Medicine, 162*, 1707–1712.

Renteln-Kruse, W. V. (2000). Medication adherence: Is and why is older wiser? *Journal of the American Geriatrics Society, 48*, 457–458.

Rochon, P. A., & Gurwitz, J. H. (1999). Prescribing for seniors: Neither too much nor too little. *Journal of the American Medical Society, 282*, 113–115.

Roe, C. M., Anderson, M. J., & Spivack, B. (2002). Use of anticholinergic medications by older adults with dementia. *Journal of the American Geriatrics Society, 50*, 835–842.

Sloane, P. D., Zimmerman, S., Brown, L. C., Ives, T. J., & Walsh, J. F. (2002). Inappropriate medication prescribing in residential care/assisted living facilities. *Journal of the American Geriatrics Society, 50*, 1001–1011.

Tune, L. E. (2001). Anticholinergic effects of medication in elderly patients. *Journal of Clinical Psychiatry, 62*(Suppl. 21) 11–14.

Index

**Complément
d'information
pratique**

**Complément
d'information
pratique**